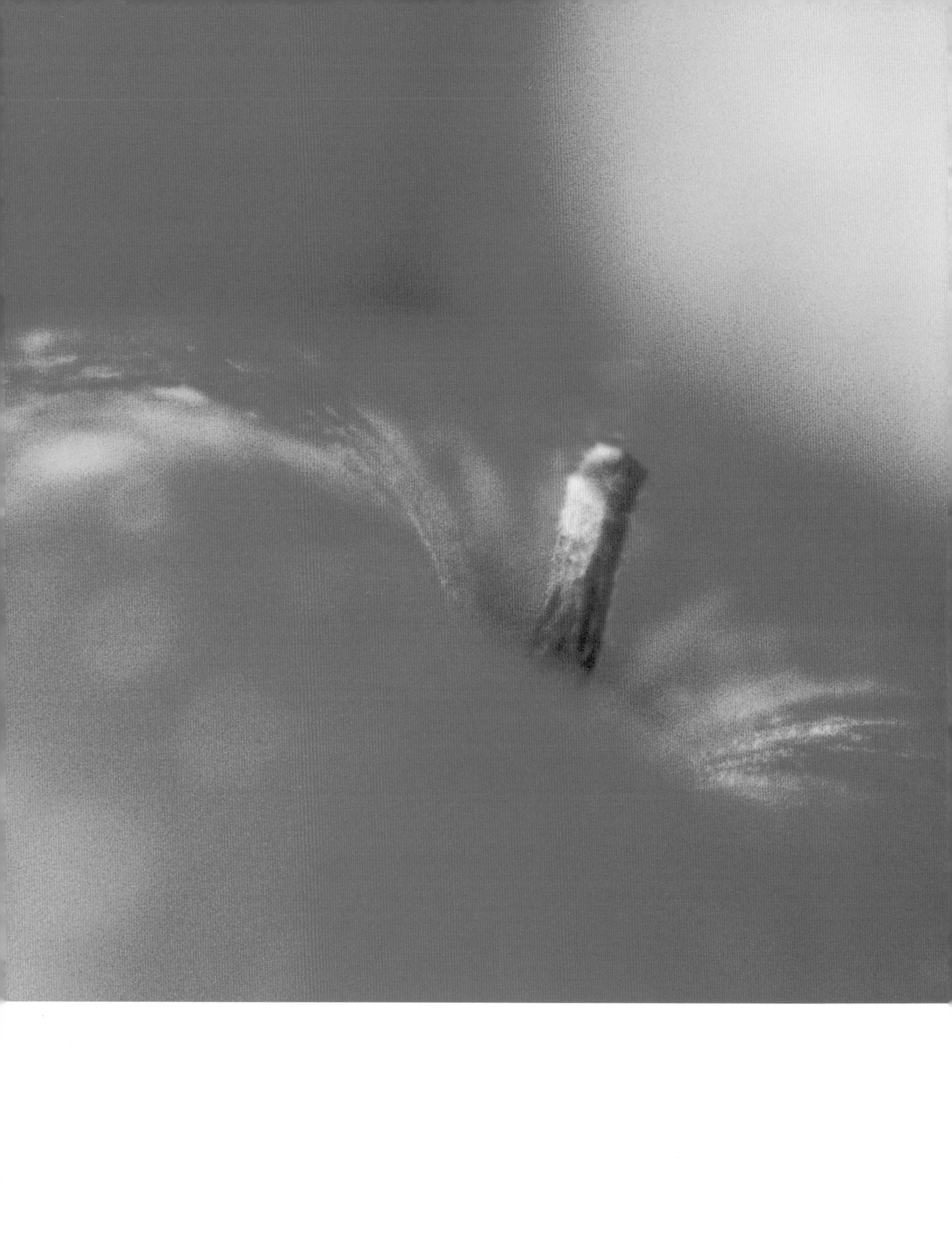

Alimentation PRÉVENTION

avancée scientifique

La nouvelle médecine alimentaire

MONTRÉAL

Équipe de Sélection du Reader's Digest (Canada) SRI

VICE-PRÉSIDENT, LIVRES
Robert Goyette

RÉDACTION
Agnès Saint-Laurent

DIRECTION ARTISTIQUE
Andrée Payette

GRAPHISME
Olena Lytvyn

LECTURE-CORRECTION ET INDEX
Danièle Blais

COLLABORATEURS

TRADUCTION
Paulette Vanier,
Pierre Lefrançois

The Reader's Digest Association, Inc.

PRÉSIDENTE ET CHEF DE LA DIRECTION
Mary Berner

ALIMENTATION PRÉVENTION
publié par Sélection du Reader's Digest (Canada) SRI
est la traduction-adaptation de FOOD CURES

1100, boulevard René-Lévesque Ouest
Montréal (Québec) H3B 5H5

ISBN 978-1-55475-057-3

Pour obtenir notre catalogue ou des renseignements sur d'autres produits de Sélection du Reader's Digest (24 heures sur 24), composez le 1 800 465 0780

www.selection.ca

Note aux lecteurs

L'information fournie dans ALIMENTATION PRÉVENTION ne peut remplacer un traitement médical ni être utilisée pour en modifier un, sans la recommandation de votre médecin. Si vous êtes suivi pour un problème de santé spécifique, demandez l'avis de votre médecin. Toute mention dans ce livre d'un produit, d'une compagnie ou d'un site Internet n'est pas une caution de la part des auteurs ni de The Reader's Digest Association, Inc.

Guide alimentaire canadien

Ce sont les portions recommandées par le *Guide alimentaire canadien* que vous retrouverez dans ce livre. Lorsque nous indiquons les mentions Légumes et fruits, Produits céréaliers, Lait et substituts, Viandes et substituts, nous faisons référence aux quatre catégories, appelées groupes alimentaires dans le *Guide alimentaire canadien*. Pour plus d'information sur le *Guide alimentaire canadien*, allez sur le site *www.hc-sc.gc.ca*.

Autres photographies, courtoisie de : BrandXPictures, BananaStock, Corbis, Getty Images, Image Source, Jupiter Images, PhotoAlto, Reader's Digest Books, et Stockfood.

Imprimé en Chine

11 12 13 14 15 / 5 4 3 2 1

Consultants principaux

Consultante pour le Canada : Fran Berkoff, RD
Diététitienne, Toronto, Ontario

Susan Allen, RD, CCN
Ex-présidente du volet Nutrition dans les approches multidisciplinaires de l'American Dietetic Association

Mary M. Austin, MA, RD, CDE
Ex-présidente de l'American Association of Diabetes Educators

William G. Christen, ScD, OD
Professeur en Médecine
Harvard Medical School

Karen Collins, MS, RD
Conseillère en nutrition
American Institute for Cancer Research

Randy J. Horwitz, MD, PhD
Directeur médical du Programme en médecine intégrée, University of Arizona, Tucson

David L. Katz, MD, MPH
Professeur adjoint en clinique
Santé publique et médecine
Yale University School of Medicine

Ben Kligler, MD, MPH
Professeur adjoint en médecine familiale
Albert Einstein College of Medicine
Directeur de recherche
Continuum Center for Health and Healing

Ashley Koff, RD
Pratique privée

Victoria Maizes, MD
Directrice exécutive du Programme en médecine intégrée, University of Arizona

Daniel Muller, MD, PhD
Professeur adjoint en Médecine (Rhumatologie)
University of Wisconsin-Madison

Jeri W. Nieves, PhD
Professeur adjoint d'épidémiologie clinique
Columbia University

David Perlmutter, MD
Neurologue, pratique privée

Rebecca Reeves, DrPH, RD
Professeur adjoint en médecine
Baylor College of Medicine

Steve L. Taylor, PhD
Professeur et Directeur
Programme de recherche en allergie alimentaire
Département des sciences et technologies alimentaires
University of Nebraska-Lincoln

REMERCIEMENTS À Eugene Arnold, MD ; Neil Barnard, MD ; Scott Berliner, RPh ; Amy Brown, PhD, RD ; Laura Coleman, PhD, RD ; Tanya Edwards, MD ; Evan Fleischman, ND ; Marc Greenstein, DO ; Jon D. Kaiser, MD ; Penny Kris-Etherton, PhD ; Jessica Leonard, MD ; Alan Magaziner, DO ; Alexander Mauskop, MD ; Eva Obarzanek, PhD ; Alexandra J. Richardson, PhD ; Michael Rosenbaum, MD, MSc ; Roseanne Schnoll, PhD, RD, CDN ; Suzanne Steinbaum, DO ; Bonnie Taub-Dix, MS, RD ; Mark Toomey, PhD ; Jan Zimmerman, MS, RD.

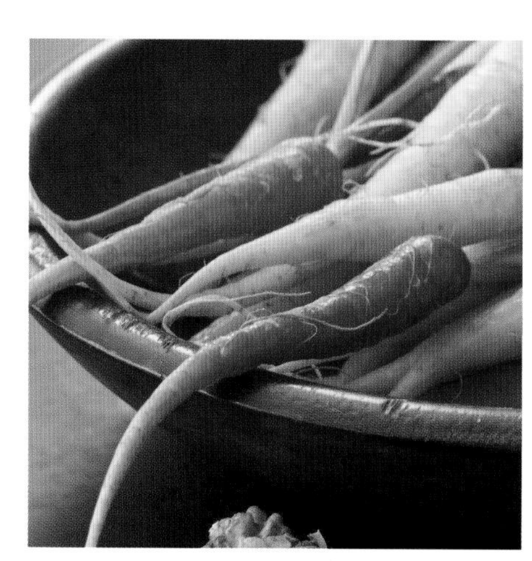

Votre arsenal alimentaire *50*

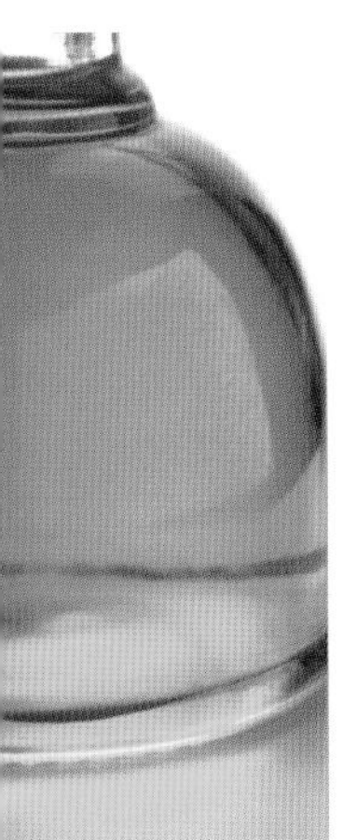

Section trois — Cures alimentaires pour les affections courantes *84*

Section quatre — Recettes guérison *286*

Aliments miracle

Au cours des dernières années, l'univers de la recherche médicale s'est enrichi de nombreuses découvertes scientifiques. On ne parle pas ici de médicaments mais bien d'aliments aux propriétés thérapeutiques : flocons d'avoine contre les cardiopathies, saumon contre l'asthme, arachide contre l'hypercholestérolémie et yogourt contre l'eczéma.

Le concept de nutrithérapie date de plusieurs millénaires. Hippocrate, qui est considéré comme le père de la médecine, prescrivait de nombreux aliments pour traiter les maladies, depuis le pain trempé dans le vin jusqu'au poisson bouilli. Cependant, au cours du dernier siècle, nous avons perdu ce savoir ancien si bien que peu de médecins disposaient des connaissances leur permettant de recommander un aliment pour soigner un problème de santé. À quoi doit-on donc ce renouveau ?

D'abord, nous connaissons beaucoup mieux les causes sous-jacentes des maladies. Ainsi, les chercheurs ont découvert que l'arthrite ne résultait pas de la simple usure des articulations mais d'un processus destructeur déclenché par les radicaux libres. Cette découverte en a entraîné une autre, à savoir que les légumes de couleur jaune et orange, ainsi que les légumes à feuilles vertes, étaient riches en antioxydants, substances capables de neutraliser les radicaux libres : donc, leur consommation contribuait à protéger contre cette maladie. Puis, nous en savons plus sur les propriétés curatives des aliments. Par exemple, la graine de citrouille atténue les symptômes de l'hyperplasie de la prostate, le yogourt supprime la bactérie responsable de nombreux ulcères de l'estomac, le chou favorise la guérison de la muqueuse gastrique.

Enfin, le monde médical s'est décidé à prendre la recherche sur les aliments au sérieux. Plus que jamais, les médecins tiennent compte des découvertes en matière de nutrition et proposent des solutions alimentaires aux petits maux de tous les jours. N'est-ce pas fabuleux ? Qui nierait, en effet, qu'il est nettement plus agréable d'avaler un carré de chocolat noir qu'une pilule présentant des effets indésirables ? Sans compter que, contrairement aux médicaments d'ordonnance, les aliments sains procurent de nombreux bienfaits. Quelle satisfaction de savoir que le simple acte de manger peut à la fois soigner et être source de plaisir ! N'hésitez donc pas à consulter les rubriques maladies de *Alimentation prévention* pour y trouver les ordonnances alimentaires et les supplémentations suggérées. Mieux encore, essayez l'une de nos recettes ; les plats proposés sont à la fois délicieux et sains. Comme bien d'autres, vous allez découvrir l'extraordinaire pouvoir curatif des aliments.

Fran Berkoff
et les éditeurs de
Sélection du Reader's Digest

SECTION

un

La nouvelle médecine alimentaire

« Une pomme par jour éloigne le médecin pour toujours », dit le dicton anglais. Or, il se trouve que c'est vrai et que les médecins savent désormais pourquoi. Vous êtes sur le point de découvrir une nouvelle médecine, où les aliments – ceux qu'on appelle les aliments fonctionnels – ont le pouvoir de soulager, voire de supprimer la maladie, des troubles bénins aux grands tueurs modernes.

médecine al

Nous assistons à l'avènement d'une nouvelle médecine. Les chercheurs qui l'étudient mettent de l'avant un concept à la fois simple et radical : les aliments peuvent aider à soigner nos maux et nous permettre de vivre longtemps en bonne santé. Autrement dit, en consommant plus de certains aliments et moins d'autres, on stimule les défenses immunitaires contre la maladie, et on retarde le processus de vieillissement.

Cette nouvelle approche n'a recours ni au scalpel ni au tomodensitomètre, mais aux ustensiles et à la spatule. Ce qui ne l'empêche pas d'être efficace, comme le prouvent de nombreuses études : choisissez judicieusement vos aliments et vous passerez moins souvent à la pharmacie. Faites des arrêts plus fréquents chez votre poissonnier et vous pourriez ne jamais avoir à consulter un cardiologue. Voyez l'alimentation comme une forme de médecine préventive et thérapeutique, et vous pourriez voir vos frais de médicaments baisser sensiblement.

Peut-être avez-vous déjà commencé à explorer la médecine alimentaire. Par exemple, en troquant à l'occasion le bifteck d'aloyau et les pommes de terre pour le saumon et la salade verte. Ou encore, en remplaçant le pain blanc, dénué de nutriments, par du pain de grain entier, dense et nutritif à souhait et, à la collation, la confiserie en barre par une tangerine. Enfin, n'avez-vous pas décidé récemment de passer au lait écrémé ?

De simples mesures comme celles-là peuvent avoir des effets importants sur la santé. D'abord, parce qu'elles permettent d'éliminer des substances nocives, comme les gras saturés et le sucre raffiné. Mais surtout parce que de nombreux aliments sont riches en composés qui favorisent la santé et protègent l'organisme contre les ravages de la maladie. C'est ce qui se dégage des innombrables études menées au cours des dernières années. Elles confirment, par ailleurs, ce que des guérisseurs ont su depuis des milliers d'années.

Le concept de nutrithérapie n'est pas nouveau. « Que ton aliment soit ton médicament », prescrivait Hippocrate, médecin grec de l'Antiquité qu'on considère comme le père de la médecine moderne. Pain trempé dans le vin ou poisson bouilli, ses ordonnances étaient essentiellement de nature alimentaire. Si ces remèdes n'ont pas de quoi piquer votre appétit, rassurez-vous : vous trouverez dans ces pages une foule d'aliments qui sont à la fois agréables au goût et dotés de remarquables propriétés médicinales. L'amande et l'avocat, par exemple, ou la fraise et la patate douce, ou encore, l'huile d'olive extra-vierge, à la douce saveur fruitée, et les produits frais de la mer.

Vous savez probablement que ces aliments sont riches en vitamines, minéraux et autres nutriments. Mais peut-être ignorez-vous que les produits d'origine végétale renferment aussi une multitude d'éléments phytochimiques, ou

mentaire

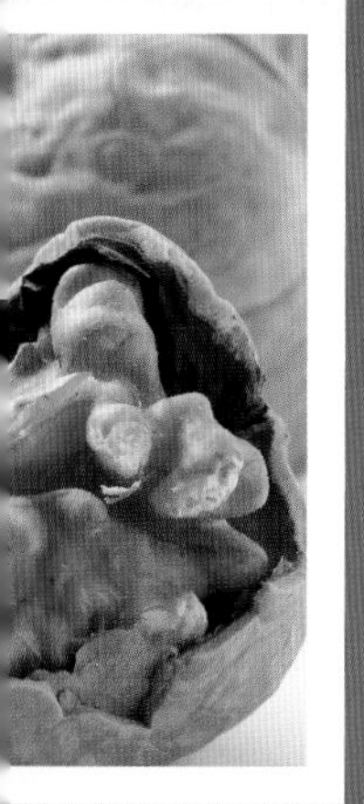

phytonutriments, composés aux vertus indéniables que les chercheurs ont récemment identifiés. Ainsi, une tasse de thé vert renferme 30 à 40 catéchines, substances réputées combattre le cancer, faire baisser le taux de cholestérol et, possiblement, favoriser la perte de poids.

Les aliments fonctionnels, décrits dans ces pages, présentent un autre avantage non négligeable : ils sont inoffensifs. Aucun risque, par exemple, de faire une surdose de brocoli. On ne peut pas en dire autant des médicaments. En effet, rares sont ceux qui ne présentent pas d'effets indésirables. Songez au Vioxx, cet analgésique populaire qu'on a dû retirer du marché parce qu'on s'inquiétait de ses effets indésirables potentiels sur le système cardiovasculaire. D'autres ont connu le même sort. Des chercheurs pensent même que les médicaments en vente libre, comme l'ibuprofène, pourraient augmenter légèrement le risque de crise cardiaque.

> De nombreux aliments sont riches en substances qui favorisent la santé et protègent contre les ravages de la maladie.

Une enquête sanitaire nationale récente montre que 16 millions de Canadiens souffrent d'asthme, d'arthrite, d'hypertension ou d'une autre affection chronique. Or, pour soulager leur douleur ou leurs malaises, les personnes souffrant d'une maladie chronique prennent souvent un médicament d'ordonnance ou en vente libre.

Changer son alimentation ne constitue pas une garantie qu'on ne tombera jamais malade ou qu'on n'aura pas à prendre des médicaments. Cependant, les experts sont d'avis que, si en plus de faire de l'exercice et d'éviter le tabac, les Nord-Américains mangeaient bien, l'incidence des crises cardiaques, des accidents vasculaires cérébraux (AVC) et du cancer du côlon chuterait considérablement, sans compter que le diabète de type 2 disparaîtrait presque entièrement. Vous trouverez dans ces pages tout ce qu'il vous faut savoir pour vous protéger contre ces maux et bien d'autres.

Retour en force des gras

On pense généralement que moins on mange de gras, mieux on s'en porte. Ce n'est pourtant pas forcément le cas. Longtemps démonisés, les gras reprennent aujourd'hui du service. Mais pourquoi cette mauvaise

réputation ? Il y 50 ans, des chercheurs ont fait une découverte surprenante : l'incidence des crises cardiaques était beaucoup plus élevée dans les pays où il se consommait beaucoup de gras saturés que dans ceux où la viande et les produits laitiers étaient plus rares. Des études ultérieures ont permis de faire la preuve que les gras saturés élèvent le taux de cholestérol qui, en se déposant dans les artères, forme une plaque et bloque l'apport de sang au cœur.

Les gras sont alors devenus l'ennemi numéro un. À preuve, les recommandations de l'ancien Guide alimentaire canadien, qui les avait classés, avec les sucreries et condiments, dans la catégorie « autres aliments », accompagnés de cette mise en garde : À CONSOMMER AVEC MODÉRATION. On a publié des centaines de livres de cuisine dans lesquels les plats maigres étaient à l'honneur. Des étiquettes portant la mention « exempt de gras » sont apparues sur une multitude de produits, même ceux qui n'en avaient jamais renfermé. De célèbres médecins, notamment le docteur Dean Ornish, se sont mis à vanter les vertus des régimes ultra-maigres.

Tout ceci a convaincu beaucoup d'entre nous d'apporter certains changements souhaitables à notre alimentation, par exemple d'opter pour le lait écrémé et de bannir le bacon. Malheureusement, de nombreuses personnes se sont mises à diminuer leur consommation de tous les gras, ce qui, selon d'éminents experts, a eu pour effet de nous rendre plus malades. « Nous n'en avons tiré aucun bienfait, souligne le docteur Walter Willett, de l'école de santé publique de Harvard. En fait, cette campagne anti-gras nous a probablement fait du mal. »

« Vitamine F »

Près de 80 % des gras, ou lipides, qu'on ingère sont stockés par l'organisme. Si nous restons actifs, nous brûlons l'essentiel de ces réserves énergétiques. Si ce n'est pas le cas, ces gras s'accumulent de manière disgracieuse, arrondissant le tour de taille et mettant en péril la santé.

Quant aux 20 % restants, ils sont utilisés par l'organisme pour alimenter de nombreux tissus et déclencher divers processus biologiques. Ainsi, sans gras, cheveux et peau sont ternes et secs. Mais il y a plus : c'est grâce aux gras que l'organisme peut absorber les vitamines liposolubles (solubles dans l'huile et les graisses) A, D, E et K. De plus, toutes les cellules en ont besoin pour élaborer leur membrane protectrice. Les gras fournissent également la matière première requise pour la production de substances chimiques qui préviennent la formation de caillots sanguins et régulent la pression artérielle, ainsi que la réponse de l'organisme aux blessures et à l'infection. En fait, ils sont tellement importants que, dans les années 1920, des chercheurs en ont qualifié certains de « vitamine F » ; il s'agit en fait des acides gras essentiels.

Il faut mettre sur le compte de l'évolution notre appétit pour des aliments comme le caramel ou le filet mignon, sauce béarnaise. C'est par nécessité que nos ancêtres ont pris goût au gras, que leur organisme stockait afin de faire face aux périodes de disette. En effet, à poids égal, les lipides fournissent plus de calories que les glucides ou les protéines : d'où la quantité de matières grasses qu'on trouve habituellement dans les rations de survie.

De nos jours, nous n'avons plus besoin de toutes ces calories en surplus. Et il est plus important que jamais de diminuer notre consommation de gras saturés, notamment de bœuf, de beurre et de fromage, principaux responsables des crises cardiaques, sans mentionner l'insulinorésistance, cause du diabète. Mais il n'est pas souhaitable d'éliminer tous les gras de notre alimentation, des experts ayant découvert que certains d'entre eux contribuaient à combattre la maladie. De nombreux scientifiques et nutritionnistes pensent, en effet, que les gras insaturés, ou « bons » gras, peuvent prévenir une multitude d'affections, dont le diabète, la dépression, la démence, le cancer, les douleurs articulaires et, bien sûr, la cardiopathie.

Loin d'être nocifs, certains gras combattent la maladie.

Il serait peut-être même salutaire de remplacer une partie des gras saturés par des insaturés (par exemple, un burger au saumon au lieu d'un hamburger) plutôt que par des glucides. Les résultats d'études indiquent qu'on n'obtient que des effets modestes sur le risque de cardiopathie en troquant les gras saturés par des glucides comme le riz ou les pâtes. En revanche, des chercheurs de Harvard qui ont étudié durant 14 ans l'alimentation de 80 000 infirmières ont conclu qu'il suffisait de remplacer 5 % des gras saturés par une quantité égale d'insaturés pour faire baisser ce risque de 42 %.

Il n'y a pas que le cœur qui bénéficie de ces bons gras. Comme nous le verrons sous peu, ils combattent un remarquable éventail de maladies. Mais voyons d'abord en quoi ils consistent.

Qu'est-ce qu'un bon gras ?

Comme on peut le constater aisément quand on cherche à perdre du poids, le corps fabrique avec une très grande efficacité sa propre graisse, qu'il dépose sur les hanches, les cuisses et l'abdomen. Même si on ne se nourrit que de galettes de riz et de carottes crues, il convertira les sucres qu'il n'utilise pas comme source d'énergie en triglycérides, forme sous laquelle il stocke les gras.

Cependant, l'organisme ne peut élaborer certains acides gras essentiels à la santé. D'où l'importance que l'alimentation fournisse ce qu'on appelle fort justement des acides gras essentiels, sous-groupe de gras polyinsaturés présents surtout dans le poisson et certaines huiles végétales. En revanche, on pourrait se passer de gras mono-insaturés, mais les recherches montrent de plus en plus que, sans eux, on risque de vivre moins longtemps et d'être en moins bonne santé que ceux qui en consomment de bonnes quantités.

Gras mono-insaturés : huile d'olive etc.

Il y a quelques années, vous avez peut-être été surpris d'apprendre qu'une denrée banale que vous consommiez souvent était en fait une merveille nutritionnelle. Lors de l'étude de Lyon, les chercheurs ont découvert que ce qu'on appelle le « régime méditerranéen » semblait mieux protéger le système cardio-vasculaire que les diètes pauvres en gras. Or, la pierre angulaire de ce régime est l'huile d'olive, une des plus riches sources de gras mono-insaturés.

À dire vrai, il se peut que certains des prodiges qu'on lui a attribués aient été exagérés par les fabricants d'huile. Après tout, le régime méditerranéen fait également une large part aux fruits, aux légumes et au poisson. Mais on ne peut ignorer le fait que, bien qu'ils consommaient du gras en bonne quantité, particulièrement sous forme d'huile d'olive, les sujets de l'étude de Lyon qui suivaient ce régime faisaient quatre fois moins de crises cardiaques que ceux qui suivaient un régime maigre classique.

L'huile de canola et les noix (fruits à coque), dont l'arachide, son beurre et son huile, sont également riches en gras mono-insaturés. C'est

Ne perdez pas votre huile

L'huile d'olive et l'huile de canola fournissent de bons gras et des antioxydants. Cependant, elles sont fragiles. Conservées dans de mauvaises conditions, elles risquent de rancir, ce qui détruit leurs antioxydants. Il est donc important de les protéger contre les quatre facteurs suivants :

Lumière : Optez pour des flacons de céramique ou de verre opaque, qui préserveront mieux vos huiles de la détérioration par la lumière que les récipients transparents. Conservez-les au sec et à l'obscurité.

Chaleur : Rangez l'huile loin de la cuisinière. Si vous habitez une région chaude ou ne comptez pas utiliser votre huile promptement, conservez-la au réfrigérateur. C'est particulièrement important pour les huiles de noix, qui rancissent facilement. Au froid, certaines deviennent troubles et épaisses, mais retrouvent leur couleur et leur consistance à température ambiante.

Air : Comme l'oxygène abîme l'huile, assurez-vous que le flacon soit hermétiquement fermé.

Âge : L'huile a une durée de conservation limitée. Une fois qu'elle est entamée, consommez-la dans l'année.

vrai aussi de l'avocat : la chair d'un seul de ces fruits renferme autant de gras qu'un Big Mac, à cette différence près que ce sont des gras mono-insaturés.

Gras polyinsaturés : poisson et noix

Qui ne se souvient d'avoir gentiment rigolé en entendant sa mère ou sa grand-mère vanter les vertus de l'huile de foie de morue ? Aujourd'hui, plus personne ne rit car, entre-temps, on en découvert que l'huile de poisson était l'une des meilleures sources d'acides gras oméga-3, sous-groupe de gras polyinsaturés. Au cours des dernières années, les chercheurs leur ont découvert une multitude de propriétés, notamment celles de diminuer le taux de cardiopathie et de dépression. Il en sera davantage question plus loin.

En dehors de l'huile de foie de morue, que certains préfèrent éviter à cause de l'arrière-goût qu'elle laisse, les poissons d'eaux froides constituent d'excellentes sources d'oméga-3. Le gras qui protège du froid toutes les créatures marines, depuis l'omble chevalier jusqu'au saumon de l'Atlantique, en est plein. Il faut cependant choisir les poissons les plus gras, comme le saumon, le thon, le maquereau de l'Atlantique, la truite grise, le hareng et la sardine. (À noter qu'il faut consommer l'huile de foie de morue avec prudence : les doses recommandées pourraient renfermer des taux toxiques de vitamines A et D.)

Ceux qui n'aiment pas la chair du poisson peuvent toujours se rabattre sur les capsules d'huile de poisson, qu'il vaut toutefois mieux ne prendre qu'avec l'accord du médecin, car ils peuvent éclaircir le sang. Ou encore, sur la noix et la graine de lin, de même que sur leur huile : elles fournissent de l'acide alphalinolénique (AAL), que l'organisme peut transformer en oméga-3.

Moins réputés et peut-être un peu moins sains, les acides gras oméga-6, présents dans les huiles de maïs, de tournesol et de carthame, de même que dans la multitude de produits alimentaires transformés qui comprennent de l'huile de soya. Généralement préparée avec de l'huile végétale, la margarine renferme aussi des oméga-6. En général, nous consommons beaucoup plus d'oméga-6 que d'oméga-3, ce qui, selon de nombreux experts, pourrait constituer un problème. Nous y reviendrons.

Les corps gras et les huiles renferment tous des gras saturés, mono-insaturés et polyinsaturés en proportions diverses ainsi que de faibles quantités d'autres éléments. Ainsi, dans le beurre, il y a 62 % de gras saturés, 29 % de mono-insaturés et des traces de polyinsaturés ; pour l'huile d'olive, ces pourcentages sont respectivement de 14 %, 74 % et 8 %.

Bons gras santé

Consomme-t-on suffisamment de gras ? Il y a quelques années, on n'aurait pas imaginé poser la question mais, aujourd'hui, de nombreux experts estiment que les gras mono-insaturés et polyinsaturés font partie d'une alimentation saine. En plus d'êtres bons pour le cœur, ils combattent une foule de maladies.

Le poisson plutôt que le défibrillateur

Chaque année, des milliers de Canadiens sans antécédent de maladie cardiovasculaire meurent d'un arrêt cardiaque. Pour s'attaquer au problème, les autorités sanitaires encouragent les gens à apprendre à se servir d'un défibrillateur, appareil qui rétablit le rythme cardiaque au moyen d'une décharge électrique. Cependant, au cours d'une étude, des chercheurs ont conclu que même si tous les foyers et tous les lieux publics en possédaient un, on ne préviendrait qu'environ 1 % des cas de morts subites.

En revanche, selon les auteurs d'une analyse publiée dans l'*American Journal of Preventive Medicine*, il suffirait d'élever les taux sanguins d'oméga-3 dans l'ensemble de la population pour prévenir huit fois plus d'arrêts cardiaques. Ils estiment cependant que, pour obtenir le degré de protection requis, les gens devraient prendre des suppléments d'huile de poisson. Pourtant, les auteurs d'une étude menée auprès de 20 000 hommes ont découvert que la consommation hebdomadaire d'une seule portion de poisson diminuait de moitié le risque. Dans une autre, on a observé qu'il suffisait d'une ou deux portions par mois pour diminuer d'autant le risque d'AVC. Le Guide alimentaire canadien recommande, quant à lui, d'en prendre deux portions par semaine.

Anatomie des bons gras

Les gras insaturés, ou « bons » gras, se distinguent des gras saturés par leur structure chimique. Toutes les molécules de gras sont composées d'atomes de carbone, d'hydrogène et d'oxygène. Dans les gras saturés, les atomes d'hydrogène abondent, dans les mono-insaturés, il en manque une paire et dans les polyinsaturés, deux paires ou plus. Ces différences, entre autres caractéristiques chimiques, modifient l'aspect des gras et influent sur la manière dont ils se comportent dans l'organisme. C'est ce qui fait que les gras saturés se solidifient à température ambiante, alors que les gras insaturés provenant du poisson, des noix, des graines et d'autres aliments prennent plutôt la consistance de l'huile.

PROPRIÉTÉS CURATIVES DES

noix

La noix du Brésil renferme plus de sélénium, un oligo-élément antioxydant, que tout autre aliment.

La noix est riche en gras mono-insaturés, qui sont utiles au cœur, stabilisent la glycémie et facilitent la perte de poids.

La plupart des noix sont de bonnes sources d'antioxydants.

Une portion de 30 grammes d'amandes fournit plus de fibres qu'une tasse de fraises.

Hormis le poisson, la noix commune est l'une des meilleures sources d'oméga-3.

L'amande, qui est riche en calcium, est en plus l'une des meilleures sources de vitamine E.

Comme les noix renferment de bonnes doses de gras mono- et polyinsaturés, elles peuvent aussi protéger le système cardiovasculaire. Selon les résultats d'une étude publiée dans le *Journal of Nutrition*, la consommation hebdomadaire de trois portions d'amandes, d'arachides, de pacanes ou de noix pourrait faire baisser le taux de cholestérol total de 16 % et celui du cholestérol LDL (le « mauvais ») de 19 %. L'huile végétale aide aussi à abaisser le cholestérol sanguin. Soulignons que le gras du poisson exerce peu d'effet sur les taux de cholestérol ; par contre, il fait baisser de 33 % les taux de triglycérides, qui sont les gras sanguins associés à la crise cardiaque.

Plus d'huile, moins de sucre

Les aliments riches en gras mono-insaturés pourraient également protéger contre le diabète de type 2. D'abord, parce que, en les consommant régulièrement, on laisse moins de place aux viandes grasses, au lait entier et aux autres sources de gras saturés qui contribuent à l'insulinorésistance et à l'hyperglycémie. Comme l'hyperglycémie risque, à long terme, de mener au diabète, c'est une autre bonne raison de couper dans les gras saturés.

Des chercheurs pensent même qu'il serait plus utile de troquer les gras saturés par des gras mono-insaturés plutôt que par des glucides. Bien que cette théorie soit quelque peu controversée, les résultats d'études indiquent qu'une alimentation qui est riche en gras mono-insaturés régule la glycémie avec autant d'efficacité que les régimes riches en glucides et pauvres en gras (ou lipides) que les médecins recommandent pour prévenir ou enrayer le diabète. Elle leur serait même supérieure.

De plus, contrairement aux régimes glucidiques, les gras mono-insaturés pourraient contribuer à faire baisser les taux de triglycérides. Des chercheurs mexicains ont découvert qu'une grande consommation d'huile d'olive et d'avocats avait pour effet de faire baisser la glycémie chez les diabétiques. Ces derniers obtenaient également de bons résultats quand ils passaient à un régime riche en glucides mais, dans le premier cas, leurs taux de triglycérides chutaient de 20 %, contre seulement 7 % dans le second.

« Oméga-3 » : c'est simple

Les deux principaux composants des acides gras oméga-3 portent des noms complexes : acide docosahexaénoïque pour le premier, et acide eicosapentaénoïque pour le second, ou encore, DHA et EPA. On trouve ces deux noms abrégés sur les étiquettes de certaines marques d'œufs ou de produits laitiers.

Le DHA, un acide gras présent dans le poisson et dans certaines catégories d'œufs, pourrait être l'un des meilleurs nutriments pour le cerveau.

Lutte anticancer, façon méditerranéenne

En plus de jouir d'une meilleure santé cardiaque, les sujets de l'étude de Lyon qui suivaient le régime méditerranéen ont vu leur risque de cancer diminuer de 61 %.

Il semble en effet que la consommation de bons gras (ou lipides) puisse protéger contre certains cancers. Ainsi, dans les années 1990, on a démontré que le risque de cancer du sein diminuait de 25 % chez les femmes qui prenaient beaucoup d'huile d'olive. Depuis, une équipe de chercheurs de l'université Northwestern de Chicago a découvert que l'acide oléique, principal gras mono-insaturé de l'huile d'olive, diminuait de 46 % l'activité d'un gène responsable d'une forme virulente de cancer du sein. De plus, on pense qu'il accroît l'efficacité du transluzumab, médicament couramment utilisé pour traiter cette maladie. D'après les résultats d'une autre étude, l'huile de poisson pourrait exercer le même effet.

> Les régimes riches en gras mono-insaturés contrôlent la glycémie tout aussi efficacement que les régimes à haute teneur en glucides et faible teneur en gras.

Le saumon, un antidépresseur comestible

À la mi-janvier, on voit peu le soleil en Islande. Et pourtant, on n'y rencontre guère de personnes moroses. La dépression saisonnière, trouble qui accompagne le manque de soleil, y est étonnamment rare. Des chercheurs attribuent cet effet à la consommation élevée d'huile de poisson par les Islandais.

L'Islandais moyen consomme cinq fois plus de produits de la mer que le Canadien. Les résultats de diverses études indiquent d'ailleurs que le taux de dépression est généralement plus bas dans les pays où le poisson figure régulièrement au menu. De plus, des chercheurs de l'université de Pittsburgh ont découvert que les sujets qui présentaient les taux sanguins d'oméga-3 les plus élevés se plaignaient moitié moins souvent que les autres de dépression légère ou modérée.

On ne sait pas pourquoi l'huile de poisson contribuerait à combattre la dépression, bien que le DHA qu'elle renferme puisse interférer avec la formation des substances chimiques associées à la dépression. Des chercheurs étudient actuellement les liens qui pourraient exister entre de faibles taux sanguins d'oméga-3 et la dépression. Ainsi, on a observé des symptômes plus légers et moins de rechutes chez les sujets bipolaires qui prenaient des suppléments d'huile de poisson par rapport au groupe placebo.

Nourrir la mémoire

L'huile de poisson est un véritable aliment pour le cerveau. Le DHA qu'elle contient régénère les membranes des cellules nerveuses. C'est également un élément essentiel à la transmission nerveuse. Une consommation élevée de poisson pourrait même atténuer le risque de démence sénile. Ainsi, des chercheurs du Rush-Presbyterian-St. Luke's Medical Center de Chicago ont découvert que l'incidence de la maladie d'Alzheimer diminuait de 60 % chez les sujets qui prenaient du poisson une fois par semaine, tandis qu'une alimentation riche en gras saturés et trans semblait accroître le risque de démence. « Apparemment, ce qui contribue à prévenir les maladies cardiovasculaires semble être également efficace contre la maladie d'Alzheimer », conclue Martha Clare Morris, scientifique de l'équipe.

La carence en oméga-3 serait liée à d'autres problèmes cognitifs, dont le trouble déficitaire de l'attention avec hyperactivité (TDAH). Les analyses sanguines montrent que les enfants en proie à l'impulsivité, aux accès de rage et aux troubles d'apprentissage caractéristiques de cette affection présentent un taux de DHA anormalement bas. Selon les résultats d'études préliminaires, si cette carence était corrigée, les enfants pourraient retrouver calme et concentration. Des chercheurs de l'hôpital McLean près de Boston ont fait la preuve que les suppléments alimentaires d'huile de poisson et d'autres acides gras (avec des vitamines et des phytonutriments) étaient tout aussi efficaces contre les symptômes duTDAH que le Ritalin, médicalement largement prescrit à cette fin.

Les oméga-3 :
ANTI-INFLAMMATOIRES EXCEPTIONNELS

Nous avons parlé des bienfaits généraux que procurent les lipides insaturés, particulièrement les acides gras oméga-3 du poisson, mais n'avons encore rien dit du plus important d'entre eux. Il s'agit sans

aucun doute de la découverte qui nous permet le mieux de comprendre le lien entre alimentation et santé.

Voici. Près de la moitié de ceux qui font une crise cardiaque présentent des taux de cholestérol normaux. Comment expliquer cela ? Selon une majorité de cardiologues, il faut chercher la réponse du côté de l'inflammation. De fait, celle-ci semble être au cœur de presque toutes les maladies chroniques, de la cardiopathie au cancer, en passant par le diabète. Or, il se trouve que les oméga-3 possèdent de remarquables propriétés anti-inflammatoires.

L'inflammation favorise la guérison des plaies et joue donc un rôle essentiel dans l'organisme. Sans elle, une simple petite coupure au doigt pourrait s'avérer fatale. Quand survient une blessure, l'organisme déclenche une série d'interventions afin de limiter les dommages. D'abord, il accroît l'apport de sang vers la région blessée ; les globules blancs s'activent alors à évacuer les cellules mortes et les bactéries qui, autrement, risqueraient d'infecter la plaie. D'autres types de protéines interviennent ensuite pour fermer la plaie et empêcher les germes ou des substances nocives de se propager aux tissus voisins. Puis, pour accélérer la guérison, l'organisme élève le taux métabolique de la région touchée, d'où la chaleur qui se dégage de la peau enflammée. Même la douleur et l'enflure sont utiles puisqu'elles obligent à prendre conscience du problème et à ralentir ses activités, ce qui permet alors aux cellules des tissus abîmés de se régénérer.

Cependant, l'inflammation ne se limite pas à la rougeur et à l'enflure d'un genou éraflé. En fait, les cardiologues estiment qu'elle est en cause dans de nombreuses crises cardiaques : elle provoquerait la formation de plaque, dépôts composés de cholestérol et d'autres matières indésirables, qui obstruent les artères et provoquent la formation de caillots sanguins. Selon les résultats d'études, les sujets présentant des taux élevés de substances inflammatoires voient leur risque de crise cardiaque multiplié par quatre.

Il est également de plus en plus clair que, de par leurs propriétés anti-inflammatoires, les oméga-3 peuvent atténuer le risque de crise cardiaque et soulager certaines affections, notamment la polyarthrite rhumatoïde. Ils pourraient même protéger contre des maladies mortelles comme le diabète et le cancer.

« Réchauffement » biologique

Quand elle est passagère, l'inflammation ne pose aucun problème. Cependant, la mauvaise alimentation, le surpoids et d'autres facteurs attribuables à notre mode de vie moderne font que notre organisme se trouve dans un état chronique d'inflammation. On pourrait parler, en quelque sorte, de réchauffement biologique. Aux yeux de nombreux scientifiques, c'est un fléau silencieux qui cause le vieillissement précoce et la maladie.

D'après les chercheurs, l'inflammation pourrait constituer le chaînon manquant entre des maladies apparemment sans rapport entre elles. Ainsi, lors d'une étude menée au collège médical Weill de l'université Cornell, on a découvert que les sujets atteints de polyarthrite rhumatoïde présentaient trois fois plus de risques que les autres de montrer des signes précoces de cardiopathie. C'est vrai aussi de ceux qui souffrent de lupus érythémateux et de psoriasis, chez qui le risque de crise cardiaque est anormalement élevé. Bien que l'inflammation chronique soit imperceptible, on peut tout de même la mesurer car elle se manifeste par la présence dans le sang de protéine C réactive (CRP), qu'une simple analyse sanguine peut détecter. Des médecins se servent d'ailleurs de cette analyse pour décider du traitement à donner aux patients présentant d'autres facteurs de risque de crise cardiaque et d'accident vasculaire cérébral (AVC), par exemple l'obésité et l'hypercholestérolémie.

De l'huile de poisson pour étouffer les flammes

Mais, dira-t-on, si l'inflammation est si néfaste, pourquoi ne pas la prévenir en avalant chaque jour un ou deux comprimés d'ibuprofène ? Certes, l'ibuprofène, l'aspirine et les autres anti-inflammatoires non-stéroïdiens (AINS) sont sans égal pour combattre une céphalée occasionnelle ou un claquage musculaire. Cependant, à l'usage, ils peuvent causer des troubles gastro-intestinaux, voire des problèmes plus graves. Le cas du Vioxx est bien connu, mais les résultats d'études récentes indiquent que mêmes les AINS en vente libre pourraient augmenter le risque de crise cardiaque, particulièrement chez ceux qui souffrent déjà d'une maladie cardio-vasculaire.

> L'inflammation est au cœur de la plupart des maladies chroniques, de la cardiopathie au diabète, en passant par le cancer.

Heureusement, il est possible d'atténuer l'inflammation et les ravages qu'elle cause en consommant plus de poisson et d'autres aliments riches en oméga-3. Les scientifiques se sont intéressés à ces acides gras après avoir constaté que la cardiopathie était rare chez les peuples qui consommaient beaucoup de poisson. On pense notamment aux Esquimaux du Groenland, qui se nourrissaient surtout de chair de baleine et de phoque.

Les chercheurs ont également constaté que les Esquimaux souffraient rarement de maladies comme l'asthme, le psoriasis et la polyarthrite rhumatoïde. Or, ces affections et la cardiopathie ont une chose en commun : l'inflammation. Des études ultérieures ont permis d'observer que les oméga-3 semblaient inhiber l'inflammation de diverses manières. D'abord, en prévenant l'utilisation par l'organisme des autres acides gras nécessaires à l'élaboration des prostaglandines, qui causent l'inflammation. Ensuite, en bloquant l'arrivée des globules blancs que le système immunitaire dépêche dans la région enflammée. Une plus grande consommation d'oméga-3 pourrait être la solution pour prévenir ces maladies et d'autres affections courantes.

Cardiopathie

Les médecins pensent que, à long terme, l'inflammation permanente, même légère, crée un milieu instable dans les artères ; les masses de cholestérol éclatent alors, entraînant la formation de caillots sanguins. Cependant, le remède pourrait bien se trouver chez le poissonnier ou au supermarché. Lors d'une étude, on a découvert que le taux de protéine C réactive (CRP), qui indique un degré d'inflammation, était inférieur de 29 % chez les femmes qui consommaient plus de poisson, de graines de lin et d'autres aliments riches en oméga-3 que chez les femmes qui en consommaient moins. Il semble en outre que l'effet protecteur du poisson sur le cœur s'exerce de diverses autres manières ; ainsi, il fait baisser les taux de triglycérides et stabilise le rythme cardiaque.

Cancer

De nombreux oncologues croient que l'inflammation provoque, ou précipite, le développement du cancer. Une théorie veut qu'elle accélère le renouvellement cellulaire, y compris celui des cellules malignes. Dans certains cas, une inflammation persistante peut même augmenter le risque qu'une maladie infectieuse dégénère en cancer. On pense par exemple au papillomavirus, susceptible d'entraîner un cancer du col de l'utérus, ou au cancer de l'estomac qui frappe tout particulièrement les personnes infectées par la bactérie *Helicobacter pylori*, qui cause des ulcères gastriques. D'autres sources d'inflammation chronique sont également en cause. Ainsi, le risque de cancer du côlon est particulièrement élevé chez ceux qui souffrent de la maladie de Crohn ou de rectocolite hémorragique.

Les chercheurs ne savent pas encore si une consommation élevée d'oméga-3 peut contribuer à prévenir le cancer, mais certains indices le leur laissent croire. Ainsi, l'administration de fortes doses d'huile de poisson à des animaux de laboratoire a permis de prévenir la formation de tumeurs du côlon, en freinant l'inflammation. Lors d'une étude menée auprès de 48 000 hommes, on a observé que la consommation de poisson à raison de trois fois par semaine avait eu pour effet de diminuer de moitié le risque de cancer de la prostate, tandis que des chercheurs suédois ont constaté que le risque d'en souffrir était deux ou trois fois plus élevé chez ceux qui ne consommaient pas de produits de la mer.

Asthme

Des médecins attribuent à l'alimentation l'accroissement actuel du nombre de cas d'asthme. Or, c'est l'inflammation des tubes bronchiques qui provoque les symptômes pénibles de cette affection. Récemment, des chercheurs ont émis l'hypothèse que les coupables étaient les oméga-6 présents dans de nombreuses huiles de cuisson de même que, à un moindre degré, dans les aliments d'origine animale (pour en savoir plus sur ces gras, reportez-vous à la page 27). Il est vrai que les Nord-Américains consomment beaucoup de ces gras dont l'organisme se sert pour élaborer les substances chimiques à l'origine de l'inflammation.

En théorie, en prenant plus d'oméga-3 et moins d'oméga-6, on devrait donc prévenir les crises d'asthme. Les résultats d'études semblent

Poisson en toute sécurité

Au cours des dernières années, la toxicité potentielle du poisson a suscité de nombreuses préoccupations, au point de mettre en péril sa réputation d'aliment santé. C'est l'une des meilleures sources d'oméga-3 mais certaines espèces présentent des taux anormalement élevés de mercure et autres substances toxiques. En 2006, le *Journal of the American Medical Association* publiait un rapport sur la question. Les résultats de l'étude indiquaient que la consommation d'une ou deux portions de poisson par semaine diminuait de 37 % le risque de crise cardiaque et de 17 % celui d'en mourir. Conclusion des auteurs : les bienfaits du poisson surpassent ses risques potentiels.

Le Guide alimentaire canadien recommande de prendre au moins deux portions de 75 g (½ tasse) par semaine en optant pour l'omble, le saumon, le hareng, le maquereau, la sardine ou la truite arc-en-ciel. Santé Canada conseille de limiter sa consommation de thon frais ou surgelé et de requin, espadon, marlin et hoplostète orange, qui renferment des doses élevées de mercure. Voici ses recommandations :

- Les adultes devraient s'en tenir à 150 g par semaine.

La femme enceinte ou qui prévoit le devenir et celle qui allaite ne doivent pas en prendre plus de 150 g par mois.

- L'enfant de 5 à 11 ans peut en consommer 125 g par mois, mais l'enfant de 1 à 4 ans doit limiter sa consommation à 75 g.

Quant à la consommation du thon blanc en conserve, Santé Canada formule les conseils suivants* :

- La femme enceinte ou qui prévoit le devenir et la femme qui allaite peuvent consommer quatre portions de 75 g par semaine.
- L'enfant de 1 à 4 ans, une portion par semaine, et l'enfant de 5 à 11 ans, deux portions.

* Cette mise en garde ne concerne que le thon blanc en conserve, espèce plus grosse que celles qui sont vendues sous le nom de « thon pâle en conserve », dont les concentrations en mercure sont faibles.

Graine de lin ou poisson ?

Les capsules d'huile de poisson constituent un moyen pratique de prendre ses oméga-3. Cependant, certains tolèrent mal leurs effets secondaires, notamment l'odeur de poisson que dégage leur haleine, leur peau et leur urine. Pour atténuer le problème, on peut essayer de congeler les capsules ou changer de marque. Ou encore de remplacer l'huile de poisson par un supplément d'huile de graines de lin ? En effet, celle-ci renferme de l'acide alphalinolénique (AAL) que l'organisme convertit en EPA et DHA.

Cependant, la conversion n'est pas très efficace, un faible pourcentage de l'AAL ingéré étant transformé en EPA et DHA.

Si les résultats de nombreuses études indiquent que les suppléments d'huile de poisson diminuent le risque de crise cardiaque, les preuves sont moins probantes pour les suppléments d'AAL. Mais mieux vaut l'huile de lin que rien, car les résultats d'une étude récente indiquent que les femmes qui consommaient fréquemment des aliments contenant de l'AAL voyaient leur risque de mort subite diminuer de 40 %.

le confirmer. Ainsi, des chercheurs australiens ont découvert que le risque de souffrir d'asthme diminuait de 75 % chez les enfants qui mangeaient régulièrement du poisson. Et des chercheurs hollandais ont observé une baisse de 50 % du nombre de cas chez les enfants qui mangeaient plus de poisson et de grains entiers.

Diabète

Les personnes qui souffrent du diabète de type 2 sont généralement en surpoids. Or, en plus de produire des substances chimiques qui favorisent l'insulinorésistance, les cellules adipeuses contribuent à l'élaboration de protéines inflammatoires. Les résultats de diverses études menées auprès de 50 000 femmes, ont permis de conclure que le risque de souffrir de diabète de type 2 était multiplié par quatre chez celles qui faisaient le plus d'inflammation chronique.

Sans en connaître la raison, les chercheurs pensent que les substances inflammatoires pourraient interférer avec l'insuline, élevant ainsi la glycémie. Ce n'est peut-être pas un hasard si les études de population montrent que l'incidence du diabète de type 2 est particulièrement faible chez les gros mangeurs de poisson.

Combattre les maladies auto-immunes

L'huile de poisson pourrait soulager les symptômes de certaines maladies auto-immunes, comme la polyarthrite rhumatoïde. Dans ce type d'affection, le système immunitaire s'attaque par erreur à des organes ou tissus en parfaite santé comme s'il s'agissait d'ennemis. Dans sa confusion, il commande à des bataillons de substances inflammatoires de prendre d'assaut la partie saine, provoquant une poussée inflammatoire.

Le diabète de type 1, les affections de la thyroïde et le lupus érythémateux sont des maladies auto-immunes courantes. Dans le diabète de type 1, le système immunitaire détruit par erreur les cellules bêta du pancréas qui produisent l'insuline. Dans le lupus érythémateux, il s'attaque aux tendons, aux cartilages et aux autres tissus conjonctifs.

Il n'est pas certain qu'on puisse prévenir ces maladies en prenant plus d'oméga-3 mais, dans certains cas, ces derniers pourraient soulager les symptômes. Ainsi, pensez à manger du poisson au dîner ou à ajouter des graines de lin aux céréales du matin : c'est un peu comme prendre un analgésique naturel. Cependant, la recherche sur le traitement des maladies auto-immunes par les oméga-3 a surtout porté sur les suppléments d'huile de poisson, qui semblent être particulièrement prometteurs pour deux d'entre elles, que voici.

Du poisson au dîner ou des graines de lin dans les céréales du matin font l'effet d'un léger analgésique naturel.

Polyarthrite rhumatoïde

Depuis les années 1990, on a fait la preuve dans un nombre impressionnant d'études que l'huile de poisson prévenait et traitait la polyarthrite rhumatoïde (PR), maladie au cours de laquelle le système immunitaire attaque les articulations des doigts, des poignets, des orteils et d'autres parties du corps. Enflure, douleur et faiblesse en résultent, symptômes que les patients cherchent habituellement à soulager en prenant des AINS.

Selon les résultats d'une étude menée à l'université de Washington, deux portions de poisson par semaine suffiraient à diminuer de 50 % le risque de PR. On a mené au moins 18 autres études au cours desquelles les patients avaient eu la consigne de consommer quotidiennement des suppléments d'huile de poisson (environ 3,5 g par jour, en moyenne). Dans toutes sauf une, ils ont éprouvé un certain soulagement de leurs symptômes. Enfin, au cours d'un essai de six mois, les sujets qui prenaient des suppléments d'huile de poisson ont rapporté éprouver moins de raideur, de douleur et de sensibilité au lever, et plusieurs d'entre eux ont pu arrêter complètement de prendre des AINS. Aucune amélioration n'a été rapportée dans le groupe témoin, qui prenait des capsules d'huile de maïs.

Affections intestinales inflammatoires

L'inflammation chronique provoque diverses affections gastro-intestinales extrêmement pénibles, dont la maladie de Crohn et la rectocolite hémorragique. La première touche habituellement l'intestin grêle, causant douleur abdominale, fièvre, diarrhée et fatigue. La seconde s'attaque au côlon et au rectum. C'est une affection douloureuse qui s'accompagne de diarrhées sanguinolentes et d'un besoin fréquent et impérieux d'aller à la selle. Si elle n'est pas traitée, elle peut accroître le risque de cancer du côlon.

Pour prévenir ou atténuer les crises, on prescrit à certains patients des corticostéroïdes, puissants médicaments qui présentent des effets indésirables. On ne soulage pas ces affections en augmentant simplement sa consommation de poisson, mais il est possible que les suppléments d'huile de poisson aient de bons résultats. Au cours d'une étude menée en Italie auprès de patients qui souffraient de la maladie de Crohn mais étaient en rémission, des chercheurs ont fait prendre à un premier groupe 2,7 g d'oméga-3 par jour sous forme de capsules d'huile de poisson, tandis qu'ils donnaient au groupe témoin un placebo. Au bout d'un an, ceux du premier groupe étaient deux fois plus susceptibles d'être encore en rémission que les autres. Par contre, d'autres études ont donné des résultats mitigés.

Les perspectives ne sont pas aussi claires pour la rectocolite hémorragique, bien que les résultats d'études indiquent que les patients pourraient bénéficier d'un apport supplémentaire en oméga-3. Lors d'une étude de faible envergure, près des trois quarts des sujets qui avaient pris 4,2 g d'oméga-3 par jour sous forme d'huile de poisson ont pu, soit diminuer leurs doses de médicaments corticostéroïdes, soit les supprimer entièrement.

PROPRIÉTÉS CURATIVES DU

poisson

Les huiles de poisson se révèlent efficaces dans les affections où l'inflammation joue un rôle.

C'est grâce aux bons gras du poisson que l'incidence du diabète de type 2 est si faible chez ceux qui en mangent beaucoup.

Le DHA des oméga-3 diminue le risque de souffrir de la maladie d'Alzheimer ; l'EPA soulage les maladies cutanées.

À poids égal, une darne de saumon a quatre fois moins de gras saturés qu'un bifteck.

Aussi protéiné que la viande, le poisson fournit du fer et de la vitamine B_{12}, nutriments utiles pour la production d'énergie.

Régime cool :
MIEUX COMBATTRE L'INFLAMMATION

Vous faites de nouvelles recettes de saumon. Vous ajoutez des noix hachées à vos salades et avez même appris à aimer les graines de lin. Cependant, augmenter votre consommation d'acides gras oméga-3 ne

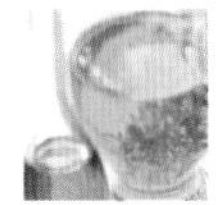

constitue que la première étape dans la lutte contre la surchauffe de votre corps. Pour éviter les dommages de l'inflammation chronique, il faut également supprimer certains aliments.

Lesquels ? Certainement pas les piments, qui sont tout sauf inflammatoires. En fait, les grands coupables sont plus subtils mais, bien souvent, omniprésents. Qu'il s'agisse de denrées de base ou d'ingrédients entrant dans la composition des produits transformés, ils ont pour effet de pousser le système immunitaire à produire plus de substances inflammatoires que l'organisme n'en a besoin pour se protéger. En conséquence, le risque de souffrir d'une maladie chronique augmente.

Vous n'aurez probablement pas à vous priver de ce que vous aimez, car les solutions de rechange abondent, comme nous le verrons bientôt. En outre, les fabricants de produits alimentaires ont déjà entrepris de remplacer certains des ingrédients fautifs par de plus sains.

Prêts pour un changement d'huile ?

Autant les oméga-3 sont considérés comme des supervedettes, autant les oméga-6 suscitent des préoccupations. Non, qu'ils soient entièrement mauvais. Après tout, ces acides gras, qu'on trouve dans l'huile de maïs, de tournesol et de carthame, sont qualifiés d'« essentiels », c'est-à-dire que l'organisme en a besoin pour, se développer normalement et assurer ses défenses immunitaires. Le problème, selon des scientifiques, c'est que nous en consommons trop. Alors que l'alimentation de notre ancêtre, l'homme des cavernes, comprenait des quantités à peu près égales d'oméga-3 et d'oméga-6, le Nord-Américain moyen consomme aujourd'hui 10 fois plus des seconds que des premiers. Des experts, notamment le docteur Artemis Simopoulos, auteur de *Le Régime Oméga 3*, pensent que ce ratio est encore plus élevé. « En 10 000 ans, nos gènes n'ont pas changé, explique-t-il. Si votre alimentation est celle du Nord-Américain moyen, vous ne consommez pas assez d'oméga-3 ; par contre, vous avalez des quantités énormes d'oméga-6. »

Il faut dire en toute justice que les experts ne sont pas tous d'accord sur ce point. « C'est stupéfiant de voir combien ce mythe est puissant », s'exclame le docteur Walter Willet, de Harvard. « Il n'y a aucune preuve à cet effet ; ce serait plutôt le contraire. Selon lui, les résultats d'études de population indiquent que le risque de cardiopathie diminue chez ceux qui remplacent les gras saturés par des polyinsaturés (dont les oméga-6) ou des mono-insaturés.

Cependant, d'autres nutritionnistes pensent qu'il est aussi important de diminuer sa consommation d'oméga-6 que d'augmenter celle des oméga-3. Selon le docteur Simopoulos, le déséquilibre est problématique, l'organisme se servant des mêmes enzymes pour transformer ces deux catégories de gras. Quand les oméga-6 surpassent en nombre les oméga-3, il y a moins d'enzymes pour transformer ces derniers. En conséquence, l'organisme est privé de ces remarquables anti-inflammatoires. De plus, les oméga-6 fournissent la matière première nécessaire à l'élaboration des prostaglandines, qui sont des substances inflammatoires. Ajoutons à cela que, à hautes doses, ils augmentent le risque de formation de caillots sanguins et d'oxydation du cholestérol LDL, le rendant plus susceptible d'obstruer les artères.

Le docteur Simopoulos conseille donc de bannir l'huile de maïs de la cuisine, de même que l'huile de tournesol et de carthame, qui renferment encore plus d'oméga-6. Les huiles d'olive, de canola, d'arachide ou de lin constituent de bonnes solutions de rechange.

> À poids égal, les gras trans augmentent le risque de cardiopathie plus que tout autre ingrédient alimentaire.

Les gras trans : « poisons métaboliques »

Si les scientifiques débattent encore de la valeur de l'huile de maïs, ils s'entendent par contre pour dénoncer les méfaits de l'huile hydrogénée. Il s'agit d'une huile végétale à laquelle on a ajouté de l'hydrogène. Cette transformation moléculaire permet de prolonger la durée de conservation de l'huile de cuisson et de faciliter son emploi dans les produits conditionnés et les plats-minute. Malheureusement, l'hydrogénation produit des acides gras trans, composés nocifs qui élèvent le taux de cholestérol LDL et pourraient même faire baisser celui du cholestérol HDL. Selon un article publié dans le *New England Journal of Medicine*, à poids égal, ces acides gras augmentent le risque de cardiopathie plus que tout autre ingrédient alimentaire. Pas étonnant que le docteur Willet les qualifie de poisons métaboliques. Les chercheurs savent également que ces lipides augmentent le risque de diverses autres affections, dont la maladie d'Alzheimer, le diabète de type 2 et les calculs biliaires. Selon les résultats d'une étude, ils pourraient même contribuer plus que les autres gras au gain de poids.

Il semble que les effets dévastateurs des gras trans sur l'organisme soient dus au fait qu'ils déclenchent l'inflammation. On ne s'en explique pas la raison mais les résultats d'études montrent sans équivoque qu'ils font grimper les taux de substances inflammatoires. Ainsi, on a observé que le taux de CRP (marqueur de l'inflammation) était de 73 % plus élevé chez les femmes qui consommaient le plus de gras trans que chez celles qui en ingéraient le moins. Selon une source, si l'on réduit de moitié son apport en gras trans, on peut diminuer son risque de cardiopathie de 30 %.

Voilà donc une raison supplémentaire de bannir croustilles, frites et autres gâteries aux calories vides, car ce sont les produits alimentaires qui renferment le plus de gras trans. Il y en a également dans certaines margarines.

De par la loi, les fabricants canadiens doivent inscrire sur l'étiquette de leurs produits leur teneur en gras trans. On peut donc savoir exactement quels produits en renferment. En juin 2007, le gouvernement canadien a émis de nouvelles lignes directrices destinées à limiter à 2 % la teneur en gras trans des huiles végétales et margarines tartinables, et à 5 % celles de tous les autres produits alimentaires, y compris les ingrédients vendus aux restaurateurs. Il a donné deux ans à l'industrie pour apporter ces changements.

Combattre l'inflammation : réhabiliter les anciennes règles de vie

Maintenir un poids santé, éviter les gras saturés, consommer quantité de fruits et légumes, ces règles de vie dont on connaît depuis longtemps la pertinence sont d'autant plus d'actualité qu'on sait aujourd'hui qu'elles permettent de combattre l'inflammation. En outre, il semblerait que le type de glucides que l'on consomme joue également un rôle à cet effet.

Surveillez votre poids

En plus d'arrondir le tour de taille et de former des culottes de cheval, les cellules adipeuses stimulent la production de protéines néfastes qui favorisent l'inflammation. Lors d'une étude menée auprès de 16 000 adultes, des chercheurs ont découvert que les hommes obèses étaient deux fois plus susceptibles que les autres de présenter des taux élevés de protéines inflammatoires, et les femmes obèses, six fois plus. De nombreux scientifiques croient aujourd'hui que la plus grande prédisposition à la cardiopathie et au diabète chez les personnes en surpoids est en partie attribuable à l'inflammation.

Heureusement, il semblerait qu'en perdant du poids on puisse corriger le problème. Ainsi, lors d'une étude menée en 2006, les femmes qui avaient perdu près de 6 kilos ont vu leur taux de CRP diminuer de 41 %.

Renoncez aux hamburgers

Les gras saturés présents dans les viandes persillées de gras et le lait entier renferment de l'acide arachidonique, un oméga-6 que l'organisme utilise pour élaborer des protéines inflammatoires. En outre, les personnes dont l'alimentation est riche en gras saturés accumulent généralement les kilos en trop au niveau de la taille (silhouette en forme de pomme). Or, selon des études menées sur des animaux et des humains, la graisse abdominale est celle qui cause le plus d'inflammation.

Voilà donc une autre raison pour les personnes en surpoids de prendre plus de poisson et de graines de lin : diverses études ont permis de faire la preuve que la consommation d'oméga-3 faisait chuter les taux de substances inflammatoires.

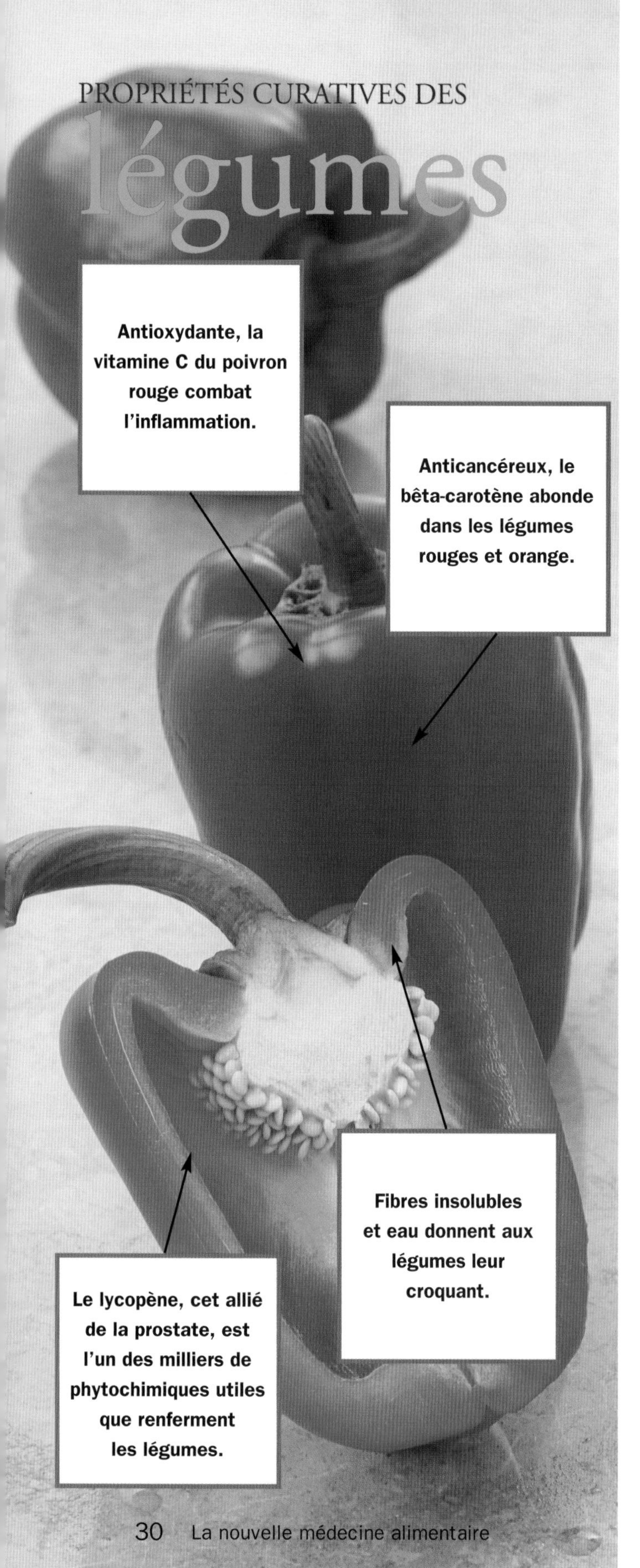

Suivez les conseils de votre mère

Nos mères avaient raison, une fois de plus, de nous inciter à manger nos légumes. Se pourrait-il qu'en prenant un simple plat de carottes au repas, on réussisse à atténuer l'inflammation chronique ? C'est un fait indiscutable.

Les fruits et les légumes constituent la meilleure source d'antioxydants. Comme nous le verrons plus loin, ces substances neutralisent les effets des radicaux libres, molécules naturelles qui s'attaquent aux cellules saines. Or, l'organisme réagit aux dommages des radicaux libres comme il le ferait pour toute autre blessure : par de l'inflammation. À défaut d'une quantité suffisante d'antioxydants, celle-ci s'aggravera. Ainsi, des chercheurs britanniques ont fait la preuve que le taux sanguin de CRP était deux fois plus élevé chez les hommes qui consommaient le moins de vitamine C que chez ceux dont l'alimentation en fournissait en abondance.

Des chercheurs allemands ont découvert que les sujets qui passaient à huit portions quotidiennes de fruits et de légumes, au lieu de deux, voyaient leur taux de CRP chuter du tiers en quatre semaines. Selon eux, cet effet était essentiellement attribuable aux caroténoïdes présents dans les légumes comme la carotte, la tomate et le poivron rouge.

Nos mères avaient également raison de nous inciter à nous brosser les dents. Quoiqu'on ait mangé, on devrait le faire après chaque repas et passer le fil dentaire régulièrement. En effet, la gingivite a pour effet de disperser l'inflammation dans tout l'organisme, ce qui augmenterait les risques de cardiopathie et de diabète.

Choisissez judicieusement vos glucides

Dans les pages qui suivent, nous traiterons des découvertes récentes des chercheurs sur le rôle complexe, et controversé, des glucides dans une alimentation saine. Pour l'heure, disons que, pour atténuer l'inflammation, vous devrez probablement revoir vos choix alimentaires.

De très nombreux aliments comprennent des glucides ; dans certains cas, ces derniers combattent l'inflammation, dans d'autres, ils l'aggravent. Une fois qu'on a compris un certain nombre de concepts simples, il est facile de choisir les glucides qui contrent l'inflammation.

Bons Glucides : POUR COMBATTRE LA GRAISSE ET L'INSULINORÉSISTANCE

Il s'est dit tellement de choses sur les glucides qu'on a parfois du mal à s'y retrouver. Il y a quelques dizaines d'années, inquiets de la recrudescence des cardiopathies, les médecins se sont mis à conseiller à

leurs patients de consommer moins de gras et plus de glucides (ou hydrates de carbone). En conséquence, les tailles se sont arrondies et on a assisté à une véritable épidémie de diabète de type 2.

Dans les années 1990, les régimes à faible teneur en glucides ont gagné en popularité. Les auteurs qui les prônaient imputaient les cuisses flasques et les hanches épaisses qu'affichait une partie de la population aux glucides, les démonisant comme on l'avait fait auparavant pour les gras. Les chercheurs s'y sont aussi intéressés, prouvant à coup d'études que l'alimentation riche en glucides faisait augmenter l'incidence du diabète, de la cardiopathie et de diverses autres affections.

Aujourd'hui, les glucides font un retour en force, du moins certains d'entre eux. Des travaux publiés au cours des dernières années ont permis de faire la preuve que certains glucides étaient essentiels à la bonne alimentation alors que d'autres devraient êtres considérés comme des gâteries occasionnelles.

Compte-tenu de leur incroyable variété et de leur importance pour la santé, il serait insensé de vouloir les bannir entièrement. Car il faut garder à l'esprit que, à côté des sodas, le pois gourmand et la courge d'été sont aussi des aliments glucidiques. De plus, ces nutriments fournissent à l'organisme un carburant de première qualité et constituent la meilleure source d'énergie pour les cellules du cerveau.

On peut tirer des bienfaits substantiels d'un changement dans le choix de notre alimentation en glucides, sans devoir pour autant la transformer entièrement. Ainsi, selon une étude, il suffit de remplacer, une fois par semaine, une pomme de terre au four par une portion de riz complet pour faire chuter de 30 % son risque de diabète de type 2. Nous reviendrons sur le cas de la pomme de terre. Des chercheurs ont également fait la preuve qu'en optant pour les « bons » glucides, on pouvait diminuer considérablement son risque de cardiopathie tout en perdant du poids.

Contrôle de la qualité : bien choisir ses glucides

De nombreux médecins pensent que, si les Nord-Américains sont plus malades et plus gros que par le passé, c'est qu'ils ne consomment pas les bons glucides. Pendant un temps, on a mis de l'avant les régimes à faible teneur en glucides (c'est-à-dire à haute teneur en protéines). Malheureusement, ce type de diète excluait pratiquement tous les aliments glucidiques, y compris les fruits, les légumes et les grains, du moins au début. Il était en outre riche en gras saturés et, par conséquent, faisait élever le taux de cholestérol. Enfin, en éliminant les « bons » glucides, on se privait de puissants moyens de combattre la maladie.

Toute la vérité sur les grains entiers

Le pain blanc, les céréales sucrées et les autres produits alimentaires composés de sucre et de farine raffinée sont, encore aujourd'hui, les glucides les plus populaires. Pourtant, il est beaucoup plus sain de consommer des grains entiers, comme le prouvent les résultats d'un nombre croissant d'études.

Au XVIIe siècle, grâce au développement des procédés de mouture, on s'est mis à fabriquer du pain blanc. Les coûts de production étant alors élevés, le pain blanc était considéré comme un produit de luxe alors que le pain noir et le pain gris ou bis restaient l'aliment du pauvre. N'est-ce pas ironique quand on songe que cela revenait à payer plus cher un produit moins nutritif?

> Les médecins pensent que nous sommes plus malades et plus gros que par le passé, à cause des mauvais glucides que nous consommons.

En retirant le son et le germe du grain, on prive ce dernier de certains nutriments, dont des vitamines B, des minéraux et des protéines. La farine enrichie permet d'en récupérer certains, mais pas tous. Le magnésium, notamment, est perdu. Pourtant, ce minéral est nécessaire à l'élaboration des enzymes qui contribuent à l'utilisation du glucose comme source d'énergie. On sait d'ailleurs que le taux de magnésium sanguin est habituellement faible chez ceux qui souffrent du diabète de type 2.

Le blutage présente en outre l'inconvénient d'éliminer une bonne partie des fibres. Il est vrai que d'autres aliments en fournissent, mais il faut reconnaître qu'on est loin d'ingérer les 25 à 35 grammes quotidiens de fibres recommandés par les experts. Or, comme nous le verrons maintenant, les fibres jouent un rôle très important pour la santé.

Les fibres : des éléments substantiels

Comme elles ne se dégradent pas dans le système digestif et ne passent pas dans le sang, les fibres ne sont pas considérées comme des nutriments. Pourtant, elles sont indispensables, et pas seulement pour favoriser le péristaltisme intestinale, c'est-à-dire la régularité des mouvements qui permettent la progression des matières dans l'intestin. Les fibres insolubles épongent l'eau des intestins, donnant du volume aux selles et les ramollissant. Quant aux fibres solubles, elles se transforment en une sorte de gelée qui adhère au cholestérol et l'évacue du corps, l'empêchant ainsi de passer dans le sang et d'obstruer les artères. Cette gelée élimine également l'acide biliaire, suc digestif composé de cholestérol. Voilà pourquoi le banal son d'avoine est si populaire : c'est une petite mine de fibres solubles. Le pois, le haricot sec, la pomme, l'orange et la carotte en constituent également de bonnes sources. En outre, les fibres ne passent que très lentement de l'estomac vers les intestins, prolongeant ainsi le sentiment de satiété. C'est certes un avantage quand on cherche à perdre du poids mais ça l'est également pour une autre raison : comme les sucres et l'amidon ingérés au cours d'un repas riche en fibres mettent plus longtemps à se convertir en glucose, l'organisme stocke moins de ce sucre sous forme de carburant. Par conséquent, le taux de glycémie s'élève graduellement, sans excès.

L'indice glycémique (IG) : une mesure des glucides

Choisir les « bons » glucides (ou hydrates de carbone) revient donc à opter pour ceux qui se dégradent lentement plutôt que pour ceux qui élèvent rapidement le taux de sucre sanguin. En évitant ces derniers, on se protège mieux contre le diabète et d'autres maladies dévastatrices. En effet, quand la glycémie (ou taux de sucre sanguin) est perpétuellement élevée, les organes et tissus du corps subissent des dommages qui peuvent entraîner une multitude d'affections.

L'indice glycémique (IG) a été conçu au début des années 1980 par des chercheurs de l'université de Toronto qui voulaient mesurer l'effet des différents glucides sur la glycémie. Pour déterminer l'IG, on fait prendre à des volontaires un aliment comprenant 50 grammes d'un glucide donné. On évalue ensuite de combien il élève la glycémie, comparativement à 50 g de glucose pur. On a attribué au glucose pur une valeur

PROPRIÉTÉS CURATIVES DU

pain

Le pain fait de farine grossièrement moulue et comprenant des grains se digère lentement.

Le blutage du grain en vue d'obtenir la farine blanche le prive du son et du germe, ses éléments les plus nutritifs.

Le magnésium détend les artères tandis que le folate fait baisser les taux d'homocystéine, qui est associée à la cardiopathie.

Les fibres que renferme le pain de grains entiers diminuent le risque de diabète et même celui de cancer du sein.

Le soi-disant « pain de blé » est généralement blanc ; « blé entier » devrait figurer tout en haut de la liste d'ingrédients.

de 100. À titre de comparaison, le bonbon haricot (jellybean) l'élève de 78 % : son IG est donc de 78. L'IG est faible s'il est de moins de 55, modéré, s'il se situe entre 56 et 69, et élevé s'il dépasse les 70. (Le riz au jasmin et certaines pommes de terre au four dépassent 100.)

Les critiques estiment que l'IG n'est pas un outil pratique pour le consommateur moyen, dans la mesure où un repas comprend aussi des gras et des protéines, qui peuvent le faire baisser. Ainsi, il serait parfaitement inutile de connaître l'IG d'une pomme de terre au four si on l'agrémente de beurre ou de crème sure et qu'elle accompagne un bifteck. Cependant, selon les résultats d'une étude publiée dans le *American Journal of Clinical Nutrition*, on peut prédire à 90 % de combien s'élèvera le taux de sucre sanguin à la fin d'un repas si on connait l'IG de chacun des aliments qui le composent.

La charge glycémique (CG), paramètre plus précis que l'IG, permet également de déterminer l'effet d'un aliment donné sur la glycémie. Cette mesure tient compte de la quantité de glucides que contient une portion habituelle d'un aliment donné plutôt que de celle qu'il faut consommer pour ingérer l'équivalent de 50 grammes de glucose. En conséquence, certains aliments considérés comme inappropriés du point de vue de leur IG, sont acceptables du point de vue de leur CG. Ainsi, la pastèque présente un IG élevé (76) mais une CG basse (4) : il faudrait en consommer près de 6 tasses pour ingérer 50 grammes de glucose alors que la portion habituelle est d'environ trois quarts de tasse.

Selon les résultats d'études, l'IG et la CG sont des outils tout aussi efficaces l'un que l'autre pour prévenir les pics glycémiques et diminuer le risque de diabète de type 2. Cependant, si ces chiffres vous semblent trop complexes, voici quelques règles simples qui vous permettront de maîtriser votre glycémie.

CONSOMMEZ FRUITS ET LÉGUMES À VOLONTÉ. Ils ne renferment généralement que des quantités modestes de glucides par portion. De plus, le sucre des fruits est essentiellement composé de fructose, une forme qui n'élève pas le taux de sucre sanguin.

CONSOMMEZ LES LÉGUMES RACINES AVEC MODÉRATION. C'est la seule exception à la première règle. L'amidon de la pomme de terre, du panais et de certains autres légumes racines renferme plus de glucose que le sucre pur et, par conséquent, élève rapidement la glycémie. Échappent à cette règle la carotte et la patate douce, dont les fibres solubles font baisser l'IG (voir « Consommez plus de fibres », ci-dessous).

CHOISISSEZ JUDICIEUSEMENT VOS AUTRES FÉCULENTS. À l'exception du pain au levain, dont l'acidité ralentit la digestion, le pain blanc possède un IG élevé. Optez pour le pain de blé entier et méfiez-vous des contrefaçons (voir «Grain entier ne signifie pas toujours faible IG», à droite). Entre le riz et les pâtes, prenez les secondes : leur amidon se dégrade plus lentement.

CONSOMMEZ PLUS DE FIBRES. Particulièrement les fibres solubles, qui ralentissent la digestion et n'élèvent que graduellement la glycémie. C'est pourquoi l'IG de l'avoine, de l'orge, de la pomme et de certaines baies est plutôt faible.

ÉVITEZ LES ALIMENTS SUCRÉS. Le sucre se digérant plus lentement que le glucose pur, l'IG des boissons gazeuses et les friandises est plus bas qu'on pourrait le croire, mais comme ils ne fournissent pratiquement que des calories vides, ils n'ont guère leur place dans une alimentation saine.

Bons glucides, bonne santé

D'un point de vue scientifique, il ne fait aucun doute qu'en optant pour les « bons » glucides, on élimine du coup les calories vides, qui font élever la glycémie, sans compter qu'on se protège ainsi des principales maladies de notre époque. Voici en quoi une plus grande consommation d'aliments riches en fibres et de faible IG peut vous être utile.

Diminuer le risque de diabète

On parle beaucoup de ce qu'il est convenu d'appeler l'épidémie de diabète. Le fait est que le nombre de cas de diabète de type 2 explose et qu'un nombre grandissant de personnes prennent cette direction. L'insulinorésistance est au cœur de cette maladie. La plupart des gens ne savent pas qu'ils en souffrent ni que la consommation des « mauvais » glucides y contribue largement.

L'insulinorésistance survient lorsque le corps cesse de réagir à l'insuline. Normalement, cette hormone permet au glucose de traverser les membranes cellulaires en vue de produire de l'énergie ou d'être stocké pour un usage futur. Cependant, chez certains, les cellules ne répondent plus à l'insuline : en conséquence, le pancréas doit en produire plus. Comme cette surproduction dure un certain temps, le sujet ne sait pas qu'il fait de l'insulinorésistance. Cependant, tôt ou tard, le pancréas n'arrive plus à répondre à la demande : le diabète de type 2 est alors inévitable.

Si on peut imputer l'insulinorésistance à l'hérédité, au surpoids et au manque d'exercice, elle peut aussi être exacerbée par la consommation de « mauvais » glucides. Des chercheurs britanniques ont demandé à des femmes d'adopter une alimentation riche en aliments à IG élevé, tandis que le second groupe devait consommer des aliments à faible IG. L'analyse de leurs cellules adipeuses a révélé que le premier groupe faisait plus d'insulinorésistance. Il n'y a rien là de nouveau : les études de population indiquent que, chez les personnes qui adoptent ce genre d'alimentation, le risque de souffrir du diabète de type 2 est multiplié par deux.

Toutefois, selon une étude menée à Harvard auprès de 43 000 hommes, on peut diminuer de 42 % son risque de diabète simplement en remplaçant le pain et le riz blancs, ainsi que les céréales sucrées, par du pain de grain, du riz complet et des flocons d'avoine.

Diminuer le risque de cardiopathie

Selon le docteur James W. Anderson, nutritionniste de l'université du Kentucky dont les travaux dans les années 1980 ont contribué à faire du son d'avoine une supervedette, la consommation de grains entiers peut entraîner une diminution de 29 % du risque de cardiopathie. Ce serait dû à l'action hypocholestérolémiante des fibres solubles de l'avoine. Mais il y a plus à dire sur cette question. (En

Grain entier ne signifie pas toujours faible IG

Certes, les grains entiers sont bons pour la santé, mais cela ne signifie pas nécessairement que l'IG d'un pain de blé entier sera faible. Si le grain a été finement moulu, il se digérera rapidement, tout comme la farine blanche. Idéalement, on optera pour un pain grossier qui comprend des grains intacts. Les pains faits de farine moulue sur pierre appartiennent à cette catégorie. On peut aussi opter pour un pain de flocons d'avoine et du gruau plutôt que pour du pain de blé entier et des céréales. L'avoine renferme des fibres solubles, qui ralentissent la digestion et, par conséquent, élèvent peu la glycémie. Ou encore, consultez un site fournissant l'IG des aliments. Le site américain www.glycemicindex.com donne celui d'une multitude de marques et produits du commerce.

Les protéines font-elles mincir ?

Il serait peut-être judicieux de remplacer une partie des sucres et des gras par des protéines. Les résultats de nombreuses études indiquent qu'on perd plus facilement du poids et qu'on diminue son risque de cardiopathie quand on augmente sa consommation de viande maigre, volaille, poisson, fruits de mer, œufs et produits laitiers à faible teneur en gras.

Ainsi, dans une étude de 1999, les chercheurs ont découvert que les sujets en surpoids qui avaient suivi durant six mois un régime riche en protéines avaient perdu en moyenne 3,6 kg de plus que ceux dont la diète était riche en glucides. Comme les protéines satisfont mieux l'appétit que les glucides, on mange moins. En outre, la plupart des aliments protéinés possèdent un IG faible et ralentissent la digestion ; leur effet sur la glycémie et l'insuline est donc peu marqué.

D'autres chercheurs pensent que tout régime hypocalorique permet de perdre du poids et que, au bout d'un an, les résultats sont comparables. Malgré tout, il semble que les régimes protéinés permettent de brûler plus efficacement la graisse. Ainsi, des chercheurs ont observé que les sujets qui suivaient un régime à haute teneur en protéines perdaient 50 % plus de graisse que les autres. En outre, une consommation plus élevée de protéines pourrait avoir pour effet de diminuer les taux sanguins de triglycérides, gras considérés comme nocifs.

Des médecins craignent que, à hautes doses, les protéines provoquent des troubles rénaux et affaiblissent les os. Cependant, les résultats d'études récentes n'ont pas permis de le constater, mais les sujets n'ont été suivis que durant trois à six mois.

fait, dans une analyse publiée dans le *American Journal of Clinical Nutrition*, les auteurs ont estimé qu'il faudrait consommer trois bols de flocons d'avoine par jour pour faire baisser de 2 % seulement son taux de cholestérol.)

La consommation de glucides à faible IG, comme les flocons d'avoine et les pâtes de blé entier, peut également contribuer à stabiliser le taux de sucre sanguin. Or, il ne fait aucun doute que quand ce taux est perpétuellement élevé, le risque de crise cardiaque s'accroît. Lors d'une étude menée auprès de plus de 3 000 sujets, on a découvert que les hyperglycémiques couraient près de trois fois plus de risques que les autres de souffrir de cardiopathie.

Quand l'insulinorésistance s'aggrave, le glucose s'accumule dans le sang. On ne sait pas pourquoi mais cette affection est souvent associée à de l'hypertension, des taux élevés de triglycérides (gras sanguins jouant un rôle dans les maladies cardiovasculaires) et un taux anormalement faible de HDL. Ces facteurs, auxquels s'ajoute l'obésité, constituent ce qu'il est convenu d'appeler le syndrome d'insulinorésistance, ou syndrome métabolique.

Encore ici, on peut atténuer le problème par une bonne alimentation et la consommation de bons glucides. Lors d'une étude récente menée à l'université du Maryland, des chercheurs ont fait la preuve que le risque du syndrome métabolique décroît pour chaque portion de grains entiers qu'on ajoute à son alimentation. Lors d'une autre étude menée dans divers hôpitaux de Boston, on a découvert que, chez les sujets en surpoids qui consommaient surtout des aliments à faible IG, les taux d'insuline et de triglycérides, de même que la pression artérielle étaient plus bas que ceux des sujets qui suivaient un régime pauvre en gras. Ils faisaient également moins d'inflammation, autre bienfait que procurent les glucides de qualité.

Calmer l'inflammation

Quand le cholestérol prend d'assaut les parois des artères, le système immunitaire réagit en déclenchant un processus inflammatoire. Or, les glucides riches en fibres solubles contribuent à éliminer une partie du cholestérol et, par conséquent, à calmer l'inflammation.

Selon une étude récente menée à la faculté de médecine de l'université du Massachussetts, les deux catégories de fibres (solubles et insolubles) exercent cette action. Durant un peu plus d'un an, les chercheurs ont suivi un groupe de plus de 500 sujets, leur faisant périodiquement passer une analyse sanguine dans le but de déterminer leur taux de CRP (protéine C réactive), ce marqueur de l'inflammation. Ils les ont également questionnés sur leur alimentation. Leur conclusion : le taux de CRP des sujets qui consommaient le plus de fibres (soit plus de 20 grammes par jour, le minimum recommandé par des experts) était de 63 % inférieur à celui des sujets qui en ingéraient peu.

Favoriser la perte de poids

Peut-on mincir en consommant du son de céréales et du riz complet ? Les résultats d'études de population indiquent que les personnes dont l'alimentation comprend des glucides à faible IG sont habituellement plus minces que celles qui consomment plus d'aliments sucrés et de féculents. Cet effet pourrait être dû en partie au fait que ces glucides prolongent le sentiment de satiété.

Lors d'une étude récente, des chercheurs de l'université de Sydney (Australie) ont découvert que les sujets qui adoptaient ce genre d'alimentation étaient deux fois plus susceptibles de perdre 5 % de leur poids, et de ne pas le reprendre, que ceux qui suivaient le régime classique riche en glucides et pauvre en gras que les médecins recommandent depuis des années. Bien qu'apparemment insignifiante, cette perte peut contribuer à diminuer de 58 % le risque de diabète chez les personnes en surpoids qui tendent vers l'insulinorésistance.

Pour une raison inconnue, les femmes bénéficient plus que les hommes d'une telle alimentation. Lors d'une étude, on a observé que les femmes qui l'avaient adoptée perdaient 80 % de tissu adipeux de plus que celles qui suivaient un régime à haute teneur en glucides et à faible teneur en gras. De plus, elles avaient préservé plus de masse musculaire. Enfin, avantage supplémentaire, leur taux de cholestérol LDL avait chuté.

Supervedettes antioxydantes

La colonne de gauche donne la liste, par ordre d'importance, les groupes d'aliments présentant le plus haut taux d'antioxydants. Dans la liste de droite, on trouvera l'aliment du groupe qui, à poids égal, en est le plus riche.

Une pincée d'antioxydants avec ça ? Le clou de girofle, le piment de la Jamaïque, la cannelle, le romarin et l'origan en sont de véritables petites mines. Utilisez-les libéralement en cuisine.

ALIMENT ANTIOXYDANT	LE MEILLEUR
Baies	Bleuet
Noix et graines	Noix commune
Chocolat	Chocolat noir
Fruits	Grenade
Légumes	Chou frisé
Vin	Rouge
Jus de fruit	Raisin
Café	Filtre, noir
Thé	Vert
Grains	Orge

ses électrons, mettant ainsi fin au comportement destructeur. Ce faisant, il devient lui-même un radical libre mais cette nouvelle molécule est sans danger.

Comme on le sait, l'organisme élabore ses propres antioxydants, dont la superoxyde dismutase, la coenzyme Q10 ou l'acide lipoïque. Ce dernier a la capacité de recycler les antioxydants qui ont épuisé leur pouvoir et, par conséquent, de leur rendre leur efficacité. Cependant, l'organisme n'en produit pas suffisamment pour empêcher les radicaux libres de prendre le dessus. D'autant plus que, avec l'âge, il en fabrique moins. D'où l'importance de chercher du renfort du côté des aliments qui en sont riches et, au besoin, des suppléments. Nous verrons dans les prochaines pages que les antioxydants tirés de l'alimentation comptent des substances bien connues et ayant fait l'objet de nombreuses études, la vitamine C par exemple, mais aussi d'autres que les scientifiques n'ont que récemment isolées et dont ils commencent à peine à comprendre le mode d'action.

Vitamines et minéraux

Le corps humain est capable de grands exploits biochimiques, mais il a ses limites. Il peut par exemple, élaborer des protéines qui lui sont nécessaires à partir d'acides aminés, mais il ne peut fabriquer plusieurs des composés requis pour les nombreuses fonctions organiques ou pour prévenir les maladies. Pour obtenir ses vitamines et minéraux, il compte sur les aliments qui doivent les lui fournir régulièrement dans la mesure où sa capacité de stockage est également limitée. D'où l'importance d'avoir une alimentation équilibrée au quotidien.

En dehors de leurs multiples fonctions biologiques, certains minéraux et vitamines exercent une activité antioxydante indéniable. C'est le cas des vitamines C et E, ainsi que du sélénium, minéral nécessaire à l'élaboration de certaines enzymes qui agissent comme antioxydants.

Phytochimiques

Le corps humain a beaucoup en commun avec un pied de tomate ou un plant de bleuet. Ainsi, il élabore des antioxydants pour se défendre contre la maladie de la même manière que les

Vitamines et minéraux antioxydants

Voici, en bref, les quatre principaux minéraux et vitamines antioxydants que fournissent les aliments.

VITAMINE OU MINÉRAL	POURRAIT CONTRIBUER À PRÉVENIR OU À GUÉRIR	BONNES SOURCES
Bêta-carotène	Certains cancers	Carotte, courge, patate douce, melon brodé, pêche, abricot
Vitamine C	Certains cancers, cardiopathie, arthrite	Agrumes, poivron rouge, brocoli, fraise
Vitamine E	Cardiopathie, certains cancers, maladie d'Alzheimer, cataracte	Huile d'olive et de canola, noix, graines, grains, légumes à feuilles vertes
Sélénium	Cancer du côlon, du poumon et de la prostate ; arthrite, VIH (virus de l'immunodéficience humaine)	Noix du Brésil, bœuf, poisson, volaille, grains, légumes (la teneur en sélénium de ces derniers varie selon la région)

plantes se fabriquent des substances protectrices. Les chercheurs ont isolé des milliers de ces composés, qu'ils appellent « phytochimiques » (du grec *phyto*, végétal). Bien qu'ils ne soient pas considérés comme des nutriments, nombreux sont ceux qui jouent un rôle important au sein de l'organisme. « On pourrait même découvrir un jour que certains d'entre eux sont essentiels à la santé humaine », souligne le docteur Blumberg, un expert en matière d'antioxydants.

De fait, les chercheurs multiplient les travaux sur les divers rôles que les phytochimiques exercent. À titre d'exemples, certains préviennent la formation de caillots sanguins, d'autres ralentissent la propagation des cellules cancéreuses. Cependant, on s'intéresse surtout à leur potentiel antioxydant. On les classe généralement en deux groupes.

CAROTÉNOIDES : les fruits et légumes de couleur jaune, orange ou rouge constituent de bonnes sources de ce groupe de phytochimiques antioxydants. Pensez à la tomate, l'orange, la carotte et le pamplemousse rose. L'épinard, le chou frisé et d'autres légumes verts en contiennent également. Le plus connu est le bêta-carotène, que l'organisme transforme en vitamine A, mais il en existe d'autres, qui pourraient s'avérer tout aussi utiles.

FLAVONOÏDES : ces pigments qui donnent leur couleur bleue, bleu-rouge et violette aux aliments appartiennent à la famille des polyphénols. Il s'agit de puissants antioxydants qui pourraient contribuer à combattre de nombreuses maladies : allergies, cancers, cardiopathies. Parmi les flavonoïdes, la quercétine semble particulièrement utile à l'appareil cardiovasculaire car elle prévient l'oxydation du cholestérol LDL, le rendant moins susceptible d'adhérer aux parois des artères. Les oignons rouge et jaune, le chou frisé, le brocoli, le raisin noir et la pomme en sont de bonnes sources. Quant au cacao, il renferme des épicatéchines, également réputées bonnes pour le cœur. Les épicatéchines, qu'on trouve aussi dans le thé, préviennent la formation de caillots sanguins, ralentissent l'oxydation du cholestérol LDL, améliorent la fonction vasculaire et diminuent l'inflammation.

Phytochimiques antioxydants

Les chercheurs ont isolé des milliers de phytochimiques, dont plus de 6 000 flavonoïdes. Voici une liste non exhaustive de ceux qui présentent le plus grand potentiel antioxydant.

PHYTOCHIMIQUE	POURRAIT CONTRIBUER À PRÉVENIR OU À GUÉRIR	BONNES SOURCES
Catéchines	Cardiopathie, certains cancers	Chocolat noir, thé, fruits, légumineuses
Lutéine	Cataracte, dégérescence maculaire, cardiopathie, certains cancers	Épinard, brocoli et autres légumes à feuilles ; choux de Bruxelles ; artichaut
Lycopène	Cancer de la prostate ; possiblement ostéoporose et infertilité masculine	Tomate (surtout pâte de tomate cuite), pastèque, pamplemousse rose, poivron rouge
Proanthocyanidines	Cardiopathie, cancer	Thé, cacao, baies, raisin, vin rouge
Quercétine	Cardiopathie, cancer du poumon, asthme, rhume des foins	Pomme, oignon, brocoli, canneberge, raisin
Resvératrol	Cardiopathie	Vin rouge, raisin, arachide
Zéaxanthine	Cataracte, dégérescence maculaire, certains cancers	Légumes à feuilles vertes, maïs, tangerine, nectarine

Les antioxydants à l'œuvre : neutralisation des radicaux libres

Les radicaux libres ne dorment ni ne prennent de congé. Un expert a estimé que l'ADN de toutes les cellules du corps est attaqué environ 10 000 fois par jour par ces molécules. Il n'est donc pas étonnant que le stress oxydatif qui résulte d'une carence en antioxydants puisse entraîner une foule de maladies invalidantes. Mais en choisissant judicieusement ses aliments et en prenant, au besoin, des suppléments (toujours avec l'accord du médecin), on pourra obtenir des antioxydants les effets suivants.

Protection cardiaque

Il reste encore à démontrer de façon concluante que les suppléments d'antioxydants préviennent les maladies cardiaques. Par contre, on sait avec certitude que l'alimentation doit fournir assez d'antioxydants pour limiter les effets nocifs du cholestérol LDL. Quand il est oxydé, c'est-à-dire qu'il a subi l'attaque des radicaux libres, le cholestérol se réfugie dans les parois des artères. Le système immunitaire pressent alors le problème et expédie sur place des globules blancs macrophages qui l'engloutiront pour se transformer en gouttelettes mousseuses portant le nom de « cellules spumeuses ». Ces cellules chargées de graisse s'accumulent et forment des plaques qui, à la longue, rétrécissent les artères et risquent de se disloquer, créant un bouchon et provoquant une crise cardiaque.

De nombreuses études ont permis de faire la preuve qu'une consommation élevée de fruits et de légumes riches en antioxydants diminuait le risque de cardiopathie. Le thé et le vin constituent également de bonnes sources de flavonoïdes. Or, les résultats de certaines études indiquent qu'une alimentation riche en flavonoïdes pourrait contribuer à diminuer de 65 % le risque de cardiopathie.

On doit également éviter de surcharger l'organisme d'aliments qui épuisent ses propres réserves d'antioxydants. Les sucreries et les féculents, notamment, semblent faire grimper les taux de radicaux libres. Lors d'une étude menée à l'université de la Californie, les chercheurs ont découvert que les sujets qui consommaient le plus d'aliments à indice glycémique (IG) élevé présentaient aussi les plus hauts taux de cholestérol oxydé, précurseur potentiel d'infarctus.

Protection de l'ADN

Les radicaux libres peuvent endommager l'ADN des cellules saines, altérant leur mode de fonctionnement au point qu'elles se multiplient anormalement et forment des tumeurs cancéreuses. Or, chez ceux qui consomment beaucoup de fruits et de légumes, l'incidence de certains cancers est faible. On a montré dans des études en laboratoire que les phytochimiques prévenaient le développement des tumeurs de diverses manières, notamment en neutralisant les radicaux libres.

Les caroténoïdes présents dans les légumes rouges, orangés et jaunes semblent être de puissants protecteurs contre le cancer, particulièrement celui de la prostate. Les études indiquent que l'incidence de ce cancer chez les hommes qui consommaient beaucoup de tomates et de produits composés de tomate cuite était particulièrement faible, ce qui serait attribuable au lycopène que contient la tomate. Au cours d'une autre étude, on a observé une baisse de 64 % de l'incidence de ce cancer chez les hommes qui ingéraient la plus grande quantité de bêta-carotène.

Moins de complications du diabète

Il semble qu'un taux de sucre sanguin élevé ait pour effet d'accélérer la production de radicaux libres particulièrement nocifs qui pourraient être à l'origine des terribles complications du diabète, comme la cécité, les lésions nerveuses et l'insuffisance rénale.

Il se peut que les antioxydants atténuent ces symptômes. Ainsi, des études menées en Europe indiquent que les suppléments d'acide

PROPRIÉTÉS CURATIVES DES fruits

Douces et juteuses, les fraises fournissent près de 100 mg de vitamine C par tasse.

Les fruits, et surtout les baies, sont parmi les meilleures sources d'antioxydants.

En plus de colorer la fraise en rouge, les anthocyanines combattent oxydation et inflammation.

Les fruits sont peu caloriques car ils sont riches en eau : 1 t de fraises ne fournit que 50 calories.

alpha-lipoïque (présent dans l'épinard, le brocoli et le bœuf) pourraient soulager la neuropathie. En Inde, des chercheurs ont également démontré que la curcumine, composé antioxydant qui donne au curcuma sa couleur jaune, limitait les lésions rénales chez les rats diabétiques. Le resvératrol, présent dans le vin rouge, et la quercétine, qu'on trouve notamment dans la pomme et l'oignon, exerceraient le même effet.

Certains phytochimiques pourraient même protéger contre le diabète lui-même. Lors d'une étude menée en Finlande auprès de 4 300 sujets non diabétiques, suivis durant 23 ans, les chercheurs ont observé que ceux qui consommaient le plus d'un caroténoïde présent dans les agrumes, le poivron rouge, la papaye, la coriandre fraîche, le maïs et la pastèque, avaient vu leur risque de diabète de type 2 chuter de 42 %.

Protection contre la démence

Les cellules nerveuses des personnes souffrant de maladies neurodégénératives présentent des lésions causées par les radicaux libres. De plus, ces molécules semblent être à l'origine de la formation des plaques amyloïdes caractéristiques de la maladie d'Alzheimer.

On ne sait pas comment prévenir cette maladie, mais la consommation d'oranges et de pain de grain entier pourrait y contribuer ; en effet, des études indiquent que les vitamines C et E pourraient protéger le cerveau mieux que toute autre substance. Après avoir questionné plus de 5 000 sujets de plus de 55 ans sur leur alimentation, des chercheurs hollandais les ont suivis durant six ans. À l'issue de l'étude, ils ont observé que le risque de maladie d'Alzheimer était inférieur de 34 % chez ceux qui prenaient le plus de vitamine C et de moitié moindre chez ceux dont l'alimentation était riche en vitamine E ; ils étaient donc encore mieux protégés.

> D'après les résultats d'études, une alimentation riche en flavonoïdes peut diminuer le risque de cardiopathie de 65 %.

Il n'est pas certain que, à hautes doses, les antioxydants protègent mieux le cerveau. Lors d'une étude publiée dans le *New England Journal of Medicine*, on a découvert que l'administration quotidienne de 2 000 UI de vitamine E sous forme de supplément, soit environ 66 fois la quantité qu'on trouve dans un supplément multivitaminique, semblait retarder l'apparition de la maladie d'Alzheimer. Cependant, dans d'autres études, on n'a pas réussi à prouver que les suppléments de vitamine E protégeaient le cerveau.

Préservation de la vue

Le bêta-carotène est converti par l'organisme en vitamine A, nutriment essentiel à la santé de l'œil. D'où la réputation de la carotte à protéger cet organe. Cependant, des études récentes indiquent que d'autres phytochimiques antioxydants pourraient contribuer à préserver la vue. La lutéine notamment, autre caroténoïde dont sont riches l'épinard, le chou frisé et le chou cavalier. Les cellules de la rétine absorbent la lutéine, apparemment pour combattre les radicaux libres. Des chercheurs qui ont analysé l'alimentation de plus de 1 700 femmes en Iowa, en Oregon et au Wisconsin ont découvert que, chez les sujets de moins de 75 ans qui consommaient beaucoup d'aliments riches en lutéine et en zéaxanthine, un autre caroténoïde, le risque de dégénérescence maculaire semblait chuter de moitié. À noter que cette affection est la principale cause de cécité chez les personnes âgées.

La consommation d'aliments riches en ces antioxidants pourrait également contribuer à prévenir la formation de cataractes. La carotte, les légumes à feuilles vertes, la courge, le maïs, le pois, le jaune d'œuf, le melon de miel et le kiwi sont de bonnes sources de lutéine et de zéaxanthine.

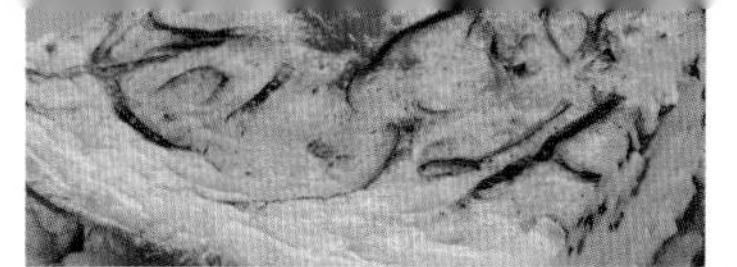

Cherchez l'erreur :
MYTHES ALIMENTAIRES DÉMYSTIFIÉS

Les œufs vous manquent ? Vous vous contraignez à manger votre brocoli cru de crainte que la cuisson détruise ses nutriments ? Vous avez cessé de boire du café après avoir lu qu'il causait le cancer chez des rats

de laboratoire ? Alors, ce qui suit vous réjouira. Au fil des ans, mythes et idées erronées n'ont cessé de circuler à propos de divers aliments. Et c'est rarement le foie ou le haricot de Lima, par exemple, qu'on démonise, mais plutôt des aliments et boissons appréciés de tous. Au bout du compte, certains s'avèrent bons pour la santé. Ainsi, les résultats d'une étude de grande envergure indiquent que, chez les femmes qui buvaient une à quatre tasses de café par jour, le risque de diabète chutait de 47 %.

Voici ce qu'il en est exactement de certains mythes alimentaires qui ont la vie dure.

MYTHE : **l'œuf est mauvais pour la santé**

Pendant des années, les experts en nutrition nous ont mis en garde contre l'œuf. Comme c'est l'un des aliments les plus riches en cholestérol, on a cru qu'il augmentait le risque de crise cardiaque et d'accident vasculaire cérébral (AVC).

Or, d'après plusieurs études, cette théorie bat de l'aile. Ainsi, dans la célèbre Framingham Heart Study, qui a permis pour la première fois de faire le lien entre le taux de cholestérol sanguin élevé et la crise cardiaque, rien n'indiquait que la consommation d'œufs élevait le risque de cardiopathie. Dans une autre étude auprès de plus de 117 000 sujets, on n'a pas pu démontrer que ceux qui mangeaient un œuf par jour couraient plus de risques que les autres de faire une crise cardiaque.

Comment expliquer cela ? C'est que seulement 25 % du cholestérol sanguin vient des aliments. Le reste est élaboré par le foie, qui en produit beaucoup quand on consomme de grandes quantités de gras saturés. Cependant, l'œuf contient peu de cette catégorie de gras. En outre, il est riche en nutriments qui protègent contre les dommages résultant de sa teneur élevée en cholestérol : gras insaturés, minéraux, folate et autres vitamines B. Enfin, on trouve aujourd'hui dans le commerce des œufs qui renferment des oméga-3, ces acides gras si bons pour la santé.

L'œuf a sa place dans une alimentation équilibrée. D'ailleurs, la plupart des gens peuvent en prendre deux, ou à tout le moins un, par jour sans que leur taux de cholestérol n'en soit modifié. Il faut simplement garder à l'esprit qu'un œuf fournit 200 mg de cholestérol. Comme certaines organisations de la santé recommandent de ne pas dépasser les 300 mg par jour, il vaut mieux prendre son omelette sans l'accompagner de bacon et de pommes de terre rôties.

L'œuf n'est d'ailleurs pas le seul aliment riche en cholestérol à avoir été réhabilité par la science : dans les années 1990, des chercheurs ont démontré que la consommation de crevettes, très riches en cholestérol, n'exerçait pour ainsi dire aucun effet sur le taux de cholestérol de l'organisme.

MYTHE : **le café est cancérigène**

Au cours des quelque 40 dernières années, le café a été plusieurs fois associé au cancer. Ainsi, à la fin des années 1970, des chercheurs ont rapporté que la caféine provoquait la formation de kystes dans le tissu mammaire. Cette découverte a suscité des inquiétudes, car il n'est pas rare que les femmes ayant des kystes souffrent plus tard de cancer du sein. Puis, en 1981, lors d'une étude menée à Harvard, on a découvert que l'incidence du cancer du pancréas était plus élevée chez les buveurs de café.

Plus tard, des scientifiques ont tenté de valider ces résultats en ayant recours à une méthodologie avancée et à de plus grands groupes de sujets, mais ils n'ont pu établir de lien entre la consommation de café et l'incidence des cancers du sein ou du pancréas. Des études subséquentes portant sur d'autres cancers n'ont pas donné non plus de résultats. On a même parfois observé le contraire. Ainsi, les résultats d'une revue de 17 études menées de 1990 à 2003 indiquent que l'incidence du cancer du côlon diminue de 24 % chez ceux qui boivent régulièrement du café (y compris décaféiné) et du thé.

Selon les résultats d'études récentes, le café offre une certaine protection contre la maladie de Parkinson et le diabète de type 2 (quoique, pour diminuer sensiblement son risque de diabète, il faudrait probablement en prendre six tasses par jour). Quant à ses effets sur la pression artérielle, qui en inquiètent certains, on a découvert lors d'une étude menée auprès de plus de 155 000 femmes, que les buveuses de café ne couraient pas plus de risques d'hypertension que celles qui en buvaient peu ou pas.

MYTHE : **parmi les boissons alcoolisées, seul le vin rouge exerce une action protectrice sur le cœur**

On parle habituellement ici de ce que l'on appelle le paradoxe français, pour souligner le fait que les Français font nettement moins de crises cardiaques que les Nord-Américains, en dépit d'un mode de vie qui n'est pas toujours très sain : entre autres choses, ils fument plus la cigarette. Des chercheurs ont émis l'hypothèse que leur amour du vin, particulièrement du rouge, pouvait expliquer en partie leur meilleure santé cardiovasculaire. Rien d'étonnant à cela, étant donné que le vin rouge renferme des taux élevés de resvératrol, phytochimique qui agit comme antioxydant et atténue l'inflammation. Des études plus récentes semblent même indiquer que resvératrol pourrait contribuer à ralentir le processus du vieillissement.

Cependant, il semble plutôt que ce soit l'alcool que contient le vin qui exerce un effet positif sur la santé cardiaque. Les résultats de vastes études de population indiquent que la plupart des gens tirent des bienfaits de la consommation modérée d'alcool, toutes catégories confondues. Ainsi, des chercheurs de l'école de santé publique de Harvard ont interrogé plus de 38 000 sujets sur leurs habitudes de consommation d'alcool, puis les ont examinés 12 ans plus tard. Ceux qui prenaient un ou deux verres par jour couraient 37 % moins de risque de crise cardiaque que ceux qui ne buvaient jamais ou très rarement.

L'alcool élève le taux de cholestérol HDL (le «bon» cholestérol) et semble atténuer le risque de formation de caillots sanguins. La plupart des organisations de santé publique sont d'avis que la consommation d'un ou deux verres par jour (un pour les femmes, deux pour les hommes) d'alcool pourrait procurer certains bienfaits sans présenter de danger.

MYTHE : **les aliments maigres sont plus sains que les aliments très gras**

C'est vrai pour la viande et les produits laitiers, mais pas nécessairement pour d'autres aliments, par exemple la sauce à salade. Pour la personne qui veut perdre du poids, il semble logique d'opter pour une sauce sans huile et, pourtant, il y a un prix à payer pour les 100 calories que l'on « économise » ainsi.

D'abord, les sauces à salade faites de gras mono-insaturés, telles que l'huile d'olive ou l'huile de canola, pourraient contribuer à prévenir les cardiopathies et d'autres maladies. Ensuite, on a montré lors d'une étude récente qu'en renonçant aux gras, on risquait de se priver de certains nutriments protecteurs qui ne sont assimilés par l'organisme qu'en leur présence.

Des chercheurs de l'université de l'Iowa ont fait prendre à des volontaires trois différentes salades, qui comprenaient toutes de la romaine, des feuilles d'épinard, des carottes râpées et des tomates cerises. La première était assaisonnée d'une sauce sans gras, la seconde, d'une sauce à faible teneur en gras, et la dernière, d'une vinaigrette à l'huile. Les chercheurs ont ensuite mesuré chez tous les sujets les taux sanguins de caroténoïdes, ces antioxydants dont il a été question précédemment et qui comprennent le bêta-carotène et le lycopène. Dans le premier cas, ces taux se sont révélés extrêmement faibles, dans le second, à peine un peu plus élevés, tandis que, dans le troisième, ils étaient tout à fait adéquats. Ce n'est pas une raison, toutefois, pour noyer sa salade dans l'huile ; 1 ou 2 cuillerées à soupe suffisent amplement.

MYTHE : **les fruits et légumes sont plus nutritifs crus que les cuits**

Cette théorie se tient, non ? Des crudivores poussent même la chose à l'extrême, refusant de consommer un simple pois gourmand s'il a été bouilli, passé à la vapeur ou cuit de toute autre manière.

Cependant, cette théorie ne tient pas la route. Les crudivores rappellent que la chaleur détruit les enzymes qui rendent les aliments plus digestes. C'est vrai, mais la cuisson a aussi pour effet de dégrader les fibres des aliments, facilitant ainsi leur assimilation. Il se peut même qu'en ne consommant ses fruits et légumes que crus, on mette sa santé en péril. Des chercheurs allemands qui ont suivi 201 hommes et femmes qui ne consommaient que des aliments crus ont trouvé que, si leurs taux de cholestérol et de triglycérides totaux avaient diminué, leur taux de cholestérol HDL, le bon cholestérol, aussi. En outre, leur taux d'homocystéine (un acide aminé qu'on associe aux crises cardiaques et aux AVC) avait monté.

Au cours des dernières années, des chercheurs ont découvert que la cuisson rehaussait la teneur en nutriments de certains fruits et légumes. Ainsi, le ketchup renferme cinq ou six fois plus de lycopène que la tomate crue, ce qui en fait un produit nettement plus utile contre les maladies telles que le cancer de la prostate.

Il est vrai que la cuisson détruit certains nutriments, particulièrement les vitamines solubles dans l'eau, soit la B_6, la C et le folate. Cependant, elle élève la teneur en antioxydants de certains légumes, par exemple le maïs et la carotte. En conclusion, rien ne vous interdit de

Le sucre « brut », une supercherie ?

Devrait-on payer plus cher pour se procurer du sucre « brut » ? Si on en apprécie la saveur, bien sûr. Mais ne vous laissez pas tromper par le battage publicitaire voulant qu'il soit plus nutritif que le bon vieux sucre de table.

Le sucre « brut » vendu au Canada est habituellement du turbinado, qui dérive son nom des turbines, ou centrifugeuses, dans lequel il est clarifié. Contrairement au sucre blanc, qui est débarrassé de sa mélasse en cours de transformation, il en préserve une partie, d'où sa couleur dorée. Les sucres demerara et muscovado sont similaires.

Ces sucres ne sont guère plus sains que les autres. Ils renferment un peu plus de minéraux, mais seulement sous forme de trace. Et ils fournissent tout autant de calories, soit 15 par cuiller à thé. Les personnes au régime n'y gagnent donc pas au change.

De plus, le mot « brut » est trompeur. À proprement parler, ce qualificatif désigne les granules de couleur brune obtenues lors de la transformation de la canne à sucre. Ce sucre brut est ensuite raffiné dans le but de produire le sucre de table et tous les autres édulcorants qu'on en tire.

Donc, le sucre brut véritable n'est pas vendu au Canada, car il ne satisfait pas aux normes réglementaires du pays. C'est d'ailleurs une bonne chose puisqu'il renferme des levures, moisissures, bactéries, parties d'insectes ainsi que de la terre et diverses autres matières indésirables.

PROPRIÉTÉS CURATIVES DE

l'huile d'olive

À long terme, on reste plus fidèle à son régime quand on consomme un peu de matière grasse.

Riche en antioxydants et anti-inflammatoire, l'huile d'olive, surtout l'extra-vierge, est considérée comme de l'or liquide.

Le romarin, de même que diverses autres herbes, est particulièrement riche en antioxydants.

L'ajout d'un peu d'huile à une salade de légumes facilite l'absorption par l'organisme des nutriments qu'ils renferment.

Les gras mono-insaturés peuvent diminuer considérablement le risque de crise cardiaque.

Le vinaigre diminue de 30 à 50 % les pics glycémiques consécutifs à un repas.

consommer des produits crus, mais il n'y a aucune raison de craindre la marmite à vapeur ou la poêle à sauter.

MYTHE : **les fruits et légumes surgelés ou en conserve sont moins nutritifs que les frais**

Les produits frais sont plus nutritifs que ceux qui sont surgelés et en conserve, c'est vrai, mais seulement si on les consomme au moment de leur cueillette. Durant le long voyage qu'ils doivent effectuer avant d'arriver sur les étals, sans compter leur long séjour en entrepôt, les enzymes naturelles qu'ils libèrent dégradent certains de leurs nutriments et les en privent.

Par contraste, les transformateurs surgèlent rapidement les produits fraîchement récoltés ; ils préservent ainsi leur teneur en vitamines et minéraux. « Dans certains cas, la surgélation permet même de préserver plus de nutriments », explique Douglas Archer, professeur en sciences de la nutrition à l'université de la Floride. Ainsi, lors d'une étude menée en 1992 à l'Université de l'Illinois, on a observé que les haricots surgelés renfermaient deux fois plus de vitamine C que ceux achetés frais à l'épicerie.

En outre, contrairement à la croyance populaire, le procédé de mise en conserve ne prive pas non plus les fruits et légumes de quantités significatives de nutriments. Si, dans certains cas, la chaleur peut entraîner une certaine perte vitaminique, dans d'autres, c'est le contraire : ainsi, l'épinard et la courge en conserve sont plus riches en vitamine A que leurs équivalents frais.

En ce qui concerne la saveur, il va de soi qu'une fraise surgelée ne se compare pas à une fraise fraîche. Cependant, au cours des dernières années, la technologie de la surgélation a progressé à pas de géants. « Dans le passé, la surgélation hypothéquait la saveur et la texture des légumes, rappelle le professeur Archer, mais aujourd'hui, les choses se sont nettement améliorées. Les chefs n'hésitent d'ailleurs pas à s'en servir en cuisine. »

MYTHE : **comme les noix font engraisser, il faut en manger avec parcimonie**

Et se priver ainsi d'aliments nutritifs et satisfaisants ? En effet, les noix sont particulièrement riches en gras mono-insaturés. Ainsi, les arachides rôties à sec en renferment trois ou quatre fois plus que de gras saturés. Des études récentes indiquent que la consommation de noix peut même favoriser la perte de poids.

Les chercheurs croient que les gras (ou lipides) des noix contribuent au sentiment de satiété et que, durant leur digestion, leurs protéines brûlent les calories qu'ils fournissent. À cet égard, les résultats d'une étude menée par des chercheurs britanniques indiquent que les aliments riches en protéines contribuent à libérer une hormone réputée calmer l'appétit.

Les noix rassasient sans pour autant élever les taux de cholestérol ou des autres lipides sanguins. De plus, ce sont d'excellentes sources de fibres, de vitamine E, de magnésium, de folate et de cuivre. On ne s'étonne donc pas d'apprendre que ceux qui en consomment régulièrement soient généralement en bonne santé. Ainsi, selon une étude menée à Harvard auprès de plus de 80 000 infirmières, les femmes qui en consomment aussi peu que 30 grammes par jour courent 35 % moins de risque de crise cardiaque que celles qui n'en consomment pas du tout ou s'en privent. À noter qu'en prenant un sandwich au beurre d'arachide par jour, à raison de cinq jours par semaine (de préférence sur pain de grain entier), on peut diminuer de 21 % son risque de diabète de type 2.

SECTION
deux

Votre arsenal alimentaire

Comme nous l'avons vu dans la première partie, les aliments soignent. Dans cette seconde partie, nous vous présentons notre « top 20 » alimentaire, de même que nos 10 meilleures herbes et épices curatives. Vous trouverez aussi un tableau répertoriant les aliments qui sont de véritables petites mines de vitamines, minéraux et autres nutriments importants, et qui figurent largement dans les « ordonnances alimentaires » de la troisième partie.

Ail

Description et caractéristiques

L'ail est quasiment un antibiotique comestible. Louis Pasteur a été le premier à démontrer les propriétés antiseptiques de l'ail. On y a d'ailleurs eu recours durant la première guerre mondiale. Bien avant, les Égyptiens en donnaient aux esclaves qui construisaient les pyramides. On s'en est aussi servi pour soigner une multitude de maux. Son odeur caractéristique est due à ses composés soufrés, qui sont à l'origine de la plupart de ses propriétés curatives.

Propriétés curatives

L'ail est antibactérien, antifongique et antiviral. En laboratoire, il s'est même révélé efficace contre des souches de bactéries antibiorésistantes. Il tire ses propriétés de ses composés soufrés, qui agissent comme antioxydants et sont utiles au cœur. Bien qu'il n'abaisse le taux de cholestérol que de façon modeste, il éclaircit le sang et diminue donc le risque de formation de caillots sanguins, de crise cardiaque et d'AVC (accident vasculaire cérébral). Ceux qui en prennent six gousses ou plus par semaine voient leur risque de cancer du côlon, de l'estomac ou de la prostate diminuer de moitié comparativement à ceux qui n'en prennent pas plus d'une. En plus d'éliminer les carcinogènes avant qu'ils n'endommagent l'ADN, les composés soufrés de l'ail entraînent l'autodestruction des cellules cancéreuses.

Astuce santé

Pour tirer le meilleur parti possible des propriétés de l'ail, hachez ou écrasez le bulbe et laissez-le reposer 10 minutes, pour libérer complètement ses composés soufrés.

NUTRIMENTS-CLÉS

- > Cuivre
- > Fer
- > Zinc
- > Magnésium
- > Germanium
- > Sélénium

COMBIEN EN CONSOMMER

Au moins une gousse par jour.

BIEN CHOISIR

Les bulbes doivent être charnus et les gousses lisses et fermes. Ne les réfrigérez pas ; gardez-les plutôt dans un récipient ouvert, au frais et à l'air libre. Ils se conserveront deux mois. Bien que l'ail germé soit moins piquant, on peut parfaitement le consommer. Émincez le germe avant de le faire cuire.

Trois conseils futés

1. Pour émincer finement une gousse, passez-la sur une fine râpe ou servez-vous d'un zesteur. Pour éliminer l'odeur, lavez les ustensiles au lave-vaisselle.

2. Pour préparer une petite quantité de purée d'ail, écrasez une gousse à la fourchette, en changeant de temps en temps le sens des dents.

3. Pour atténuer légèrement le piquant de l'ail que vous ajoutez aux plats crus, mettez-le pendant 2 minutes dans un peu d'eau frémissante, puis égouttez-le.

Avocat

Description et caractéristiques

L'avocat est le plus gras de tous les fruits, y compris l'olive. Comme cette dernière, ce fruit de forme étrange est extrêmement riche en gras mono-insaturés, dont on connaît les effets positifs sur la santé. L'avocat de la variété Hass, à la peau grenue et vert foncé, que l'on cultive en Californie est plus gras que celui qui est produit en Floride et qui présente une peau lisse vert pâle. L'avocat renferme plus de fibres solubles et de protéines que tout autre fruit. En outre, un demi-avocat moyen fournit plus de potassium qu'une banane.

Propriétés curatives

En dépit de sa richesse en gras, ou plutôt grâce à elle, l'avocat peut faire baisser le taux de cholestérol. Les chercheurs estiment qu'en remplaçant seulement 5 % des gras saturés par des gras mono-insaturés, on peut diminuer de plus du tiers le risque de crise cardiaque. En outre, l'avocat est riche en bêta-sitostérol, stérol végétal qui bloque l'absorption du cholestérol présent dans les aliments. Il renferme également du glutathion, un puissant antioxydant.

Astuce santé

L'avocat devrait remplacer d'autres sources de gras alimentaires et non s'y rajouter.

NUTRIMENTS-CLÉS

- > Gras mono-insaturés
- > Folate (une vitamine B)
- > Vitamine A
- > Potassium
- > Stérols

COMBIEN EN CONSOMMER

Comme un avocat Hass fournit en moyenne 227 calories, il en faut très peu. Prenez-en un cinquième : vous n'ingérerez que 45 calories, soit la moitié moins que ce que fournit une cuiller à soupe de mayonnaise, et ce sera bien meilleur pour votre santé.

BIEN CHOISIR

Prenez quelques fruits dans la main et choisissez celui qui semble le plus lourd pour sa taille. Laissez-le mûrir sur le comptoir de la cuisine ou enfermez-le dans un sachet de papier. Il est à point quand l'extrémité de la tige s'enlève facilement et que la chair est verte.

Trois conseils futés

1. Pour éviter que la chair coupée noircisse, retirez le noyau et aspergez d'huile de cuisson en aérosol, puis enveloppez de film plastique. Consommez dans un délai de trois jours.

2. La purée d'avocat peut remplacer des condiments moins sains, par exemple la mayonnaise, dans les sandwichs ou la crème sure sur les pommes de terre.

3. Écrasez les avocats trop mûrs avec l'équivalent de ½ c. à thé de jus de citron ou de limette par fruit. Congelez la préparation dans un récipient étanche. Se garde quatre mois.

Avoine

Description et caractéristiques

Le grain d'avoine renferme tout le potentiel de la plante. Dans certains pays, on considérait jadis cette céréale comme inférieure, tout juste bonne à donner aux chevaux, car on ne pouvait en faire du pain. Pourtant, c'est l'une des meilleures sources de protéines végétales. En 1997, Quaker Foods a remporté toute une victoire quand la FDA l'a autorisée à alléguer sur ses produits que, dans une alimentation saine, l'avoine pouvait diminuer le risque de cardiopathie. C'était la première allégation santé à être ainsi autorisée pour un aliment, et il se trouve qu'elle a résisté à l'épreuve du temps.

Propriétés curatives

C'est à son bêta-glucane, une fibre soluble, que l'avoine doit son action hypocholestérolémiante et hypotensive. Une tasse par jour de son d'avoine cuit, 1½ tasse de flocons d'avoine ou trois paquets de gruau instantané en fournissent assez pour faire baisser d'environ 5 % le cholestérol sanguin et de 10 % le risque de crise cardiaque. Riche en antioxydants, le grain pourrait également prévenir l'oxydation du « mauvais » cholestérol, qui serait alors moins susceptible d'adhérer aux parois des artères. Autre avantage : ses fibres solubles forment dans l'estomac une gelée qui ralentit la digestion, calmant l'appétit et atténuant les pics glycémiques.

Astuce santé

Instantanés ou pas, les flocons d'avoine offrent les mêmes avantages. Prenez ceux qui vous conviennent. Évitez toutefois les produits auxquels on a ajouté du sucre.

NUTRIMENTS-CLÉS

- Calcium
- Fer
- Manganèse
- Zinc
- Vitamine E
- Vitamines B

COMBIEN EN CONSOMMER

Visez à prendre 10 grammes de fibres solubles par jour. Les grains d'avoine cuits en fournissent 2 à 3 grammes par portion.

BIEN CHOISIR

Les flocons à l'ancienne sont faits de grains qui ont été cuits à la vapeur, transformés en flocons et séchés. Les flocons instantanés sont d'abord coupés en petits morceaux. Les uns et les autres se conserveront six mois dans un récipient étanche.

Trois conseils futés

1. Dans les pains et les gâteaux, remplacez ½ tasse de farine ordinaire par la même quantité de farine d'avoine. Pour la préparer, passez des flocons au mélangeur ou au robot culinaire.

2. Pour exalter la saveur des flocons d'avoine, étalez-les en une seule couche sur une plaque à pâtisserie et faites-les cuire 3 à 5 minutes dans un four préchauffé à 180 °C (350 °F).

3. Gruau prêt à cuire : dans un petit sac à glissière, mélangez ½ tasse de gruau instantané, 2 c. à soupe de raisins secs, 1 c. à soupe de germe de blé, 1 c. à thé de cassonade, ¼ c. à thé de cannelle et une pincée de sel.

Blé entier

Description et caractéristiques

Le grain de blé dans toute son intégrité comprend le germe, duquel naîtra la future plante, le son, partie externe qui le protège du soleil, de l'eau, des insectes et des maladies, et l'endosperme (le cœur). Le blutage en vue d'obtenir de la farine blanche a pour effet d'éliminer le son et le germe, qui renferment de nombreux nutriments et pratiquement toutes les fibres du blé. Il ne reste que l'endosperme, composé essentiellement d'amidon et de protéines.

Propriétés curatives

Les grains entiers constituent d'étonnantes sources d'antioxydants. Riche en fibres et en vitamines B, le blé diminue le risque de décès par maladie, toutes causes confondues, et particulièrement par cardiopathie. Les fibres pourraient également diminuer le risque de cancer du côlon. Les grains entiers renferment des lignanes, phyto-estrogènes qui contribuent à faire baisser les taux d'estrogène dans l'organisme et favorisent l'autodestruction des cellules cancéreuses. En outre, ils se digèrent plus lentement que les grains raffinés et, par conséquent, ne font pas monter la glycémie rapidement. En conséquence, le taux d'insuline reste bas, élément-clé dans la prévention du diabète et du cancer.

Astuce santé

Les mots « entier », « complet » ou « intégral » devraient accompagner le nom de l'ingrédient se trouvant en tête de liste sur l'étiquette d'un produit de boulangerie. Le terme « farine de blé » désigne de la farine blanche.

NUTRIMENTS-CLÉS

> Fibres
> Vitamines B_2 (riboflavine), B_3 (niacine) et autres vitamines B

COMBIEN EN CONSOMMER

Pour augmenter votre consommation de fibres, vous devriez prendre au moins trois portions de blé entier ou d'un autre grain complet tous les jours. Une portion correspond à une tranche de pain ou à 30 grammes de céréales.

BIEN CHOISIR

Procurez-vous votre farine de blé entier chez un marchand qui renouvelle fréquemment ses stocks. Par ailleurs, comme elle renferme des gras, il vaut mieux la garder dans un récipient étanche au réfrigérateur, où elle se conservera six mois.

Trois conseils futés

1. Pour la cuisson au four, utilisez de la farine complète de blé blanc ou de la farine de blé entier pour pâtisserie, qui sont plus fines que la farine de blé entier ordinaire.

2. Faites votre propre chapelure de blé entier, en passant au robot culinaire des tranches de pain de blé entier rassis que vous aurez conservées au congélateur dans un sac de plastique.

3. Pour une délicieuse et saine garniture, saupoudrez vos casseroles et gratins de germe de blé grillé avant de les mettre au four.

Bleuet

Description et caractéristiques

Le bleuet est un concentré d'antioxydants, ces molécules magiques qui contribuent à prévenir cancers, cardiopathies, maladies de l'œil, pertes de mémoire et de multiples autres affections. Cette baie en renferme plus que les 40 autres fruits et légumes courants. En outre, c'est, dans la nature, le seul aliment véritablement bleu, si on exclue quelques rares variétés de pomme de terre poussant dans des endroits reculés de la planète, quelques fruits d'un bleu indécis et le maïs indigo. Enfin, une demi-tasse fournit près de 2 grammes de fibres, soit la même quantité qu'une tranche de pain de blé entier.

Propriétés curatives

Ce sont les anthocyanines qui confèrent au bleuet sa couleur et son pouvoir antioxydant. Elles protègent contre la cardiopathie, le cancer, la cécité et les pertes de mémoire liées à l'âge, En outre, comme la canneberge, cette baie renferme des épicatéchines, antioxydants qui empêchent les bactéries d'adhérer aux parois de la vessie et préviennent ainsi les infections urinaires. Enfin, sa richesse en fibres en fait un puissant antidote contre la constipation.

Astuce santé

Si vous aimez les crêpes aux bleuets, n'ajoutez ces derniers qu'à la dernière minute afin de préserver leur teneur en vitamine C. En outre, n'hésitez pas à consommer du cassis, des baies de sureau ou des cerises à grappes, dont l'activité antioxydante est encore plus élevée que celle du bleuet.

NUTRIMENTS-CLÉS

> Fibres
> Antioxidants
> Vitamine C
> Fer

COMBIEN EN CONSOMMER

½ tasse de bleuets équivaut à une portion de Légumes et fruits*.

BIEN CHOISIR

Les bleuets devraient être secs, charnus, parfumés, exempts de meurtrissures et recouverts de pruine, fine pellicule blanchâtre. S'ils sont blets et que la pruine est absente, c'est signe qu'on les a trop manipulés. Remuez doucement le récipient : si des fruits adhèrent au fond, c'est qu'ils sont trop mûrs ou abîmés. Même chose pour les taches sous l'emballage. Ne lavez les bleuets qu'au moment de servir.

* Guide alimentaire canadien

Trois conseils futés

1. Ne jetez pas le récipient de plastique qui contient les bleuets : c'est un mini-égouttoir parfait. Servez-vous en pour rincer vos bleuets et, par la suite, de petites quantités d'autres aliments.

2. Pour éliminer l'excès d'eau, passez rapidement ces délicates petites baies dans un panier à salade tapissé d'essuie-tout.

3. Mettez quelques bleuets dans chacun des compartiments du tiroir à glace, remplissez de limonade et congelez. Ajoutez trois de ces glaçons santé et décoratifs dans vos verres de limonade.

Brocoli

Description et caractéristiques

Apparenté au chou, le brocoli possède, comme les autres membres de cette famille, des propriétés anticancéreuses. Bien qu'il soit composé à près de 90 % d'eau, il est très riche en nutriments. Une tige renferme autant de fibres que des céréales santé et plus de vitamine C que deux oranges. Les feuilles sont comestibles.

Propriétés curatives

Le brocoli est considéré comme l'anticancéreux par excellence grâce à ses composés soufrés, dont le sulforaphane. Les composés soufrés envoient aux gènes le signal d'accroître la production des enzymes qui détoxifient les substances cancérigènes. Consommez ce légume régulièrement et vous pourriez voir diminuer de moitié votre risque de cancers du sein, du poumon, de l'estomac, du côlon, etc. En outre, le sulforaphane détruit la bactérie qui cause les ulcères d'estomac. Excellente source de calcium et de potassium, le brocoli est bon pour les os et pour la pression artérielle. Enfin, il est riche en vitamine C et en bêta-carotène, et par conséquent, protège contre la cataracte et les troubles de mémoire causés par les radicaux libres.

Astuce santé

Pour libérer un maximum de sulforaphane, cuisez le brocoli 3 ou 4 minutes à la vapeur. Ne le cuisez pas à grande eau pour éviter le lessivage de ses nutriments. Consommez non seulement les fleurettes, particulièrement riches en bêta-carotène, mais aussi les tiges, qui sont nutritives.

NUTRIMENTS-CLÉS

- Composés anticancéreux (tel que le sulforaphane)
- Bêta-carotène
- Calcium
- Fibres
- Folate (une vitamine B)
- Vitamine C

COMBIEN EN CONSOMMER

½ tasse de brocoli cuit équivaut à une portion de Légumes et fruits*.

BIEN CHOISIR

Les fleurettes de teinte vert foncé, pourpre ou bleue sont plus riches en bêta-carotène et en vitamine C que celles qui sont jaunâtres ou vert clair. Tiges molles ou présence de bourgeons floraux sont signe de qualité inférieure.

* Guide alimentaire canadien

Trois conseils futés

1. Ne jetez pas les feuilles : elles renferment plus de vitamine A que les fleurettes. Hachez-les et ajoutez-les au plat de brocoli ou dans les salades vertes. Pelez la tige puis hachez-la ou râpez-la avant de l'apprêter.

2. Si votre brocoli s'est ramolli, ôtez 1 cm au bout des tiges, puis mettez ces dernières dans de l'eau froide et réfrigérez. En quelques heures, elles auront retrouvé leur croquant.

3. Si le jus de citron prévient le noircissement des fruits, il a l'effet opposé sur le brocoli et les autres légumes riches en chlorophylle. Par conséquent, laissez refroidir avant d'ajouter du jus de citron.

Carotte

Description et caractéristiques

C'est ce légume qui a donné leur nom aux caroténoïdes, groupe de substances phytochimiques qui ont une importance considérable. La carotte est particulièrement riche en bêta-carotène, caroténoïde précurseur de la vitamine A, qui lui confère sa belle couleur orangée et est en bonne partie responsable des bienfaits qu'on retire de sa consommation. Une grosse carotte fournit près de l'apport quotidien requis en vitamine A, plus si elle est cuite. On connaît surtout la carotte orange, mais il en existe des blanches, des jaunes et des pourpres.

Propriétés curatives

Inefficace contre la myopie, la carotte peut par contre prévenir la cécité nocturne, qui résulte d'une carence en vitamine A, et la cataracte. Comme elle est riche en fibres, elle fait baisser le taux de cholestérol : lors d'une étude menée par le Ministère de l'agriculture américain, on a observé que la consommation quotidienne d'une tasse de carottes avait fait baisser le taux de cholestérol de 11 % en trois semaines. De plus, les caroténoïdes protègent contre le cancer, notamment celui du poumon.

Astuce santé

La cuisson dégrade les parois cellulaires de la carotte, augmentant ainsi la disponibilité du bêta-carotène. Pour préserver la saveur et les nutriments de ce légume, faites-le suer, c'est-à-dire cuire à couvert dans très peu d'eau. De plus, pour favoriser l'assimilation de son bêta-carotène, il est préférable de le cuire ou de le consommer avec un peu de gras, de l'huile d'olive par exemple.

NUTRIMENTS-CLÉS

- > Bêta-carotène
- > Vitamines B_6 et C
- > Fibres

COMBIEN EN CONSOMMER

½ tasse de carottes cuites correspond à une portion de Légumes et fruits*.

BIEN CHOISIR

Optez pour des racines d'un orange profond, signe d'une grande richesse en bêta-carotène. Les carottes devraient être fermes, et ne présenter ni flétrissure ni fendillement. Avant de les réfrigérer, enlevez les fanes car elles privent la racine de son eau et de ses vitamines.

* Guide alimentaire canadien

Trois conseils futés

1. Pour préparer rapidement ce légume en julienne, utilisez des mini-carottes pelées et emballées : vous n'aurez qu'à les couper en quatre dans le sens de la longueur, puis en languettes de 5 mm.

2. Faites sauter des rondelles de carottes 2 minutes dans du bouillon. Couvrez et laissez cuire jusqu'à ce qu'elles soient tendres, puis ajoutez quelques cuillerées de confiture d'oranges.

3. Pour ajouter des fibres et donner de la douceur aux pommes de terre rissolées, pains de viande, sauces ou ragoûts, ajoutez-leur des carottes râpées.

Chocolat noir

Description et caractéristiques

Le chocolat provient des grains rôtis du cacaoyer, arbre indigène de l'Amérique du Sud. Les Amérindiens l'ont fait connaître à Christophe Colomb qui l'a ramené ensuite en Europe. À l'origine, on prenait le cacao sous forme de boisson qu'on préparait en mélangeant les grains moulus avec de l'eau. En 1910, on créait la première barre de chocolat, friandise composée de solides et de beurre de cacao, ainsi que de sucre. Fait de sucre et de beurre de cacao, le chocolat blanc est dépourvu des solides de cacao qui donnent au chocolat noir ses propriétés. Le point de fusion du chocolat est légèrement inférieur à la température du corps humain, d'où cette agréable sensation quand il fond dans la bouche.

Propriétés curatives

Le chocolat noir est très riche en flavonoïdes, antioxydants également présents dans le vin rouge et de nombreux fruits et légumes. Les résultats d'études indiquent que ces antioxydants régulent la pression artérielle, préviennent la formation de caillots sanguins, calment l'inflammation et retardent l'oxydation du cholestérol LDL ; ce dernier est alors moins susceptible de se déposer sur les parois des artères. Il suffirait de consommer 45 g de chocolat par jour pour diminuer de 10 % son risque de crise cardiaque. Enfin, le chocolat noir atténue l'insulinorésistance, trouble précurseur du diabète.

Astuce santé

Optez de préférence pour le chocolat noir contenant au moins 70 % de cacao.

NUTRIMENTS-CLÉS

> Potassium
> Vitamines A, B_1 (thiamine), C, D et E
> Fer
> Flavonoïdes

COMBIEN EN CONSOMMER

Une portion correspond à environ 45 grammes.

BIEN CHOISIR

L'emballage ne doit présenter aucun signe de détérioration, ce qui indiquerait que le chocolat n'est pas très frais. Pour le conserver, emballez-le dans du papier aluminium puis dans un film plastique. La fine pellicule blanchâtre qui se forme parfois à la surface ne modifie en rien la saveur ou la texture du produit.

Trois conseils futés

1. Râpez 15 g de chocolat noir au-dessus de votre tasse à café. Remplissez de café chaud et de lait fumant : voilà un délicieux cappuccino moka.

2. Pour faire fondre du chocolat : mettez-le dans un bol à l'épreuve de la chaleur, couvrez d'une petite assiette et faites chauffer sur la plaque chauffante de votre cafetière, en remuant à l'occasion.

3. L'extrait de vanille rehausse la saveur du chocolat. N'hésitez pas à doubler les quantités requises dans une recette. Vous pouvez facilement en mettre 1 cuiller à table.

Épinard

Description et caractéristiques

L'épinard est une des meilleures sources de folate, une vitamine B anticancéreuse, et de lutéine, un caroténoïde qui contribue à prévenir la dégénérescence maculaire, principale cause de cécité chez les personnes âgées. En revanche, contrairement au mythe véhiculé par le personnage de Popeye, l'épinard n'est pas une bonne source de fer : une portion d'une demi-tasse en fournit moins d'un milligramme. Ce mythe est né en 1870 à la suite de la publication d'un article : à cause d'une virgule décimale mal placée, sa teneur en fer s'est trouvée multipliée par dix. Ce légume est aussi une source de calcium mais l'acide oxalique qu'il renferme en prévient l'assimilation par l'organisme.

Propriétés curatives

En plus des caroténoïdes, qui protègent contre la dégénérescence maculaire, l'épinard est riche en vitamine K, nutriment qui préserve la densité osseuse et prévient les fractures. C'est également une bonne source de potassium, de magnésium et de folate, qui contribuent tous à réguler la pression artérielle et, par conséquent, à diminuer le risque d'AVC (accident vasculaire cérébral). Il semblerait en outre que le folate réduise radicalement le risque de cancer du poumon chez les ex-fumeurs.

Astuce santé

Pour augmenter l'absorption du calcium qui provient de l'épinard, mangez en même temps des légumes riches en vitamine C, par exemple du poivron rouge, ou des tranches d'orange.

NUTRIMENTS-CLÉS

- Bêta-carotène
- Vitamines B_2 (riboflavine), B_6, C et K
- Folate (une vitamine B)
- Potassium

COMBIEN EN CONSOMMER

Une portion de Légumes et fruits* correspond à 1 tasse d'épinards crus ou à ½ tasse de feuilles cuites.

BIEN CHOISIR

Feuilles et tiges doivent être croquantes et d'un vert vif, sans signe de jaunissement ou de flétrissure. Les minis épinards ont une saveur et une texture plus délicates. Pour nettoyer les feuilles, mettez-les dans un grand bol rempli d'eau et remuez-les : le sable coulera au fond. Les épinards prélavés et préemballés permettent d'éliminer cette étape, mais il faut tout de même les rincer.

* Guide alimentaire canadien

Trois conseils futés

1. Pour sécher rapidement les épinards, mettez-les en une seule couche dans une assiette et recouvrez-les d'une assiette identique. Tenez-les à la verticale au-dessus de l'évier et serrez-les fermement.

2. Pour blanchir les épinards en un rien de temps, enlevez les tiges et mettez les feuilles dans un égouttoir dans l'évier, puis arrosez-les d'eau bouillante. Passez-les ensuite à l'eau froide.

3. Ajoutez des épinards à vos soupes ou à vos ragoûts : empilez une dizaine de feuilles, roulez-les bien serré et coupez-les en fines lanières.

Graine de lin

Description et caractéristiques

Cette graine provient de la plante qui fournit la fibre textile. On en extrait aussi de l'huile, après quoi les tourteaux protéinés sont donnés à manger aux chevaux pour donner du lustre à leur poil. Riche en lignanes, un groupe de phytoestrogènes, la graine de lin est tout aussi utile aux humains. En réalité, c'est la source de ces composés la plus riche.

NUTRIMENTS-CLÉS

> Acide alpha-linolénique
> Fibres
> Vitamines B_6 et E
> Folate (une vitamine B)
> Magnésium
> Lignanes (phytoestrogènes)

Propriétés curatives

Une cuiller à soupe de graines de lin moulues fournit 2,3 grammes de fibres, dont des fibres solubles, qui contribuent à faire baisser le taux de cholestérol. Mais on les apprécie surtout pour leurs lignanes, composés se comportant dans l'organisme comme l'œstrogène : en bloquant les récepteurs cellulaires de cette hormone, ils diminuent le risque de certains cancers hormonodépendants, dont le cancer du sein. La graine est aussi une remarquable source d'acide alpha-linolénique (AAL), acide gras essentiel que l'organisme convertit en oméga-3. Comme l'AAL éclaircit le sang et le rend moins collant, il diminue le risque de crise cardiaque et d'AVC. Dotée de propriétés anti-inflammatoires, la graine de lin peut également soulager diverses affections, dont l'acné et l'asthme.

COMBIEN EN CONSOMMER

1 à 2 c. à soupe de graines moulues par jour

BIEN CHOISIR

Achetez des graines moulues ou passez-les vous-même dans un moulin à café propre ; conservez-les au frigo ou au congélateur. Si possible, optez pour les graines emballées sous vide : elles resteront fraîches plus longtemps. N'achetez que de l'huile réfrigérée et présentée dans des récipients opaques, et ne prenez que la quantité nécessaire pour un mois.

Astuce santé

Il est important que les graines soient moulues, à défaut de quoi elles ne seront pas digérées et vous ne pourrez profiter de leurs bienfaits. Sachez que, à hautes doses, la graine de lin est laxative.

Trois conseils futés

1. Dans la sauce à salade, remplacez la moitié de l'huile d'olive par de l'huile de lin. Évitez de la cuire : ses « bons » gras se transformeraient alors en « mauvais ».

2. Si vous n'avez pas un moulin à café consacré aux graines de lin, écrasez les graines au couteau : mettez-les d'abord sur une planche à découper et versez quelques gouttes d'eau tout autour, pour les faire tenir en place.

3. Vous manquez d'œufs ? Mixez 1 c. à soupe de graines de lin moulues et 3 c. à soupe d'eau. Laissez prendre (jusqu'à viscosité) et utilisez dans la panure du poulet ou du poisson, dans vos boulettes de viande ou dans une préparation de muffins ou de crêpes.

Huile d'olive

Description et caractéristiques

L'huile d'olive est l'un des meilleurs gras qui soient. Pourtant, elle ne compte que pour 3 % de la consommation mondiale d'huile et pour 10 % de celle de l'Amérique du Nord, soit l'équivalent d'environ ½ litre par personne par année. Comparativement, il s'en consomme 13 litres par personne par année en Italie, 15 en Espagne et 26 en Grèce. Pas étonnant que, dans ce dernier pays, près de 60 % des terres arables soient consacrés à la culture de l'olivier ! Avant d'être pressée, toutefois, l'olive est soumise à un processus de transformation destiné à éliminer son amertume. L'huile extra-vierge est considérée comme le nec plus ultra, notamment parce qu'elle est peu acide.

NUTRIMENTS-CLÉS

- Vitamines E et K
- Gras mono-insaturés
- Antioxidants

COMBIEN EN CONSOMMER
Une cuiller à soupe par jour.

BIEN CHOISIR
Utilisez l'huile d'olive extra-vierge pour les salades ou pour y tremper votre pain, et l'huile vierge pour la cuisson.

Propriétés curatives

Riche en gras mono-insaturés, l'huile d'olive fait baisser le « mauvais » cholestérol LDL et monter le « bon » cholestérol HDL. Elle renferme également de bonnes quantités de phénols, antioxydants qui pourraient prévenir l'accumulation de cholestérol sur les parois artérielles. En outre, des chercheurs ont découvert récemment qu'elle agissait comme anti-inflammatoire, protégeant ainsi le cœur et l'ensemble de l'organisme. On sait, en effet, que l'inflammation est liée à la cardiopathie, mais aussi au diabète de type 2, à la maladie d'Alzheimer et au cancer.

Astuce santé

Optez pour une huile « vierge », « extra-vierge » ou « pressée à froid », c'est-à-dire obtenue par simple pression. La chaleur ou les solvants utilisés pour produire l'huile « légère » ou « extra légère » détruisent les antioxydants. Toutes les huiles d'olive fournissent 120 calories par cuiller à soupe.

Trois conseils futés

1. Il est préférable de conserver l'huile d'olive au frigo, mais comme elle se solidifie au froid, gardez-en l'équivalent d'une tasse sur le comptoir, de préférence dans un flacon opaque.

2. Préparez de petits flacons d'huile aromatisée à différents mélanges d'herbes séchées. Vous gagnerez ainsi du temps lors de la préparation de vos plats, tout en rehaussant la saveur de ces derniers.

3. Ne détachez pas la bague d'inviolabilité sur la bouteille ; à l'aide d'un couteau, percez plutôt un trou dans le bouchon ; ainsi, vous éviterez d'en verser trop à la fois.

Lait écrémé

Description et caractéristiques

C'est le lait dont les vaches nourrissent leurs veaux, à peu de choses près. Au Canada, le lait est pasteurisé et homogénéisé. L'homogénéisation dégrade et disperse les molécules de gras de manière à les répartir plus uniformément dans le lait ; autrement, elles remonteraient à la surface. Quant à la pasteurisation, elle détruit les bactéries et désactive certaines enzymes. Jusque dans les années 1950, seul le lait entier, c'est-à-dire à 3,25 % de gras par tasse, était disponible mais, aujourd'hui, on trouve facilement du lait écrémé, c'est-à-dire qui en contient moins de 0,5 %. Comme les vitamines A et D sont éliminées lors de l'écrémage, on en rajoute ultérieurement au lait.

Propriétés curatives

Le lait est l'une des meilleures sources de calcium. Comme ce minéral est présent dans la matière sèche et non dans le gras, le lait écrémé en contient encore plus. De plus, cette boisson est enrichie de vitamine D, ce qui en fait l'une des rares sources alimentaires de ce nutriment auquel on est en train de découvrir des propriétés anticancéreuses. De plus, les produits laitiers sont d'excellentes sources de potassium et de magnésium, minéraux qui font baisser la pression artérielle. Enfin, à raison d'un verre par jour, le lait peut diminuer de 15 % le risque de cancer colorectal.

Astuce santé

En chauffant, l'eau du lait s'évapore et une peau de calcium et de protéines se forme. Pour ralentir l'évaporation et ne pas perdre ces précieux nutriments, couvrez la casserole.

NUTRIMENTS-CLÉS

> Calcium
> Vitamines A, B_2 (riboflavine), B_{12} et D (les vitamines A et D sont ajoutées)
> Phosphore
> Zinc
> Magnésium

COMBIEN EN CONSOMMER

1 tasse correspond à une portion de Lait et substituts*.

BIEN CHOISIR

Vérifiez toujours la date de péremption et n'achetez que ce que vous pourrez consommer entre-temps. Choisissez du lait écrémé ou à 1 %. En outre, gardez toujours en réserve une boîte de lait concentré maigre ; cet excellent substitut de crème est encore plus riche en calcium que le lait ordinaire.

* Guide alimentaire canadien

Trois conseils futés

1. Si le plat que vous avez cuisiné se révèle trop piquant, ajoutez-y un peu de lait. Les produits laitiers atténuent l'ardeur et l'acidité des épices.

2. Pour la cuisson du riz, de l'orge ou des flocons d'avoine, remplacez toute l'eau ou une partie de l'eau par du lait ; ils n'en seront que plus riches et plus crémeux.

3. Savourez ce délicieux lait frappé : passez au mélangeur ¾ de tasse de lait, 3 c. à soupe de jus d'orange concentré, ¼ c. à thé d'extrait de vanille et six glaçons.

Légumineuses

Description et caractéristiques

Les grains des légumineuses se développent dans une gousse. Afin de commander un meilleur prix, ils sont habituellement polis après la récolte et le nettoyage. Étant donné qu'il s'agit des semences de la plante, ils sont riches en nutriments, notamment en folate et en fer, de même qu'en protéines : une tasse de lentilles, par exemple, fournit près de 18 grammes de protéines, soit autant qu'un bifteck d'aloyau.

Propriétés curatives

Les légumineuses sont bonnes pour le cœur. Elles sont riches en fibres solubles, qui absorbent le cholestérol, permettant à l'organisme de l'éliminer avant qu'il n'adhère aux parois des artères. Elles peuvent faire baisser le taux de cholestérol total de 10 à 15 %. Les fibres solubles et les protéines qu'elles contiennent régulent la glycémie. Quant au magnésium, il détend les artères ; le sang circule alors mieux et la pression artérielle retrouve des valeurs normales. Enfin, selon les résultats d'une étude récente, elles se classent parmi les meilleurs antioxydants.

Astuce santé

Le petit haricot rouge est le plus riche en antioxydants ; il est suivi du haricot rognon et du pinto. Comme la protéine des légumineuses est incomplète, consommez dans la même journée un grain, par exemple du riz, afin d'en faire une protéine entière. Pour éliminer une partie du sel, rincez les légumineuses en boîte avant de les consommer.

NUTRIMENTS-CLÉS

> Folate (une vitamine B)
> Vitamines A et C
> Protéines
> Fer

COMBIEN EN CONSOMMER

¾ de tasse correspond à une portion de Viandes et substituts*.

BIEN CHOISIR

À la longue, les légumineuses durcissent et mettent plus de temps à cuire. Idéalement, elles devraient être récoltées depuis moins d'un an. Achetez-les chez un marchand de confiance qui renouvelle souvent sa marchandise.

* Guide alimentaire canadien

Trois conseils futés

1. Pour éloigner les insectes, conservez vos légumineuses sèches dans un bocal de verre avec un piment séché. Si vous aimez le piment, ajoutez-le au plat lors de la cuisson ; sinon, jetez-le.

2. Pour prévenir les flatulences, changez l'eau de trempage à quelques reprises. Ne prenez pas cette eau pour la cuisson. Ou encore, optez pour les légumineuses en conserve, qui se digèrent plus facilement. Et rincez-les d'abord.

3. Pois chiches au four : mélangez 2 tasses de pois égouttés avec un œuf battu, du cumin, de la poudre de chili et du piment de Cayenne, ou de la cannelle, du gingembre et de la noix de muscade. Faites cuire à 200 °C (400 °F) jusqu'à ce qu'ils soient dorés. Remuez à l'occasion.

Noix

Description et caractéristiques

Ce n'est pas un hasard si plusieurs des aliments qui figurent dans notre top 20, par exemple les légumineuses et la graine de lin, sont en fait des semences : à ce titre, ils renferment tous les nutriments nécessaires à la transformation de la graine en plante. Les noix sont les semences de diverses espèces d'arbres. Bien qu'il ne s'agisse pas d'une noix mais d'une légumineuse, nous avons inclus ici l'arachide.

Propriétés curatives

Les calories des noix proviennent surtout de leurs acides gras mono et polyinsaturés qui sont bons pour la santé ; les noix font donc baisser le taux de cholestérol et diminuent le risque de crise cardiaque (jusqu'à 39 %). L'arachide, la noix commune, l'amande et d'autres noix renferment des stérols végétaux, qui exercent également une activité hypocholestérolémiante. Comme les noix sont digérées lentement, elles pourraient, selon des chercheurs, favoriser la perte de poids. Cependant, leur valeur nutritive varie : ainsi une noix du Brésil fournit l'apport quotidien requis en sélénium, la pacane contient beaucoup d'antioxydants, la noix commune est riche en oméga-3, tandis que 30 grammes d'amandes fournissent la moitié de l'apport requis en vitamine E. Attention, toutefois, à ne pas en abuser : une tasse de noix communes fournit plus de calories qu'un Big Mac.

Astuce santé

Prenez vos noix rôties plutôt que crues ou cuites vapeur. Elles seront plus riches en acide paracoumarique, antioxydant qui diminuerait de 22 % le risque de cancer de l'estomac.

NUTRIMENTS-CLÉS

- Protéines
- Acides gras oméga-3
- Sélénium
- Vitamine E
- Potassium
- Calcium
- Fer
- Magnésium
- Zinc

COMBIEN EN CONSOMMER

Cinq portions de 30 grammes réparties sur la semaine.

BIEN CHOISIR

Optez pour des noix aux coques entières et exemptes de saletés, de fendillements ou de trous. Les noix écalées devraient être charnues et fermes. Pour éviter qu'elles ne rancissent, conservez-les dans un récipient étanche au réfrigérateur (un mois) ou au congélateur (quelques mois).

Trois conseils futés

1. Pour casser la coque récalcitrante de la noix commune, la pince-étau (que les bricoleurs ont dans leur boîte à outils) est nettement plus efficace que le casse-noix. La cassure sera franche et la noix parfaite à tout coup.

2. Pour hacher des noix sans faire de dégâts, mettez-les dans un sac à glissière et écrasez-les avec un rouleau à pâtisserie. Et tandis que vous y êtes, hachez-en plus que pour vos besoins immédiats et congelez les surplus dans le sac.

3. Étalez en une seule couche ½ tasse de noix écalées sur une plaque à pâtisserie et mettez-les à rôtir 7 à 10 minutes dans un four préchauffé à 150 °C (300 °F), en veillant à ce qu'elles ne brûlent pas. Leur saveur en sera exaltée.

Patate douce

Description et caractéristiques

Cette plante originaire d'Amérique a été introduite en Europe par Christophe Colomb et d'autres explorateurs. À noter qu'elle n'a rien en commun avec la pomme de terre. La patate douce doit sa saveur à une enzyme qui convertit son amidon en sucres. Comme les autres légumes jaunes et orangés, c'est une excellente source de bêta-carotène, précurseur de la vitamine A. Un seul tubercule fournit plus de 100 % de l'apport quotidien recommandé en vitamine A et plus du tiers de l'apport en vitamine C.

Propriétés curatives

La patate douce est riche en pectine, fibre soluble qui absorbe le cholestérol. Les fibres insolubles que renferme sa peau contribuent à prévenir la constipation et les hémorroïdes, et pourraient diminuer le risque de cancer de l'estomac et du côlon. Grâce à sa richesse en bêta-carotène, elle protège contre les cardiopathies et de nombreux cancers, préserve la santé de la peau et stimule le système immunitaire.

Astuce santé

Consommez la peau, puisque c'est la partie la plus riche en fibres.

NUTRIMENTS-CLÉS

- > Bêta-carotène
- > Vitamines B_6, C et E
- > Potassium
- > Folate (une vitamine B)
- > Fer

COMBIEN EN CONSOMMER

Une patate douce moyenne de 150 grammes correspond à une portion de Légumes et fruits*.

BIEN CHOISIR

Les tubercules doivent être charnus, secs et lisses, exempts de rides, germes ou pourriture. Optez pour ceux à peau foncée, signe que la chair est aussi plus foncée et, par conséquent, plus riche en nutriments. Conservez-les au frais et à l'obscurité, mais pas au réfrigérateur. Jetez ceux qui présentent des signes de moisissure.

* Guide alimentaire canadien

Trois conseils futés

1. La cuisson à grande eau entraîne une perte de nutriments. Faites plutôt cuire vos patates douces à feu doux dans un peu de bouillon, puis écrasez-les au presse-purée sans les égoutter.

2. Coupez des patates douces en morceaux que vous enfilerez sur des brochettes de métal. Enduisez-les d'un peu d'huile d'olive au pinceau et saupoudrez-les de cannelle ou de gingembre avant de les mettre au gril. Les brochettes de métal présentent l'avantage d'accélérer la cuisson interne.

3. Pour vérifier si les tubercules sont tendres, serrez-les avec une pince à barbecue : vous saurez tout de suite si ils doivent cuire un peu plus longtemps.

Saumon

Description et caractéristiques

Une solution de rechange saine au bifteck et l'une des meilleures sources qui soient d'EPA et de DHA, deux oméga-3 essentiels à la santé cardiaque. Le saumon provient habituellement d'élevages : on compte en moyenne 1 saumon sauvage pour 85 élevés. Le saumon en conserve est généralement sauvage de même que le saumon du Pacifique (80 %).

NUTRIMENTS-CLÉS

- > Acides gras oméga-3
- > Protéines
- > Vitamines A, B_3 (niacine), B_{12}, et D
- > Zinc
- > Magnésium

Propriétés curatives

Le gras du saumon est excellent pour les artères. Il suffit de deux portions par semaine pour faire baisser de 17 % le risque de maladie cardiovasculaire et de 27 % celui de crise cardiaque. En outre, lors d'une étude menée en Suède auprès de 6 000 hommes qu'on a suivis durant 30 ans, on a découvert que, chez ceux qui consommaient des quantités modérées de poisson gras le risque de cancer de la prostate diminuait du tiers. D'autres chercheurs ont récemment observé que les sujets qui présentaient les taux sanguins d'oméga-3 les plus élevés se plaignaient moitié moins que les autres de dépression légère ou modérée.

Astuce santé

Le saumon d'élevage présente un taux de contaminants plus élevés que le saumon sauvage ; ce taux varie selon la moulée dont on le nourrit. Cependant, des chercheurs ont mesuré les risques et bienfaits du saumon d'élevage et du saumon sauvage en ont conclu que les deux pouvaient être consommés sans risque. (Voir détails, page 23.) Si vous consommez plus de deux portions de 90 grammes de poisson par semaine, ne mettez pas que du saumon au menu.

COMBIEN EN CONSOMMER

Deux portions de 125 à 175 grammes par semaine.

BIEN CHOISIR

Offert du début de l'été à l'automne, le saumon sauvage frais doit présenter une chair humide et ferme, et sentir la mer plutôt que de dégager une odeur pénétrante de poisson. Hors saison, optez pour les filets de saumon sauvage surgelés. Le saumon en boîte procure de nombreux nutriments, dont le calcium que fournissent ses arêtes tendres, qui sont comestibles.

Trois conseils futés

1. Coupez des filets en lanières de 2 à 3 cm d'épaisseur et enfilez-les sur des baguettes de bois trempées 30 minutes dans l'eau. Enduisez-les de sauce teriyaki et faites-les griller jusqu'à ce que la chair soit opaque.

2. Pour enlever les arêtes, mettez le filet sur un bol renversé, côté peau dessous. Elles sortiront et pourront être enlevées facilement à l'aide d'une pince à épiler.

3. Pour faire passer facilement un gros filet de la plaque à cuisson au plat de service, glissez sous le saumon cuit une planche à découper flexible.

Soya

Description et caractéristiques

C'est l'aliment d'origine végétale le plus nutritif et la seule légumineuse à fournir une protéine complète. Le grain se consomme vert (edamame) ou sec. On en tire divers produits : du tofu, fait avec le lait obtenu après avoir réduit les grains en purée ; du miso, une pâte de soya fermentée, et de la sauce soya qui en est dérivée ; enfin, le tempeh est fait de haricots de soya cuits puis fermentés. Bien qu'originaire du Sud-est asiatique, 55 % de la production mondiale de soya provient des États-Unis où on le cultive pour son huile.

Propriétés curatives

Une tasse de soya cuit fournit 6 grammes de fibres, soit plus qu'une patate douce. À volume égal, il contient plus de protéines et de fer que le bœuf, et plus de calcium que le lait. Cependant, c'est à ses isoflavones, des phytoestrogènes, qu'on s'intéresse surtout. Ils atténueraient les bouffées de chaleur et, selon des résultats d'études, préviendraient certains cancers hormonodépendants, dont celui du sein et de la prostate. En outre, ils feraient baisser la pression artérielle et protégeraient contre l'ostéoporose. Le soya pourrait contribuer à diminuer le risque de cardiopathie, particulièrement si on le consomme à la place de la viande et des produits laitiers entiers, par exemple, sous forme de miettes de simili-viande, de lait de soya ou de grains rôtis.

Astuce santé

Le tofu, les grains rôtis, le lait et les autres produits non transformés du soya préservent plus d'isoflavones que les produits transformés (simili-bacon, simili-charcuteries, etc.).

NUTRIMENTS-CLÉS

> Vitamines B
> Protéines
> Potassium
> Zinc
> Fer

COMBIEN EN CONSOMMER

Il n'existe pas de recommandation officielle. Des experts conseillent de prendre 25 grammes de protéines de soya par jour, tandis que d'autres recommandent de remplacer la viande par du soya aussi souvent que possible.

BIEN CHOISIR

Achetez du lait de soya à faible teneur en gras. Une fois qu'il est entamé, il se conservera environ une semaine au réfrigérateur. Les edamame sont habituellement vendus surgelés, avec ou sans leur gousse. On en trouve parfois des frais durant l'été.

Trois conseils futés

1. Dans les plats au four, remplacez un tiers de la farine de blé par de la farine de soya. Comme cette dernière supporte mal les températures élevées, réglez le four 10 °C plus bas et vérifiez la cuisson 5 ou 10 minutes plus tôt.

2. Les grains de soya rôtis, ou « noix de soya » sont parfaits pour la collation ou dans une salade à la place des croûtons. Optez pour ceux qui ne sont pas salés.

3. Cuisez à la vapeur des edamame dans leur gousse et dégustez-les tels quels à la collation. Ou encore, passez-les à la vapeur puis faites-les dorer dans un peu d'huile. Salez et servez.

Thé

Description et caractéristiques

Le thé est la boisson non alcoolisée la plus populaire au monde et l'une des meilleures sources d'antioxydants ; il en renferme plus que n'importe quel fruit ou légume. Que le thé soit noir ou vert, ses feuilles proviennent toutes du *Camellia sinensis*. Pour produire le noir, on écrase les feuilles et on les laisse fermenter sous l'action de leurs propres enzymes, alors que les feuilles de thé vert ne sont pas fermentées. On prépare les thés les plus fins avec les feuilles des jeunes tiges ou les bourgeons. Le thé renferme des flavonoïdes antioxydants, notamment des catéchines.

Propriétés curatives

Les antioxydants du thé protègent contre les cardiopathies, l'accident vasculaire cérébral (AVC) et le cancer. Ils freinent la dégradation du cholestérol LDL, prévenant ainsi la formation de caillots sanguins et améliorant la fonction vasculaire. Chez ceux qui boivent une ou deux tasses de thé par jour, le risque de rétrécissement des artères diminue de 46 %. Les antioxydants protègent aussi contre les dommages à l'ADN qui entraînent la transformation des cellules normales en cellules cancéreuses. Lors d'une étude, on a observé que l'épigallocatéchine gallate (EGCG) bloquait une enzyme utile au développement des cellules cancéreuses. Enfin, les tanins et le fluor du thé noir protègent contre la carie dentaire.

Astuce santé

Pour tirer un maximum de catéchines du thé noir, infusez-le au moins 5 minutes. Prenez de préférence votre thé entre les repas, les tanins interférant avec l'absorption du fer alimentaire.

NUTRIMENTS-CLÉS

- Flavonoïdes (antioxidants), surtout des catéchines
- Tanins
- Vitamin K (thé vert seulement)

COMBIEN EN CONSOMMER

Deux à cinq tasses par jour.

BIEN CHOISIR

Procurez-vous votre thé chez un marchand qui renouvelle fréquemment ses stocks et n'achetez que ce que vous comptez utiliser dans le mois. Conservez-le au frais et au sec dans un contenant de verre opaque et étanche. Ne le gardez ni au réfrigérateur ni au congélateur, ce qui en altérerait la saveur. Le thé vert renferme moins de caféine que le thé noir.

Trois conseils futés

1. Quand vous préparez du thé glacé, nouez la ficelle des sachets autour d'une baguette que vous poserez ensuite sur la cruche. Versez l'eau, laissez infuser, puis soulevez la baguette pour retirer les sachets.

2. Pour la cuisson de grains entiers, faites d'abord bouillir l'eau 3 minutes avec un sachet de thé vert. Retirez-le et ajoutez les grains.

3. Ajoutez quelques feuilles de thé vert ou blanc aux salades, sautés, soupes ou ragoûts de poulet ou de poisson.

Vin rouge et jus de raisin

Description et caractéristiques

Le vin est le jus fermenté du raisin. Le vin est habituellement fait avec des raisins rouges ; on en retire la peau pour fabriquer du vin blanc. C'est dans la peau qu'il y a la plus grande concentration d'antioxydants, qui donnent au vin, ainsi qu'au jus de raisin, ses propriétés. Quant à l'alcool, sous-produit de la fermentation, c'est une substance toxique pour tous les êtres vivants, y compris pour les levures qui le produisent et qui ne peuvent tolérer une concentration de plus de 15 % ; voilà pourquoi, la fermentation s'arrête quand le vin atteint ce degré d'alcool. Cependant, à petites doses, l'alcool est bon pour la santé.

Propriétés curatives

Les bienfaits du vin sont dus en bonne partie à l'alcool, qui élève le taux de cholestérol HDL et fait baisser celui du LDL. La consommation d'un ou deux verres d'alcool par jour diminue le risque de cardiopathie et de mort prématurée, toutes causes confondues. Le vin rouge procure des bienfaits supplémentaires : ses flavonoïdes contribuent à prévenir la formation de caillots sanguins tandis que le resvératrol qu'il contient fait baisser le taux de cholestérol et freine le développement des cellules cancéreuses. Le vin pourrait également prévenir la démence. Cependant, l'alcool est réputé favoriser certains cancers, dont celui du sein et du côlon. En cas d'antécédents familiaux de cancer, optez plutôt pour le jus de raisin.

Astuce santé

Pour obtenir de l'alcool une meilleure protection contre les crises cardiaques, prenez-le aux repas.

NUTRIMENTS-CLÉS

- Alcool
- Antioxidants, surtout des flavonoïdes et des phénols

COMBIEN EN CONSOMMER

Un ou deux verres (un pour les femmes, deux pour les hommes) de 125 ml de vin ou de jus de raisin par jour.

BIEN CHOISIR

Que ce soit pour la cuisson ou pour boire, choisissez un vin que vous aimez. Évitez ceux qui sont bon marché ou excessivement riches en sodium et n'utilisez pas pour la cuisson un vin que vous ne boiriez pas.

Trois conseils futés

1. Avec du poisson, du poulet et des œufs, servez un vin plus léger comme le Beaujolais ou le pinot noir. Avec des mets plus riches – bœuf, agneau et ragoûts – servez du Shiraz, du Cabernet ou du Zinfandel.

2. S'il vous reste un fond de bouteille, versez-le dans un tiroir à glace et congelez-le. Mettez les glaçons dans un sachet à fermeture à glissière. Ajoutez aux sauces au besoin.

3. Pour retirer d'une bouteille des morceaux de bouchon cassé, passez le vin dans un filtre à café. Les morceaux de bouchon suivront.

Yogourt

Description et caractéristiques

Il s'agit du lait pasteurisé auquel on a ajouté des cultures bactériennes vivantes dans le but de le faire fermenter. Les bactéries consomment la plus grande partie du lactose du lait et libèrent de l'acide lactique, d'où la saveur acidulée du yogourt. Les personnes intolérantes au lactose supportent généralement bien le yogourt. À noter que la teneur en gras de ce produit fermenté est la même que celle du lait dont il provient. Enfin, on lui ajoute parfois de la pectine ou de la gélatine pour lui donner plus de consistance.

Propriétés curatives

Le yogourt renferme des probiotiques, micro-organismes utiles qui limitent la prolifération des bactéries nuisibles à l'origine de divers problèmes, notamment des troubles gastro-intestinaux. La consommation régulière de yogourt pourrait contribuer à soulager, entre autres affections, les maladies inflammatoires intestinales, les infections des voies urinaires et les infections vaginales à champignons. Le yogourt permet en outre de refaire la flore intestinale utile à la suite d'une antibiothérapie, ces médicaments éliminant sans distinction toutes les bactéries. Enfin, les probiotiques produisent des antibiotiques naturels ainsi que des composés qui rehaussent l'activité immunitaire.

Astuce santé

Les souches les plus communes sont le *Lactobacillus acidophilus*, le *Bifidobacterium bifidum* et le *Streptococcus thermophilus*. Le nom de la souche active devrait figurer sur l'emballage du produit.

NUTRIMENTS-CLÉS

- > Protéines
- > Calcium
- > Vitamine A
- > Vitamines B
- > Zinc
- > Phosphore

COMBIEN EN CONSOMMER

Une portion de Lait et substituts* correspond à ¾ de tasse de yogourt maigre ou à faible teneur en gras avec bactéries vivantes.

BIEN CHOISIR

Optez pour du yogourt à faible teneur en matières grasses, peu ou pas sucré et comprenant des bactéries vivantes, tel qu'indiqué sur l'emballage. Veillez à ce qu'il soit le plus frais possible : la quantité de bactéries vivantes diminue proportionnellement à la durée de la réfrigération et au degré de pasteurisation.

* Guide alimentaire canadien

Trois conseils futés

1. Pour éviter que le yogourt ne forme des caillots durant la cuisson, mélangez-le avec 1 cuiller à soupe de fécule de maïs. Retirez le plat du feu et ajoutez le mélange en battant.

2. Le yogourt au chocolat du commerce étant généralement peu riche en bactéries actives, préparez le vôtre en ajoutant de la poudre de cacao et un peu de sucre à du yogourt nature.

3. Dans la panure que vous comptez utiliser pour le porc, le poulet ou le poisson, remplacez les œufs par du yogourt nature. Il faut compter environ 250 ml de yogourt pour 500 grammes de viande, volaille ou poisson.

dix

10 herbes ET épices curatives

Peut-on imaginer le pain à l'ail sans ail, la tarte aux pommes sans cannelle ou le curry d'agneau sans curcuma, cette épice d'un jaune soutenu ?

Il ne fait aucun doute que les herbes et les épices donnent de la saveur aux plats. Par contre, on ignore généralement qu'elles possèdent également de remarquables propriétés. Après tout, elles proviennent de plantes et, comme bien des chercheurs le découvrent, les plantes renferment diverses substances aux propriétés curatives qui sont souvent concentrées dans les graines, les huiles et les autres parties dont on se sert comme herbes ou épices.

À l'instar du bleuet, le clou de girofle est antioxydant et, tout comme le poisson gras, le gingembre combat l'inflammation. L'ail et le curcuma pourraient écarter le risque de cancer tandis que d'autres herbes et épices sont de puissants antibactériens ou antiviraux.

Bien que des dizaines d'herbes et épices renferment des composés utiles, les dix suivantes se démarquent tout particulièrement des autres.

Ail

L'odeur caractéristique qu'émet une gousse d'ail écrasée provient des sous-produits de l'allicine, composé soufré auquel on attribue des propriétés médicinales. Il lui doit aussi sa saveur piquante.

La consommation quotidienne d'ail contribue à diminuer le risque de cardiopathies de 76 %. C'est que, selon les résultats de certaines études, ce bulbe fait baisser les taux de cholestérol de 5 à 10 %, éclaircit le sang, ce qui limite le risque de formation de caillots sanguins, et agit comme antioxydant. Ses composés soufrés protégeraient également contre le cancer, particulièrement celui de l'estomac et du côlon ; ils élimineraient les carcinogènes avant qu'ils n'endommagent l'ADN, entraînant l'autodestruction des cellules cancéreuses.

Antibactérien et antifongique, l'ail peut soulager les infections à champignons, certains types de sinusites ainsi que le rhume banal. C'est également un répulsif contre la tique.

Cannelle

Cette épice, qui parfume à merveille une tranche de pain grillé ou un bol de flocons d'avoine, possède par ailleurs de remarquables propriétés curatives. Elle s'est acquis cette réputation surtout pour ses effets sur la glycémie. En effet, certains de ses composés améliorent la fonction insulinique : à raison d'aussi peu que ¼ ou ½ cuiller à thé (1 ml ou 2 ml) par jour, elle fait baisser sensiblement les taux de sucre sanguin. Aux mêmes doses, elle fait également baisser de 12 à 30 % les taux de cholestérol total et de triglycérides.

Elle peut même contribuer à prévenir la formation de caillots sanguins, ce qui en fait une excellente alliée du cœur.

La cannelle possède également des propriétés anti-inflammatoires et antibactériennes, notamment contre l'*E. coli*. En outre, des chercheurs ont récemment découvert qu'elle était riche en polyphénols antioxydants, autre avantage pour le cœur. Enfin, elle est riche en fibres et elle est réputée soulager les brûlements d'estomac chez certaines personnes.

Clou de girofle

Il renferme de l'eugénol, un composé anti-inflammatoire. Lors d'études récentes menées sur des animaux, ce composé a inhibé la COX-2, protéine qui déclenche l'inflammation et que la médecine combat avec les inhibiteurs de la COX-2, comme le Celebrex. D'après les résultats d'une étude, ce serait également un puissant antioxydant. Grâce à ces deux propriétés conjuguées, il procure de nombreux bienfaits : protection contre les cardiopathies et le cancer, atténuation des lésions causées par l'arthrite aux os et au cartilage, etc. En outre, certains de ses composés semblent améliorer la fonction insulinique.

De plus, le clou de girofle soulage le mal de dents. Il suffit de s'en mettre deux ou trois dans la bouche, de les laisser ramollir, de les croquer délicatement afin d'en libérer l'huile essentielle, puis de les placer tout près de la dent malade où on les laissera agir environ 30 minutes. En plus d'engourdir la douleur, ils combattront les bactéries. Dans une étude in vitro, on a même observé que cette épice détruisait des bactéries antibiorésistantes.

Coriandre

La feuille de coriandre est largement employée dans la cuisine mexicaine, thaïlandaise, vietnamienne et indienne. Quant aux graines, on en prépare une infusion dans le but de favoriser la digestion. Comme la plante est réputée calmer les spasmes intestinaux qui causent la diarrhée, elle peut soulager le syndrome du côlon irritable (SII). En outre, les résultats d'études préliminaires menées sur des animaux semblent confirmer son usage populaire comme anxiolytique. De plus, son huile essentielle combattrait les bactéries comme le *E. coli* et la salmonelle. Elle ferait également baisser le taux de cholestérol, du moins si on en juge par les résultats d'études sur les animaux.

Enfin, les résultats d'une étude indiquent que la feuille de coriandre est l'herbe qui possède le potentiel antioxydant le plus élevé.

Curcuma

La médecine indienne a recours à cette épice pour stimuler l'appétit et favoriser la digestion. Cependant, les chercheurs se penchent plutôt sur son action possible contre le cancer. La curcumine, son pigment jaune, est considérée comme un puissant anticancéreux : elle combat l'inflammation qui contribue au développement des tumeurs. Comme le brocoli et le chou-fleur, elle détruit les carcinogènes avant qu'ils ne s'attaquent à l'ADN des cellules et, en cas de dommages, le répare. Au cours d'études en laboratoire, le curcuma a freiné le développement et la dissémination des cellules cancéreuses. Il pourrait également protéger contre le cancer du côlon et le mélanome, le plus mortel des cancers de la peau. Des chercheurs de l'université Rutgers du New Jersey

évaluent présentement le potentiel d'un mélange de curcumine et d'isothiocyanate de phénéthyle (composé anticancéreux présent dans les légumes crucifères) pour le traitement du cancer de la prostate.

Selon les résultats d'études, le curcuma pourrait soulager diverses affections inflammatoires, dont le psoriasis. Dans des études animales, on a observé que la curcumine freinait la formation de substance amyloïde, qui intervient dans la genèse de la maladie d'Alzheimer.

Gingembre

Depuis des siècles, ce tubercule joue un rôle de premier plan dans la médecine orientale et indienne, particulièrement pour favoriser la digestion. De nos jours, les chercheurs s'intéressent surtout à ses propriétés anti-inflammatoires. On a démontré dans plusieurs études que le gingembre (et le curcuma) atténuait la douleur et l'enflure chez les personnes souffrant d'arthrite. En bloquant les prostaglandines, des substances inflammatoires, il pourrait aussi soulager la migraine. Il se peut qu'il exerce également une action préventive sur le cancer ou qu'il en retarde le développement.

Ses effets sur l'appareil digestif sont indéniables : il favorise la production des sucs digestifs, neutralise l'acidité gastrique et soulage les contractions intestinales. Au cours d'une étude, on a fait la preuve qu'il était aussi efficace contre la nausée que le Gravol (dimenhydrinate) et d'autres antinauséeux, à cette différence près qu'il n'entraîne pas de somnolence. Le tout est de le prendre préventivement, au moment où l'on anticipe une crise. Enfin, c'est un bon traitement contre les nausées matinales.

Moutarde

Comme les autres espèces de la famille du chou, la moutarde serait anticancéreuse. Ses graines renferment des composés qui inhiberaient le développement des cellules cancéreuses.

Rubéfiante, elle soulage la congestion, d'où son emploi traditionnel en cataplasme. Comme le piment fort, elle épuise les réserves de substance P, neurotransmetteur qui facilite la transmission des influx douloureux des terminaisons nerveuses vers le cerveau. En compresse, elle peut également augmenter la circulation sanguine dans les doigts chez ceux qui souffrent de la maladie de Raynaud.

Elle favorise la production de salive et de sucs digestifs, stimulant ainsi l'appétit. De plus, une pincée ajoutée à l'eau d'un bain de pieds détruit le champignon qui cause le pied d'athlète. Une mise en garde s'impose toutefois : limitez-vous à 1 cuiller à thé (5 ml) de graines ou de poudre de moutarde. À hautes doses, les premières sont laxatives, alors que la seconde est vomitive.

Muscade

Comme le clou de girofle, la muscade renferme de l'eugénol, composé utile pour le cœur. L'histoire veut que sa popularité comme épice vienne des effets hallucinatoires qu'elle provoque à hautes doses. L'euphorie qui en résulte et que certains comparent à celle de l'ecstasy, est due à la myristicine, son ingrédient actif. Cependant, il y a peu de risques que vos adolescents dévalisent l'armoire à épices en quête de muscade, car cette épice présente des effets secondaires pour le moins désagréables. D'ailleurs, l'empoisonnement à la muscade constitue un véritable risque.

La noix de muscade et son enveloppe, le macis, possèdent de puissantes propriétés antibactériennes : elles détruisent les bactéries de la bouche qui contribuent aux caries dentaires. En outre, on a fait la preuve que la myristicine inhibait une enzyme du cerveau qui contribue à la maladie d'Alzheimer et qu'elle améliorait la mémoire chez les souris. Les chercheurs étudient actuellement son potentiel comme antidépresseur.

Piment de Cayenne

C'est la capsicine qui confère au piment son piquant et ses nombreux bienfaits. Ce composé huileux constitue l'ingrédient actif de nombreux onguents, crèmes et timbres (patchs) d'ordonnance ou en vente libre destinés à soulager l'arthrite et la douleur musculaire. Il épuise les réserves de substance P, neurotransmetteur qui facilite la transmission des influx douloureux des terminaisons nerveuses vers le cerveau. On l'emploie également pour soulager la douleur qui accompagne le zona et la neuropathie diabétique.

Les bienfaits du piment ne s'arrêtent pas là. Une pincée ajoutée à ce remède populaire contre le rhume qu'est le bouillon de poulet en rehaussera l'effet : comme il resserre les vaisseaux sanguins du nez et de la gorge, il soulage la congestion. En outre, il accélère le métabolisme ; on brûle donc plus de calories durant les quelques heures qui suivent sa consommation. On pense aussi que c'est un anti-inflammatoire et un antioxydant. De plus, on étudie actuellement son potentiel dans le traitement du cancer. Enfin, lors d'une étude publiée dans l'*American Journal of Clinical Nutrition*, des chercheurs ont découvert que, à

la suite d'un repas épicé au piment, les diabétiques avaient besoin de moins d'insuline pour ramener leur taux glycémique à des valeurs normales. Cette épice pourrait donc posséder des propriétés antidiabétiques.

Sauge

La sauge est réputée améliorer la mémoire. Dans des études en laboratoire, on a prouvé qu'elle protégeait le cerveau contre certains processus menant à la maladie d'Alzheimer. Lors d'une étude chez les humains, une préparation à base d'essence de sauge a eu pour effet d'améliorer l'humeur des participants, accroissant leur vivacité, leur calme et leur contentement. Dans une étude britannique, on a observé que des jeunes adultes réussissaient mieux les tests de mémorisation de mots après en avoir pris sous forme de capsules.

La sauge possède des propriétés anti-inflammatoires, antioxydantes et anticancéreuses. Elle renferme du thujone, élément phytochimique dont on a dit, à tort, qu'il était responsable des effets hallucinatoires de la liqueur d'absinthe. La recherche moderne indique que la sauge pourrait contribuer au traitement du diabète, d'où le nom de « metformine naturelle » qu'on lui donne parfois en référence au médicament couramment prescrit à cet effet. Des chercheurs ont laissé entendre que la sauge en supplément pouvait prévenir le diabète de type 2.

OÙ SE CACHENT Les nutriments

Dans la troisième partie, vous découvrirez nos ordonnances alimentaires pour 57 affections courantes ; elles mettent l'accent sur ces aliments riches en nutriments-clés et en phytochimiques dont les chercheurs reconnaissent les vertus pour la prévention et le traitement des maladies. Dans le tableau qui suit, vous trouverez de nombreuses autres sources de ces substances, qu'il s'agisse de macronutriments (gras mono-insaturés, oméga-3), de micronutriments (vitamines, minéraux) ou de phytochimiques (bêta-carotène, isoflavones). Compte tenu de leur importance, les fibres y ont également leur place même s'il ne s'agit pas à proprement parler de nutriments.

Unités de mesure : le symbole « µg » désigne le microgramme, soit 1/1000 de milligramme. Le symbole UI désigne, quant à lui, l'unité internationale, mesure utilisée pour certaines vitamines : il indique la quantité de vitamine nécessaire pour obtenir un certain effet biologique. Pour convertir le nombre de milligrammes de vitamine E en UI d'alphatocophérol (forme naturelle de cette vitamine), multipliez-le par 1,5 (ou par 2,2 pour le convertir en UI de vitamine E de synthèse). Pour convertir le nombre d'UI de vitamine E en milligrammes de vitamine E d'origine naturelle, multipliez-le par 0,67 (ou par 0,45 pour la vitamine E de synthèse).

Les chercheurs sont loin d'avoir isolé tous les composés actifs des aliments. Entre-temps, augmentez votre consommation de fruits et de légumes, mangez du poisson toutes les semaines et remplacez les céréales raffinées par des grains complets.

NUTRIMENT/PHYTOCHIMIQUE	ALIMENT	TENEUR
Acides gras mono-insaturés	Macadamia, grillée à sec (30 g, 10 à 12)	16,800 g
	Noisette (30 g)	12,940 g
	Pacane (30 g, 20 moitiés)	11,570 g
	Huile d'olive (1 c. à soupe/15 ml)	9,850 g
	Amande (30 g, 24 noix)	9,116 g
	Huile de canola (1 c. à soupe/15 ml)	8,246 g
	Arachide, rôtie à l'huile, salée (30 g)	7,353 g
	Noix de cajou, grillée à sec, salée (30 g, 18 noix)	7,349 g
	Arachide, grillée à sec, salée (30 g, 28 arachides)	6,985 g
	Huile d'arachide (1 c. à soupe/15 ml)	6,237 g
	Pignon, sec (30 g)	5,320 g
	Beurre d'arachide, croquant (1 c. à soupe/15 ml)	3,930 g
	Beurre d'arachide, crémeux (1 c. à soupe/15 ml)	3,794 g
	Avocat Hass (30 g)	2,778 g
	Avocat de Floride (30 g)	1,563 g
Acides gras oméga-3	Huile de lin (1 c. à soupe/15 ml)	8,2 g
	Noix commune (¼ tasse/60 ml)	2,6 g
	Graine de lin (1 c. à soupe/15 ml)	2,2 g
	Touladi (truite grise), cuit (100 g)	2,0 g

NUTRIMENT/PHYTOCHIMIQUE	ALIMENT	TENEUR
	Hareng, du Pacifique (100 g)	1,8 g
	Saumon, d'élevage, cuit (100 g)	1,8 g
	Anchois, en conserve (100 g)	1,7 g
	Thon, rouge, cuit (100 g)	1,6 g
	Huile de noix (1 c. à soupe/15 ml)	1,6 g
	Morue, charbonnière, cuite (100 g)	1,5 g
	Saumon, quinnat, cuit (100 g)	1,5 g
	Sardine, en conserve (100 g)	1,5 g
	Maquereau, de l'Atlantique, cuit (100 g)	1,3 g
	Hareng, en saumure (100 g)	1,2 g
	Huile de canola/colza (1 c. à soupe/15 ml)	1,0 g
	Espadon, cuit (100 g)	0,7 g
Antioxidants (pouvoir antioxydant total)	Petit haricot rouge, sec (½ tasse/125 ml)	13 727
	Haricot pinto, sec (½ tasse/125 ml)	11 864
	Bleuet, cultivé (1 tasse/250 ml)	9 019
	Canneberge (1 tasse/250 ml)	8 983
	Cœur d'artichaut (1 tasse/250 ml)	7 904
	Mûre (1 tasse/250 ml)	7 701
	Framboise (1 tasse/250 ml)	6 058
	Fraise (1 tasse/250 ml)	5 938
	Pomme, rouge Délicieuse, avec la peau	5 900
	Pacane (30 g)	5 095
	Pomme de terre Russet, cuite	4 649
	Noix commune (30 g)	3 846
	Avocat Hass	3 344
	Poire verte	3 172
	Clou de girofle, moulu (1 g)	3 144
	Noisette (30 g)	2 739
	Cannelle (1 g)	2 675
	Raisin sec (½ tasse/125 ml)	2 490
	Dolique à œil noir, sec (½ tasse/125 ml)	2 258
	Origan (1 g)	2 001
	Poivron jaune	1 905
	Curcuma (1 g)	1 592
	Amande (30 g)	1 265
	Patate douce, cuite	1 195
	Chocolat à cuire (1 g)	1 039
Bêta-carotène	Jus de carotte, en conserve (1 tasse/250 ml)	21 955 µg
	Citrouille, en conserve (1 tasse/250 ml)	17 003 µg
	Patate douce, cuite au four, avec la peau	16 803 µg
	Épinard, surgelé, cuit (1 tasse/250 ml)	13 750 µg

NUTRIMENT/PHYTOCHIMIQUE	ALIMENT	TENEUR
	Carotte, bouillie (1 tasse/250 ml)	12 998 µg
	Chou cavalier, surgelé, cuit (1 tasse/250 ml)	11 591 µg
	Chou frisé, surgelé, cuit (1 tasse/250 ml)	11 470 µg
	Feuille de navet, surgelée, cuite (1 tasse/250 ml)	10 593 µg
	Carotte, crue (1 tasse/250 ml)	9 114 µg
	Tarte à la citrouille (1 pointe)	7 366 µg
	Feuille de betterave, cuite (1 tasse/250 ml)	6 610 µg
	Courge d'hiver, toutes variétés (1 tasse/250 ml)	5 726 µg
	Melon brodé (1 tasse/250 ml)	3 232 µg
	Brocoli, cuit (1 tasse/250 ml)	1 449 µg
Calcium	Chou cavalier, surgelé, cuit (1 tasse/250 ml)	357 mg
	Rhubarbe, surgelée, cuite (1 tasse/250 ml)	348 mg
	Yogourt, aux fruits, à faible teneur en gras (250 g)	345 mg
	Sardine, avec arêtes (90 g)	325 mg
	Lait, écrémé (1 tasse/250 ml)	306 mg
	Lait, à 1% (1 tasse/250 ml)	300 mg
	Épinard, surgelé, cuit (1 tasse/250 ml)	291 mg
	Haricot de soya, vert, cuit (1 tasse/250 ml)	261 mg
	Fromage cheddar (30 g)	204 mg
	Haricot blanc, en conserve (1 tasse/250 ml)	191 mg
	Saumon, en conserve, avec arêtes et liquide (90 g)	181 mg
	Haricot de soya, sec, cuit (1 tasse/250 ml)	175 mg
	Amande (¼ tasse/60 ml)	100 mg
Fer	Palourde, en conserve (90 g)	23,77 mg
	Haricot de soya, cuit (1 tasse/250 ml)	8,84 mg
	Haricots cuits au four, porc et sauce tomate (1 tasse/250 ml)	8,20 mg
	Crème de blé, cuite (½ tasse/125 ml)	8,00 mg
	Haricot blanc, en conserve (1 tasse/250 ml)	7,83 mg
	Abricot, séché (1 tasse/250 ml)	7,50 mg
	Lentille, cuite (1 tasse/250 ml)	6,59 mg
	Épinard, cuit (1 tasse/250 ml)	6,43 mg
	Foie de bœuf, cuit (90 g)	5,76 mg
	Huître, cuite (6 moyennes)	5,50 mg
	Haricot rognon, en conserve (1 tasse/250 ml)	5,10 mg
	Graine de citrouille, rôtie (30 g)	4,24 mg
	Flocons de son (1 tasse/250 ml)	3,90 mg
	Dinde, chair brune, cuite (1 tasse, 140 g)	3,37 mg
	Mélasse de cuisine (1 c. à soupe/15 ml)	3,20 mg
	Bœuf, bifteck de macreuse, cuit (90 g)	3,13 mg
	Crevette, cuite (90 g)	2,63 mg
	Bœuf, extérieur de ronde, cuit (90 g)	2,44 mg

NUTRIMENT/PHYTOCHIMIQUE	ALIMENT	TENEUR
	Bœuf haché, maigre à 85 %, cuit (90 g)	2,21 mg
	Bœuf, haut de surlonge, cuit (90 g)	1,59 mg
	Thon, chair pâle, en conserve dans l'eau (90 g)	1,30 mg
Fibres	Petit haricot blanc, cuit (1 tasse/250 ml)	19,1 g
	Haricot rognon, en conserve (1 tasse/250 ml)	16,4 g
	Haricot pinto, cuit (1 tasse/250 ml)	15,4 g
	Haricot noir, cuit (1 tasse/250 ml)	15,0 g
	Farine de blé entier (1 tasse/250 ml)	14,6 g
	Son d'avoine, cru (1 tasse/250 ml)	14,5 g
	Datte (1 tasse/250 ml)	14,2 g
	Haricot de Lima, cuit (1 tasse/250 ml)	13,2 g
	Framboise, surgelée, sucrée (1 tasse/250 ml)	11,0 g
	Haricot de soya, sec, cuit (1 tasse/250 ml)	10,3 g
	Lentille, cuite (1 tasse/250 ml)	10,2 g
	Semoule de maïs, grain entier, jaune (1 tasse/250 ml)	8,9 g
	Petit pois, surgelé, cuit (1 tasse/250 ml)	8,8 g
	Céréales, All-Bran de Kellogg's (½ tasse/125 ml)	8,8 g
	Boulgour, cuit (1 tasse/250 ml)	8,2 g
	Mélange de légumes, surgelés, cuits (1 tasse/250 ml)	8,0 g
	Framboise (1 tasse/250 ml)	8,0 g
	Haricot de soya, vert, cuit (1 tasse/250 ml)	7,6 g
	Pois chiche, cuit (1 tasse/250 ml)	7,1 g
	Épinard, surgelé, haché, cuit (1 tasse/250 ml)	7,0 g
	Chou de Bruxelles, surgelé, cuit (1 tasse/250 ml)	6,4 g
	Spaghetti, blé entier, cuit (1 tasse/250 ml)	6,3 g
	Orge perlé, cuit (1 tasse/250 ml)	6,0 g
	Courge d'hiver, cuite (1 tasse/250 ml)	5,7 g
	Son d'avoine, cuit (1 tasse/250 ml)	5,7 g
	Raisin sec (1 tasse/250 ml)	5,4 g
	Poire	5,1 g
	Patate douce, cuite, avec la peau	4,8 g
	Carotte, cuite (1 tasse/250 ml)	4,7 g
	Pomme de terre, cuite au four, avec la peau	4,4 g
Folate (acide folique)	Lentille, cuite (1 tasse/250 ml)	358 µg
	Haricot pinto, cuit (1 tasse/250 ml)	294 µg
	Gombo, surgelé, cuit (1 tasse/250 ml)	269 µg
	Épinard, surgelé, cuit (1 tasse/250 ml)	263 µg
	Semoule de maïs, dégermé, jaune (1 tasse/250 ml)	250 µg
	Haricot de soya, vert, cuit (1 tasse/250 ml)	200 µg
	Pois chiche (1 tasse/250 ml)	170 µg
	Brocoli, cuit (1 tasse/250 ml)	168 µg

NUTRIMENT/PHYTOCHIMIQUE	ALIMENT	TENEUR
	Chou de Bruxelles, cuit (1 tasse/250 ml)	157 µg
	Betterave (1 tasse/250 ml)	140 µg
	Chou cavalier, cuit (1 tasse/250 ml)	129 µg
	Avocat (½)	113 µg
	Arachide (½ tasse/125 ml)	113 µg
	Asperge, 5 turions	110 µg
	Jus d'orange, fait de concentré (1 tasse/250 ml)	110 µg
	Petit pois (1 tasse/250 ml)	108 µg
	Graine de tournesol (⅓ tasse/75 ml)	96 µg
	Laitue Romaine (1 tasse/250 ml)	80 µg
Isoflavones (phytoestrogènes)	Farine de soya, non dégraissée (100 g)	177,89 mg
	Haricot de soya coréen (doenjang) (100 g)*	144,99 mg
	Farine de soya, dégraissée (100 g)	131,19 mg
	Flocons de soya, non dégraissés (100 g)	128,99 mg
	Haricot de soya, rôti à sec (100 g)	128,35 mg
	Concentré de protéine de soya (100 g)	102,07 mg
	Isolat de protéine de soya (100 g)	97,43 mg
	Mélange à soupe miso, sec (100 g)	60,39 mg
	Natto (haricots de soya fermentés), bouilli (100 g)	58,93 mg
	Haricot de soya, bouilli (100 g)	54,66 mg
	Croustilles de soya (100 g)	54,16 mg
	Tempeh, cuit (100 g)	53,00 mg
	Tofu (100 g)	23,61 mg
	Lait de soya (100 g)	9,65 mg
	Fromage de soya, mozzarelle (100 g)	7,70 mg
	Pois cassé (100 g)	2,42 mg
Lycopène	Tomate, purée, en conserve (1 tasse/250 ml)	54 385 µg
	Sauce marinara, prête à servir (1 tasse/250 ml)	42 998 µg
	Sauce tomate, en conserve (1 tasse/250 ml)	37 122 µg
	Jus de légumes, en conserve (1 tasse/250 ml)	23 377 µg
	Jus de tomate, en conserve (1 tasse/250 ml)	21 960 µg
	Pâtes, sauce tomate et boulettes de viande (1 tasse/250 ml)	19 326 µg
	Soupe de tomate, en conserve (1 tasse/250 ml)	13 322 µg
	Pastèque (1 grosse tranche)	12 962 µg
	Tomates à l'étuvée, en conserve (1 tasse/250 ml)	10 289 µg
	Soupe de légumes, en conserve (1 tasse/250 ml)	7 087 µg
	Tomates, entières, en conserve (1 tasse/250 ml)	6 480 µg
	Soupe au bœuf et aux nouilles, en conserve (1 tasse/250 ml)	5 017 µg
	Pamplemousse rose (½)	1 745 µg
	Poivron rouge (1 tasse/250 ml)	549 µg

NUTRIMENT/PHYTOCHIMIQUE	ALIMENT	TENEUR
Magnésium	Farine de sarrasin, grain entier (1 tasse/250 ml)	301 mg
	Boulgour, sec (1 tasse/250 ml)	230 mg
	Son d'avoine, cru (1 tasse/250 ml)	221 mg
	Chocolat, semi-sucré (1 tasse/250 ml)	193 mg
	Flétan, cuit (½ filet)	170 mg
	Farine de blé entier (1 tasse/250 ml)	166 mg
	Épinard, en conserve (1 tasse/250 ml)	163 mg
	Orge perlé, cru (1 tasse/250 ml)	157 mg
	Épinard, cuit (1 tasse/250 ml)	157 mg
	Semoule de maïs, grain entier (1 tasse/250 ml)	155 mg
	Graine de citrouille rôtie (30 g)	151 mg
	Figue (1 tasse/250 ml)	117 mg
	Petit haricot blanc, cuit (1 tasse/250 ml)	107 mg
	Haricot pinto, cuit (1 tasse/250 ml)	94 mg
	Amande (30 g)	78 mg
	Germe de blé (¼ tasse/50 ml)	68 mg
Potassium	Feuille de betterave, cuite (1 tasse/250 ml)	1 309 mg
	Haricot blanc, en conserve (1 tasse/250 ml)	1 189 mg
	Datte (1 tasse/250 ml)	1 168 mg
	Tomate, purée, en conserve (1 tasse/250 ml)	1 098 mg
	Raisin sec (1 tasse/250 ml)	1 086 mg
	Pomme de terre, cuite au four, avec la peau	1 081 mg
	Haricot de soya, cuit (1 tasse/250 ml)	970 mg
	Haricot de Lima, cuit (1 tasse/250 ml)	955 mg
	Sauce marinara, prête à servir (1 tasse/250 ml)	940 mg
	Flétan (½ filet)	916 mg
	Courge d'hiver, toutes variétés, cuite (1 tasse/250 ml)	896 mg
	Banane	422 mg
Sélénium	Noix du Brésil (30 g)	543,5 µg
	Noix mélangées, rôties (30 g)	119,4 µg
	Gésier de poulet, cuit (1 tasse/250 ml)	86,4 µg
	Farine de blé entier (1 tasse/250 ml)	84,8 µg
	Salade de thon (1 tasse/250 ml)	84,5 µg
	Orge perlé, cru (1 tasse/250 ml)	75,4 µg
	Hoplostète orange, cuit (90 g)	75,1 µg
	Flétan, cuit (½ filet)	74,4 µg
	Flet/plie du Canada, cuit (1 filet)	73,9 µg
	Sébaste canari, cuit (1 filet)	69,7 µg
	Thon, chair pâle, en conserve (90 g)	68,3 µg
	Espadon, cuit (1 morceau)	65,4 µg
	Églefin, cuit (1 filet)	60,8 µg

NUTRIMENT/PHYTOCHIMIQUE	ALIMENT	TENEUR
Vitamine B_6	Pois chiche (1 tasse/250 ml)	1,10 mg
	Céréale de son à 100% (1 tasse/250 ml)	1,00 mg
	Thon, à nageoires jaunes, cuit (90 g)	0,88 mg
	Foie de bœuf, cuit (90 g)	0,87 mg
	Gibier de dinde, cuit (90 g)	0,84 mg
	Riz, blanc, à long grain (1 tasse/250 ml)	0,84 mg
	Pomme de terre, rissolée (1 tasse/250 ml)	0,74 mg
	Châtaigne (1 tasse/250 ml)	0,71 mg
	Farine de sarrasin, grain entier (1 tasse/250 ml)	0,70 mg
	Chair de dinde, rôtie (1 tasse/250 ml)	0,64 mg
	Flétan, cuit (½ filet)	0,63 mg
	Banane (1 tasse/250 ml)	0,55 mg
	Pruneau, compote (1 tasse/250 ml)	0,54 mg
	Bœuf, haut de surlonge, cuit (90 g)	0,54 mg
Vitamine B_{12}	Pétoncle, en conserve (90 g)	84,06 µg
	Foie de bœuf, cuit (90 g)	70,66 µg
	Gésier de dinde, cuit (1 tasse/250 ml)	48,21 µg
	Huître, crue (6)	16,35 µg
	Gésier de poulet, cuit (1 tasse/250 ml)	13,69 µg
	Chaudrée de palourdes, au lait, en conserve (1 tasse/250 ml)	10,24 µg
	Crabe royal, cuit vapeur (90 g)	9,78 µg
	Saumon, rouge, cuit (½ filet)	8,99 µg
	Sardine, en conserve, avec les arêtes (90 g)	7,60 µg
	Truite arc-en-ciel, d'élevage, cuite (90 g)	4,22 µg
Vitamine C	Poivron rouge (1 tasse/250 ml)	293,7 mg
	Papaye	187,9 mg
	Jus d'orange (1 tasse/250 ml)	124,0 mg
	Poivron vert (1 tasse/250 ml)	119,8 mg
	Boisson au jus d'ananas/pamplemousse (1 tasse/250 ml)	115,0 mg
	Chile, vert	109,1 mg
	Boisson au jus de canneberge, en bouteille (1 tasse/250 ml)	107,0 mg
	Brocoli, cuit (1 tasse/250 ml)	101,2 mg
	Fraise (1 tasse/250 ml)	97,6 mg
	Jus d'orange, fait de concentré (1 tasse/250 ml)	96,9 mg
	Chou de Bruxelles, cuit (1 tasse/250 ml)	96,7 mg
	Quartiers d'orange (1 tasse/250 ml)	95,8 mg
	Kiwi	70,5 mg
	Melon brodé (1 tasse/250 ml)	58,7 mg
	Ananas (1 tasse/250 ml)	56,1 mg
	Chou frisé, cuit (1 tasse/250 ml)	53,3 mg

NUTRIMENT/PHYTOCHIMIQUE	ALIMENT	TENEUR
Vitamine D	Saumon, en conserve (100 g)	360 IU
	Sardine (100 g)	275 IU
	Lait, enrichi (1 tasse/250 ml)	100 IU
	Margarine (2 c. à thé/10 ml)	35 IU
	Jaune d'œuf	20 IU
Vitamine E	Huile de germe de blé (1 c. à soupe/15 ml)	26,10 mg
	Graine de tournesol (¼ tasse/60 ml)	8,35 mg
	Amande (30 g)	7,33 mg
	Huile de tournesol (1 c. à soupe/15 ml)	5,59 mg
	Huile de carthame (1 c. à soupe/15 ml)	4,64 mg
	Feuille de navet, surgelée, cuite (1 tasse/250 ml)	4,36 mg
	Noisette (30 g)	4,26 mg
	Épinard, cuit (1 tasse/250 ml)	3,74 mg
	Lait de soya (1 tasse/250 ml)	3,31 mg
	Huile de canola (1 c. à soupe/15 ml)	2,90 mg
	Avocat (½)	1,30 mg
	Germe de blé (1 c. à soupe/15 ml)	1,20 mg
Vitamine K	Chou frisé, surgelé, cuit (1 tasse/250 ml)	1 146,6 µg
	Chou cavalier, surgelé, cuit (1 tasse/250 ml)	1 059,4 µg
	Épinard, surgelé, cuit (1 tasse/250 ml)	1 027,3 µg
	Feuille de navet, surgelée, cuite (1 tasse/250 ml)	851,0 µg
	Chou cavalier, cuit (1 tasse/250 ml)	836,0 µg
	Feuille de betterave, cuite (1 tasse/250 ml)	697,0 µg
	Feuille de moutarde, cuite (1 tasse/250 ml)	419,3 µg
	Chou de Bruxelles, surgelé, cuit (1 tasse/250 ml)	299,9 µg
	Brocoli, cuit (1 tasse/250 ml)	218,9 µg
	Ciboule (1 tasse/250 ml)	207,0 µg
	Laitue beurre (1 tasse/250 ml)	166,7 µg
	Persil (10 tiges)	164,0 µg
Zinc	Huître, crue (6)	76,28 mg
	Crabe (90 g)	6,48 mg
	Bœuf, côte, cuite (90 g)	5,91 mg
	Canard, cuit (½)	5,75 mg
	Bœuf haché, cuit (90 g)	5,36 mg
	Foie de bœuf (90 g)	5,16 mg
	Bœuf, extérieur de ronde, cuit (90 g)	5,02 mg
	Bœuf, bifteck de macreuse, cuit (90 g)	4,59 mg
	Haricots cuits au four, porc et sauce tomate, (1 tasse/250 ml)	3,69 mg
	Germe de blé (¼ tasse/50 ml)	3,60 mg
	Lentille, cuite (1 tasse/250 ml)	2,51 mg
	Porc, cuit (90 g)	2,30 mg

SECTION *trois*

Cures alimentaires pour les affections courantes

Dans la pharmacie alimentaire, il y a bien plus que le bouillon de poulet pour soigner le rhume : par exemple, le poisson contre les allergies, la grenade contre l'arthrite ou l'avoine contre le diabète. Voici des solutions alimentaires éprouvées pour le traitement de 57 affections courantes.

ACCIDENT VASCULAIRE CÉRÉBRAL (AVC)

Une alimentation axée sur le beurre, le bacon et les aliments transformés élève non seulement le risque de crise cardiaque mais également celui de l'AVC, caractérisé par un rétrécissement des artères qui irriguent le cerveau. (Dans le cas de l'AVC hémorragique, il y a rupture des artères.) L'arrêt du tabac, l'exercice physique et les changements alimentaires font partie des solutions réparatrices. Ces changements pourront également contribuer à soulager l'hypertension artérielle, principal facteur de risque de l'AVC et de la crise cardiaque. C'est un fait que l'âge, le sexe et la race jouent un rôle dans l'incidence de l'AVC, mais comme on n'y peut rien, on a tout intérêt à porter son attention sur ceux qu'on peut modifier.

Les résultats de la Nurses Health Study, une vaste étude menée auprès de milliers de femmes, indiquent que l'alimentation nord-américaine classique a pour effet d'élever de 58 % le risque d'AVC alors qu'une alimentation axée sur les grains entiers, les fruits, les légumes et le poisson le fait baisser de 30 %.

VOTRE ORDONNANCE ALIMENTAIRE

Régime DASH

Une des meilleures façons de se protéger contre l'AVC consiste à abaisser sa pression artérielle. Quand elle est au-dessus de 140/90 mmHg, le risque d'AVC double, et pour chaque tranche additionnelle de 20 mmHg de pression systolique (le premier chiffre) et de 10 mmHg de pression diastolique (le second chiffre), le risque double à nouveau.

Le régime DASH (Dietary Approaches to Stop Hypertension) est pauvre en gras saturés et cholestérol, et riche en fibres, produits laitiers à faible teneur en gras, fruits et légumes. On a fait la preuve qu'il pouvait faire baisser la pression artérielle de 5,5/3,0 mmHg, ce qui suffit pour diminuer de 27 % le risque d'AVC. Si, en plus on limite sa consommation de sodium à environ ⅔ de cuiller à thé par jour, alors la pression artérielle peut chuter de 8,9/4,5 mmHg, résultat comparable à celui que donnent les médicaments hypotenseurs.

En soi, chacun des aliments qui composent ce régime protège contre l'AVC. Une consommation élevée de grains entiers fait baisser le risque d'environ 40 %, tandis que les résultats d'une autre étude indiquent qu'en prenant des fruits et des légumes tous les jours, on peut le faire baisser de 20 à 40 %. Enfin, on peut faire baisser de quatre points encore sa pression artérielle si on associe à ce régime de l'exercice physique, la surveillance de son poids et une diminution de sa consommation d'alcool (voir Aliments et produits à éviter, page 90). Pour en savoir plus sur ce régime, voir la rubrique Hypertension artérielle, page 204.

Avoine, amande, produits du soya et autres aliments qui font baisser le cholestérol

Que diriez-vous d'un bon bol de flocons d'avoine ? D'une poignée d'amandes à la collation ou d'edamame, ces grains de soya verts qu'on peut consommer tels quels ? Ces aliments font partie du régime connu sous le nom de Portfolio Eating Plan, mis au point par des

Le bleuet est excellent pour la santé mais, comme la saison de ces baies est courte, vous auriez intérêt à en faire ample provision et à en congeler pour le reste de l'année. Vous pourrez ainsi en consommer en tout temps que ce soit en garniture, dans vos smoothies ou cuits.

chercheurs de Toronto. Quand ils sont consommés dans le cadre d'une alimentation pauvre en gras, il semble qu'ils fassent baisser de 28 % le taux de cholestérol LDL (le « mauvais »), soit autant que les statines, médicaments hypocholestérolémiants. On ne sait pas si la présence d'un taux élevé de cholestérol contribue autant à l'AVC qu'à la crise cardiaque, mais on a de bonnes raisons de le croire. Comme les résultats d'une étude indiquent que les statines pourraient diminuer le risque d'environ 25 %, logiquement, on devrait obtenir des résultats semblables si on arrive à faire baisser son taux de cholestérol grâce à l'alimentation.

L'hypercholestérolémie contribue à la formation de plaque dans les vaisseaux sanguins du cerveau, ouvrant la voie à l'AVC ischémique, la forme la plus fréquente. En fait, chez les femmes de moins de 55 ans, elle semble augmenter d'environ 23 %, le risque de mourir d'un AVC même si elles ne souffrent pas de maladie cardiovasculaire. Plus terrifiant encore, on a observé qu'elle augmentait de 76 % le risque de mortalité par AVC chez les femmes plus jeune d'origine afro-américaine.

Pour maintenir votre taux de cholestérol LDL sous la barre des100 mg/dl, (en dessous de 70 mg/dl pour les personnes à risque très élevé), taux recommandé aux personnes à risques multiples de maladie cardiovasculaire, vous pourriez devoir prendre une statine, mais c'est une bonne idée de commencer par adopter une alimentation qui y contribuera.

Vos objectifs : selon les recommandations du régime Portfolio, consommez chaque jour : une poignée d'amandes ; 20 g de fibres alimentaires (soit ce que fournissent ensemble une tasse d'avoine, une tasse de légumineuses, une tasse de fraises, une tasse de patate douce en purée et une pomme) ; 50 g de protéines de soya (soit l'équivalent de cinq portions ou plus de produits dérivés du soya) ; 2 g de stérols d'origine végétale provenant d'une margarine qui en est enrichie ; cinq à neuf portions de fruits et de légumes par jour. Bien sûr, même si vous ne suivez pas les recommandations à la lettre, vous tirerez certainement des bienfaits d'en consommer plus.

Bleuet, patate douce, artichaut

et autres aliments riches en antioxydants

Si les fruits et les légumes protègent autant contre l'AVC, c'est en partie parce que ce sont de très bonnes sources d'antioxydants, composés qui contribuent à prévenir la formation de dépôts de plaque dans les artères. De plus, ils favorisent la dilatation des artères et, par conséquent, améliorent la circulation du sang.

Vos objectifs : 7 à 10 portions de fruits et de légumes par jour. Une portion correspond à un fruit moyen, une demi-tasse de jus de fruits ou de légumes, une demi-tasse de fruits hachés ou de légumes ou légumineuses cuits ou une tasse de légumes feuilles.

NOS MEILLEURES RECETTES

Crêpes de sarrasin, sauce aux fruits *p. 288*
Épinards au fromage à la crème *p. 322*
Pain à la citrouille et streusel *p. 329*
Pâtes primavera au cheddar *p. 306*
Salade de thon et haricots blancs *p. 297*
Salade Waldorf modifiée *p. 292*
Saumon grillé et épinards sautés *p. 311*
Scones à l'avoine et aux bleuets *p. 326*
Soupe à la patate douce *p. 299*

Banane, pomme de terre au four, haricot blanc *et autres aliments riches en potassium*

D'après des experts, les aliments qui composent le régime DASH fournissent de bonnes quantités de potassium. Selon une étude, un apport réduit en potassium d'origine alimentaire, soit moins de 1,5 g par jour, augmente de 28 % le risque d'AVC. Les chercheurs qui ont fait le suivi de la Health Professionals Study ont découvert que les participants qui prenaient chaque jour neuf portions de fruits et légumes riches en potassium – pomme de terre, pruneau, raisin sec et les autres aliments énumérés ci-dessus – ont vu diminuer leur risque d'AVC de 38 % comparativement à ceux qui n'en prenaient que quatre par jour.

Vos objectifs : 4,7 g de potassium par jour, quantité que vous pouvez facilement obtenir en prenant 7 à 10 portions de fruits et légumes qui en sont riches. Une pomme de terre au four, une tasse de haricots blancs, une tasse de tomates en boîtes, une tasse de courge en fournissent environ 1 g.

Haricot, épinard *et autres aliments riches en folate*

Compte tenu de leur richesse en folate (ou acide folique), le haricot et les autres légumineuses protègent le cerveau. Selon les résultats d'une étude menée pendant 20 ans auprès de 10 000 adultes, une alimentation riche en folate fait baisser de 20 % le risque d'AVC. Chose intéressante, des chercheurs ont découvert que l'incidence d'AVC a diminué de 10 à 15 % aux États-Unis après que les fabricants aient commencé à enrichir la farine d'acide folique pour prévenir les anomalies congénitales. Leur étude portait sur les trois années qui ont précédé ce changement et les trois années qui l'ont suivi.

Vos objectifs : 400 µg de folate par jour, que vous fourniront ensemble une demi-tasse de haricots pinto et une tasse d'épinards cuits.

Lait à faible teneur en gras

Les produits laitiers à faible teneur en matières grasses sont de bonnes sources de potassium, magnésium et calcium, minéraux qui font baisser la pression artérielle de façon naturelle. De fait, les résultats d'une étude menée à Porto Rico sur des sujets masculins montrent que l'incidence de l'hypertension était moitié moindre chez ceux qui buvaient du lait que chez ceux qui n'en buvaient pas. On peut donc penser que si les produits laitiers exercent cet effet sur la pression, ils peuvent également diminuer le risque d'AVC. De fait, les résultats de la Honolulu Heart Study, une étude d'une durée de 22 ans menée auprès de 3 100 sujets masculins japonais, indiquent que ceux qui prenaient deux tasses de lait par jour couraient moitié moins de risque de faire un AVC que ceux qui n'en buvaient pas.

Peu de légumes renferment autant de nutriments curatifs que l'épinard. Au moins une fois par semaine, faites en sauter dans l'huile d'olive avec de l'ail, salez, poivrez et ajoutez un filet de jus de citron. C'est un plat d'accompagnement parfait, tant pour la saveur que pour la santé.

Vos objectifs : deux ou trois portions d'une tasse par jour.

Truc utile: si vous n'aimez pas l'idée d'avaler un verre de lait froid, gardez à l'esprit que tout le lait que vous consommez, par exemple dans votre café ou vos céréales, vous rapproche de votre objectif. En outre, comme les gras saturés sont associées aux maladies cardiovasculaires en général, optez pour le lait à 1 % ou écrémé.

Orge, sarrasin, semoule de maïs *et autres aliments riches en magnésium*

La même étude au cours de laquelle on a observé l'effet positif du potassium d'origine alimentaire a permis de découvrir que les aliments riches en magnésium faisaient baisser 30 % le risque d'AVC, même chez ceux qui ne font pas d'hypertension.

Vos objectifs : 500 mg de magnésium par jour. Vous les obtiendrez en prenant une tasse de haricots noirs, une tasse d'épinards, une portion de flétan, 30 de graines de citrouille.

Saumon *et autres poissons gras*

Si vous consommez du poisson, vous bénéficiez probablement d'une certaine protection contre l'AVC. D'abord, parce que vous prenez forcément moins de viande riche en gras saturés.

Il est possible aussi que les oméga-3 de la sardine, du maquereau, du saumon et des autres poissons gras améliorent la circulation sanguine, étant donné qu'ils atténuent l'inflammation dans les artères et diminuent le risque de caillots. Les résultats d'une étude d'une durée de 12 ans menée à l'école de médecine de Harvard auprès de quelque 5 000 sujets de 65 ans et plus indiquent que la consommation d'une à quatre portions de poisson par semaine, diminuait de 27 % le risque d'AVC.

Vos objectifs : le Guide alimentaire canadien recommande de prendre au moins deux portions de poisson par semaine, soit 250 g au total. Comme il y a tout lieu de se préoccuper

Consommer moins de sel

Si vous souhaitez diminuer votre consommation de sodium, sachez que ce n'est pas si difficile. En effet, à moins que vous renversiez la salière dans vos plats, ce n'est pas le sel qu'on ajoute à ses plats ou qu'on utilise dans la cuisson qui constitue le véritable problème, mais celui des aliments transformés, qui fournissent près de 75 % du sodium qu'on ingère. Il se cache dans les aliments les plus inattendus, par exemple dans les céréales, qui en renferment parfois plus que les croustilles de pomme de terre.

Par conséquent, la meilleure manière de diminuer sa consommation, c'est de s'abstenir de consommer ces produits alimentaires. Vous pouvez aussi suivre cette règle simple : dans le tableau de la valeur nutritionnelle qui figure sur l'emballage, le chiffre qui indique la quantité de sodium, exprimée en mg, devrait être égal ou inférieur au nombre de calories.

de la contamination au mercure, optez pour des espèces qui présentent des taux relativement faibles de cette substance, par exemple le saumon et le thon pâle en conserve, et évitez le requin, l'espadon, le thon frais et surgelé, l'escolar, le makaire et l'hoplostète orange.

SUPPLÉMENTS NUTRITIONNELS

Acides gras oméga-3. Même si elle n'est pas spécifiquement recommandée pour la prévention de l'AVC, on a de bonnes raisons de croire que l'huile de poisson pourrait être utile puisqu'elle fait baisser les taux de triglycérides. Ces lipides sanguins, qui contribuent aux obstructions des vaisseaux sanguins, semblent constituer, en soi, un facteur de risque d'AVC. Selon les études, les patients cardiaques dont les taux de triglycérides sont de plus de 2,3 mmol/l courent 30 % plus de risque de faire un AVC. **DOSE :** pour faire baisser les taux de triglycérides, les experts recommandent de prendre 2 à 4 g d'EPA et de DHA par jour. Pour atténuer les problèmes de renvois, on conseille de prendre l'huile de poisson en mangeant, ou d'opter pour un supplément qui renferme également une essence d'agrume.

Acide folique et vitamine B_{12}. Comme elles font baisser le taux d'homocystéine, acide aminé qui s'attaque aux artères, ces deux vitamines du complexe B pourraient diminuer l'incidence de l'AVC. Les fortes doses sont déconseillées, mais si votre alimentation ne vous fournit pas les quantités dont vous avez besoin, une multivitamine pourrait combler le déficit. **DOSE :** *acide folique :* 400 µg par jour. *Vitamine B_{12} :* 2 µg par jour.

ALIMENTS ET PRODUITS À ÉVITER

Sodium. En excès, le sodium élève la pression artérielle et, par conséquent, le risque d'AVC. Lors d'une étude menée au Japon auprès de 29 000 sujets, on a observé que, chez ceux qui en consommaient le plus, le risque de mourir de cette affection était de 70 % plus élevé que celui des sujets qui en prenaient moins. Les organismes de la santé recommandent de limiter l'apport en sodium à 2,3 g par jour, soit une cuiller à thé de sel. Selon les données d'études sur le régime DASH, cela devrait permettre de faire baisser de 2,1/1,1 mmHg la pression artérielle. En portant votre consommation de sodium à ⅔ cuiller à thé par jour, elle baissera de 6,7/3,5 mmHg. Or, même une diminution d'aussi peu que cinq points a pour effet de réduire de 27 % le risque d'AVC. Voir Consommer moins de sel, page 89.

Lipides saturés, cholestérol, farine et sucre raffinés. Bref, les aliments de base de l'alimentation occidentale classique. Comme tous ces produits sont réputés contribuer aux cardiopathies, on ne s'étonnera pas qu'ils élèvent le risque d'AVC et ce, de 58 %. Les lipides favorisent la formation de dépôts graisseux dans les artères et par conséquent, les obstructions. Le sucre et la farine raffinés élèvent les taux de sucre sanguin et d'insuline. En retour, ces derniers font monter les taux de lipides sanguins et la pression artérielle, épaississent les parois des artères et favorisent l'inflammation, facteurs contribuant tous au risque d'AVC. Si vous êtes en surpoids et faites de l'hypertension, l'alimentation occidentale classique est encore plus problématique : les résultats de la Nurses Health Study indiquent que le risque de souffrir de cette affection doublait chez les femmes obèses, triplait chez les femmes qui, en plus, faisaient de l'hypertension et quadruplaient chez celles qui fumaient.

Alcool en excès. Consommé avec modération (soit deux verres par jour pour les hommes, un pour les femmes), l'alcool fait baisser le risque de 28 %, probablement parce qu'il fait monter le taux de cholestérol HDL et diminue le risque de formation de caillots sanguins. Cependant, à raison de trois ou quatre verres par jour, le risque grimpe de 42 %, et à cinq, il est de 69 %. En excès, l'alcool élève la pression artérielle, épaissit le sang, interfère avec le rythme cardiaque et diminue l'apport de sang au cerveau. Si vous avez déjà fait un ACV, vous auriez tout intérêt à abandonner l'alcool et à vous en tenir au soda.

Insulinorésistance : risque caché d'AVC

Si vous avez la taille arrondie et que vos taux de sucre sanguin et de triglycérides sont élevés, de même que votre pression artérielle, vous faites peut-être ce qu'on appelle de l'insulinorésistance, syndrome qui élève sensiblement votre risque de faire un AVC. En effet, dans ce cas, votre risque grimpe de 78 % si vous êtes un homme et de 100 % si vous êtes une femme.

L'insulinorésistance est associée au diabète (voir la rubrique Diabète, à la page 180). Cependant, des chercheurs ont découvert récemment qu'elle élevait le risque d'AVC même chez ceux qui ne souffrent pas de cette maladie, car elle s'attaque aux artères.

Qu'entend-on au juste par insulinorésistance, ou syndrome métabolique, ou syndrome X ?

Il ne s'agit pas d'une maladie en soi, mais d'un ensemble de troubles : tour de taille important, soit de plus de 88 cm pour la femme et de plus de 102 cm pour l'homme ; taux élevés de triglycérides, soit, plus de 2,3 mmol/l, et de sucre sanguin, soit 4 à 6 mmol/l ; hypertension artérielle, soit une pression de plus de 130/85 mmHg ; faible taux de cholestérol HDL, soit de moins de 0,9 mmol/l pour les femmes et de moins de 1,6 mmol/l pour les hommes. Si vous réunissez trois de ces troubles, vous faites de l'insulinorésistance. Et bien qu'il puisse y avoir certains débats concernant le nom qu'on lui donne, il n'y en a aucun sur les dangers qu'elle présente.

En augmentant votre consommation de fruits, de légumes et de grains entiers, aliments qui se trouvent au cœur de la prévention de l'AVC, vous serez moins susceptible de faire de l'insulinorésistance.

ACNÉ

L'acné est causée par des facteurs héréditaires ou hormonaux. À la puberté, l'afflux d'androgènes, hormones masculines que les femmes secrètent aussi, stimule la production de sébum et de kératine : le sébum préserve l'humidité de la peau, la kératine contribue à la formation des poils. Que l'un ou l'autre se trouve en excès et obstrue les follicules pileux, et l'acné apparaît.

Que vous mangiez ou non de la pizza ne changera probablement pas grand-chose à l'état de votre peau. Ce qui fera une différence, c'est d'augmenter votre consommation de fruits, légumes et autres aliments qui contribuent à préserver l'équilibre hormonal et à combattre l'inflammation.

VOTRE ORDONNANCE ALIMENTAIRE

Noix du Brésil

Elle est riche en sélénium, puissant antioxydant qui exercerait une action préventive sur l'acné, probablement parce qu'il protège les cellules contre les lésions inflammatoires et préserve l'élasticité de la peau. Le sélénium étant plus efficace en association avec les vitamines E et A, mangez aussi des amandes et du poivron rouge.

Vos objectifs : une noix de Brésil fournit l'apport quotidien requis. Autres sources de sélénium : viande, poisson, volaille, oignon, ail, grains.

Huître, haricot, volaille, poisson *et autres aliments riches en zinc*

On ne sait pourquoi le zinc semble freiner les éruptions d'acné. Peut-être contribue-t-il à limiter la libération des hormones qui les déclenchent. Le zinc favorise aussi l'absorption par l'organisme de la vitamine A, autre nutriment essentiel à la santé de la peau.

Vos objectifs : 11 mg pour l'homme, 8 mg pour la femme. Une portion de 90 g d'huîtres en fournit 30 mg, alors que la même quantité de chair brune de dinde en apporte 4 mg.

Truc utile : les végétariens qui ne consomment aucun produit animal devraient s'informer auprès d'un nutritionniste au sujet de la supplémentation en zinc.

Saumon, graine de lin *et autres aliments riches en oméga-3*

Des dermatologues pensent que les oméga-3, acides gras exerçant une action anti-inflammatoire, pourraient atténuer les problèmes d'acné. Sources : saumon, sardine, maquereau et autres poissons gras, graine de lin, noix commune.

Vos objectifs : au moins deux portions de poisson gras par semaine. Ajoutez un filet d'huile de lin à vos salades, des graines de lin à vos plats et vos smoothies, et des noix rôties à vos ragoûts et céréales.

Amandes, œuf, légumes à feuilles vertes *et autres aliments riches en vitamine E*

Antioxydante, la vitamine E favorise la guérison des lésions et cicatrices causées par l'acné. Les huiles végétales non raffinées, les noix, les grains entiers, en constituent de bonnes sources.

Vos objectifs : l'apport quotidien recommandé est de 15 mg. Une cuillerée à soupe d'huile de canola en fournit 2 mg et 30 g d'amandes, 7 mg. Certains médecins recommandent d'en ingérer 200 mg ou plus par jour, dose qu'on ne peut obtenir qu'en prenant un supplément.

Truc utile : la vitamine E étant liposoluble, prenez-la avec un corps gras : versez un filet d'huile d'olive sur votre chou frisé ou vos épinards.

Patate douce, carottes, melon brodé, poivron *et autres aliments riches en bêta-carotène*

Dans l'organisme, le bêta-carotène (dans les fruits et légumes jaunes, orange et rouges) se transforme en vitamine A, nutriment qui renforce les bienfaits du sélénium pour la peau.

Vos objectifs : au moins ½ tasse de légumes rouges ou jaunes tous les jours.

Fruits et légumes

Des chercheurs ont observé que, dans les îles Kitavan (Nouvelle-Guinée) et chez les Aché du Paraguay, aucun adolescent ne souffrait d'acné. Or, leur alimentation était riche en fruits et en légumes, et pauvre en aliments raffinés – qui font grimper les taux d'hormones. Par contre, l'acné est apparue chez les personnes du même pool génétique qui s'étaient mises à consommer des aliments raffinés.

Vos objectifs : au moins huit portions par jour. Une portion équivaut à un fruit, une tasse de fruits ou de légumes crus et ½ tasse de fruits ou de légumes cuits.

Oranges, tomates, melon *et autres aliments riches en vitamine C*

Ces petites mines de vitamine C ne guériront pas les éruptions mais, comme la vitamine C renforce les membranes des cellules, elle peut contribuer à prévenir la formation de tissu cicatriciel résultant des lésions. Les bioflavonoïdes qui l'accompagnent souvent à l'état naturel, agissent comme anti-inflammatoires et potentialisent es effets.

Vos objectifs : 250 mg et de préférence 500 mg par jour tirés d'aliments riches en vitamine C. Une demi-tasse de poivron rouge cru en fournit 163 mg, une tasse de fraises, 85 mg.

SUPPLÉMENTS NUTRITIONNELS

Multivitamines et multiminéraux. Optez pour un produit renfermant de la vitamine E et du sélénium. **DOSE :** un comprimé par jour.

Chrome. Ce minéral est recommandé par des diététistes pour traiter l'acné. Il semblerait qu'il favorise l'utilisation de l'insuline. Or, l'acné serait liée à une faible insulinosensibilité. Comme il influe sur le taux de sucre sanguin, il vaut mieux toutefois consulter un médecin avant de prendre un supplément. **DOSE :** 200 μg par jour.

ALIMENTS ET PRODUITS À ÉVITER

Sel iodé et autres sources d'iode. L'iode semble déclencher les éruptions d'acné. Méfiez-vous des aliments préparés et transformés, souvent riches en sodium, et limitez la quantité de sel iodé que vous ajoutez à vos plats. Le sel de mer est moins riche en iode. Restreignez également votre consommation de crevettes et autres fruits de mer.

Aliments raffinés. La farine raffinée et le pain qu'on en tire, la purée de pommes de terre, les frites et les aliments très sucrés font grimper les taux de sucre sanguin et d'insuline. Or, des chercheurs pensent que ces pics d'insuline favorisent l'acné. En outre, une alimentation riche en produits raffinés et pauvre en fruits et légumes ne fournit pas assez de magnésium, minéral qui contribue à réguler les hormones jouant un rôle dans l'acné.

NOS MEILLEURES RECETTES

Chili aux trois haricots *p. 308*
Noix épicées *p. 290*
Poulet cuit au four, garniture de tomates *p. 313*
Salade au poulet et agrumes *p. 296*
Salade aux épinards et pois chiches *p. 294*
Salade de fruits tropicaux *p. 288*
Sandwichs aux croquettes de saumon *p. 304*
Soupe à la patate douce *p. 299*

AFFECTIONS ABDOMINALES INFLAMMATOIRES

Les affections abdominales inflammatoires (AAI) regroupent deux affections qui affectent le tractus gastro-intestinal de manière différente : la maladie de Crohn et la rectocolite hémorragique. Dans le première, l'inflammation touche toutes les couches de la paroi intestinale, prévenant l'absorption des nutriments par l'intestin grêle et perturbant l'équilibre hydrique nécessaire à la motilité du bol alimentaire : il peut en résulter une diarrhée persistante. Ajoutez à cela l'inappétence et vous comprendrez que les carences en vitamines et minéraux sont inévitables. Dans la rectocolite hémorragique, la muqueuse du côlon s'enflamme, prévenant l'absorption de l'eau. Diarrhée et malaises graves en découlent.

L'approche curative nutritionnelle semble contredire les principes de base d'une alimentation saine : peu de fibres, pas d'épices, et une consommation modeste de fruits et de légumes. Et pourtant elle contribue à soulager partiellement les symptômes – douleur abdominale, diarrhée, inappétence et fatigue – qui peuvent durer quelques semaines ou des années, et disparaître un temps pour réapparaître plus tard.

Plus de la moitié de ceux qui souffrent d'AAI finissent par subir une intervention chirurgicale au cours de laquelle le chirurgien retire une partie de l'intestin, ou en corrige les anomalies. Le tube digestif s'en trouve affaibli et devient plus sensible aux fluctuations alimentaires et à d'autres irritants.

Aucun nutriment ne peut prévenir ou guérir les AAI, mais une alimentation appropriée pourrait en soulager les symptômes. On se concentrera sur les aliments qui atténuent l'inflammation, rétablissent la flore intestinale utile et calment la muqueuse digestive. Il est important de tenir un journal alimentaire afin d'identifier les aliments qui déclenchent les crises et ceux qui semblent les calmer. Consultez votre médecin, qui vous aidera à déceler d'éventuelles sensibilités alimentaires.

NOS MEILLEURES RECETTES

Brochettes de thon *p. 308*
Maquereau aux tomates rôties *p. 310*
Sandwich au thon et à la salsa *p. 302*
Saumon grillé et épinards sautés *p. 311*

Petits repas fréquents et caloriques

Il vaut mieux prendre six petits repas au cours de la journée que trois gros, histoire de faciliter la digestion et de maintenir son poids. En effet, les affections abdominales inflammatoires entraînent une perte de poids et une carence nutritionnelle. C'est particulièrement vrai des patients chez qui l'intestin est rétréci en raison de la maladie.

Vos objectifs : grains entiers, légumineuses, noix et autres aliments riches en calories et en nutriments, quand votre état le permet. Durant les crises, supprimez ceux qui sont décrits à la section Aliments et produits à éviter (voir page 97) et tournez-vous plutôt vers ceux qui n'aggravent pas votre problème.

Pomme de terre, riz blanc, pâtes blanches *et autres aliments pauvres en fibres*

Durant les crises, le tube digestif est enflammé et sensible à l'irritation. Les aliments décrits ci-dessus présentent l'avantage de ne pas être irritants. Cependant, comme ils sont dénués des nutriments essentiels à la santé, il est important de consulter un diététiste ou un médecin et de prendre un supplément multivitaminique.

Banane plantain

Largement consommée en Amérique du Sud, cette banane pourrait calmer la muqueuse intestinale. Des chercheurs anglais ont découvert que ses fibres solubles créaient un milieu résistant aux bactéries inflammatoires. Si les résultats d'autres études le confirment, elle pourrait avoir sa place dans le traitement des affections abdominales inflammatoires.

Vos objectifs : on ignore combien il faudrait en consommer pour assurer la santé intestinale. Chose certaine, la banane verte bouillie et la banane jaune sautée méritent de figurer au menu du souper. En prime, elles pourraient atténuer l'irritation associée aux AAI.

Huile d'olive

Cette huile est riche en flavonoïdes, antioxydants qui neutralisent les radicaux libres intervenant dans l'inflammation. Les résultats d'une étude récente indiquent que, en association avec l'huile de poisson, l'huile d'olive a atténué l'inflammation intestinale chez des rats souffrant d'AAI.

Optez de préférence pour l'huile extra-vierge, car elle est plus riche en flavonoïdes que les autres et, si possible, pour un produit du terroir, les huiles artisanales étant généralement synonymes de qualité supérieure, tant du point de vue gustatif que nutritionnel. Évitez les huiles légère et extra-légère, qui sont moins nutritives.

Vos objectifs : remplacez toutes vos huiles par de l'huile d'olive extra-vierge.

Truc utile : bien que les huiles d'olive et de canola soient les meilleures sources de lipides, on peut consommer du beurre à l'occasion. Il renferme de l'acide butyrique, gras nécessaire à la santé de la muqueuse intestinale.

Yogourt avec bactéries vivantes *et autres produits laitiers fermentés*

Bien qu'on ignore la cause des AAI, les scientifiques se demandent si la prolifération de bactéries nuisibles dans l'intestin n'y contribuerait pas. Dans ce cas, on aurait tout intérêt à prendre du yogourt, du babeurre, du kéfir ou d'autres produits laitiers fermentés qui renferment des probiotiques ; en colonisant l'intestin, ces bactéries utiles limitent la multiplication des micro-organismes nuisibles.

Vos objectifs : commencez par prendre tous les jours une demi-tasse de yogourt ou de lait fermenté avec cultures actives (*lactobacillus*, *bifidus*, *Streptococcus thermophilus* et *acidophilus*, entre autres souches) et augmentez graduellement les quantités pour en arriver à

1½ tasse par jour. Durant cette période d'essai, notez dans votre journal votre consommation et vos symptômes afin de déterminer combien vous pouvez en manger sans aggraver votre état.

Saumon, maquereau, noix commune *et autres liquides*

L'inflammation étant à la racine des symptômes des AAI, on a tout intérêt à consommer des aliments riches en oméga-3, acides gras aux propriétés anti-inflammatoires. Le saumon et les autres poissons gras en sont les meilleures sources. Lors d'une étude, les patients souffrant de la maladie de Crohn qui ont consommé 100 g ou plus de poisson par jour pendant deux ans ont vu leur risque de rechute passer de 58 % à 20 %. La graine de lin et son huile, de même que la noix commune renferment aussi des acides gras essentiels, mais il faut savoir que l'organisme n'est pas très efficace à les convertir en EPA et DHA, oméga-3 présents dans le poisson.

Vos objectifs : trois repas de poisson par semaine.

Eau *et autres liquides*

La diarrhée chronique rend ceux qui souffrent d'AAI particulièrement sujets à la déshydratation. En outre, quand on élimine plus de liquides qu'on en consomme, on risque les troubles rénaux. Même si ces symptômes sont absents, il est important de boire suffisamment.

Vos objectifs : au moins huit tasses d'eau ou d'autres liquides par jour. Préférez les liquides clairs et évitez les jus acides comme celui de l'ananas ou de la tomate, qui peuvent irriter le tube digestif, de même que les boissons gazeuses, causes possibles de ballonnements.

SUPPLÉMENTS NUTRITIONNELS

Multivitamines/multiminéraux. La malabsorption des nutriments est l'une des conséquences les plus sérieuses des AAI. En fait, ces affections peuvent entraîner des carences extrêmement graves chez les personnes qui ne bénéficient pas d'un suivi médical étroit. **DOSE :** demandez à votre médecin ou à un diététiste si votre état exige de prendre des suppléments individuels ou de simples multivitamines/multiminéraux.

Vitamine B_{12}. Cette vitamine est absorbée dans la partie inférieure de l'intestin grêle, région qui, en cas d'AAI graves, est retirée pas intervention chirurgicale. Si vous avez subi une telle intervention, assurez-vous que votre médecin vérifie votre taux de B_{12}. **DOSE :** si vous êtes carencé, votre médecin déterminera ce qui sera le plus efficace pour vous, soit un supplément par voie orale ou des injections mensuelles.

Vitamine D. La santé des os dépend en partie de la vitamine D, nutriment qui contribue à l'absorption du calcium. Comme leur intestin grêle est enflammé, ceux qui souffrent d'AAI pourraient avoir du mal à absorber la vitamine D et donc être sujets à l'ostéomalacie, affection qui se caractérise par un ramollissement des os

À la maison, prenez l'habitude de vous préparer un smoothie, boisson santé facile à digérer. Mettez dans le mélangeur une tasse de yogourt nature, une banane, une poignée de baies, une cuiller à thé de miel et quelques glaçons, et laissez tourner l'appareil jusqu'à ce que la préparation soit homogène.

et une vulnérabilité accrue aux fractures. Or, des chercheurs ont fait la preuve que la supplémentation pouvait contribuer à prévenir cette affection. **DOSE :** consultez votre médecin, qui déterminera la dose appropriée. La plupart des gens ont besoin d'au moins 800 UI par jour.

Vitamine K. Les chercheurs commencent à peine à se pencher sur la carence en vitamine K chez ceux qui souffrent d'AAI. Comme la vitamine K est essentielle à la santé des os, faites-en vérifier votre taux par votre médecin. On la trouve dans les légumes feuilles comme l'épinard, la laitue, le cresson, de même que dans l'huile de soya. **DOSE :** un comprimé de multivitamines fournit assez de vitamine K, mais informez-vous auprès de votre médecin.

Fer. Si les AAI provoquent des saignements de la paroi intestinale, il y a risque d'anémie ferriprive, affection qui entraîne fatigue et faiblesse. **DOSE :** laissez à votre médecin le soin de décider si vous avez besoin d'un supplément de fer et, le cas échéant, d'établir la posologie.

Oméga-3. Ces acides gras anti-inflammatoires pourraient aider les personnes atteintes de la maladie de Crohn ou de colite hémorragique. Des chercheurs italiens ont récemment fait la preuve que, chez les adultes qui prenaient un supplément de 400 mg d'acide eicosapentaénoïque (EPA) et 200 mg d'acide docosahexaénoïque (DHA), les deux principaux oméga-3, le taux de rechute diminuait de 33 %. **DOSE :** 400 mg d'EPA et 200 mg de DHA par jour. Optez pour des capsules entérosolubles, qui ne se dégraderont que dans l'intestin grêle et y exerceront leur action anti-inflammatoire.

Probiotiques. Les probiotiques combattent les bactéries nuisibles qui se sont installées dans l'intestin, soulageant les symptômes des AAI, particulièrement en cas de stress. Les résultats d'une étude menée en Norvège indiquent que la multiplication des bactéries nocives dans les intestins de rats soumis à divers stress était nettement moins élevée chez ceux qui avaient reçu des probiotiques que chez les autres. **DOSE :** 10 milliards d'unités formant colonie (UFC), une ou deux fois par jour.

ALIMENTS ET PRODUITS À ÉVITER

Aliments riches en fibres. Dans un intestin enflammé, le son des grains agit comme du papier abrasif. On doit donc faire preuve de prudence quand on consomme des céréales de son ou des aliments faits de farine de grains entiers. Quant aux fruits et aux légumes, ils risquent d'alimenter en eau des selles déjà très liquides, aggravant la diarrhée. Durant les crises d'AAI, supprimez de votre alimentation les grains entiers, la majorité des fruits et légumes, ainsi que les noix, les graines et le maïs, qui peuvent tous causer des crampes.

La crise passée, vous pourrez réintroduire graduellement ces aliments et vérifier si votre tube digestif les tolère. Quand votre état le permet, la consommation d'aliments riches en fibres pourrait même vous être utile, car ils favorisent la production de butyrate, acide gras qui exerce une action anti-inflammatoire et contribue à la santé de la muqueuse intestinale.

Viandes grasses et fritures. Les gras saturés des burgers et autre malbouffe peuvent favoriser la production de prostaglandines, substances inflammatoires apparentées aux hormones. En outre, quand les lipides sont mal absorbés, ils provoquent des flatulences et de la diarrhée. Par conséquent, optez pour des aliments ne contenant que peu de corps gras.

Lait et autres produits laitiers. De nombreuses personnes souffrant d'AAI ne digèrent pas le lactose présent dans les produits laitiers. Si vos symptômes semblent s'aggraver quand vous consommez des produits laitiers, supprimez ceux-ci durant quelques semaines. Un gastro-entérologue pourra vous faire passer un test pour déterminer si vous faites de l'intolérance à ce sucre.

Alcool et caféine. Ils peuvent tous deux irriter un intestin enflammé ; de plus, ils agissent comme diurétiques, ce qui n'est nullement souhaitable quand on est sujet à la diarrhée.

ALLERGIES ET RHUME DES FOINS

Quand les arbres, les graminées ou l'herbe à poux relâchent leur pollen, il se peut que vous ayez à prendre des anti-histaminiques pour soulager vos allergies. Et pourtant, certains aliments comme le poisson et l'oignon pourraient atténuer vos symptômes. Comment les aliments peuvent-ils combattre le rhume des foins ? Quand le pollen, ou un autre allergène, entre en contact avec le nez d'une personne qui y est hypersensible ou allergique, son organisme passe à l'attaque. Les cellules immunitaires libèrent des histamines qui déclenchent un processus inflammatoire pour empêcher les allergènes de pénétrer dans l'organisme : les sinus et les voies nasales enflent, les yeux picotent. Les histamines entraînent aussi la production de liquide dans les voies nasales : le nez coule, la gorge pique et on éternue. L'organisme cherche ainsi à se débarrasser des corps étrangers. Dans bien des cas, les aliments qui permettent de soulager les allergies agissent en atténuant l'inflammation ou en calmant le système immunitaire.

VOTRE ORDONNANCE ALIMENTAIRE

Saumon et autres poissons gras

Le saumon, la sardine, le maquereau et les autres poissons gras constituent la première défense alimentaire contre les allergies. Leurs acides gras oméga-3 atténuent l'inflammation responsable des symptômes. Les études indiquent que les enfants qui commencent à manger du poisson tôt dans l'existence pourraient être moins sujets aux allergies plus tard. La consommation de poisson contribue à équilibrer le ratio oméga-3/oméga-6 dans l'organisme. Comme le système immunitaire semble bénéficier de cet effet, les symptômes allergiques s'en trouvent atténués.

Des chercheurs australiens qui ont suivi près de 500 enfants de huit ans ont découvert que ceux qui mangeaient du poisson au moins une fois par semaine couraient 80 % moins de risque de faire une allergie au pollen du faux seigle que les autres. Une étude, menée en Norvège auprès de 2 500 enfants de quatre ans, a montré que ceux qui avaient consommé du poisson au cours de leur première année couraient sensiblement moins de risque de souffrir du rhume des foins et d'asthme que ceux qui n'en avaient pas pris.

Aux enfants qui n'aiment pas le poisson, on pourra donner 30 g de noix commune tous les jours, à compter de l'âge de 3 ans. La graine de lin renferme aussi des oméga-3.

Quant aux adultes, des chercheurs allemands, qui en ont suivi 568, ont prouvé qu'il y avait une corrélation entre des taux sanguins élevés d'oméga-3 et une baisse de l'incidence du rhume des foins.

Vos objectifs : une ou deux portions par semaine de saumon, thon ou maquereau. Pour augmenter davantage votre apport en oméga-3, prenez un supplément. Initiez les enfants au poisson dès leur plus jeune âge.

Ail

L'ail est un véritable remède universel. Riche en antioxydants, il semblerait qu'il soutienne le système immunitaire dans sa lutte contre le rhume des foins. Des chercheurs ont établi un lien entre un apport élevé en certains antioxydants et une diminution de son incidence.

Vos objectifs : assaisonnez vos plats d'ail frais. Ou encore, coupez une gousse en quelques morceaux que vous avalerez durant la journée. L'acide gastrique les dégradera et, en traversant le côlon, ils libéreront leurs antioxydants.

Oignon

Il est très riche en quercétine, antioxydant qui contribue à soulager l'inflammation et, peut-être aussi, à prévenir la libération d'histamine par les mastocytes, des cellules immunitaires. De plus, la quercétine favorise l'absorption par l'organisme de la vitamine C, autre stimulant du système immunitaire. Elle pourrait stabiliser les membranes cellulaires, diminuant leur sensibilité aux allergènes. Autres sources : pomme avec peau, baies, raisin rouge, thé noir.

Vos objectifs : garnissez vos plats d'oignons crus aussi souvent que possible.

Yogourt avec cultures vivantes
et lait fermenté

Les bactéries vivantes présentes dans les produits fermentés comme le yogourt et le kéfir contribuent à préserver la santé de la flore bactérienne de l'intestin, où sont produites nombre de cellules immunitaires. Des experts pensent que l'augmentation de l'incidence des allergies en Occident est due au fait qu'on n'y consomme plus assez de produits fermentés pour préserver une flore en santé. Ces aliments encouragent l'organisme à produire des globules blancs et des anticorps, de même que des facteurs de croissance, substances qui atténuent les réactions aux allergènes.

Des chercheurs italiens qui ont suivi durant quatre mois des sujets souffrant d'accès fréquents de rhume des foins ont découvert que les taux sanguins d'histamine étaient deux fois moins élevés chez ceux qui prenaient deux tasses (500 ml) de yogourt par jour que chez ceux qui buvaient du lait écrémé ; de plus, ils avaient moins de symptômes.

Les enfants dont les mères ont consommé régulièrement du yogourt ou d'autres produits riches en probiotiques durant leur grossesse, sont moins susceptibles de faire des allergies en grandissant. Des chercheurs estiment que les probiotiques sont particulièrement importants pour les nouveau-nés et les enfants, dont le système immunitaire est en développement.

Vos objectifs : une à deux tasses (250 à 500 ml) par jour de yogourt ou d'un autre produit à base de lait fermenté. Cherchez sur l'étiquette les mots : *lactobacillus*, *bifidobacterium* et *Bacillus clausii*.

Truc utile : pour varier vos sources de probiotiques, remplacez une partie du yogourt par une quantité équivalente de kéfir. Ajoutez-en dans vos laits frappés et vos smoothies.

Amande, germe de blé, légumes à feuilles vertes
et autres aliments riches en vitamine E

Des chercheurs allemands qui ont suivi 1 700 adultes ont découvert que l'incidence du rhume des foins était 30 % moins élevée chez ceux dont l'alimentation fournissait de 10 à 13 mg par jour de vitamine E que chez ceux qui en ingéraient peu.

Vos objectifs : quantité de légumes à feuilles vertes, grains entiers, noix et avocats. Une portion de 30 g d'amandes fournit 7 mg de

propos à mijoter…

Vous auriez tout intérêt à remplacer la crème glacée par du yogourt glacé, moins sucré et moins gras, et qui comprend habituellement les mêmes bactéries utiles que le yogourt frais.

vitamine E, une tasse d'épinards cuits, 2 mg, 2 cuillers à soupe de germe de blé, 2,5 mg.

Origan, mélisse, romarin

et autres herbes

Ces herbes, de même que la sauge et la marjolaine, renferment de l'acide rosmarinique qui, selon des chercheurs japonais, exerce une action anti-inflammatoire et contribue à atténuer les symptômes des allergies saisonnières.

Vos objectifs : pour tirer tout le parti de ces herbes, utilisez-les fraîches. Préparez la mélisse en infusion, ajoutez de l'origan et du romarin aux pâtes, et de la sauge et de la marjolaine à la volaille et au poisson.

NOS MEILLEURES RECETTES

Brochettes de thon *p. 308*
Darnes de saumon, salsa de pêche *p. 310*
Muffins aux framboises et amandes *p. 326*
Riz aux amandes *p. 324*
Salade d'épinards et pois chiches *p. 295*
Saumon grillé, épinards sautés *p. 311*
Soupe à la patate douce *p. 299*
Tacos de poisson *p. 309*

SUPPLÉMENTS NUTRITIONNELS

Acides gras oméga-3. À défaut d'aimer le poisson, on peut prendre un supplément d'huile de poisson. **DOSE :** 1 à 3 g par jour. Le pharmacien saura vous recommander un produit de qualité. Conservez les capsules au réfrigérateur.

Huile de lin. Cette solution de rechange à l'huile de poisson fournit des substances qui sont converties en oméga-3 dans l'organisme. **DOSE :** 1 à 3 cuillers à soupe par jour.

Probiotiques. Les suppléments constituent une bonne solution de rechange pour ceux qui consomment peu de yogourt. Le produit devrait renfermer des souches de *lactobacillus, bifidobacterium* et *Bacillus clausii*. **DOSE :** une capsule comprenant un milliard de bactéries de *lactobacillus* et *bifidobacterium* deux fois par jour. Il n'est pas nécessaire que les bactéries soient vivantes.

Vitamine C. On ne sait pas encore si la vitamine C prévient le rhume des foins : certaines études indiquent que, à des doses de 2 à 4 g par jour, elle atténue les symptômes, tandis que d'autres n'ont révélé aucun bienfait. Mais comme elle est sans danger, vous pourriez en prendre durant un ou deux mois afin de voir si elle soulage vos symptômes. **DOSE :** 1 à 2 g par jour en doses divisées (par ex., 1 g le matin, 500 mg l'après-midi et 500 mg au coucher). En cas de diarrhée, diminuez les doses.

Quercétine et broméline. Si votre apport alimentaire en quercétine est insuffisant pour exercer un effet thérapeutique, vous pourriez prendre un supplément. Optez de préférence pour un produit qui renferme également de la broméline ; cette enzyme extraite de l'ananas est anti-inflammatoire. Les résultats d'études portant sur ces deux substances sont encourageants, mais insuffisants pour déterminer si elles sont efficaces contre le rhume des foins. **DOSE :** 200 à 400 mg de quercétine en association avec 125 mg ou moins de broméline. Certains produits renferment aussi de la vitamine C.

Vitamine E. Ce puissant antioxydant pourrait contribuer à soulager l'inflammation qui cause les symptômes du rhume des foins. **DOSE :** 200 UI par jour, à prendre en mangeant. Comme la vitamine E est liposoluble, prenez-la avec un corps gras, par exemple de l'huile d'olive ou du fromage.

ALIMENTS ET PRODUITS À ÉVITER

Miel. Si le miel renferme du pollen que les abeilles ont recueilli sur une plante à laquelle vous êtes allergique, vous pourriez avoir une réaction. Cependant, avant de renoncer entièrement à ce produit, essayez des miels d'espèces spécifiques, que les abeilles butinent à l'exception de toute autre. Ainsi, on peut être allergique au trèfle mais pas nécessairement à la lavande.

Viande rouge grasse. Des chercheurs ont découvert que l'incidence du rhume des foins était relativement élevée chez ceux qui ingéraient de grandes quantités d'acide arachidonique, composé inflammatoire présent dans la viande rouge grasse, les abats et les fruits de mer.

Certains fruits et légumes.
Ceux qui souffrent du rhume des foins voient parfois leurs symptômes apparaître quand ils consomment certains fruits ou légumes, phénomène portant le nom d'« activité croisée ». Ainsi, la personne allergique au pollen du bouleau pourra éprouver des picotements sur la langue au moment de manger une pomme ou un fruit à noyau (pêche, prune, cerise), tandis que l'herbe à poux semble associée au melon. Bien que les allergies au pollen soient saisonnières, les réactions d'activité croisée peuvent durer toute l'année. La cuisson élimine habituellement le problème.

Vin rouge. Le vin rouge provoque parfois des maux de tête chez les allergiques, réaction attribuable à la teneur en histamines de la pelure du raisin rouge. Il y en a moins dans celle du raisin blanc.

Prémunir bébé des allergies

Bien qu'il n'existe pas de formule magique pour prévenir les allergies, des études ont fait la preuve que l'incidence était plus faible chez les nourrissons qui sont allaités pendant au moins six mois, particulièrement si leur mère n'a jamais souffert du rhume des foins. En outre, les pédiatres recommandent d'éviter de donner des aliments solides aux bébés avant l'âge de six mois et du blanc d'œuf avant un an.

Pendant quelques semaines avant la naissance du bébé, on a fait prendre un supplément de probiotiques à des futures mères ayant des antécédents d'allergie. Par la suite, les bébés ont continué d'en recevoir durant six mois, soit par le lait de leur mère, qui continuait d'en prendre, soit par du lait maternisé. Résultat : ils étaient deux fois moins susceptibles de souffrir d'eczéma (maladie allergique qui constitue un bon indice d'allergies futures) que ceux qui n'avaient pas reçu de probiotiques.

ALLERGIES ET SENSIBILITÉS ALIMENTAIRES

Pour la majorité des gens, manger est source de plaisir, mais pour d'autres, certains aliments sont de véritables champs de mines, provoquant des effets indésirables ou constituant une menace grave. Dans le premier cas, on parle de sensibilité, ou d'intolérance, dans le second de véritable allergie. La solution, bien sûr, consiste à éviter les déclencheurs tout en veillant à ce que son alimentation reste équilibrée, ce qui n'est pas toujours facile. Voici qui devrait vous aider.

Nous verrons d'abord en quoi ces deux types de réactions diffèrent. En cas d'allergie, on réagit à l'aliment instantanément (quoiqu'il arrive que la réaction ne survienne que 24 à 72 heures plus tard.) La langue picote ou enfle, de même que la gorge. On a parfois du mal à respirer. Dans le pire des scénarios, le choc anaphylactique se produit et la personne risque de mourir en quelques minutes.

Le système immunitaire intervient dans l'allergie par l'intermédiaire soit des immunoglobulines E (IgE), qui sont des anticorps, soit des lymphocytes, qui sont des cellules immunitaires du tractus intestinal. Ces deux types de cellules ont pour fonction de protéger l'organisme contre les corps étrangers, dans ce cas, des aliments spécifiques.

Quand le système immunitaire n'intervient pas, on parle de sensibilité alimentaire ; elle résulte d'un trouble du métabolisme ou de la digestion d'un aliment. Elle peut affecter la santé mais elle ne met pas directement en péril l'existence.

On a parfois du mal à distinguer une sensibilité d'une allergie, leurs symptômes se chevauchant : crampes intestinales, diarrhée et nausées, par exemple. Certains aliments, comme les produits laitiers, peuvent provoquer des réactions tant allergiques que d'intolérance. Les aliments déclencheurs les plus courants sont le blé, le gluten, les produits laitiers, le soya, l'œuf, l'arachide, les noix, le poisson et les fruits de mer.

Dans un cas comme dans l'autre, il vaut mieux consulter un médecin qui déterminera quel allergène est en cause (voir Savoir se protéger, page 107). Bien sûr, le premier traitement consistera à supprimer les aliments suspects en veillant à ne pas se priver de nutriments essentiels. On ne peut malheureusement ni prévenir ni guérir une allergie alimentaire, mais certaines d'entre elles, comme l'allergie au lait ou à l'œuf chez les enfants, perdent de leur intensité, voire disparaissent, avec l'âge. Par chance, on peut remplacer la plupart des aliments allergènes par des substituts nutritifs et, bien souvent, savoureux. Ainsi, le millet et le sarrasin remplaceront le blé, et le lait de soya se substituera au lait de vache dans les céréales. Vous trouverez ci-dessous de nombreuses suggestions à cet effet.

VOTRE ORDONNANCE ALIMENTAIRE

ALLERGIE AU BLÉ

Maïs, riz, millet, orge, avoine

et tous les autres grains sauf le blé

L'allergie au blé est relativement rare après la petite enfance tandis que l'intolérance au gluten est beaucoup plus fréquente, la maladie cœliaque en étant la manifestation la plus connue. Par contre, l'allergie au blé est l'un de des plus graves. La première étape consiste à supprimer le blé et tous les produits qui en renferment, dont l'amidon de blé et la sauce soya. Optez pour des grains entiers, non transformés, comme la semoule de maïs, le riz complet ou le millet, qui fournissent tout autant de vitamines B et de fibres.

Vos objectifs : six à huit portions de ½ tasse par jour.

Truc utile : anciennes espèces apparentées au blé, l'épeautre et le kamut doivent être évités par les personnes souffrant d'allergie à ce grain ou de maladie cœliaque.

ALLERGIE AU GLUTEN

Sarrasin, graine de lin, amarante, millet, quinoa, riz

et tous les autres grains exempts de gluten

Pour les personnes intolérantes au gluten, protéine présente dans le blé, l'orge, le kamut, l'épeautre, le seigle et le triticale, les produits de boulangerie et les pâtisseries sont interdits. La maladie cœliaque, forme grave de cette intolérance, peut causer des lésions à l'intestin grêle, voire mettre la vie en danger. Elle s'accompagne de dermatite herpétiforme, affection cutanée caractérisée par la formation d'ampoules. Même l'avoine peut constituer un problème bien qu'elle soit exempte de gluten : il suffit qu'elle ait été en contact avec des grains qui en renferment lors de la transformation ou du stockage. Heureusement, les personnes allergiques au gluten peuvent consommer du sarrasin et du maïs, ainsi que la farine de nombreux grains riches en fibres et en vitamines B. Assurez-vous qu'ils ont été transformés et conservés dans un endroit exempt de gluten.

Vos objectifs : six à huit portions de ½ tasse par jour.

Truc utile : lisez l'étiquette de tous les produits que vous achetez. En cas de doute, communiquez avec le fabricant pour savoir si le produit que vous comptez acheter est exempt de gluten.

ALLERGIE AUX PRODUITS LAITIERS

Lait de riz, d'amande, de soya

et autres substituts de produits laitiers ainsi qu'aliments riches en calcium

Le lait peut provoquer allergie et intolérance. Dans le premier cas, ce sont les protéines de la caséine et du lactosérum qui déclenchent les réactions. Dans le second, c'est le lactose, sucre présent dans le lait de vache. Normalement, l'organisme produit assez de lactase, enzyme qui digère ce sucre, mais quand elle est en déficit, le lactose passe dans le côlon, y provoquant divers problèmes.

Les symptômes sont désagréables : l'intolérance au lactose entraîne flatulences et diarrhée. L'allergie aux protéines du lait provoque en plus des éruptions cutanées et de l'asthme ; bien qu'elle soit habituellement immédiate, la réaction ne se manifeste parfois qu'au bout de deux jours. Comme on trouve des produits laitiers dans toutes sortes de produits alimentaires, y compris les pastilles à la menthe, les barres

NOS MEILLEURES RECETTES

Crêpes de sarrasin, sauce aux fruits *p. 288*
Quinoa printanier *p. 324*
Risotto de riz entier *p. 323*
Salade de maïs, tomate et quinoa *p. 294*
Saumon grillé et épinards sautés *p. 311*

énergétiques et les sauces à salade, la sagesse consiste à consommer le moins d'aliments transformés que possible. Par ailleurs, étant donné que les produits laitiers constituent de bonnes sources de calcium, minéral essentiel à la santé osseuse, à la coagulation sanguine et à la transmission nerveuse, les personnes qui n'en prennent pas doivent trouver du calcium dans d'autres aliments. Les légumes feuilles, la sardine avec ses os, de même que les boissons enrichies en calcium en fournissent de bonnes quantités. On peut souvent consommer du yogourt, car ses bactéries lactiques produisent l'enzyme nécessaire à la digestion du lactose.

Vos objectifs: 1 000 à 1 200 mg de calcium par jour. Une tasse de yogourt nature en fournit 300 mg, 125 g de tofu, 165 mg, une tasse de feuilles de moutarde, 150 mg.

Truc utile: comme les produits de soya transformés (par ex., la simili-saucisse) renferment souvent des protéines de lait, lisez bien l'étiquette avant d'en acheter. À noter que ce n'est pas le cas du tofu.

ALLERGIE AUX ŒUFS :

Poisson, poulet, soya *et autres aliments protéinés maigres*

Fréquente durant l'enfance, l'allergie à l'œuf disparaît habituellement en vieillissant. Comme pour toutes les autres allergies, la coupable est une protéine, l'ovalbumine, qui compose plus de la moitié du blanc d'œuf; une autre protéine présente dans le jaune provoque également des allergies. Les réactions à l'une ou à l'autre substance sont de légères à modérées.

Le poisson, le poulet, le haricot de soya et les autres légumineuses constituent de très bons substituts à l'œuf. Pour remplacer cet aliment dont on se sert en cuisine pour lier, attendrir ou faire lever, utilisez des graines de lin ; liquéfiées avec 60 ml d'eau ou un autre liquide, elles prennent la texture du blanc d'œuf. La banane, le tofu, le pruneau et les substituts commerciaux conviennent également (ces derniers ne devraient pas renfermer de blanc d'œuf).

Vos objectifs: 150 à 175 g de protéines par jour.

Truc utile: il peut y avoir des œufs dans les produits de boulangerie, les pâtisseries, les nouilles, les sauces, les bretzels, la sauce tartare, voire le vin. Lisez les étiquettes et ne consommez aucun aliment qui vous semble suspect.

ALLERGIE AU SOYA :

Viande, poisson, légumineuses *et autres substituts du soya*

Un certain nombre de protéines du soya peuvent causer des réactions allergiques. Pour ajouter à la confusion, ce ne sont pas tous les produits du soya qui sont allergènes. L'huile, par exemple, ne renferme pas de protéines et ne déclenche généralement pas les symptômes. Les réactions se manifestent sous forme d'éruptions cutanées, d'asthme, de troubles gastro-intestinaux et de choc anaphylactique.

Si vous devez supprimer le soya, le poisson, le poulet, la viande, les noix et les produits laitiers combleront vos besoins en protéines. Par contre, vous aurez plus de mal à trouver d'autres sources d'isoflavones, phytœstrogènes qui pourraient contribuer à protéger contre les

propos à mijoter...

« Environ 25 % des adultes croient souffrir d'une allergie alimentaire, alors que les résultats d'études scientifiques indiquent que seulement 1 à 2 % en souffriraient véritablement. »

— *The New Nutrition*, Felicia Busch, MPH, RD, FAD

cardiopathies, certains cancers et l'ostéoporose. Cependant, une alimentation riche en grains entiers, fruits et légumes fournit d'autres substances qui protègent également contre ces maladies. En dehors du lait de vache, les boissons à base d'amande, d'avoine ou de riz peuvent remplacer le lait de soya.

Vos objectifs : 150 à 175 g de protéines par jour, en excluant le soya, et 3 tasses de légumineuses par semaine.

ALLERGIE AU POISSON OU FRUITS DE MER

Poulet, graine de lin, noix commune *et autres substituts de poisson et de fruits de mer*

La réaction allergique au poisson et aux fruits de mer est habituellement grave et peut entraîner le choc anaphylactique. Elle dure toute l'existence et, chez certains, s'aggrave à chaque nouvel incident. Chez ceux qui en souffrent, les symptômes peuvent apparaître rien qu'en inhalant les effluves du poisson durant la cuisson. La réaction se produit 2 à 24 heures après le contact avec la substance allergène et ses symptômes sont caractéristiques des allergies : démangeaisons, enflure, difficulté à respirer, malaises digestifs ou choc anaphylactique.

La plupart de ceux qui souffrent d'allergie au poisson peuvent consommer des fruits de mer, et vice versa. On peut, en outre, ne pas être allergique à tous les fruits de mer. Certains ne le sont qu'aux crustacés (crevette, crabe, homard), d'autres qu'aux mollusques (huître, calmar), d'autres enfin à ces deux catégories.

Le poulet, le haricot et l'œuf peuvent remplacer les protéines qu'on trouve dans le poisson. Cependant, pour remplacer ses oméga-3, acides gras aux puissantes propriétés anti-inflammatoires et cardioprotectrices, vous devrez vous tourner vers la graine de lin, la noix et le soya.

Vos objectifs : 150 à 175 g de protéines par jour et 1 000 mg d'oméga-3, soit l'équivalent de deux à quatre portions par semaine de noix commune ou de graine de lin.

Truc utile : les aliments traités peuvent renfermer des fruits de mer, même ceux qui n'y paraissent pas. Lisez toujours l'étiquette des produits.

ALLERGIE AUX ARACHIDES OU AUX NOIX

Poisson, poulet, légumineuses *et autres substituts de l'arachide et des noix*

Les allergies à l'arachide et aux noix sont très répandues chez les enfants. Extrêmement graves, elles sont provoquées par une réaction aux protéines de ces aliments. Même une trace de poussière de noix peut déclencher la réaction chez les sujets particulièrement sensibles. Elle disparaît parfois en vieillissant mais, la plupart du temps, elle dure toute l'existence. Certains ont émis l'hypothèse que, si elle est si fréquente, c'est qu'on a donné à des enfants de moins de 3 ans certaines variétés de noix que leur système immunitaire était incapable de traiter. Bien que les réactions à l'arachide soient les plus courantes, elles s'accompagnent souvent de réactions à diverses noix, dont le cajou et l'amande. Les symptômes comprennent : démangeaisons, souffle court, enflure et choc anaphylactique.

Les noix sont de bonnes sources de protéines, de lipides mono-insaturés et polyinsaturés, ainsi que de fibres. Pour remplacer les premières, tournez-vous vers les produits laitiers à faible teneur en gras et le poulet. Le poisson, quant à lui, fournit à la fois des protéines et de bons gras. L'huile d'olive est également un corps gras santé. Enfin, une assiette de légumineuses fournira des protéines ainsi que des fibres.

Vos objectifs : 150 à 175 g de protéines par jour, deux portions de poisson par semaine et 25 g de fibres par jour, soit l'équivalent d'environ 2 tasses de haricots.

Truc utile : malgré son nom, la noix de muscade n'est pas considérée comme une noix, pas plus que la châtaigne d'eau, qui est un tubercule. Ni l'une ni l'autre ne présente de danger d'allergies.

SUPPLÉMENTS NUTRITIONNELS

Calcium. Les chercheurs se demandent encore combien de calcium il faut prendre pour ralentir la déperdition osseuse. La National Academy of Sciences recommande les quantités indiquées ci-dessous. Les suppléments contiennent habituellement de la vitamine D, qui favorise l'absorption du calcium. On recommande également de prendre de la vitamine K, qui joue le même rôle. On ne sait pas exactement quelle quantité il faut prendre, mais l'institut Linus Pauling recommande des doses de 10 à 25 µg, soit celles qu'on trouve dans les multivitamines. **DOSES** quotidiennes : *calcium :* 1 000 à 1 200 mg ; *vitamine D :* 400 UI ; *vitamine K :* 10 à 25 µg.

Acides gras oméga-3. Les suppléments se présentent sous forme d'huile de poisson en capsule ou d'huile de lin ou de foie de morue liquide. Le produit se conservera plus longtemps s'il renferme aussi de la vitamine E ou si on le garde au réfrigérateur. Les personnes allergiques au poisson ne doivent pas prendre de l'huile de poisson ou de foie de morue. **DOSE** : on n'a pas établi de doses optimales, mais des professionnels de la santé conseillent d'en prendre 1 à 3 g par jour.

ALIMENTS ET PRODUITS À ÉVITER

Blé et gluten. Les allergies au blé et au gluten interdisent toute consommation des aliments suivants : durum, semoule, kamut, seigle, orge, son, couscous, épeautre. Le blé peut être présent dans de nombreux produits, y compris les bases de soupe, certaines friandises, le similibacon ou les simili-fruits de mer, les marinades, viandes industrielles, volaille saumurées, sauce soya, hosties, suppléments à base de plantes ou de malt, médicaments et plasticine Play-Doh (qui peut causer des problèmes aux personnes allergiques qui la manipulent).

Produits laitiers. Pastilles à la menthe, colorants à café, céréales enrichies, barres énergétiques et sauces à salade renferment souvent des produits laitiers. Ces derniers servent en

Les produits chimiques et les additifs des aliments pré-emballés peuvent causer des allergies. Ainsi, le glutamate de monosodium, un rehausseur de saveur, peut provoquer des réactions apparentées à l'asthme tandis que les sulfites et l'acide benzoïque, deux préservateurs, peuvent déclencher des réactions. C'est aussi le cas de certains colorants. Par conséquent, tenez-vous en aux aliments frais.

outre à donner de la saveur aux viandes industrielles. Il faut garder aussi à l'esprit qu'un produit portant la mention « sans lactose » n'est pas nécessairement exempt de produits laitiers, et que la mention « sans produits laitiers » ne signifie pas que l'aliment ne renferme pas de caséine ou de lactosérum.

Soya. Le soya se retrouve dans les aliments les plus divers : produits de boulangerie, céréales, légumes transformés, avec sauce ou panure, mélanges à boissons fruitées, soupes en boîte, sauces, café et substituts, chocolat chaud, viandes industrielles, friandises, substituts de beurre, sauces à salade, condiments. L'huile de soya ne présente pas de danger. Les capsules de vitamine E renferment souvent une huile qui en est dérivée. Elle est probablement sans danger mais on n'a pas démontré son innocuité.

Œuf. Malheureusement, l'œuf est omniprésent dans les produits de boulangerie, les produits panés, les nouilles, les substituts d'œuf, les guimauves et même des vins. En cas de doute, communiquez avec le fabricant.

Poisson et fruits de mer. Le simili-crabe est fait de goberge, qui entre également dans la composition du simili-bœuf et du simili-porc. Les sauces à salade César ou à bifteck peuvent renfermer des anchois, de même que la caponata, un condiment italien. Enfin, les producteurs utilisent parfois de la gélatine de poisson pour clarifier le vin et le café. Cependant, on a fait la preuve dans des études cliniques que cette gélatine était sans danger pour les personnes allergiques.

Arachide et noix. Il n'est pas facile de supprimer entièrement ces aliments. Évitez tous les beurres de noix, l'huile d'arachide pressée à froid, les mets asiatiques et africains, les sauces barbecue, les céréales, les craquelins et la mortadelle (qui peut renfermer des pistaches). Vous devez également éviter tout ce qui a été traité en présence de noix, par exemple les graines de tournesol et les produits vendus en boulangerie, confiserie ou chez les glaciers. Les sacs d'équilibre et autres sacs du genre sont parfois remplis de coques de noix. Certains cosmétiques, crèmes pour la peau ou matières artisanales peuvent aussi renfermer des noix.

Savoir se protéger

Au mieux, les intolérances et allergies alimentaires provoquent des malaises, au pire elles mettent la vie en danger. La première étape consiste à consulter un médecin ou un allergologue qui déterminera à quelle substance vous êtes allergique ou sensible. Il pourrait vous faire passer le test RAST, qui mesure les taux sanguins des IgE spécifiques à des allergènes donnés. De plus, il se peut qu'il vous fasse passer un test cutané relativement indolore, qui consiste à déposer sur la peau une petite quantité de divers allergènes pour voir comment elle réagit.

Si les résultats ne sont pas clairs, il vous conseillera de tenir un journal alimentaire en y notant ce que vous mangez et vos réactions, et vous demandera de supprimer certains aliments suspects pour les réintroduire ensuite un à un.

Une fois le coupable identifié, un nutritionniste pourra vous aider à revoir votre alimentation pour que vous ne manquiez d'aucun nutriment essentiel et évitiez les produits qui pourraient présenter un danger. Il vous apprendra aussi à déchiffrer les étiquettes des produits alimentaires et vous indiquera les meilleurs produits de remplacement. Si votre allergie est grave, il vous prescrira probablement de l'épinéphrine, nom scientifique de l'adrénaline ; cette hormone permet de renverser les effets d'une réaction grave en atténuant l'enflure de la gorge et des voies respiratoires, et en stabilisant la pression artérielle.

ALZHEIMER, MALADIE

La maladie d'Alzheimer suscite peut-être encore plus de peur que le cancer. Une personne âgée de plus de 80 ans sur trois en sera victime. Cependant, on peut faire beaucoup pour diminuer son risque. De fait, des chercheurs de l'université Columbia ont récemment démontré que les New-Yorkais dont l'alimentation se rapprochait le plus du régime méditerranéen (fruits, légumes, céréales, poisson, huile d'olive et autres gras mono-insaturés) couraient 40 % moins de risque que ceux dont elle s'en éloignait le plus.

L'exercice est également important : les résultats d'études épistémologiques récentes indiquent que ceux qui en font trois fois ou plus par semaine sont mieux protégés que les autres. Enfin, les chercheurs rappellent qu'il est important de stimuler son esprit grâce à des activités comme les mots croisés ou l'apprentissage d'un instrument de musique.

Au début, la maladie se manifeste par ce qui ne semble être que de simples pertes de mémoire mais, à la longue, elle cause des ravages, compromettant la parole, la compréhension et la coordination, et entraînant de l'agitation et d'importantes sautes d'humeur. Des autopsies du cerveau de personnes atteintes ont révélé la présence de substance amyloïde, plaque formée de protéines, et de dégénérescences neurofibrillaires. L'inflammation y contribue également, bien que les chercheurs ne sachent pas s'il s'agit là d'une cause ou d'un effet de la maladie.

Certains facteurs de risque associés aux cardiopathies, tels l'hypertension artérielle, l'hypercholestérolémie et de faibles taux de folate pourraient également jouer un rôle.

On ne peut garantir qu'une bonne alimentation préviendra la maladie d'Alzheimer, mais il se pourrait qu'une portion de saumon par semaine contribue à diminuer le risque d'en souffrir ou à en retarder l'apparition. D'autres mesures aussi simples que de prendre une tasse de thé le matin, de supprimer les burgers au fromage et de consommer plus de fruits et de légumes pourraient s'avérer bénéfiques. Enfin, le surpoids serait un autre facteur de risque : des chercheurs ont découvert que ceux qui faisaient de l'obésité autour de la quarantaine étaient nettement plus susceptibles de souffrir de démence ou de la maladie d'Alzheimer plus tard dans l'existence.

Il est important de bien choisir ses boissons quand on veut se prémunir contre la maladie d'Alzheimer. Le matin, prenez du thé. Durant la journée, préférez les jus naturels aux boissons gazeuses. Le soir, dégustez un verre de vin. Toutes ces boissons contribuent à diminuer le risque.

Poissons gras, noix et huile d'olive

Selon les résultats d'études récentes, ces aliments contribueraient à diminuer le risque de maladie d'Alzheimer. Une seule portion de saumon, hareng ou thon blanc par semaine suffirait à retarder de 10 % le déclin des facultés cognitives. L'efficacité du poisson serait due à sa teneur en oméga-3, particulièrement en DHA, ce qui n'a rien d'étonnant puisque ce dernier joue un rôle essentiel dans le développement normal du cerveau. En outre, tous les oméga-3, comme ceux qu'on trouve dans la noix commune, la graine de lin et l'huile d'olive, combattent l'inflammation, réputée favoriser la formation de substance amyloïde.

Vos objectifs : au moins une portion de poisson gras par semaine ainsi que plusieurs cuillerées à soupe de noix, d'huile d'olive ou de graines de lin.

Truc utile : Le poisson gras peut renfermer du mercure, métal toxique pour le cerveau. Pour savoir quoi faire pour limiter votre exposition, reportez-vous à la page 23. Portez une attention particulière aux recommandations données pour les enfants et les femmes en âge d'enfanter.

Brocoli, fraise, amande *et autres aliments riches en vitamines C et E*

Le cerveau est un organe particulièrement dynamique : c'est le siège d'une multitude de processus cellulaires, chimiques et électriques destinés à réguler les diverses fonctions de l'organisme. Cependant, ces processus entraînent la production de radicaux libres, molécules instables qui peuvent endommager les cellules, contribuer à la formation de substance amyloïde et accélérer le déclin mental.

Or, les aliments riches en antioxydants neutralisent les radicaux libres. Les résultats d'études de grande envergure indiquent que la consommation d'aliments riches en vitamines C et E peut diminuer le risque de maladie d'Alzheimer.

Lors d'une étude menée au Rush Institute for Healthy Aging du centre médical Rush-Presbyterian-St. Luke's de Chicago, on a observé que les sujets qui ingéraient le plus de vitamine E sous forme alimentaire, en moyenne 11,4 UI, couraient 67 % moins de risque que ceux qui en ingéraient le moins, soit en moyenne 6,2 UI.

L'effet des suppléments de vitamines C et E est moins évident, peut-être parce qu'on est porté à en prendre à hautes doses et à augmenter progressivement ces dernières ; à l'inverse, les aliments fournissent des doses modérées de ces vitamines tout au long de l'existence. En outre, les aliments renferment toutes les formes de vitamine E, alors que les suppléments ne fournissent que de l'alpha-tocophérol. Or, les différentes formes de vitamine E neutralisent divers groupes de radicaux libres.

Vos objectifs : *Vitamine E* : 25 UI par jour sous forme alimentaire. Une tasse d'épinards surgelés et cuits en fournit 10 UI, 30 g d'amandes, 11 UI, une tasse de sauce tomate 8 UI. *Vitamine C* : au moins 130 mg par jour. Une tasse de papaye en fournit 87 mg, une tasse de brocoli cuit, 100 mg, une tasse de jus d'orange frais, 124 mg, une tasse de poivron rouge haché, 312 mg, deux kiwis, 150 mg.

Thé, baies, jus de grenade, pomme *et autres aliments ou boissons riches en flavonoïdes*

Pour se défendre contre le rayonnement solaire et les herbivores affamés, les plantes élaborent des polyphénols ; les flavonoïdes, qui sont également des antioxydants, comptent parmi les polyphénols les plus efficaces. La pomme, le bleuet, la canneberge et le pamplemousse regorgent de flavonoïdes, de même que l'asperge, le chou de Bruxelles, le chou, l'ail, le chou frisé, le chou-rave, le haricot rognon ou de Lima, l'oignon, le pois et l'épinard. Des chercheurs ont observé que les sujets qui buvaient du jus de fruits ou de légumes trois fois par semaine voyaient diminuer leur risque de maladie d'Alzheimer. Ce risque baissait de moitié chez des rats de laboratoire auxquels on donnait du jus de grenade. Les résultats d'autres études indiquent que plus on consomme de flavonoïdes, moins on est susceptible de souffrir de démence.

Vos objectifs : au moins 15 mg de flavonoïdes par jour. À titre d'exemple, ¼ de tasse de bleuets en fournit 39 mg, une pomme moyenne avec la peau, 13 mg, une tasse de jus de pamplemousse, 60 mg.

Cari en poudre

En Inde, l'incidence de la maladie d'Alzheimer est plus faible que dans plusieurs pays occidentaux. Il se peut que le curcuma qui entre dans la composition de la poudre de cari y soit pour quelque chose. Cette épice renferme de la curcumine, substance qui lui donne sa couleur jaune et qui, dans des études en laboratoire ou des études sur des animaux, s'est révélée être un puissant composé antioxydant, anti-inflammatoire et anti-amyloïde. Elle se lie aux protéines amyloïdes, les empêchant de former des plaques. Elle semble donc s'attaquer de trois façons à la maladie d'Alzheimer. On a démontré dans des études que les sujets qui consommaient beaucoup de currys avaient un cerveau particulièrement performant par rapport aus sujets qui en consommaient moins.

Vos objectifs : il n'existe pas de posologie recommandée. Ajoutez de la poudre de cari ou du curcuma à vos plats aussi souvent que possible. Optez pour de la poudre de cari jaune vif. Vous pouvez également prendre une capsule de 400 mg de curcuma par jour.

Truc utile : ajoutez une cuiller à thé de curcuma dans votre soupe aux pois ou un plat de lentilles.

NOS MEILLEURES RECETTES

Pétoncles au cari grillées *p. 312*
Salade de brocoli *p. 293*
Salade de fruits tropicaux *p. 288*
Salade Waldorf modifiée *p. 292*
Sandwich à la salade de poulet au cari *p. 303*
Saumon grillé, épinards sautés *p. 311*
Sorbet à la grenade *p. 336*
Soupe à la patate douce *p. 299*
Tartelette aux baies *p. 337*

Épinard, céréales enrichies
et autres aliments riches en folate

Les médecins savent depuis longtemps que la carence en folate entraîne des difficultés à effectuer certaines tâches cognitives. Or, selon les résultats d'études récentes, même une légère carence produit le même effet, car le folate – ainsi que les vitamines B_6 et B_{12} – contribue à réguler le taux d'homocystéine, acide aminé qui exerce des effets négatifs sur le cerveau et peut augmenter considérablement le risque de maladie d'Alzheimer. Heureusement, le folate de source alimentaire peut retarder le déclin des facultés cognitives.

Vos objectifs : l'apport quotidien recommandé est de 400 µg. A titre d'exemple, une demi-tasse d'épinards surgelés cuits en fournit 100 µg, la même quantité de haricots Great Northern, 90 µg, et une tasse de jus d'orange, 69 µg.

Vin

Des chercheurs français ont fait la preuve que la consommation de trois verres de 125 ml de vin par jour diminuait le risque de maladie d'Alzheimer de 75 %.

Vos objectifs : un verre par jour pour les femmes, deux verres pour les hommes.

SUPPLÉMENTS NUTRITIONNELS

DHA. Selon des experts, le supplément de DHA permet d'obtenir une dose élevée de la forme la plus active d'acides gras oméga-3 tout en évitant le mercure et les autres contaminants présents dans certains poissons. **DOSE :** 400 mg ou moins par jour. Le pharmacien saura vous recommander un supplément de qualité.

Vitamines C et E. Selon les chercheurs de la Nurses Health Study (étude des infirmières), qui récoltent des données sur des milliers de femmes, à long terme, la supplémentation en vitamines C et E ralentit le déclin des facultés cognitives. Les résultats d'une étude menée auprès de 4 000 résidents âgés de l'Utah indiquent que ces deux vitamines sont associées à une diminution de 72 % de l'incidence de la maladie d'Alzheimer. Par contre, les résultats des études sur l'efficacité d'un supplément de vitamine E sont mitigés : on n'est pas sûr que la supplémentation retarde la progression de la maladie. **DOSE :** *Vitamine C :* 500 mg par jour. *Vitamine E :* 400 UI de d-alpha-tocophérol par jour.

Sauge. Des études récentes indiquent que la sauge, ou son essence, améliore la mémoire, confirmant ainsi le savoir et l'usage populaires. Lors d'une étude de quatre mois menée en Iran, l'extrait s'est avéré plus efficace que le placebo pour améliorer les facultés cognitives chez les sujets atteints de la maladie d'Alzheimer.

D'autres études cliniques sont en cours. Il semble que la sauge agisse en protégeant l'acétylcholine, messager chimique du cerveau qui joue un rôle essentiel dans la mémoire et dont le taux chute fréquemment chez les patients souffrant de cette maladie. Elle pourrait également exercer une action anti-inflammatoire et retarder ainsi la progression de la maladie. **DOSE :** 25 à 50 microlitres d'essence de *S. lavandulaefolia* (sauge espagnole) ou 300 à 600 mg d'un supplément de sauge séchée. Ou encore, faites infuser 2 c. à thé de sauge séchée dans une tasse d'eau bouillante.

ALIMENTS ET PRODUITS À ÉVITER

Gras saturés, gras trans et cholestérol. Ils sont associés à un déclin sensible des facultés cognitives, tout comme l'absence de gras insaturés dans l'alimentation ; voilà donc une autre bonne raison de remplacer le bifteck par le saumon et le beurre par l'huile d'olive. On trouve des gras trans dans certaines margarines, ainsi que dans les aliments hautement transformés, par exemple les produits de boulangerie et de pâtisserie et de nombreux mets préparés. Évitez les produits qui renferment des huiles partiellement hydrogénées.

Sucres et céréales raffinées. Une alimentation riche en sucre et en céréales raffinées (par exemple, en farine blanche) peut augmenter le risque de diabète de type 2, affection qui à son tour multiplie par quatre le risque de maladie d'Alzheimer. Selon une théorie, l'insulinorésistance, qui est au cœur du diabète de type 2, indique que les cellules ne reçoivent pas le sucre dont elles ont besoin, ce qui entraîne la mort de cellules cérébrales. Selon une autre, le déséquilibre insulinique peut augmenter la formation des plaques de protéines qui encrassent les voies nerveuses. Les diabétiques doivent surveiller de près leur glycémie afin de diminuer leur risque de maladie d'Alzheimer.

ANÉMIE

L'anémie se caractérise par une diminution de la disponibilité de l'oxygène dans l'organisme. Il en résulte un déficit de globules rouges ou une carence en hémoglobine. L'anémie s'accompagne d'une grande fatigue et, parfois, de maux de tête. Les extrémités sont facilement froides et la peau est blême. Dans la plupart des cas, l'anémie est causée par une carence en fer, qui résulte elle-même de pertes de sang excessives (par exemple, ulcères ou menstruations abondantes). Cependant, la carence en vitamine B_{12}, nutriment nécessaire à l'élaboration des globules rouges, peut également la provoquer. On parle alors d'anémie pernicieuse. Elle est plus fréquente chez les personnes âgées, l'organisme absorbant moins bien la vitamine B_{12} avec l'âge. Enfin, on peut également souffrir d'anémie par carence en acide folique, nutriment qui intervient également dans la production des globules rouges. Les alcooliques, les fumeurs, les personnes atteintes de certains troubles digestifs, les végétariens, ceux qui ont plus de 50 ans et les femmes enceintes ou qui allaitent sont particulièrement susceptibles de souffrir d'anémie par carence de vitamine B_{12} ou d'acide folique. Pour soigner votre anémie, vous devrez peut-être prendre des médicaments d'ordonnance mais, une fois le problème corrigé, une alimentation saine et variée contribuera à prévenir les rechutes.

VOTRE ORDONNANCE ALIMENTAIRE

Bœuf, poisson, fruits de mer *et autres aliments riches en vitamine B_{12}*

Étant donné que la vitamine B_{12} est surtout présente dans les produits animaux tels que la viande et le poisson et, à un moindre degré, dans l'œuf et le fromage, les végétariens sont particulièrement susceptibles de souffrir d'anémie pernicieuse. Des symptômes tels que souffle court, fatigue, inappétence, élévation de la fréquence cardiaque, picotements ou engourdissement des extrémités pourraient indiquer que vous en souffrez ; dans ce cas, consultez un médecin qui vous prescrira un supplément de vitamine B_{12}.

Vos objectifs : 2,4 µg par jour, soit la quantité fournie pour chaque portion de 90 g de bœuf.

Palourde, viande rouge, poulet, fruits de mer *et autres aliments riches en fer*

Le fer est nécessaire à la production d'hémoglobine, protéine qui convoie l'oxygène. Le fer héminique en est la forme la plus assimilable : on le trouve dans la viande rouge, ainsi que dans le foie ; cependant, ce dernier renferme beaucoup de cholestérol. La palourde en boîte en est l'une des meilleures sources, sans compter qu'elle est extrêmement riche en B_{12}.

Le fer héminique, présent dans la lentille, le tofu et le raisin sec, est plus difficilement absorbé par l'organisme. Consommez ces aliments avec une source de fer héminique ou un aliment riche en vitamine C, qui en facilitera l'absorption. Les céréales sont généralement enrichies de fer ; assurez-vous-en à l'achat.

Vos objectifs : femmes de moins de 50 ans, 18 mg ; femmes de plus de 51 ans et hommes adultes, 8 mg. Ces quantités permettront de préserver des taux de fer adéquats une fois l'anémie corrigée. Il y en a 3,6 mg dans une portion de 90 g de filet de bœuf, 14 mg dans 6 huîtres, 10 mg dans une portion de céréales enrichies.

Agrumes, poivrons, brocoli

et autres aliments riches en vitamine C

Comme la vitamine C favorise l'absorption du fer, on accompagnera les mets qui en sont riches de jus d'orange ou de poivron rouge. Elle contribue également à contrebalancer les effets des phytates, substances présentes dans les aliments comme le germe de blé, les noix, l'orge et l'avoine, qui se lient au fer. Des chercheurs suédois ont démontré que l'absorption du fer était sensiblement plus élevée quand on consommait la vitamine C avec des aliments riches en phytates.

Vos objectifs : au moins une tasse par jour d'aliments riches en vitamine C.

Lentille, haricot

et autres aliments riches en folate

Le folate, une vitamine B, accélère la division des globules rouges et favorise donc le transport de l'oxygène. En dehors de ceux qui ne peuvent l'absorber à partir des aliments et qui doivent recevoir un traitement d'acide folique, tout le monde peut bénéficier d'une augmentation de l'apport en folate dans l'alimentation.

Vos objectifs : 400 µg de folate par jour. Une tasse de lentilles en fournit presque autant. Autres sources : légumes à feuilles vertes, jus d'orange, foie, noix.

SUPPLÉMENTS NUTRITIONNELS

Fer. En cas de règles abondantes ou d'une affection entraînant des pertes de sang, il pourrait être nécessaire de prendre un supplément de fer. Faites-vous d'abord confirmer par votre médecin que vous souffrez d'anémie ferriprive. **DOSE :** ne prenez de supplément de fer que sous surveillance médicale et aux doses recommandées par le médecin.

Vitamine C. Prenez vos suppléments de vitamine C et de fer en même temps, la première favorisant l'absorption du second. **DOSE :** 250 à 500 mg, deux ou trois fois par jour, aux repas. En cas de diarrhée, diminuez les doses.

Vitamin B_{12}. Consultez votre médecin pour savoir combien vous devez en prendre. **DOSE :** les médecins conseillent habituellement de prendre 1 000 µg de B_{12} en association avec 400 µg d'acide folique sous forme de comprimé sublingual, à raison de deux fois par jour.

Acide folique. L'organisme absorbe mieux l'acide folique en supplément que le folate alimentaire. Cependant, on ne doit pas dépasser la limite de 1000 µg, autrement on risque la carence en vitamine B_{12}. Il vaut d'ailleurs mieux le prendre en association avec cette dernière, la carence de l'un risquant de masquer un déficit de l'autre. **DOSE :** 400 µg d'acide folique d'origine alimentaire (dans de nombreux pays, les céréales en sont enrichies) et 400 µg d'un supplément.

ALIMENTS ET PRODUITS À ÉVITER

Thé. Les tanins du thé se lient au fer, prévenant son absorption. Pour corriger le problème, prenez votre thé en dehors des repas.

Épinard, noix, baies, chocolat, son et germe de blé, thé et autres aliments riches en oxalates. Les oxalates se lient au fer et au calcium, compromettant leur absorption. Évitez ces aliments tant que votre anémie n'est pas guérie. La rhubarbe, la betterave, le tofu, la tangerine et les haricots cuits au four sont également riches en oxalates.

NOS MEILLEURES RECETTES

Bifteck de bavette au barbecue *p. 316*
Bœuf en feuille de laitue *p. 304*
Escalopes de dinde, salsa de pamplemousse *p. 315*
Ragoût de bœuf et brocoli *p. 318*
Salade de crevettes et pamplemousse *p. 296*
Soupe aux lentilles et à la tomate *p. 301*

ARTHRITE

Nous disposons de plus en plus de preuves voulant que certains aliments riches en composés anti-inflammatoires, particulièrement le gras de poisson, contribuent à soulager l'inflammation et la douleur qui accompagnent l'arthrite. Il n'y a rien là d'étonnant puisque, tant dans l'arthrose que dans la polyarthrite rhumatoïde (maladie auto-immune inflammatoire), les tissus des articulations sont touchés par l'inflammation ; c'est d'ailleurs pourquoi on prescrit normalement des anti-inflammatoires pour les soigner.

Bien que les causes de l'arthrite ne soient pas bien comprises, on sait que cette affection ne s'explique pas uniquement par l'usure du cartilage. Ainsi, les chercheurs ont découvert que les radicaux libres, ces molécules instables qui s'attaquent aux cellules saines, aggravaient l'inflammation et accéléraient le processus de vieillissement, y compris la détérioration des articulations et du cartilage. D'où l'importance de consommer des fruits et des légumes riches en antioxydants et de boire régulièrement du thé.

VOTRE ORDONNANCE ALIMENTAIRE

Saumon, maquereau, graine de lin *et autres aliments riches en oméga-3*

Les chercheurs ne sont pas sans avoir observé que les arthritiques qui consomment beaucoup de poisson gras semblent faire moins d'inflammation et éprouver moins de douleur que ceux qui en consomment moins souvent. Ils savent aujourd'hui pourquoi : tout comme l'aspirine, les acides gras oméga-3 du poisson stimulent la production de résolvines, corps gras récemment découverts qui inhibent l'activité des cellules inflammatoires. Les personnes qui souffrent d'arthrose s'en réjouiront, de même que celles qui sont atteintes de polyarthrite rhumatoïde, maladie inflammatoire des articulations qui peut se propager aux organes.

Vos objectifs : deux à trois portions de 125 g de poisson par semaine. À défaut d'aimer le poisson, prenez 1 ou 2 cuillerées à soupe de graines de lin moulues par jour.

Truc utile : Selon les résultats d'études, le poisson combattrait mieux l'inflammation quand il est associé à de faibles doses d'aspirine. Il vaut toutefois mieux consulter un médecin avant de prendre de l'aspirine car, même à faibles doses, ce médicament peut causer des saignements gastro-intestinaux chez certains. Cependant, pour la majorité, il peut apporter une multitude de bienfaits.

Légumes à feuilles vertes, poivron, brocoli *et autres aliments riches en antioxidants*

Il y a un bon moment déjà que les chercheurs suspectent les radicaux libres de jouer un rôle dans l'arthrite. Ils savent désormais comment ces derniers s'attaquent aux articulations : selon les résultats d'une étude menée au Japon, les radicaux libres bloquent le processus de régénération du cartilage. Il semble d'ailleurs que les arthritiques en produisent plus que la moyen-ne, d'où l'importance d'augmenter leur consommation d'aliments riches en antioxydants – vitamine C et bêta-carotène.

Lors d'une importante étude qui a duré neuf ans, des chercheurs britanniques ont découvert qu'il suffisait d'une légère augmentation de la consommation de fruits et légumes jaunes et orangés pour diminuer le risque de polyarthrite rhumatoïde ; un seul verre de jus d'orange par jour exercerait cet effet. Les sujets qui consommaient le plus d'aliments riches en caroténoïdes ont vu leur risque diminuer de moitié. En plus du jus d'orange, n'hésitez donc pas à mettre la carotte et la patate douce au menu.

En outre, la consommation de fruits riches en vitamine C, par exemple les agrumes ou le kiwi, et en zéaxanthine, antioxydant présent dans les légumes à feuilles vertes, contribue à limiter le risque. Les épinards, par exemple, sont également riches en vitamine E ; des chercheurs ont fait la preuve que, à hautes doses, cette vitamine soulageait la douleur qui accompagne l'arthrose, particulièrement quand elle est associée à la vitamine C (à raison de 250 à 500 mg par jour).

Jusqu'à présent, on a mené relativement peu d'études sur l'efficacité des antioxydants dans l'arthrose, mais les chercheurs pensent que, quelle que soit la forme d'arthrite dont on souffre, on aurait intérêt à manger plus de fruits et de légumes. Bien que de nombreux antioxydants soient offerts sous forme de suppléments, les études ont surtout porté sur les aliments qui en sont riches.

Vos objectifs : cinq ou six portions par jour de légumes variés, et trois ou quatre portions de fruits.

Truc utile : les médicaments contre l'arthrite, tels les anti-inflammatoires non stéroïdiens (AINS), peuvent causer la constipation, effet qu'atténueront les fruits et légumes riches en fibres.

Jus de grenade

À la fois anti-inflammatoire et antioxydant, ce jus acidulé pourrait soulager les douleurs articulaires. Après en avoir appliqué sur des échantillons tissulaires de cartilage endommagé par l'arthrose, des chercheurs de l'université Case Western Reserve de Cleveland ont constaté qu'il avait fait baisser le taux d'une substance chimique inflammatoire associée à la surproduction d'une enzyme. Cette enzyme, essentielle à la régénération du cartilage, exerce un effet contraire quand elle est produite en trop grande quantité.

Bien entendu, il n'est pas question d'appliquer du jus de grenade directement sur votre cartilage, mais comme on pense qu'il est absorbé par les articulations quand on le prend par voie orale, il serait logique qu'il exerce une certaine action. On trouve dans le commerce des capsules d'extrait de grenade, mais le jus est préférable.

Vos objectifs : Vos objectifs : 2 ou 3 cuillérées à soupe de jus non dilué par jour.

Truc utile : ajoutez une cuiller à soupe de jus de grenade à du thé glacé et buvez-en deux ou trois tasses par jour. Vous en atténuerez ainsi l'amertume tout en lui associant les vertus antioxydantes et anti-inflammatoires du thé.

Ananas

La broméline, enzyme de l'ananas qui digère les protéines, combat l'inflammation. Elle pourrait soulager la douleur qui accompagne l'arthrose tout aussi efficacement que les médicaments anti-inflammatoires tels que l'ibuprofène, du moins sous forme de supplément. Les résultats d'études indiquent que ce supplément pourrait également soulager la douleur résultant de la polyarthrite rhumatoïde. Optez pour l'ananas frais ou surgelé de préférence au produit en boîte ou au jus, et prenez-le entre les repas, à défaut de quoi l'organisme utilisera l'enzyme pour digérer les aliments.

Vos objectifs : selon les résultats d'études, la broméline est efficace à des doses de 200 à 540 g par jour. La quantité que fournit l'ananas varie selon sa maturité et son degré d'exposition à la chaleur, mais on conseille généralement d'en prendre une tasse par jour.

Truc utile : la broméline calme l'estomac et peut donc contrer les effets irritants des médicaments anti-arthritiques. Pour soulager les plaies de bouche associées aux AINS ou au méthotrexate, prenez un morceau d'ananas trempé dans du miel, un autre anti-inflammatoire naturel.

Curcuma, gingembre, clou de girofle *et autres épices anti-inflammatoires*

De nombreuses épices combattent l'inflammation. Le gingembre et le curcuma renferment de la curcumine, puissant composé qui inhibe les enzymes et protéines inflammatoires. Les résultats de plusieurs études indiquent qu'ils sont particulièrement efficaces pour soulager la douleur et l'enflure causées par l'arthrite. Quant au clou de girofle, il renferme de l'eugénol, composé anti-inflammatoire. On a observé lors d'études sur les animaux qu'il inhibait la COX-2, protéine inflammatoire que l'on combat habituellement au moyen des inhibiteurs de la COX-2 (Celebrex et autres). Comme ces trois épices sont également antioxydantes, elles peuvent atténuer les dommages au cartilage et aux os qu'entraîne l'arthrite.

Vos objectifs : *gingembre :* 1 cuiller à soupe de gingembre frais haché par jour ou 1 cuiller à thé de poudre de racine séchée. *Curcuma :* 300 à 400 mg trois fois par jour, ou une demi-cuiller à thé à saupoudrer sur du riz ou des légumes. *Clou de girofle :* 2 à 3 g ou 1 à 1½ cuiller à thé par jour.

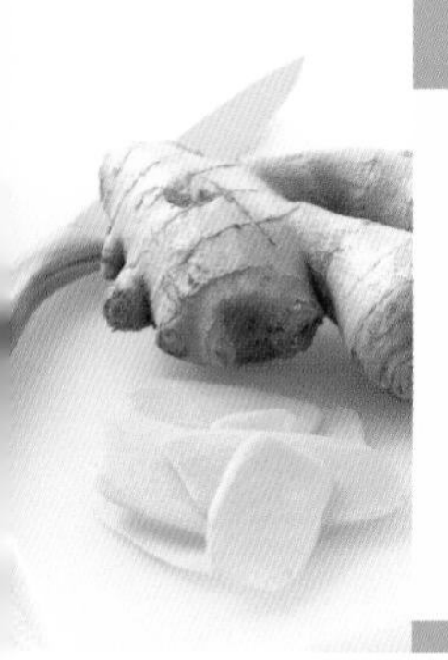

NOS MEILLEURES RECETTES

Darnes de saumon, salsa de pêche *p. 310*
Granité de grenade *p. 336*
Maquereau aux tomates rôties *p. 310*
Salade d'épinards et pois chiches *p. 295*
Salade de fruits tropicaux *p. 288*
Salade de poulet et agrumes *p. 296*
Soupe à la courge et au gingembre *p. 300*
Tartelette aux baies *p. 337*

Truc utile : le gingembre combat efficacement l'irritation gastro-intestinale causée par les médicaments anti-arthritiques.

Thé vert, oignon, baies, jus de tomates *et agrumes*

Ils sont tous riches en quercétine. Les études en laboratoire et les études sur des animaux indiquent que ce composé est anti-inflammatoire et antioxydant. Il se pourrait même que le thé vert soulage les symptômes de la polyarthrite rhumatoïde : les résultats de la Women's Health Study menée en Iowa indiquent que les femmes qui prenaient plus de trois tasses de thé vert par jour couraient 60 % moins de risque de polyarthrite rhumatoïde que celles qui n'en buvaient jamais.

Vos objectifs : trois ou quatre tasses de thé vert par jour et un bon éventail d'aliments riches en quercétine.

Truc utile : ajoutez de l'ananas à vos salades de fruits. La broméline qu'il renferme favorise l'absorption de la quercétine tandis que la vitamine C en rehausse l'activité antioxydante.

SUPPLÉMENTS NUTRITIONNELS

Acides gras oméga-3. De nombreux médecins conseillent de prendre un supplément d'oméga-3, qu'on soit amateur de poisson ou pas. Ces acides gras étant sensibles à la chaleur, la lumière et l'oxygène, conservez-les au réfrigérateur. Optez pour un supplément qui renferme également de la vitamine E car elle protège contre le rancissement. Des rots dégageant une odeur de poisson indiquent que le produit est rance. **DOSE :** 1 à 3 g par jour comme dose d'entretien, 3 à 6 g pour le soulagement de la douleur et de la raideur matinales causées par la polyarthrite rhumatoïde. Ne dépassez pas 9 g par jour et, si vous êtes sujet aux saignements, consultez un médecin avant de prendre ce type de supplément.

Broméline. On la trouve sous forme de comprimé ou de capsule. **DOSE :** 500 à 2 000 mg par jour, en deux fois.

Gingembre, curcuma et clou de girofle. À moins d'employer libéralement ces épices en cuisine, on atteint difficilement les doses thérapeutiques. Demandez à votre médecin si de tels suppléments vous seraient utiles. Mais sachez que le supplément de gingembre peut irriter l'estomac. En outre, comme cette épice, de même que le clou de girofle, peut éclaircir le sang, consultez votre médecin si vous prenez des médicaments anticoagulants. En cas de malaises gastriques ou si vous n'observez aucun résultat au bout de 10 jours, interrompez toute supplémentation. **DOSE :** *gingembre :* 500 mg par jour (capsules) ou 100 à 300 mg (extrait), trois fois par jour. *Curcuma :* 400 à 600 mg, trois fois par jour, aux repas. *Clou de girofle :* selon une étude, une dose journalière de 2 à 3 g soulagerait l'inflammation.

ALIMENTS ET PRODUITS À ÉVITER

Huile de maïs, viandes grasses, produits laitiers entiers, gras trans. Les acides gras oméga-6 présents dans l'huile de maïs, de carthame et de tournesol, ainsi que les gras saturés des viandes et produits laitiers entiers favorisent la production d'eicosanoïdes, substances inflammatoires apparentées aux hormones. En outre, l'acide arachidonique que renferment les viandes rouges, le jaune d'œuf et les abats, entraîne également la formation d'eicosanoïdes. Enfin, bannissez de votre alimentation tout produit qui renferme des huiles hydrogénées, ou gras trans.

Déclencheurs d'allergies. Les études indiquent qu'il existe un lien entre la consommation de produits laitiers, de maïs et de blé, et l'inflammation résultant de l'arthrite. Selon les chercheurs, des protéines alimentaires déclencheraient la production d'anticorps chez un faible pourcentage de la population. En s'associant, protéines et anticorps irriteraient les articulations. Une autre théorie veut que les anticorps attaquent directement la membrane des articulations. Pour savoir si vous être allergique à l'un ou l'autre de ces aliments, consultez votre médecin ou un diététiste, qui vous fera passer les tests requis.

Manger moins, souffrir moins

Le surpoids est dur pour les articulations. Les aliments qui sont le plus susceptibles de faire grossir sont aussi ceux qui vident les réserves d'énergie (par ex., le sucre) et déclenchent l'inflammation (gras saturés). Pour perdre du poids, bannissez les aliments transformés et le sucre, et consommez des fruits, des légumes, des grains entiers et du poisson ou d'autres sources de protéines maigres. Non seulement ces produits sont-ils plus sains, mais ils sont également moins caloriques et se digèrent plus lentement, prolongeant le sentiment de satiété.

Il est également important de réduire vos portions. Servez-vous dans de petites assiettes, déposez votre fourchette entre les bouchées et profitez-en pour avaler une gorgée d'eau. Vous constaterez que votre repas vous satisfera pleinement même si vous avez moins mangé.

ASTHME

Nous ne vous conseillerons pas ici de remplacer votre inhalateur par des aliments. Cela dit, les résultats d'études indiquent que la nutrithérapie pourrait contribuer à diminuer la fréquence et l'intensité de vos crises. On peut difficilement imaginer que des aliments puissent soulager l'asthme, mais quand on comprend les causes de cette affection, c'est tout à fait plausible.

Durant une crise, un allergène ou un irritant déclenche une attaque par le système immunitaire. L'organisme libère des histamines et d'autres substances qui provoquent l'inflammation de la muqueuse des voies respiratoires. Il s'ensuit un épaississement du tissu des bronches et, par conséquent, un rétrécissement des voies respiratoires. De plus, les bronches produisent alors plus de mucus et sont encombrées ; l'air passe difficilement et on suffoque.

Comme l'inflammation est la principale cause des symptômes de l'asthme, les aliments anti-inflammatoires contribueront à soulager ces symptômes, de même que ceux qui ont pour propriété d'éclaircir le mucus. En quantités adéquates, certains nutriments peuvent également diminuer le risque de souffrir de cette maladie ; il serait donc avisé d'en donner régulièrement aux enfants.

VOTRE ORDONNANCE ALIMENTAIRE

Oignon

Consommé régulièrement, l'oignon pourrait réduire la fréquence des crises. Il renferme des composés anti-inflammatoires, dont la quercétine, un flavonoïde antioxydant. Dans des études in vitro, la quercétine a inhibé la libération de substances inflammatoires par les mastocytes – cellules intervenant dans les réactions allergiques – tout comme le font certains médicaments anti-asthmatiques. En outre, l'oignon renferme de l'huile de moutarde (isothiocyanate) qui semble contrer l'inflammation induite par l'asthme, du moins chez les animaux. Enfin, les aliments piquants comme l'oignon, le piment et la moutarde provoquent la formation de liquides qui éclaircissent le mucus. Une mise en garde s'impose toutefois : chez un faible pourcentage d'asthmatiques, l'oignon déclenche des crises.

Vos objectifs : on n'a pas établi de quantité idéale. Consommez-en aussi souvent que possible.

Truc utile : Ajoutez un oignon avec sa peau à une chaudronnée de soupe. La quercétine, qui est surtout concentrée dans la pelure, passera dans le bouillon.

Café

Bien que le café ne puisse être considéré comme un substitut de la théophylline, tout comme elle, la caféine qu'il renferme dilate les voies respiratoires. Une tasse ou deux de café fort, voire de cola, atténuera donc rapidement une crise d'asthme. Évitez toutefois d'en prendre en même temps que la théophylline.

Les résultats d'études indiquent que, consommé régulièrement, le café pourrait contribuer à prévenir les crises. Il renferme également du magnésium et des antioxydants qui pourraient jouer un rôle utile dans l'asthme. À éviter toutefois s'il vous empêche de dormir.

Vos objectifs : une tasse ou deux, au besoin, durant une crise, ou la même quantité tous les jours, en prévention.

Thé vert

Tout comme l'oignon et la pomme, le thé vert renferme de la quercétine de même que de grandes quantités d'épigallocatéchine, un autre flavonoïde.

Vos objectifs : deux tasses par jour, moins quand l'asthme ne vous incommode pas. Le thé noir fraîchement infusé renferme également un peu de quercétine.

Truc utile : pour éviter que le thé vert ne soit trop amer, utilisez de l'eau chaude plutôt que bouillante et ne l'infusez pas plus de deux minutes. Comme la saveur varie d'un produit à l'autre, essayez-en quelques-uns pour découvrir celui qui vous plaît. Ou encore, prenez du thé blanc, à la saveur plus douce et qui est encore plus riche en antioxydants.

Saumon, maquereau *et autres aliments riches en acides gras oméga-3*

Les oméga-3 présents dans le poisson gras et dans quelques autres aliments soulagent l'inflammation, y compris celle des voies respiratoires. Les personnes dont l'alimentation en est riche courent moins de risque de souffrir d'asthme que celles qui en prennent peu. Ils pourraient également être utiles à ceux qui souffrent déjà de cette affection.

Les chercheurs ne savent pas encore si l'huile de poisson en supplément peut combattre l'asthme. Les résultats d'études préliminaires sont encourageants mais il faudra des essais cliniques plus poussés pour les confirmer.

La noix commune et la graine de lin moulu renferment également des oméga-3, mais sous une forme qui n'est assimilable qu'à environ 20 %.

Vos objectifs : au moins 1 g d'oméga-3 par jour. Il y en a plus dans une portion de 125 g de saumon ou de maquereau.

Truc utile : si vous aimez l'anchois, faites-en ajouter à votre pizza. C'est une autre excellente source d'oméga-3.

Pomme et baies

Tout comme l'oignon, la pomme est riche en quercétine et pourrait donc contribuer à prévenir les crises. On devrait toutefois la consommer avec sa peau, où est concentré ce flavonoïde. À titre d'exemple, la compote de pomme en renferme environ moitié moins. La quercétine abonde également dans les baies.

Des chercheurs britanniques ont découvert que le risque de souffrir d'asthme diminuait de 40 % chez les sujets qui consommaient cinq pommes par semaine ou plus.

Vos objectifs : autant de pommes et de baies que vous en avez envie.

propos à mijoter...

« L'alimentation occidentale favorise l'inflammation, ce qui pourrait expliquer l'augmentation de l'incidence de l'asthme dans nos pays. »

— *Journal of Alternative and Complementary Medicine*, décembre 2004 ■

Aliments riches en antioxydants, *particulièrement en vitamines C et E, et en sélénium*

Durant une crise d'asthme, l'organisme produit des radicaux libres, molécules qui aggravent l'inflammation. Or, les antioxydants comme le sélénium et les vitamines C et E les neutralisent, diminuant le risque de souffrir de cette maladie. Il se peut aussi qu'ils contribuent à améliorer la fonction pulmonaire chez les asthmatiques.

Les études ont montré que les asthmatiques consomment moins d'antioxydants que les sujets en santé. En fait, des chercheurs britanniques ont découvert que ceux dont l'apport en sélénium était d'au moins 55 µg par jour couraient environ deux fois moins de risque de souffrir d'asthme que ceux qui en ingéraient moins de 30 µg.

De plus, les antioxydants neutralisent les radicaux libres générés par l'ozone, polluant atmosphérique responsable du déclenchement de crises d'asthme. Les résultats d'études indiquent qu'ils pourraient améliorer la fonction pulmonaire des personnes vivant dans des régions polluées et qui sont sensibles à l'ozone.

Comme ils agissent synergiquement, il vaut mieux prendre les vitamines C et E, et le sélénium en association. Une alimentation riche en aliments antioxydants fournira aussi du magnésium, minéral qui détend les voies respiratoires, ainsi que d'autres nutriments utiles.

NOS MEILLEURES RECETTES

Choux de Bruxelles aux oignons caramélisés *p. 321*
Darnes de saumon, salsa de pêche *p. 310*
Maquereau aux tomates rôties *p. 310*
Noix épicées *p. 290*
Riz aux amandes *p. 324*
Salade de fruits tropicaux *p. 288*
Salade Waldorf modifiée *p. 292*
Sandwichs aux croquettes de saumon *p. 304*
Tartelette aux baies *p. 337*

Vos objectifs : *Vitamine C :* 500 mg par jour, soit la quantité que fournissent ensemble une tasse de poivron rouge, une tasse de jus d'orange et une tasse de brocoli ou de choux de Bruxelles cuits. *Vitamine E :* au moins 80 mg par jour. Consommez quantité de germe de blé, amandes et graines de tournesol, que vous devrez probablement compléter par un supplément. *Sélénium :* 55 µg par jour, soit moins que ce que fournissent 30 g de noix mélangées, une seule noix du Brésil ou une part de poisson blanc.

Truc utile : le kiwi renferme plus de vitamine C que pratiquement tous les autres aliments. Pour vous éviter d'avoir à le peler, coupez-le en deux puis retirez-en la chair à la cuiller.

SUPPLÉMENTS NUTRITIONNELS

Vitamine C, vitamine E et sélénium. Jusqu'ici, les résultats sont mitigés quant à l'utilité des suppléments d'antioxydants pour les asthmatiques. Cependant, en association, ils contribueraient à atténuer la constriction des voies respiratoires causée par l'ozone. **DOSE :** *Vitamine C :* 250 à 500 mg, deux fois par jour. *Vitamine E :* 80 mg d'un supplément comprenant du d-alpha-tocophérol naturel et des tocotriénols. À défaut, prenez 400 UI d'un mélange de tocophérols naturels. La vitamine E étant liposoluble, prenez-la au cours d'un repas comprenant des lipides. *Sélénium :* 200 µg par jour, à prendre avec la vitamine E, puisque ces deux nutriments sont mieux absorbés en présence l'un de l'autre.

Quercétine. Dans des études sur les animaux, on a démontré que les extraits de quercétine exerçaient une action anti-inflammatoire et bronchodilatatrice. **DOSE :** 400 à 500 mg, trois fois par jour.

Vitamine B_6. On a prouvé dans une étude que cette vitamine améliorait le débit de pointe (mesure de la capacité respiratoire) d'un groupe d'adultes souffrant d'asthme grave. Elle pourrait atténuer la respiration sifflante chez les personnes présentant de faibles taux sanguins de B_6. **DOSE :** 50 à 100 mg par jour.

Magnésium. On procède actuellement à des études pour déterminer si l'administration orale d'un supplément de magnésium pourrait contribuer à soulager une crise nécessitant des soins d'urgence, comme c'est le cas avec le supplément administré par voie intraveineuse. On ne sait pas si le magnésium en supplément apporte des bienfaits, mais rien n'empêche de l'essayer, aux doses recommandées. Une mise en garde s'impose toutefois : certaines formes de ce minéral causent la diarrhée. **DOSE :** 200 à 400 mg de glycinate de magnésium par jour.

ALIMENTS ET PRODUITS À ÉVITER

Aliments déclencheurs. Si vous pensez que certains aliments déclenchent vos crises, tenez un journal détaillé dans lequel vous noterez ce que vous mangez ainsi que vos symptômes. Puis, quand vous avez repéré un possible déclencheur, bannissez-le de votre alimentation pendant deux semaines et voyez si votre asthme est moins prononcé. Reprenez-en à nouveau : si votre asthme s'aggrave, c'est bel et bien un déclencheur.

L'œuf, les noix, les produits laitiers, les sulfites (agents de conservation ajoutés à de nombreux produits dont les fruits séchés, la soupe instantanée, les pommes de terre en flocon et le vin rouge), l'aspartame, les benzoates et la tartrazine, ou colorant jaune nº 5, peuvent déclencher les symptômes de l'asthme.

La plupart des huiles végétales, les aliments comprenant des gras trans, les viandes grasses et les produits de lait entier. Ces aliments favorisent l'inflammation. Selon de nombreux experts, les huiles de maïs, de tournesol et de carthame appartiennent à cette catégorie, de même que les produits qui en renferment. Les résultats d'études de population indiquent que les sujets qui consomment de grandes quantités de ces huiles polyinsaturées voient s'accroître leur risque d'asthme, d'eczéma et d'allergies. Remplacez-les par de l'huile d'olive ou de canola.

Diminuez également votre consommation de gras trans, autrement appelés « huiles partiellement hydrogénées ». Ils sont riches en oméga-6, acides gras qui favorisent l'élaboration par l'organisme d'acide arachidonique. Ce lipide est un élément constituant des prostaglandines et leucotriènes, substances inflammatoires.

Prévenir l'asthme chez les enfants

Des études récentes indiquent qu'il existe un lien entre la consommation de vitamine C, bêta-carotène et sélénium, et une faible incidence de l'asthme. En veillant à ce que les enfants consomment de bonnes quantités d'agrumes, carotte, courge, grains entiers et poisson, on pourrait donc diminuer sensiblement leur risque d'en souffrir. En outre, s'ils vivent dans une maison où l'on fume, veillez à ce qu'ils prennent suffisamment de vitamine C. Les études indiquent que, en quantité suffisante, la vitamine C contribuerait à diminuer de 40 % le risque que courent les enfants exposés à la fumée secondaire.

Les gras saturés sont aussi une source d'acide arachidonique. Au cours d'une étude de petite envergure, 92 % des patients asthmatiques auxquels on a fait suivre un régime végétarien (aucun aliment d'origine animale, ni œuf ni produits laitiers) ont vu leurs symptômes diminuer sensiblement au bout d'un an, et 71 % ont rapporté que leur état s'était amélioré au bout de quatre mois. Alors que tous prenaient un médicament contre l'asthme au début de l'étude, à la fin de celle-ci, ils ont pu interrompre leur médication ou diminuer considérablement leurs doses.

BRÛLURES D'ESTOMAC

On accuse souvent le piment de causer les brûlures d'estomac (ou pyrosis). Pourtant, les aliments gras et acides sont plus susceptibles de les provoquer que les mets épicés.

Lors de la déglutition, les contractions musculaires de la gorge font descendre les aliments dans l'œsophage. Ce long tube est muni à son extrémité inférieure d'un sphincter, trappe qui s'ouvre quelques secondes pour les laisser passer dans l'estomac.

Certains aliments et boissons provoquent des aigreurs par contact direct avec la paroi de l'œsophage, mais d'autres entraînent des changements chimiques dans le tractus gastro-intestinal qui ont pour effet de détendre le sphincter. Ce dernier ne se referme pas immédiatement comme il le devrait ; le contenu de l'estomac et les sucs digestifs refluent alors dans l'œsophage s'attaquant au tissu délicat de cet organe. Dans certains cas, les aliments remontent dans la gorge, provoquant de la toux, un goût acide et la mauvaise haleine. Les aliments qui élèvent le taux d'acidité de l'estomac peuvent aggraver le problème. Ceux qui sont sujets aux brûlures d'estomac ne réagissent pas tous aux mêmes aliments. Pour identifier les déclencheurs, les médecins conseillent d'éliminer un à un les aliments suspects potentiels pendant une semaine ou deux. Pour en savoir plus, consultez votre médecin ou un nutritionniste.

Le reflux gastro-œsophagien (RGO), ou syndrome de Barrett, est plus grave. En effet, l'exposition fréquente à l'acide gastrique est non seulement douloureuse mais elle entraîne la formation de tissu cicatriciel qui peut gêner la déglutition et, dans de rares cas, entraîner des lésions cellulaires menant au cancer de l'œsophage. Par conséquent, que les aigreurs soient chroniques ou occasionnelles, on a tout intérêt à consommer les aliments qui contribuent à les atténuer.

NOS MEILLEURES RECETTES

Côtelettes de porc, fruits séchés *p. 318*
Croquant à la poire *p. 334*
Houmous d'edamame et pita rôti *p. 290*
Légumes racines rôtis *p. 320*
Sandwich à la salade de poulet au cari *p. 303*

VOTRE ORDONNANCE ALIMENTAIRE

Pain de grain entier

et autres aliments riches en fibres

Votre médecin vous conseille probablement depuis des années de prendre plus de fibres alimentaires. Or, il se trouve que les résultats d'une étude récente indiquent que ces substances pourraient protéger contre les brûlures d'estomac. Des chercheurs suédois ont découvert que les sujets qui consommaient tous les jours du pain de grain entier riche en fibres couraient deux fois moins de risque de souffrir de RGO que ceux qui prenaient du pain blanc à faible teneur en fibres.

L'effet protecteur des fibres pourrait s'expliquer de diverses manières. Ainsi, certains aliments, notamment les charcuteries, renferment des nitrites, substances que l'organisme utilise pour produire de l'oxyde nitrique. Ce gaz peut détendre le sphincter œsophagien inférieur et favoriser le reflux de l'acide gastrique dans l'œsophage. Or, les fibres absorbent les nitrites, mettant un frein à ce processus. De plus, en obligeant à mastiquer plus longtemps ses aliments, les fibres favorisent la production de salive, qui protège l'œsophage. Enfin, elles comblent l'appétit, limitant les excès alimentaires, cause fréquente des aigreurs.

Vos objectifs : de nombreux experts recommandent d'ingérer 25 à 35 g de fibres par jour, que vous obtiendrez en prenant 2 à 4 portions de fruits, 3 à 5 portions de légumes et 6 à 11 portions de grains et céréales ; une portion correspond à une tranche de pain de grain entier, ½ tasse de riz complet, ou environ ¾ de tasse de céréales.

Truc utile : n'augmentez votre consommation de fibres que graduellement, à défaut de quoi vous risquez les flatulences.

Plats assaisonnés de curcuma, gingembre, piment et cannelle

Des épices contre les aigreurs ? Vraiment ? En effet, non seulement des chercheurs ont-ils découvert que les mets épicés ne favorisaient pas les brûlures d'estomac, mais que certaines épices les soulageaient même. Plusieurs d'entre elles, dont le gingembre et le curcuma, combattent l'inflammation et les bactéries. Pour libérer leur plein potentiel curatif, ajoutez-les en cours de cuisson plutôt qu'à la fin. En prime : les épices peuvent remplacer avantageusement les assaisonnements sucrés et salés, et vous permettre de mieux apprécier les aliments à faible teneur en gras.

Bien entendu, si vous découvrez que certaines épices aggravent vos brûlures d'estomac, supprimez-les de votre alimentation.

Tisane d'orme rouge

On recommande cette tisane contre le mal de gorge et c'est pour la même raison qu'on la recommande contre les brûlures d'estomac : en effet, elle est riche en mucilage, fibre soluble qui tapisse la muqueuse de la gorge et du tractus digestif. On en trouve en sachet dans les magasins de produits naturels.

Vos objectifs : une tasse quand vous éprouvez des brûlures d'estomac.

Tisane de gentiane

La racine de cette plante est utilisée de longue date comme amer digestif. On en trouve en sachet dans les magasins de produits naturels.

Vos objectifs : une tasse avant ou après les repas.

Eau

L'eau a pour effet de retourner l'acide gastrique dans l'estomac et de le diluer légèrement.

Vos objectifs : un petit verre d'eau (125 à 175 ml) quand vous souffrez de brûlures d'estomac.

Qu'est-ce qui cause les brûlures d'estomac ? Les aliments gras, salés, acides et l'alcool. Manger à la va-vite. Trop manger. Bref, la solution est simple : mangez sainement, en quantité raisonnable et en prenant votre temps.

SUPPLÉMENTS NUTRITIONNELS

Comprimés ou pastilles de réglisse déglycyrrhizinée. Sous forme déglycyrrhizinée, la réglisse est débarrassée d'un de ses composés réputé élever la pression artérielle. Elle calme et tapisse l'estomac, prévenant les brûlures d'estomac. **DOSE :** un ou deux comprimés à croquer ou une ou deux pastilles avant chaque repas.

Calcium. De nombreux antiacides populaires sont en fait de simples suppléments de calcium. D'autres minéraux, par exemple le magnésium et l'aluminium, neutralisent aussi l'acidité gastrique, mais le calcium offre l'avantage supplémentaire de protéger les os. Si vous pensez avoir consommé des plats qui pourraient déclencher une indigestion acide, ou si vous en éprouvez les premiers symptômes, prenez sans tarder un comprimé de calcium ou un autre antiacide. Si les brûlures d'estomac vous réveillent régulièrement la nuit, prenez-en avant d'aller au lit. **DOSE :** suivez le mode d'emploi indiqué sur le produit. On conseille habituellement de prendre deux à quatre comprimés de 400 mg par jour. Ne dépassez pas la dose recommandée : le calcium pris à trop forte dose peut causer d'autres problèmes digestifs, par exemple de la constipation, des ballonnements et des flatulences. De plus, vous risquez alors de faire un reflux rebond. Enfin, si vous devez en prendre souvent pour vous soulager, c'est peut-être que vous avez besoin d'un médicament plus puissant. En d'autres mots, si vous prenez des antiacides plus de quelques fois par semaine, consultez votre médecin.

ALIMENTS ET PRODUITS À ÉVITER

Tomate, oignon et jus d'orange. Ces aliments sont acides et, comme tels, peuvent enflammer la paroi de l'œsophage durant leur transit. Il n'est peut-être pas nécessaire de supprimer entièrement la tomate, qui est particulièrement utile aux hommes, mais vous devrez peut-être en consommer moins. C'est vrai aussi du jus d'orange, de pamplemousse et d'ananas qui, contrairement aux fruits dont ils proviennent, sont trop concentrés et ne renferment pas les enzymes responsables de dégrader les protéines animales ingérées au repas. Quant aux jus de citron et de lime, ils ne sont que faiblement acides et font plus de bien que de mal. Évitez toutefois la limonade ; le sucre qu'elle renferme peut irriter l'œsophage et nourrir les bactéries.

L'oignon est également très acide. Lors d'une étude, les chercheurs ont observé que les sujets qui consommaient des burgers ne souffraient de brûlures d'estomac que lorsqu'ils ajoutaient des oignons. Par contre, une fois cuit, ce légume pourrait ne causer aucun symptôme.

Aliments gras. Les résultats d'études indiquent que les personnes dont l'alimentation est riche en gras, particulièrement en lipides saturés, courent plus de risque que les autres de souffrir du RGO. La consommation de ces substances entraîne la libération par l'organisme de cholécystokinine, hormone qui détend le sphincter œsophagien inférieur et, en conséquence, favorise le reflux acide dans l'œsophage.

C'est prouvé : le surpoids augmente le risque de RGO chronique. Selon des études, les personnes très grosses voient doubler leur risque. Par conséquent, si vous souffrez de brûlures d'estomac, ne vous contentez pas d'éviter les aliments qui les déclenchent, perdez vos kilos en trop !

Remplacez les viandes grasses par du poisson, aux effets anti-inflammatoires, ou par des viandes maigres, par exemple du bifteck de flanc roulé ou de la poitrine de poulet sans peau. Faites griller votre viande plutôt que de la frire ou de la faire sauter : elle y gagnera en saveur sans être grasse pour autant.

Les produits laitiers, y compris le lait entier, sont réputés déclencher les brûlures d'estomac, ce qui est assez ironique quand on songe que, jusque dans les années 1970, les médecins prescrivaient le lait en prévention. Il semble favoriser la production d'acide gastrique et prolonger la durée de son contact avec la paroi de l'œsophage. Optez pour le lait écrémé ainsi que pour le fromage et le yogourt à faible teneur en gras. Évitez le yogourt très sucré et, pour l'enrichir de fibres, ajoutez-lui des fruits frais. À noter que le féta et le chèvre sont moins gras que les fromages à pâte dure.

Alcool, caféine et chocolat. L'alcool, tout comme la caféine semble-t-il, détend le sphincter œsophagien inférieur. Bien que les études ne permettent pas de conclure que le café et le thé contribuent aux aigreurs, certaines personnes qui y sont sujettes affirment que quelques gorgées de café, même décaféiné, suffisent à déclencher une crise. Si vous tenez au café, ne le prenez pas l'estomac vide. Enfin, comme le chocolat renferme des gras et de la caféine, il pourrait contribuer au problème.

Aliments salés. Une étude menée en 2005 indiquait que l'incidence du RGO augmentait de 50 % chez les sujets qui consommaient des produits salés plus de trois fois par semaine, tandis que le risque de brûlures d'estomac était 70 % plus élevé chez ceux qui salaient systématiquement leurs plats que chez ceux qui n'ajoutaient jamais de sel. Bien qu'on ne sache pas avec certitude s'il y a un lien entre le sel et les brûlures d'estomac ou si les amateurs de sel ont, par ailleurs, des habitudes alimentaires qui accroissent leur vulnérabilité, on a tout intérêt à diminuer sa consommation de sel.

Menthe poivrée. Sa richesse en menthol fait qu'elle détend le sphincter œsophagien.

La gomme à mâcher… et la marche protègent contre les brûlures d'estomac

L'organisme produit son propre antiacide, la salive. Elle est riche en bicarbonate, substance qui neutralise l'acidité, ce qui explique d'ailleurs pourquoi de nombreux antiacides renferment du bicarbonate de soude. On a donc tout intérêt à produire de la salive en quantité, afin de lubrifier l'œsophage. La gomme à mâcher sans sucre peut y contribuer, quoique sa teneur en polysaccharides peut provoquer des ballonnements. Sucer des pastilles sans sucre ou des bonbons durs pourrait également aider. Les résultats d'études indiquent que les sujets qui mâchaient de la gomme à l'issue d'un repas arrivaient à prévenir ou à soulager leurs symptômes. Dans l'une de ces études, on a observé que ceux qui, en plus, faisaient une marche d'une heure, obtenaient un soulagement supplémentaire.

Enfin, il n'est pas inutile de rappeler que le tabac dessèche la salive. Une autre bonne raison de cesser de fumer !

CALCULS BILIAIRES

Au Moyen Âge, on croyait que la santé dépendait des quatre humeurs, ou liquides vitaux, dont la bile. En trop grande quantité, celle-ci était censée rendre violent. Nous savons qu'elle ne rend personne méchant, mais s'il y a trop de cholestérol dans la vôtre, vous pourriez faire un calcul (ou lithiase) biliaire. La bile est élaborée dans le foie, stockée dans la vésicule biliaire et utilisée dans l'intestin grêle pour la digestion des lipides. Quand on mange un burger bien gras, la vésicule se contracte et évacue la bile par un canal qui la relie à l'intestin grêle. Là, elle contribue à digérer les gras du burger. Cependant, si elle renferme trop de cholestérol, elle peut durcir et former des concrétions dont la taille va du grain de sucre à la prune. Certains de ces calculs s'attardent dans la vésicule ne causant aucun problème. Mais s'ils traversent un canal, de l'inflammation, des douleurs intenses et une obstruction grave peuvent survenir, allant parfois jusqu'à nécessiter une intervention chirurgicale.

Étant donné le lien entre les calculs et le cholestérol, il va de soi qu'on devrait consommer plus d'aliments qui font baisser les taux de cholestérol. De plus, prenez plusieurs petits repas tout au long de la journée, ce qui favorise les contractions de la vésicule et prévient la formation de calculs.

VOTRE ORDONNANCE ALIMENTAIRE

Céréales contenant du psyllium

Après avoir donné à des hamsters des aliments renfermant du psyllium, fibres présentes dans de nombreux laxatifs naturels et céréales, des chercheurs de l'université Brandeis du Massachussets ont découvert qu'ils étaient nettement moins susceptibles de faire des calculs rénaux. Ils pensent que le psyllium augmente la libération de bile par la vésicule biliaire, prévenant ainsi son accumulation et, par conséquent, la formation de calculs. En outre, grâce à sa teneur en fibres, le psyllium fait baisser le taux de cholestérol.

Vos objectifs : ½ tasse tous les matins.

Avocat, huile d'olive, poisson et noix

Tous les lipides stimulent les contractions de la vésicule, mais ce sont les gras saturés qui élèvent le taux de cholestérol ainsi que le risque de calculs. Les gras insaturés présents dans l'avocat, l'huile d'olive et de canola, le poisson et les noix sont bons pour la santé de la vésicule biliaire ; ils pourraient en favoriser les contractions ainsi que la circulation de la bile.

Vos objectifs : remplacez le beurre et le lard par de l'huile d'olive et de canola, la viande par le poisson et les noix, et le fromage par l'avocat.

Fruits, légumes *et grains entiers riches en fibres*

Dans la Nurses Health Study (l'étude des infirmières), on a observé que celles qui prenaient le plus de fibres voyaient leur risque de calculs diminuer de 35 %. Les aliments riches en fibres insolubles (grains entiers, fruits et légumes) semblent particulièrement utiles à cet égard. Dans une étude, on a fait la preuve que le risque de calculs était plus faible chez ceux qui suivaient un régime végétarien.

Vos objectifs : 25 à 35 g de fibres par jour. La consommation de 2 tasses de fruits, 2½ tasses de légumes et trois portions de grains entiers par jour vous aidera à atteindre cet objectif.

Un verre de vin le soir

De nombreuses études indiquent que la consommation modérée de vin peut contribuer à faire baisser le taux de cholestérol et à diminuer le risque de calculs biliaires.

Vos objectifs : un (femmes) ou deux (hommes) verres par jour.

Café

Dans la National Health and Nutrition Examination Survey, on a observé que les femmes affligées de calculs biliaires qui buvaient une à quatre tasses de café par jour rapportaient avoir moins de symptômes que celles qui n'en prenaient pas.

Vos objectifs : 1 à 4 tasses par jour. Si vous êtes sensible à la caféine, prenez votre café avant 15 heures ou buvez-en moins.

Curcuma

Les études ont prouvé que cette épice atténue l'inflammation de la vésicule biliaire. Des chercheurs pensent aussi qu'elle stimule la circulation de la bile. Si vous avez des calculs, particulièrement des gros, ne prenez de curcuma qu'avec modération car il peut stimuler les contractions.

Vos objectifs : 1 cuiller à soupe par jour. Mettez-en dans les currys, les plats de courge, la soupe aux pois et les ragoûts.

SUPPLÉMENTS NUTRITIONNELS

Vitamine C. Elle contribue à dégrader le cholestérol présent dans la bile. Des études ont permis de démontrer que, chez les femmes qui présentaient des taux sanguins élevés de vitamine C, le risque de faire des calculs diminuait de 13 %. **DOSE :** 1000 mg par jour. Si vous faites de la diarrhée, diminuez la dose.

Oméga-3. Ces acides gras contribuent à faire baisser les taux sanguins de triglycérides, et par conséquent de cholestérol. **DOSE :** 3 à 5 g par jour si vos taux de triglycérides sont élevés.

ALIMENTS ET PRODUITS À ÉVITER

Viandes grasses, fritures et produits renfermant des gras trans. Les aliments riches en gras saturés peuvent déclencher une crise, de même que les gras trans des margarines et aliments traités. Dans la Physicians Health Study de Boston, les chercheurs ont découvert qu'une consommation élevée de gras trans faisait monter de 12 % le risque de calculs biliaires.

Régimes extrêmes. La perte rapide de poids est l'une des causes les plus fréquentes de calculs biliaires. Évitez également de sauter des repas, ce qui peut entraîner un changement dans l'équilibre entre cholestérol et sels biliaires.

Sucre. Chez certains, la consommation élevée de sucre et de produits sucrés a pour effet de modifier l'équilibre de la bile et d'élever le risque de calculs biliaires. Comme gâteries, optez de préférence pour les fruits séchés et les desserts aux fruits.

Boissons au cola. L'acide phosphorique des sodas de couleur foncée peut ramollir les calculs et en favoriser la circulation, situation potentiellement dangereuse si l'un d'eux transite dans un canal. À noter toutefois que, pour dissoudre un calcul, des praticiens de la médecine naturelle conseillent de boire un mélange de cola et de jus de pomme, qui renferme un autre type d'acide. Si vous envisagez un tel traitement, faites-le sous surveillance médicale.

NOS MEILLEURES RECETTES

Croquant à la poire *p. 334*
Ragoût de légumes et shiitakes *p. 306*
Sandwich à la salade de poulet et cari *p. 303*
Sandwich au thon et salsa p. 302
Saumon grillé et épinards sautés *p. 311*
Soupe à la courge et au gingembre *p. 300*
Spaghetti, sauce à la dinde *p. 316*

CALCULS RÉNAUX

Le calcul rénal (ou lithiase urinaire) qui se loge dans le tractus urinaire provoque une douleur insoutenable. Ces petites concrétions peuvent rester dormantes durant des années, pour, un beau jour, s'engager dans l'un des deux tubes étroits qui sont reliés aux reins. Les personnes qui en font l'expérience peuvent vomir de douleur ou perdre connaissance. Des femmes ont dit que la douleur était plus intense que celle de l'accouchement. Malheureusement, le risque de rechutes est très élevé.

Cependant, vous pourriez prévenir la formation des calculs rénaux en buvant plus d'eau ou en consommant des aliments qui ont pour effet de rétablir l'équilibre des sels et minéraux de l'urine, et de désintégrer les cristaux avant qu'ils ne fassent des ravages.

VOTRE ORDONNANCE ALIMENTAIRE

Eau

Chaque jour, les reins filtrent environ 190 litres de sang pour en retirer les sels, l'eau et les déchets qui se forment en conséquence du traitement par l'organisme des aliments et liquides ingérés. Tous ces produits passent sous forme d'urine dans les uretères, deux fins canaux reliés à la vessie. De là, l'urine est acheminée dans un canal un peu plus gros, l'urètre, pour être éliminée du corps. Quand les sels et les déchets sont trop concentrés, ils s'agglutinent pour former des calculs dont la taille va du grain de sucre à l'abricot.

Plus on boit, plus les déchets traversent rapidement le tractus urinaire et moins on court de risque de faire des calculs rénaux.

NOS MEILLEURES RECETTES

Canapés à la sardine *p. 302*
Pâtes primavera au cheddar *p. 306*

Vos objectifs : au moins 12 tasses de liquide, réparties tout au long de la journée. S'il fait chaud ou si vous faites de l'exercice et transpirez, prenez-en plus.

Eau citronnée

Le citron renferme du citrate, acide qui favorise la dégradation des déchets dans les reins et contribue à prévenir la formation de calculs. Au cours d'une étude, on a observé que la quantité de citrate présente dans l'urine des sujets qui prenaient de l'eau additionnée de 125 ml de jus de citron avait doublé.

Vos objectifs : environ ½ tasse de jus de citron fraîchement pressé par jour. Ajoutez-en dans l'eau que vous buvez durant la journée.

Lait à faible teneur en matières grasses, fromage *et autres aliments riches en calcium*

On a longtemps cru que le calcium contribuait à la formation des calculs d'oxalate de calcium, la forme la plus fréquente. On conseillait donc aux personnes à risque de diminuer leur consommation de produits laitiers. Cependant, les résultats de la Nurses Health Study (l'étude des infirmières) indiquent plutôt que plus les sujets consomment d'aliments riches en calcium, moins ils courent de risque de faire des calculs rénaux. Par conséquent, les médecins conseillent aujourd'hui à leurs patients de prendre des produits laitiers en abondance.

Il semble que quand le calcium se lie aux oxalates dans le tractus gastro-intestinal, ces derniers ne passent jamais dans le sang ni, par conséquent, dans les reins. Les personnes sujettes aux calculs rénaux qui, par ailleurs, prennent un supplément de calcium dans le but de renforcer leurs os, ont donc tout intérêt à le faire aux repas ; la liaison oxalates-calcium aura alors plus de chances de s'effectuer, et ces sels risqueront moins d'atteindre les reins.

Vos objectifs : 1 000 mg de calcium alimentaire par jour (1200 mg si vous avez plus de 50 ans) ; 3 tasses de lait fourniront cette quantité. Ou consommez fromage, yogourt et lait en diverses proportions, de même que d'autres sources de calcium, par exemple la sardine.

ALIMENTS ET PRODUITS À ÉVITER

Épinard, rhubarbe, chocolat et autres aliments riches en oxalates. Si vous êtes susceptible de faire des calculs d'oxalate de calcium, votre médecin pourrait vous conseiller de limiter votre consommation de ces aliments, de même que celle de l'amande, de la betterave, de la figue, de la bette à carde et du son de blé.

Café, thé noir et boissons au cola. La caféine semble accroître la quantité de calcium que les personnes sujettes aux calculs excrètent dans l'urine ; il y a alors plus de risque que le calcium se lie aux oxalates pour former un calcul. Comme le thé noir renferme des oxalates, vous auriez peut-être intérêt à le supprimer.

Sel. Les personnes qui prennent beaucoup de sel excrètent généralement plus de calcium dans l'urine que si elles suivaient un régime hyposodique. Encore une fois, plus on excrète de calcium, plus on court le risque qu'il se lie aux oxalates pour former des calculs.

Essayez de limiter votre apport de sel à 2 300 mg par jour, soit l'équivalent d'une cuiller à thé. La meilleure façon d'en diminuer votre consommation consiste à prendre moins d'aliments en conserve, pré-emballés ou traités. Ainsi, certaines soupes du commerce en renferment 1 000 mg par tasse. Même les condiments comme le ketchup ou les sauces à salade en contiennent parfois beaucoup. Lisez les étiquettes et veillez à ne pas consommer plus de 500 mg de sodium par portion d'un mets salé et 200 mg par portion d'un plat sucré. En outre, mettez la pédale douce sur la salière.

Viande, poisson et volaille. L'urine des personnes sujettes aux calculs est parfois plus riche en acide urique, lequel peut former des calculs. Si vous êtes sujet à ce type de calculs, votre médecin pourrait vous conseille de limiter votre consommation de viande, volaille et poisson car ces aliments sont tous riches en purines, substances qui se dégradent en acide urique dans l'organisme.

propos à mijoter…

Il y a d'innombrables manières d'ajouter du citron à son alimentation. Versez un filet de jus quand vous faites cuire du riz, mettez-en quelques gouttes sur des légumes frais, ou dans l'eau servant à pocher les aliments, farcissez un poulet à rôtir d'un citron percé, etc.

CANCER

S'il est vrai que le bagage génétique détermine en partie le risque de souffrir du cancer, le mode de vie joue également un rôle de premier plan. En réalité, le tiers de tous les cancers sont directement liés à une alimentation déficiente, au surpoids et au sédentarisme. Et ce, indépendamment du fait qu'on fume ou pas.

Côté alimentation, on doit malheureusement reconnaître que ces aliments que nous, Nord-Américains, privilégions tant et qui nous mènent droit aux cardiopathies sont aussi ceux qui accroissent considérablement notre risque de cancer : burger au fromage, frites, sodas surdimensionnés, etc. Heureusement, à l'inverse du bagage génétique, qu'on ne peut choisir, on peut décider de ce qu'on mange. Dans les pays où il se consomme plus de poisson, de fruits, légumes et grains entiers, et moins de gras saturés et de glucides raffinés, l'incidence du cancer est moins élevée que là où les aliments transformés, le bœuf et la pomme de terre dominent : chez-nous, quoi.

Modifier son alimentation ne nécessite pas de changer de pays. Ainsi, en consommant cinq portions de fruits et légumes par jour, on diminue de 20 à 35 % son risque de cancer. C'est encore mieux si on va faire ses courses à pied : non seulement l'activité physique permet-elle de maintenir un poids santé, mais, en soi, l'exercice semble atténuer l'effet des hormones qui favorisent l'apparition du cancer du sein (p. 148), du côlon (p. 136), de la prostate (p. 142) et de l'utérus.

VOTRE ORDONNANCE ALIMENTAIRE

Un arc-en-ciel de fruits *et de légumes*

Un arc-en-ciel, littéralement. Ne vous limitez pas à la pomme, l'orange, la banane. Au cours d'une étude, on a donné la consigne à un groupe de femmes de limiter leur choix à huit fruits et légumes réputés être riches en antioxydants, tandis que l'autre groupe avait accès à 18 variétés. Toutes prenaient huit à neuf portions de fruits et légumes par jour. Les analyses sanguines ont révélé que, chez les femmes du second groupe, les cellules présentaient moins de dommages à l'ADN que chez celles du premier.

La plupart des études qui se sont penchées sur les rapports entre l'alimentation et le cancer ont permis de faire la preuve qu'une consommation élevée de fruits et de légumes avait pour effet de diminuer le risque de cancer du sein, de la prostate, du poumon, de la bouche, de l'œsophage, de l'estomac et du côlon.

Des chercheurs de l'université Johns Hopkins, qui ont suivi 6 000 adultes, ont découvert que ceux qui prenaient environ cinq portions de fruits et légumes par jour voyaient leur risque de mourir du cancer diminuer de 35 % comparativement à ceux qui se limitaient à moins d'une portion. Les résultats d'autres études indiquent que le risque de souffrir du cancer diminue de 20 % chez les personnes qui prennent au moins cinq portions de fruits et légumes par jour. Les fruits et les légumes renferment non seulement des antioxydants mais aussi des composés protecteurs et des fibres, qui font baisser les taux des hormones jouant un rôle actif dans le cancer.

Les scientifiques travaillent à identifier les composés qui seraient les plus efficaces dans la lutte contre des cancers spécifiques. Ils en ont isolé plusieurs, par exemple le bêta-carotène de la carotte et de la patate douce, le lycopène de la tomate, le sulforaphane du brocoli, le folate de l'épinard, les composés soufrés de l'ail et de l'oignon, et l'acide ellagique des baies, mais ils continuent d'explorer le potager et le verger en quête d'autres substances utiles.

Ils sont toutefois convaincus que les nutriments sont plus efficaces quand ils travaillent en équipe, d'où l'importance de compter sur cet arc-en-ciel végétal plutôt que sur des suppléments nutritionnels.

Vos objectifs : au minimum 5 portions de fruits et légumes par jour, mais idéalement, 7 à 10. Cela peut sembler beaucoup mais gardez à l'esprit qu'une grosse salade équivaut à trois portions. Une portion correspond à un fruit, ½ tasse de jus de fruit ou de légume, ½ tasse de fruits hachés, de légumes cuits ou de légumineuses, 1 tasse de légumes en feuilles.

Truc utile : pour préserver un maximum de nutriments, faites sauter vos légumes à la poêle ou cuisez-les à la vapeur ou au micro-ondes plutôt que de les bouillir.

Brocoli *et autres crucifères*

Le brocoli, le chou-fleur, le chou de Bruxelles, le chou et le pak-choï, sont considérés comme des anticancéreux par excellence. C'est au sulforaphane et à ses autres isothiocyanates qu'ils doivent cette activité. Ces composés éliminent les substances cancérigènes – particulièrement celles qui se forment quand on fait griller ou frire les aliments – avant qu'elles n'endommagent les cellules, et pourraient même réparer les lésions qui mènent à la formation des tumeurs. Ils freinent le développement des cellules cancéreuses et favorisent leur autodestruction.

La consommation élevée de crucifères entraîne une diminution du risque de cancer du sein, du côlon, de la prostate et du poumon. Selon d'autres études, ils exerceraient le même effet sur le lymphome et le cancer de la vessie. En outre, des chercheurs pensent que, en s'attaquant à l'*Helicobacter pylori*, bactérie qui endommage la muqueuse gastrique, le brocoli diminuerait l'incidence du cancer de l'estomac. Les jeunes pousses, qui sont 20 à 50 fois plus riches en sulforaphane que le légume mûr, seraient encore plus efficaces.

Vos objectifs : quatre portions de ½ tasse de crucifères par semaine.

Grains entiers

Les grains entiers renferment des antioxydants ainsi que des lignanes, phytoestrogènes qui font baisser le taux d'œstrogène et favorisent l'autodestruction des cellules cancéreuses (voir Cancer du sein, page 148). De plus, ce sont d'excellentes sources de fibres et de glucides complexes qui sont digérés et absorbés lentement, n'élèvant pas autant le taux de sucre sanguin que les glucides raffinés et les sucres. Par conséquent, le taux d'insuline reste bas, chose éminemment souhaitable. En effet, quand les taux d'insuline et de son proche parent, le facteur de croissance insulinomimétique de type I, sont élevés, la multiplication cellulaire s'en trouve augmentée, ce qui peut provoquer la formation de tumeurs et la prolifération des cellules cancéreuses.

Vos objectifs : selon les études, en prenant au moins quatre portions de grains entiers (soit l'équivalent d'une tranche de pain de blé entier, de 30 g de céréales ou de ½ tasse de riz ou de pâtes) par semaine, on diminue le risque de cancer de 34 %. Par ailleurs, pour atteindre l'apport recommandé en fibres et obtenir les composés protecteurs pour la santé, il faut prendre au moins trois portions de grains entiers par jour.

Truc utile : les pâtes de blé entier constituent une bonne manière d'augmenter la consommation de fibres. Essayez diverses marques et diverses formes de pâtes : elles n'ont pas toutes la même saveur. Servez-les avec beaucoup d'ail et de légumes.

Eau

L'eau, de même que le lait et les tisanes, pourrait protéger contre le cancer de la vessie, car les liquides diluent les carcinogènes qui peuvent être présents dans l'urine. De plus, ils augmentent le nombre de mictions, diminuant d'autant l'exposition de la muqueuse de la vessie à ces substances nocives.

Vos objectifs : suffisamment de liquide durant la journée pour que votre urine reste claire, à moins que vous preniez des vitamines du complexe B (elle sera alors d'un jaune plus foncé).

Poisson gras

Le saumon, de même que les autres poissons riches en oméga-3, comme le thon blanc, la sardine, le maquereau et la truite arc-en-ciel, pourrait contribuer à prévenir le cancer. Les résultats de certaines études indiquent que la consommation de poisson gras est associée à une diminution du risque de cancer du sein, du côlon, de la prostate et du poumon.

Les études sont loin d'être concluantes, mais s'il s'avère que les oméga-3 protègent contre le cancer, ce pourrait être parce que ces acides gras combattent l'inflammation, qui favoriserait, croit-on, le développement des tumeurs. Leurs effets protecteurs seraient supérieurs si, par ailleurs, on diminue sa consommation d'oméga-6, acides gras inflammatoires présents dans l'huile de maïs, de tournesol et de carthame.

Enfin, en remplaçant le bifteck et les burgers par du poisson grillé ou vapeur, on a plus de chances de rester mince. Or, on sait que le gain de poids est un facteur de risque significatif pour de nombreux cancers.

Vos objectifs : le Guide alimentaire canadien recommande de prendre au moins deux portions de poisson par semaine ; une portion correspond à 75 g ou ½ tasse.

NOS MEILLEURES RECETTES

Casserole poulet et orge *p. 314*
Pâtes primavera au cheddar *p. 306*
Poulet, sauce à l'ail *p. 314*
Risotto de riz entier *p. 323*
Salade de brocoli *p. 293*
Salade d'épinards et pois chiches *p. 295*
Saumon grillé et épinards sautés *p. 311*
Soupe à la courge et au gingembre *p. 300*
Soupe aux lentilles et à la tomate *p. 301*
Tartelette aux baies *p. 337*

Truc utile : si le taux de mercure du poisson vous préoccupe, évitez l'espadon, le requin, l'escolar, le makaire, le thon frais et surgelé et l'hoplostète orange.

Thé vert

Le thé vert peut protéger les cellules contre les dommages causés à leur ADN, leur évitant de devenir cancéreuses parce qu'il contient des antioxydants anticancéreux. Les résultats d'études in vitro indiquent que l'épigallocatéchine gallate (EGCG), un antioxydant de premier plan, bloque une enzyme nécessaire au développement des cellules cancéreuses.

Vos objectifs : pour obtenir une protection anticancéreuse, vous devrez probablement boire quatre tasses de thé vert par jour.

Haricot *et légumes à feuilles vertes*

Ces aliments pourraient être utiles aux fumeurs ou à ceux qui prennent de l'alcool. L'épinard, le chou frisé et même la laitue romaine renferment de la lutéine et du bêta-carotène, des composés antioxydants, de même que du folate, une vitamine B qui protège les cellules contre les carcinogènes du tabac et de l'alcool. Le haricot est également riche en fibres et en flavonoïdes, un autre groupe d'antioxydants.

Des chercheurs de l'UCL à Londres ont découvert que les légumineuses comme le haricot, la lentille et le pois, renfermaient de l'inositol pentakisphosphate, composé anticancéreux qui bloque une enzyme essentielle dans le développement des tumeurs. Il peut même accroître l'efficacité de certains médicaments anticancéreux.

Vos objectifs : tous les jours ou presque, au moins ½ tasse de légumes à feuilles vertes cuits ou 1 tasse de légumes à feuilles vertes crus, et ½ tasse de légumineuses.

Truc utile : rincez des haricots en boîte et ajoutez-les à vos plats préférés : casseroles, ragoûts, chili, salades, salsas et soupes.

Raisin et son jus

Grâce à sa teneur en resvératrol, un antioxydant, le vin est considéré comme un allié du cœur. Le problème, c'est que l'alcool favorise le cancer (voir Cancer du sein, page 148 et Cancer du côlon, page 136). Heureusement, le resvératrol est également présent dans le raisin et son jus. Les résultats d'études en laboratoire indiquent que ce composé protège contre le cancer du sein, de la peau, du foie et de l'estomac, ainsi que contre le lymphome et la leucémie.

Vos objectifs : il n'y a pas d'apport recommandé, mais il serait avisé de prendre quelques fois par semaine ½ tasse de raisins ou ¾ de tasse de jus.

Ail

L'ail semble protéger contre le cancer, particulièrement les cancers du côlon, du rectum et de l'estomac. Il doit cet effet à ses composés soufrés, qui éliminent les carcinogènes avant qu'ils n'endommagent l'ADN et poussent les cellules cancéreuses à s'autodétruire.

Des chercheurs de l'université de la Caroline du Nord à Chapell Hill ont découvert que, chez les sujets qui consommaient en moyenne cinq gousses d'ail par semaine, crues ou cuites, le risque de cancer du côlon était d'un tiers inférieur à celui des sujets qui en prenaient peu, et l'incidence du cancer de l'estomac, moitié moindre. On pense que, en plus d'être anticancéreux, le bulbe de l'ail exerce une action antibactérienne sur *H. pylori*, bactérie qui cause des lésions à la muqueuse gastrique et la rend plus vulnérable au cancer.

De plus, les résultats d'études in vitro indiquent que, comme les crucifères, l'ail protège les cellules des dommages causés par les carcinogènes qui se forment lors de la cuisson des aliments au barbecue ou à haute température.

Vos objectifs : 3 à 5 gousses par semaine.

Truc utile : la cuisson désactive les composés thérapeutiques de l'ail, ce qui ne signifie pas qu'on doive le manger cru. Pour préserver les vertus curatives de l'ail, hachez-le ou écrasez-

Mettez des épices dans votre vie

En plus d'ajouter de la saveur aux plats, le piment de Cayenne, le gingembre, le cumin, l'origan et de nombreuses autres herbes et épices ont des propriétés antioxydantes et anti-inflammatoires qui les rendent utiles à bien des égards. Cependant, le curcuma, épice jaune très utilisée dans la cuisine indienne, se démarque nettement des autres en tant qu'anticancéreux.

Il renferme de la curcumine, qui non seulement élimine les carcinogènes avant qu'ils n'endommagent l'ADN, mais désactive une protéine inflammatoire favorisant le développement des tumeurs. En outre, il contribue à inhiber la formation des vaisseaux sanguins nécessaires à la croissance des tumeurs. Les résultats d'études indiquent que le curcuma pourrait protéger contre le cancer du côlon et le mélanome, le plus mortel des cancers cutanés.

le, et laissez-le reposer 10 à 15 minutes avant de le cuire.

SUPPLÉMENTS NUTRITIONNELS

Multivitamines/multiminéraux. Les études ne permettent pas d'affirmer que les suppléments contribuent à diminuer l'incidence du cancer. Les résultats de l'une d'entre elles indiquent même que le supplément de bêta-carotène pourrait accroître le risque de cancer du poumon. Comme les nutriments semblent plus efficaces quand ils travaillent en équipe et sont concoctés par Dame Nature selon une recette dont elle seule détient le secret, les experts en nutrition recommandent habituellement de les tirer des aliments. Cela dit, à défaut de pouvoir prendre son quota quotidien de fruits, légumes et grains, un supplément de multivitamines/multiminéraux peut combler le déficit, particulièrement chez les personnes de 50 ans et plus qui ne consomment pas de produits alimentaires enrichis en vitamine B_{12}.
DOSE : un comprimé par jour de multivitamines/multiminéraux.

Vitamine D. Cette vitamine pourrait être donnée seule. Les résultats d'un nombre croissant d'études indiquent qu'elle contribue à diminuer l'incidence du cancer du côlon et du sein, à la condition de prendre des doses supérieures à celles que fournissent les aliments. Les données de la Health Professionals Follow-Up Study et de la Nurses Health Study (l'étude des infirmières) indiquent que, à des doses de 300 UI ou plus par jour, la vitamine D contribue à diminuer de 40 % le risque de cancer du pancréas. Selon les résultats d'autres études, elle offrirait une meilleure protection à des doses de 1 000 UI. Vérifiez combien en fournit votre supplément de calcium ou de multivitamines, et combien vous en tirez du lait, du jus et du lait de soya, bref, de toutes les boissons enrichies. À titre d'exemple, trois portions de lait en apportent environ 300 UI. En outre, assurez-vous que vous achetez du cholécalciférol (vitamine D_3), la forme la plus active. Enfin, ne dépassez pas les 2 000 UI par jour, toutes sources confondues.

ALIMENTS ET PRODUITS À ÉVITER

Lipides saturés. Associés au cancer de l'estomac, de l'œsophage, du poumon et du côlon, ces gras inflammatoires endommagent l'ADN des cellules et favorisent la formation par les tumeurs du réseau de vaisseaux sanguins qui leur permet de se développer et de se propager.

Viandes rouges et transformées. Riches en gras saturés, elles sont associées à une foule de cancers. On sait, notamment que les grillades et la friture entraînent la formation de carcinogènes qui jouent un rôle dans la genèse de divers cancers, dont ceux du sein et du côlon. Au cours de la plus vaste étude qu'on ait menée à ce jour sur le lien qui existe entre l'alimentation et l'incidence du cancer, on a fait la preuve qu'une portion quotidienne de 150 g élevait de 35 % le risque de souffrir du cancer colorectal.

En outre, les chercheurs de l'étude ont découvert que chaque portion de 100 g de viande multipliait par cinq l'incidence de certaines formes de cancer de l'estomac chez les personnes infectées par la bactérie *H. pylori*. Enfin, les résultats d'une étude d'une durée de 18 ans menée en Suède auprès de plus de 61 000 sujets indiquent que ceux qui consommaient le plus de viandes transformées - bacon, salami, saucisse – couraient de 48 à 66 % plus de risques de souffrir de ce cancer que les autres.

Sucre et glucides raffinés. Selon des experts, les hydrates de carbone et les glucides raffinés, qui se transforment rapidement en sucre dans l'organisme, constituent un facteur de risque du cancer. Non seulement l'excès de sucre favorise-t-il le gain de poids, mais il élève le taux d'insuline et du facteur de croissance insulinomimétique de type I, tous deux associés au cancer. On a établi des liens entre une alimentation riche en glucides raffinés et les cancers de l'estomac, du côlon, de la prostate et du sein. Les chercheurs de la Nurses Health Study (l'étude des infirmières) ont conclu que les femmes obèses et sédentaires qui présentaient un taux élevé de sucre sanguin et consommaient beaucoup de sucreries et d'autres glucides raffinés couraient deux fois et demie plus de risques que les autres de souffrir du cancer du pancréas.

Mets salés. Le sel s'attaquerait à la muqueuse gastrique, la rendant plus vulnérable au cancer, surtout chez les sujets infectés par la bactérie *H. pylori*. Au cours d'études menées en Europe de l'Est et au Japon, les chercheurs ont établi un lien entre la consommation élevée de viande et de poisson salés ou fumés et l'incidence du cancer de l'estomac, qui varie de 70 à 200 % selon l'aliment et la quantité ingérée. On peut diminuer de 75 % ce risque en prenant moins de sel et plus de fruits et de légumes (et, bien sûr, en s'abstenant de fumer).

Alcool. Il accroît l'incidence du cancer du sein, du côlon, de l'œsophage et du foie. En se métabolisant, il entraîne la formation de radicaux libres et d'autres composés qui s'attaquent à l'ADN. De plus, à hautes doses, il élève le taux d'œstrogène et abaisse le taux de folate, ce qui peut entraîner des dommages à l'ADN et prévenir sa régénération par l'organisme. En outre, des chercheurs de l'université du Mississipi ont découvert qu'il stimulait la formation de vaisseaux sanguins dans les tumeurs, favorisant leur développement et leur propagation. Chez des animaux exposés à l'alcool, les tumeurs étaient deux fois plus grosses que celles du groupe témoin et la propagation des cellules cancéreuses par les vaisseaux sanguins, huit fois plus élevée.

propos à mijoter…

Servez une assiette de légumes crus à chacun des repas. Mettez-y des carottes, du céleri, des tranches de concombre ou de poivron vert, des tomates cerise et des fleurettes de brocoli. Et interdiction de sortir de table avant que l'assiette soit vide !

CANCER DU CÔLON

Bien sûr, l'hérédité joue un rôle dans le cancer du côlon mais cette affection résulte surtout d'une mauvaise alimentation. Selon les experts, il suffirait que les gens apportent des changements modestes à leur alimentation et à leur mode de vie pour en diminuer l'incidence de 70 %.

Tout comme l'usage du tabac mène au cancer du poumon, l'alimentation occidentale classique, qui est axée sur le bœuf et la pomme de terre, multiplie presque par quatre le risque qu'une personne fasse des polypes, tumeurs bénignes qui se forment dans le tube digestif et peuvent devenir cancéreuses. Les personnes âgées de 50 ans et plus, de même que celles qui ont des antécédents familiaux peuvent diminuer considérablement leur risque en passant tous les 10 ans une coloscopie, intervention qui permet d'isoler les polypes et de les retirer. Mais comme ces tumeurs sont à l'origine de la majorité des cas de cancer du côlon, la première chose à faire est d'en prévenir l'apparition. Des mesures aussi simples que de se servir une salade aux épinards parsemée de haricots au déjeuner et une grosse portion de brocoli ou de choux de Bruxelles au dîner pourraient vous aider considérablement.

VOTRE ORDONNANCE ALIMENTAIRE

Haricot, lentille, pois *et autres aliments riches en folate*

Si vous avez des antécédents familiaux de cancer du colon, vous auriez tout intérêt à consommer quantité de ces aliments. En plus de renfermer des fibres, ce sont de véritables petites mines de folate, vitamine B qui protège contre les dommages à l'ADN. Selon les résultats d'une étude menée à Harvard auprès de 89 000 femmes, celles qui avaient des antécédents familiaux de ce cancer et qui prenaient plus de 400 µg de folate tous les jours ont vu leur risque diminuer de plus de 52 % comparativement à celles qui n'en prenaient que 200 µg par jour. Une tasse de lentilles ou d'épinards cuits en fournit presque 300 µg. Les céréales enrichies en sont également une bonne source, de même que le jus d'orange. Bien sûr, le folate est utile pour tous : les résultats de diverses études indiquent qu'il diminue le risque de 30 à 40 %.

Vos objectifs : 400 µg de folate par jour. En dehors d'un supplément multivitaminique, des céréales enrichies et du jus d'orange, vous obtiendrez cet apport en prenant au moins 5 portions de grains entiers tous les jours et 7 à 10 portions de fruits et de légumes, dont au moins une comprenant un légume à feuilles vertes ou une légumineuse, par exemple le haricot rognon ou le pois chiche.

Truc utile : doublement anticancéreux, le brocoli renferme les composés antitumoraux présents dans les crucifères, de même qu'une bonne quantité de folate.

Lait

Le lait, qui favorise la santé osseuse, peut aussi contribuer à protéger contre le cancer du côlon. Les données recueillies auprès de plus d'un demi-million de personnes indiquent que la consommation d'au moins une tasse par jour de lait fait baisser le risque de cancer du côlon et du rectum de 15 %. Ajoutez deux verres de plus et votre risque diminue encore de 12 %.

Vos objectifs : au moins une tasse par jour.

Truc utile : les gras saturés étant associés au développement des tumeurs, optez pour le lait à 1 % ou écrémé.

Crucifères

Brocoli, chou de Bruxelles, chou-fleur, chou, pak-choï, chou frisé, navet, rutabaga, chou-rave sont parmi les anticancéreux les plus puissants du potager. Ils renferment une foule de composés qui évacuent les substances cancéreuses avant qu'elles ne s'attaquent à l'ADN cellulaire. Invariablement, les études indiquent que, chez les sujets qui en consomment le plus, le risque de cancer du côlon est deux fois moins élevé que chez ceux qui en prennent le moins.

Si vous êtes amateur de grillades au barbecue, vous auriez tout intérêt à vous servir une bonne portion de crucifères en même temps. Leurs composés combattent les carcinogènes qui se forment lors de la cuisson au barbecue.

Vos objectifs : au moins quatre portions de ½ tasse par semaine.

Grains entiers, fruits et légumes riches en fibres

Bien que les résultats des études portant sur l'effet préventif des fibres contre le cancer du côlon soient mitigés, les experts continuent de recommander d'en consommer plus que les 15 g par jour qu'on prend en moyenne. C'est que les fibres accélèrent le transit des aliments dans le tube digestif, entraînant les carcinogènes potentiels avant qu'ils ne s'attaquent à la muqueuse. En outre, leur digestion par les bactéries intestinales provoque la formation de composés qui protègent contre les acides biliaires cancérigènes qui sont également produits au cours de la digestion.

Les données de la European Prospective Investigation of Cancer and Nutrition (EPIC), une vaste étude menée en Europe, indiquent que les sujets qui consomment le plus de fibres voient leur risque de cancer du côlon diminuer de 40 %.

Comme on ne sait pas avec certitude si l'effet protecteur provient des fibres elles-mêmes ou des nutriments et phytochimiques présents dans les aliments qui en sont riches, il est préférable d'obtenir ses fibres des aliments plutôt que de supplément.

Vos objectifs : 25 à 35 g de fibres par jour. Trois portions de grains entiers (par exemple un sandwich de pain de blé entier et ½ tasse de riz complet) et 7 portions de ½ tasse de fruits et de légumes en fournissent près de 25 g. Si vous visez un apport supérieur, ajoutez quelques portions de légumineuses, noix, graines ou céréales riches en fibres.

Poisson et poulet

Compte tenu de la corrélation entre la consommation de viande rouge et le cancer du côlon, on a tout intérêt à se tourner vers le poisson et le poulet comme source de protéines animales. Les données de l'étude EPIC indiquent que la consommation de 300 g de poisson (deux ou trois portions) par semaine diminue de 30 % l'incidence de ce cancer, comparativement à ceux qui en mangent moins d'une fois par semaine. Il n'y a rien d'étonnant à cela puisque en prenant plus de poisson, on mange moins de viande. De plus, s'il s'agit d'un poisson gras comme le saumon ou le maquereau, on en tire plus d'oméga-3, acides gras qui contribuent à atténuer l'inflammation intestinale.

À défaut d'aimer le poisson, prenez du poulet. Les études indiquent que, contrairement à la viande rouge, cette volaille ne favorise pas le développement du cancer du côlon.

Vos objectifs : au moins deux portions de poisson ou de poulet par semaine.

Truc utile : comme la graisse du poulet est surtout concentrée dans la peau, retirez-la avant de consommer la chair.

Curcuma

Largement utilisée dans la cuisine indienne, cette épice renferme de la curcumine, composé qui lui donne sa couleur jaune et est considéré comme un agent anticancéreux de premier plan. Elle combat l'inflammation qui contribuerait au développement des tumeurs, élimine les carcinogènes avant qu'ils n'endommagent l'ADN cellulaire et répare les dommages existants. Les études en laboratoire indiquent que l'épice contribue à freiner le développement et la propagation des cellules cancéreuses.

Vos objectifs : il n'existe pas de recommandation officielle ; utilisez le curcuma aussi souvent que possible en cuisine.

Truc utile : les résultats de certaines études indiquent que les poudres de cari du commerce ne renferment pas nécessairement beaucoup de curcuma. Par conséquent, utilisez du curcuma pur ou ajoutez-en à votre poudre de cari.

Ail et oignon

Ces deux légumes renferment des sulfides, composés qui contribuent à éliminer les carcinogènes et forcent les cellules cancéreuses à s'autodétruire. Dans la Women's Health Study menée en Iowa, les femmes qui consommaient une ou deux gousses d'ail par semaine couraient 32 % moins de risque de cancer du côlon que celles qui en prenaient rarement. De plus, selon les résultats d'une étude menée auprès de 650 sujets du sud de l'Australie, chez les consommateurs d'oignon, le risque diminuait de 28 à 52 %.

Vos objectifs : quelques gousses d'ail et quelques portions de ½ tasse d'oignon par semaine.

NOS MEILLEURES RECETTES

Choux de Bruxelles et oignons caramélisés *p. 321*
Poulet, sauce à l'ail *p. 314*
Salade de chou, sauce à l'orange et au sésame *p. 292*
Salade d'épinards et pois chiches *p. 295*
Saumon grillé et épinards sautés *p. 311*
Soupe à la courge et au gingembre *p. 300*
Soupe au brocoli *p. 300*
Risotto de riz entier *p. 323*

Truc utile : avant de faire cuire l'ail, hachez-le et laissez-le reposer 10 à 15 minutes, ce qui permettra la formation de ses composés thérapeutiques.

Thé noir et vert

Les résultats d'études en laboratoire indiquent que les composés du thé contribuent à désactiver les agents cancéreux. En outre, ils freinent le développement des cellules cancéreuses et les poussent à s'autodétruire.

Parmi les 35 000 femmes de la Women's Health study de l'Iowa, on a observé que celles qui prenaient deux tasses de thé ou plus par jour couraient près de 30 % moins de risques de cancer du côlon que celles qui en buvaient rarement. À noter que, bien que les participantes de l'étude buvaient essentiellement du thé noir, le thé vert est encore plus riche en catéchines, composés antioxydants qui semblent en constituer les principes actifs.

Vos objectifs : trois ou quatre tasses par jour.

Truc utile : il est préférable d'infuser son propre thé, les préparations commerciales ne renfermant généralement que 5 % des composés antioxydants qui devraient s'y trouver.

SUPPLÉMENTS NUTRITIONNELS

Acide folique. À défaut d'une alimentation riche en folate, on peut combler son déficit en prenant un supplément multivitaminique. Les chercheurs de la Nurses Health Study (l'étude des infirmières) ont découvert que les femmes qui avaient pris, durant 15 ans, un supplément comprenant de l'acide folique couraient 75 % moins de risque de souffrir de ce cancer que celles qui n'en avaient pas pris. **DOSE :** 400 µg par jour, soit la dose qu'on trouve habituellement dans les suppléments de multivitamines.

Calcium et vitamine D. Les résultats d'un essai portant sur la prévention des polypes indiquent qu'un supplément renfermant ces deux nutriments a permis de diminuer de 18 % le risque de récurrence. **DOSE :** *calcium :* 1 200 à 1 500 mg par jour sous forme alimentaire et sous forme de suppléments. *Vitamine D :* les résultats d'études indiquent que, à une dose de 1 000 UI par jour, sous forme alimentaire et sous forme de suppléments, elle ne présente pas de risque et pourrait être bénéfique.

ALIMENTS ET PRODUITS À ÉVITER

Viande rouge. Cet aliment constitue un triple risque, particulièrement si la viande est transformée. On parle ici de jambon, hot-dog, saucisse, bacon, saucisson de Bologne et bœuf salé. Ses gras saturés favorisent l'inflammation tandis que son fer héminique s'attaque à la muqueuse du côlon et provoque la formation de substances cancérigènes. En outre, la viande grillée au barbecue ou à très haute température exerce le même effet.

Lors d'une étude menée en Allemagne, les chercheurs ont constaté que les sujets qui consommaient le plus de viande rouge couraient trois fois, et dans certains cas, quatre fois, plus de risques de souffrir de ce cancer que ceux qui en prenaient le moins. De nombreux experts conseillent de ne pas dépasser les 90 g par jour.

Sucre et glucides raffinés. Des cancérologues estiment que les aliments sucrés et les glucides raffinés, qui se transforment rapidement en sucre dans l'organisme, augmentent l'incidence du cancer. Ils peuvent faire grossir, ce qui contribue au risque (voir Cancer du côlon et surpoids). En outre, une alimentation qui en est riche a pour effet d'élever les taux d'insuline et du facteur de croissance insulinomimétique de type I, deux agents cancérigènes.

Cancer du côlon et surpoids

En plus d'être disgracieux, le tissu adipeux, particulièrement celui qui se forme sur l'abdomen, produit des cytokines, protéines inflammatoires qui endommagent les cellules, favorisant le développement des tumeurs. Selon une étude menée à l'école de médecine de l'université de Boston, un tour de taille supérieur à 100 cm multiplie par deux le risque de souffrir du cancer du côlon. Si, de plus, vous êtes sédentaire, votre risque est alors trois fois plus élevé.

Des chercheurs ont découvert que, chez les femmes dont l'alimentation était riche en glucides raffinés, le risque de cancer du côlon était multiplié par trois. La consommation excessive de sucre augmente également le risque de diabète, maladie qui, en retour, accroît de 40 % l'incidence de ce cancer.

Alcool. L'alcool épuise les réserves de folate, vitamine B qui protège contre le cancer du côlon. De plus, il accroît la vulnérabilité de l'ADN aux carcinogènes. Lors d'une revue d'études menées auprès de 490 000 sujets, on a fait la preuve que les gros buveurs couraient 20 % plus de risque de souffrir de ce cancer que les autres. En outre, les résultats d'une étude menée à l'université Northwestern auprès de 161 000 adultes indiquent que, chez ces derniers, le cancer se déclarait cinq ans plus tôt. Ce sont ceux qui boivent plus de deux verres par jour qui courent le plus grand risque.

propos à mijoter...

« Il existe une manière simple de se protéger contre le cancer du côlon : remplissez aux deux tiers votre assiette de grains entiers, légumes et fruits. »

– Karen Collins, MS, RD, CDN, conseillère en nutrition pour le American Institute for Cancer Research.

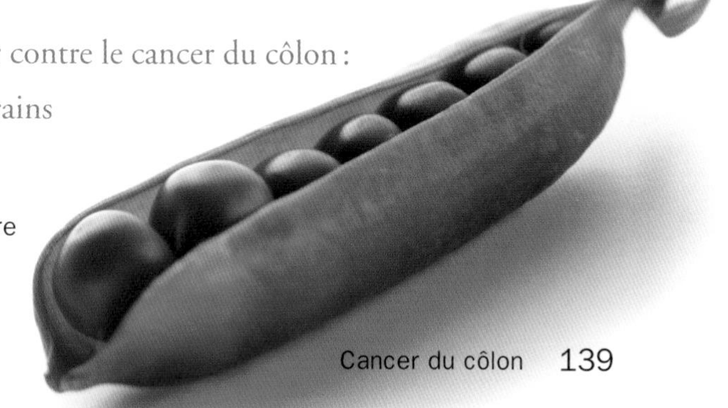

CANCER DU POUMON

Tout d'abord, si vous fumez, arrêtez. Le tabac est responsable de 87 % des cas de mortalité par cancer du poumon. Bien sûr, les non fumeurs peuvent aussi faire un cancer du poumon, sans compter que la fumée secondaire augmente leur risque de 30 %.

Pour vous protéger, consommez plus de fruits et de légumes. Des chercheurs suédois ont récemment découvert que le risque de ce cancer est deux fois moindre tant chez les fumeurs que les non fumeurs qui prennent beaucoup de légumes par rapport à ceux qui en consomment peu. En effet, ces aliments sont riches en composés protecteurs, comme les caroténoïdes des légumes vert foncé, jaunes, orange et rouges. Ainsi, en consommant plus de brocoli, papaye, poivron rouge et autres produits semblables, vous pourriez arriver à respirer un peu mieux.

VOTRE ORDONNANCE ALIMENTAIRE

Légumes crucifères

Le sulforaphane du chou-fleur, du chou de Bruxelles, et du brocoli, protège contre le cancer. Il est considéré comme l'un des plus puissants anticancéreux d'origine alimentaire.

Les crucifères renferment aussi de l'indole-3-carbinol, qui agit comme une équipe de nettoyage, réparant les dommages causés aux cellules par les carcinogènes avant qu'elles ne deviennent cancéreuses. Une étude indique, on ne s'en étonne pas, qu'en augmentant sa consommation de brocoli et de choux de Bruxelles, on pourrait diminuer de 40 % son risque de cancer du poumon.

Vos objectifs : au moins quatre portions de ½ tasse par semaine.

NOS MEILLEURES RECETTES

Canapés à la sardine p. 302
Choux de Bruxelles et oignons caramélisés *p. 321*
Houmous d'edamame et pita rôti *p. 290*
Maquereau aux tomates rôties *p. 310*
Salade de brocoli *p. 293*
Salade de fruits tropicaux *p. 288*
Salade de poulet et agrumes *p. 296*
Saumon grillé et épinards sautés *p. 311*

Truc utile : la cuisson du brocoli à la vapeur à pour effet d'augmenter la disponibilité du sulforaphane. Faites-le cuire 3 ou 4 minutes ou jusqu'à ce qu'il soit tout juste tendre.

Orange, papaye, pêche, poivron rouge et carotte

Leurs couleurs vives vient de la bêta-cryptoxanthine, caroténoïde qui protégerait les fumeurs. Les résultats de l'Étude de Singapour indiquent qu'une alimentation riche en ce pigment antioxydant a pour effet de diminuer de 25 % le risque du cancer du poumon dans la population générale, et de 37 % chez les fumeurs.

Vos objectifs : quelques portions de fruits et légumes orange et rouges tous les jours.

Soya

Selon une étude préliminaire, l'œstrogène pourrait favoriser le développement de tumeurs du poumon ; les chercheurs pensent qu'en supprimant les effets de cette hormone, on pourrait ralentir voir prévenir le développement de ce cancer. Cette action s'expliquerait ainsi : les cellules cancéreuses du poumon ont des récepteurs d'œstrogène. De leur côté, les isoflavones du soya, des œstrogènes d'origine végétale, ou phytoestrogènes, occuperaient ces récepteurs, empêchant l'hormone produite par l'organisme de s'y fixer. Lors d'une étude menée au M.D. Anderson Cancer Center de Houston auprès de plus de 3 400 sujets, on a observé que ceux qui consommaient le plus d'aliments riches en phytoestrogènes couraient environ 46 % moins de risque de souffrir de ce cancer que ceux qui n'en prenaient pas.

Vos objectifs : selon les études, la consommation d'une à trois portions de soya par jour (tofu, lait de soya et edamame) suffit à altérer l'activité œstrogénique. Comme ce n'est pas la quantité qui compte, il est nettement préférable de tirer vos phytoestrogènes des aliments plutôt que de prendre des suppléments d'isoflavones.

Saumon, sardine, maquereau *et autres aliments riches en oméga-3*

L'association fumée de cigarette et gras d'origine animale favoriserait le cancer du poumon. Or, il semble qu'en remplaçant la viande par du poisson, on minimiserait cet effet. Selon des chercheurs belges qui, pendant plus de 30 ans, ont examiné la consommation de poisson dans 36 pays, le risque de mourir du cancer du poumon serait plus faible chez ceux qui en mangent beaucoup. Ainsi, tant les Hongrois que les Islandais ont un taux de tabagisme élevé et consomment des gras d'origine animale. Cependant, en Islande, le poisson figure trois fois plus souvent au menu qu'en Hongrie, ce qui pourrait expliquer que le taux de mortalité par cancer du poumon chez les hommes y soit trois fois moins élevé.

Vos objectifs : deux ou trois portions par semaine contribueraient à diminuer le risque.

Épinard, légumineuses, chou frisé *et aliments riches en folate*

Si vous fumez ou venez d'arrêter, veillez à ingérer du folate, vitamine B qui protège contre les carcinogènes du tabac. Une étude menée au M. D. Anderson Cancer Center indique que les ex-fumeurs qui prenaient suffisamment d'aliments riches en folate voyaient diminuer leur risque de cancer du poumon de 40 %. La cigarette épuise les réserves de folate de l'organisme.

Vos objectifs : 400 µg de folate par jour. Un comprimé multivitaminique pourrait vous les fournir, mais vous les obtiendrez également en prenant au moins cinq portions de grains entiers chaque jour, de même que 7 à 10 portions de fruits et de légumes. Au moins une de vos portions devrait être composée de légumes à feuilles vert foncé ou de légumineuses. La limite à ne pas dépasser est de 1000 µg, toutes sources confondues.

Truc utile : source à la fois de folate, de caroténoïdes et de phytoestrogènes, l'épinard est triplement anticancéreux.

SUPPLÉMENTS NUTRITIONNELS

Vitamine C. Dans une étude menée à l'université de la Californie de Berkeley, chez les non fumeurs, le supplément de vitamine C a permis de diminuer de 11 % le risque de dommages causés par les radicaux libres qui se forment au contact de la fumée secondaire. De plus, la vitamine C soutient la vitamine E dans son action protectrice contre les dommages causés par la cigarette. Bien que le tabac épuise les réserves de vitamine E de l'organisme, le supplément de vitamine C a pour effet d'en ramener le taux sanguin à celui que présentent les non fumeurs. **DOSE :** 500 à 1 000 mg par jour si vous êtes fréquemment exposé à la fumée de cigarette.

ALIMENTS ET PRODUITS À ÉVITER

Viande rouge. Il y a une relation entre la viande rouge, surtout grillée ou frite, et le cancer du poumon. Selon une étude menée au National Cancer Institute auprès de plus de 900 femmes, les non fumeuses et les ex-fumeuses qui consommaient le plus de viande rouge couraient trois fois plus de risque de souffrir du cancer du poumon que celles qui en prenaient le moins. Chez les fumeuses, ce risque était près de cinq fois plus élevé.

CANCER DE LA PROSTATE

Pour les Occidentaux, le cancer de la prostate apparaît de plus en plus comme un mal inévitable. Bien qu'il soit relativement rare chez les hommes de moins de 45 ans, à l'âge de 80 ans, 70 à 90 % des Nord-Américains en sont atteints. En fait, c'est le cancer le plus fréquent chez l'homme. L'âge moyen au moment du diagnostic est de 72 ans. On ne peut changer ni son âge, ni ses antécédents familiaux, ni sa race. Si votre père, votre frère ou votre fils en a souffert, ou encore si vous êtes d'origine afro-américaine, votre risque est plus élevé que celui de la moyenne. Cependant, les résultats d'un nombre croissant d'études scientifiques indiquent qu'on peut diminuer considérablement ce risque, voire même retarder l'évolution de la maladie, en apportant quelques changements à son alimentation. Soulignons que, en Asie, où l'alimentation fait une large place au soya, au poisson, aux fruits et aux légumes, l'incidence de ce cancer est dix fois moins élevée qu'en Occident, où la viande et les produits laitiers gras dominent.

Chose rassurante, la plupart des formes de ce cancer évoluent lentement. En fait, grâce au dépistage précoce, qui se fait par l'analyse de l'APS (antigène prostatique spécifique) ou le toucher rectal, bien des médecins préfèrent voir venir plutôt que de s'y attaquer immédiatement. L'important, c'est d'assurer un suivi serré.

Cependant, il est possible de prendre dès aujourd'hui les mesures qui pourraient permettre de retarder l'apparition du cancer ou d'en inhiber le développement. En consommant plus de tomates, de brocoli et d'autres aliments protecteurs, vous pourriez réussir à contenir les débordements de la bête et à vivre avec plutôt que d'en mourir.

VOTRE ORDONNANCE ALIMENTAIRE

Tomate et ses dérivés

Si le rose symbolise la lutte contre le cancer du sein, le rouge est la couleur du combat contre celui de la prostate. Le lycopène, antioxydant qui donne à la tomate sa couleur, contribue à protéger contre ce cancer et à en ralentir l'évolution. Ce membre de la famille des caroténoïdes prévient les dommages causés aux cellules par les radicaux libres, particulièrement à leur ADN. Ce sont ces dommages qui font qu'une cellule saine devient cancéreuse. Les résultats de certaines études indiquent qu'il suffit de consommer deux portions de sauce ou de jus de tomate par jour pour diminuer de 28 % les dommages à l'ADN. Comment cela se traduit-il dans la réalité ? Les données de la Health Professionals Follow-Up Study, vaste étude en cours qui se penche sur l'alimentation et le mode de vie de 50 000 hommes, indiquent que ceux qui consomment au moins deux portions de sauce tomate par semaine voient leur risque de cancer de la prostate diminuer de 23 %.

Vos objectifs : il semble que deux portions d'une demi-tasse de tomates cuites par semaine contribuent à prévenir le cancer de la prostate. Même si vous en souffrez déjà, la consommation régulière de cet aliment pourrait ralentir l'évolution de la maladie. Bien qu'environ 85 % du lycopène que nous consommons vienne de la tomate, la pastèque, le pamplemousse rouge et la goyave en sont de bonnes sources.

Truc utile : la cuisson avec un peu d'huile a pour effet d'accroître la disponibilité du lycopène, d'où l'intérêt de la sauce tomate. Pour augmenter encore davantage son effet, ajoutez-y un légume crucifère, par exemple du brocoli, du chou frisé ou du chou-fleur, qui sont tous riches en composés anticancéreux.

Tofu, lait de soya *et autres produits du soya*

Ce n'est probablement pas un hasard si l'incidence de ce cancer est beaucoup plus faible chez les Asiatiques, qui consomment beaucoup plus de produits du soya, qu'en Amérique. Ces produits renferment des isoflavones, composés apparentés à l'œstrogène dont on pense qu'ils retardent le développement et la multiplication des cellules cancéreuses et en favorisent l'autodestruction.

Lors d'une étude de trois mois menée au Cancer Research Center de Hawaï, le taux de l'antigène prostatique spécifique (APS), marqueur indiquant la présence possible de cellules cancéreuses, a chuté de 14 % chez les hommes qui ont pris deux portions de soya par jour. Les résultats d'une autre étude menée à l'université Loma Linda en Californie auprès de 12 000 hommes indiquent que le risque de cancer de la prostate chez ceux qui prenaient plus d'une portion de lait de soya par jour était inférieur de 70 % à celui des hommes qui n'en buvaient jamais.

Vos objectifs : au moins une ou deux portions de soya par jour, par exemple une tasse de lait de soya ou une demi-tasse de tofu. Le tofu, le lait de soya et les grains rôtis préservent une plus grande proportion d'isoflavones que les produits transformés comme les simili-charcuteries ou le simili-bacon.

Truc utile : les edamame, grains de soya verts vendus dans leur gousse, constituent un autre moyen de consommer davantage de cette légumineuse. On les trouve dans la section des produits surgelés des épiceries. Cuisez-les légèrement à la vapeur, salez et mangez, ou ajoutez-les aux sautés.

Thé vert

In vitro, l'épigallocatéchine gallate (EGCG), puissant composé présent dans le thé vert, bloque de nombreux processus participant au développement du cancer. Les résultats d'études de population indiquent qu'il pourrait protéger contre les cancers de la prostate, de l'estomac, du côlon et du sein. D'autres études n'ont donné aucun résultat positif. Cependant, les résultats d'une étude menée en Chine indiquent que les hommes qui en buvaient plus de trois tasses par jour, essentiellement du thé vert, ont vu leur risque de cancer de la prostate chuter de 70 %. Chez ceux qui

propos à mijoter...

En plus d'en mettre dans vos pâtes, servez la sauce tomate avec le poulet, le poisson, le porc ou le bœuf ; ajoutez-en à vos omelettes ou sur vos œufs frits ; faites-y cuire les légumes. Et pourquoi ne pas en ajouter au liquide de cuisson du riz, du couscous ou des lentilles ?

en buvaient le plus, le risque était inférieur de 85 % à celui des hommes qui en prenaient le moins. D'autres études sont présentement en cours.

Vos objectifs : deux à quatre tasses par jour.

Jus de grenade

Ce jus est riche en polyphénols, substances chimiques auxquelles il doit sa couleur. Ce sont les mêmes qui colorent en rouge le raisin et les feuilles des arbres à l'automne. Il s'agit de puissants antioxydants, ce qui explique pourquoi on se penche de plus en plus sur les propriétés anticancéreuses potentielles du jus de grenade.

Selon des études préliminaires, mais fort prometteuses, les polyphénols du jus de grenade semblent ralentir le développement des cellules cancéreuses et en favoriser l'autodestruction. Ils semblent également faire baisser le taux d'APS. Dans une étude d'une durée de deux ans menée à l'université de Californie à Los Angeles, ce taux a baissé de plus de 30 % chez les 48 patients atteints du cancer de la prostate qui avaient bu une tasse de jus de grenade par jour. Chez certains, il a chuté de 85 %. Mais surtout, l'évolution du cancer a été retardée chez plus de 82 % d'entre eux.

Vos objectifs : une tasse par jour.

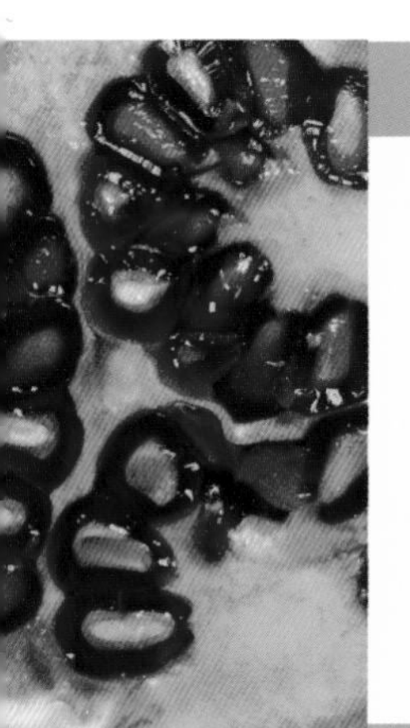

NOS MEILLEURES RECETTES

Brochettes de thon *p. 308*
Brocoli rôti au fromage *p. 322*
Choux de Bruxelles et oignons caramélisés p. 321
Granité de grenade *p. 336*
Maquereau aux tomates rôties *p. 310*
Ragoût de bœuf et brocoli *p. 318*
Spaghetti, sauce à la dinde *p. 316*
Tomates cerise rôties en corolle de parmesan *p. 291*

Truc utile : comme le maintien d'un poids santé et une diminution de la consommation de sucre font partie des mesures préventives contre ce cancer, il est préférable de prendre le jus de grenade à la place des boissons gazeuses et autres boissons caloriques et non en plus.

Saumon, maquereau, sardine, hareng *et autres poissons gras*

Le poisson gras protège non seulement le cœur mais il pourrait également contribuer à la santé de la prostate. Lors d'une étude menée en Suède auprès de 6 000 hommes que les chercheurs ont suivis durant 30 ans, on a observé que ceux qui consommaient du poisson gras en quantités modérées voyaient leur risque de cancer de la prostate diminuer de 30 % tandis que ceux qui n'en prenaient pas le voyaient doubler ou tripler. Remarque : si possible, tirez vos acides gras essentiels de vos aliments plutôt que de suppléments. Jusqu'à présent, les résultats des études indiquent que c'est le poisson que l'on consomme qui exerce une protection, mais pas les suppléments d'huile de poisson.

Vos objectifs : trois portions de 90 g à 125 g de poisson gras par semaine. Si vous avez reçu un diagnostic de cancer de la prostate dans les premiers stades, la consommation de deux portions par semaine pourrait diminuer de 17 % votre risque qu'il évolue.

Brocoli, chou de Bruxelles *et autres crucifères*

Si vous êtes amateur de viande grillée, assurez-vous, quand vous en mangez, de consommer du brocoli au même repas. La cuisson au gril entraîne la formation de composés hétérocycliques et autres substances nocives qui endommagent les cellules. Or, le brocoli et les autres membres de la famille du chou renferment plusieurs composés anticancéreux qui les détruisent avant qu'ils ne causent des dommages aux cellules.

Au cours d'une étude, on a fait prendre à des hommes pendant douze jours consécutifs six portions d'une demi-tasse de brocoli et de choux de Bruxelles. Le douzième jour, ils ont consommé un bifteck. On leur a fait répéter ce cycle de douze jours avec la consigne, cette fois, de ne pas prendre de légumes crucifères. À chacune des étapes de l'étude, les chercheurs ont analysé le taux d'amines hétérocycliques de leur urine, pour découvrir que leur organisme éliminait plus de composés nocifs quand ils consommaient des crucifères que quand ils n'en prenaient pas.

Même si vous n'êtes pas amateur de viande grillée, ces légumes vous seront utiles. Les données de la Health Professionals Follow-Up Study indiquent que la consommation de cinq portions ou plus par semaine fait baisser de 20 % le risque de cancer de la prostate.

Vos objectifs : au moins quatre à cinq portions d'une demi-tasse par semaine.

Truc utile : les jeunes pousses de brocoli renferment 20 à 50 fois plus de sulforaphane, un composé anticancéreux, que le légume parvenu à maturité. On en trouve dans les épiceries ou les marchés publics.

Ail et oignon

L'ail, l'oignon, l'échalote, la ciboulette et les autres alliacées détruisent les substances cancérigènes avant qu'elles n'attaquent les cellules, et favorisent l'autodestruction des cellules cancéreuses. Ils pourraient donc contribuer à prévenir la formation de tumeurs.

Quand des chercheurs du National Cancer Institute ont examiné la consommation d'ail et d'autres alliacées d'hommes de Shanghai, en Chine, ils ont découvert que ceux qui prenaient au moins 10 g (1 à 1½ cuiller à soupe) par jour d'oignons ou oignons verts hachés avaient un risque de cancer de la prostate moindre de 49 % comparativement à ceux qui en prenaient moins. Ce taux baissait de 53 % chez ceux qui prenaient au moins cinq gousses d'ail par semaine.

Vos objectifs : environ une gousse d'ail ou 1 ou 2 cuillers à soupe d'oignon presque tous les jours.

Truc utile : passez quelques gousses au presse-ail et ajoutez-les à une sauce à salade maigre, de la salade de thon ou de pomme de terre. Si vous préférez l'ail cuit, hachez les gousses et laissez-les reposer 10 minutes ce qui favorisera la formation de leurs composés thérapeutiques. Puis faites-les sauter et ajoutez-les à votre sauce tomate.

SUPPLÉMENTS NUTRITIONNELS

Vitamine E. Si vous fumez, vous auriez peut-être intérêt à prendre un supplément de vitamine E. Au cours d'une étude, des chercheurs ont observé que les fumeurs qui ont pris 50 mg (environ 75 UI) de vitamine E par jour ont vu baisser de 32 % leur risque de souffrir du cancer de la prostate et de 41 % celui d'en mourir. Lors d'une étude plus récente menée par le National Cancer Institute auprès de plus de 29 000 hommes, on a découvert que les fumeurs qui ont pris plus de 400 UI de vitamine E par jour pendant huit ans ont vu leur risque de contracter ce cancer diminuer de 71 % comparativement à ceux qui n'en ont pas pris. Remarque : cette vitamine ne semble

propos à mijoter . . .

La cuisson atténue considérablement la puissante odeur de l'ail. Ajoutez-en dans tous les plats qui mijotent sur le poêle, que ce soit du poulet, du poisson, des légumes, des sautés, des soupes ou des ragoûts.

protéger que les fumeurs et ceux qui ont arrêté de fumer au cours des dix années précédentes. Elle ne semble exercer aucun effet chez les non fumeurs. **DOSE :** dans les études, les doses qui se sont avérées utiles variaient de 50 à 400 UI par jour. Pour en favoriser l'absorption, prenez-la en mangeant. Si votre hypertension n'est pas maîtrisée ou si vous prenez des médicaments anticoagulants, ne prenez de supplément de vitamine E que sous surveillance médicale, étant donné les risques d'AVC ou d'hémorragie que vous courez.

Sélénium. Ce minéral antioxydant pourrait contribuer à prévenir le cancer de la prostate, voire en freiner l'évolution. Dans le cadre d'une étude portant sur les rechutes du cancer de la peau, des chercheurs ont découvert par hasard que le sélénium avait fait baisser de moitié le risque de cancer de la prostate chez les sujets de l'étude. Le supplément semble particulièrement efficace chez les hommes qui présentent de faibles taux de sélénium ; les hommes qui n'en sont pas carencés pourraient n'en retirer aucun bienfait. **DOSE :** 200 µg par jour, ou moins.

Antioxydants en mélange. Les antioxydants semblent plus efficaces quand ils agissent en synergie. Les résultats d'une étude d'une durée de huit ans menée auprès de 5 000 sujets français indiquent que le mélange vitamine C, vitamine E, bêta-carotène, sélénium et zinc pourraient protéger les hommes de certains cancers, y compris celui de la prostate. Les sujets qui présentaient un taux normal d'APS au début de l'étude et qui ont pris ce mélange étaient moitié moins susceptibles de souffrir du cancer de la prostate que ceux à qui on avait donné un placebo. Par contre, chez les hommes dont le taux d'APS était élevé au début de l'étude, le supplément semble avoir exercé l'effet contraire : ceux qui l'ont pris étaient plus susceptibles de contracter ce cancer que ceux qui avaient reçu le placebo. **DOSE :** on a donné aux hommes de l'étude 120 mg de vitamine C, 30 mg (45 UI) de vitamine E, 6 mg de bêta-carotène, 100 µg de sélénium et 20 mg de zinc. Si vous prenez d'autres suppléments, tenez compte des doses de chacun de ces nutriments. En excès, la vitamine E et le sélénium présentent des risques ; quant au zinc, à des doses de plus de 100 µg par jour, il est associé à une incidence plus élevée du cancer de la prostate.

ALIMENTS ET PRODUITS À ÉVITER

Viandes grasses et produits laitiers. Les chercheurs ne savent toujours pas si la viande en soi est associée au cancer de la prostate mais il se pourrait que certains modes de cuisson le favorisent. Quand la viande est frite, grillée ou cuite à point, des substances cancérigènes se forment, ce qui pourrait expliquer le lien encore timide qu'on a établi entre sa consommation et l'incidence de ce cancer. De fait, des chercheurs ont découvert au cours d'une étude que les hommes qui consommaient plus de 75 g par semaine de viande très cuite voyaient leur risque de cancer de la prostate grimper de 40 %.

Quant aux gras saturés présents, notamment, dans les produits laitiers entiers, il ne fait aucun doute qu'ils augmentent l'incidence de ce cancer. C'est peut-être dû au fait que la consommation de produits laitiers entraîne forcément une ingestion élevée de calcium. Or, des chercheurs pensent que, en excès (soit plus de 1,5 g par jour, ou environ cinq portions de lait et autres), ce minéral accroît le risque.

En outre, les lipides saturés favorisent l'inflammation qui, à son tour, cause des dommages cellulaires et stimule la formation de vaisseaux sanguins permettant aux tumeurs de se développer et de se propager. Comme l'inflammation est associée aux cancers de l'estomac, de l'œsophage et du côlon, il serait étonnant qu'elle ne contribue pas au cancer de la prostate. De fait, les résultats d'une étude menée auprès d'un millier d'hommes indiquent que, chez ceux qui consommaient le plus de gras saturés, le risque de formation de tumeurs virulentes était plus du double de celui des autres.

De plus, ces lipides élèvent les taux de cholestérol. À hautes doses, le gras saturé fournit la matière première nécessaire à la production d'hormones, dont la testostérone, qui favorisent le développement du cancer de la prostate. Les résultats d'un essai récent indiquent que, chez les 93 hommes qui suivaient un régime végétalien (aucun produit de source animale) ne fournissant que 10 % de l'apport calorique en gras, l'évolution des premiers stades du cancer vers des stades plus avancés a été ralentie. Durant l'année qu'a duré l'étude, le taux d'APS des sujets végétaliens a baissé en moyenne de 4 %, signe que le cancer progressait plus lentement. Par contre, dans le groupe témoin, ce taux s'est élevé en moyenne de 6 %.

Sucre et glucides raffinés. Vous avez tout intérêt à vous méfier des beignets, desserts sucrés, ainsi que du pain blanc, des baguels et autres aliments faits de farine blanche, car ces glucides de digestion rapide font grimper le taux d'insuline. En retour, cette dernière élève le taux du facteur de croissance insulinomimétique de type I, réputé favoriser le développement des tumeurs. En outre, l'excès d'insuline est directement lié au syndrome métabolique, qui se caractérise par un tour de taille important, de l'hypertension, un taux élevé de triglycérides et de sucre sanguin, et un taux réduit de cholestérol HDL. Or, selon les résultats d'une étude d'une durée de 13 ans menée en Finlande auprès de 1 880 hommes, ceux qui souffraient de ce syndrome au début de l'étude couraient deux fois plus de risque de contracter le cancer de la prostate que ceux qui n'en souffraient pas. Chez les hommes en surpoids, le risque était trois fois plus élevé. Le syndrome métabolique augmente également le risque de mourir de ce cancer.

En remplaçant les aliments « blancs » et les produits sucrés par des grains entiers, vous pourriez prévenir voir renverser le cours de l'insulinorésistance et du syndrome métabolique. Les fibres présentes dans ces aliments ralentissent la digestion des glucides et, donc, préviennent les pics glycémiques et l'élévation du taux d'insuline. Il faut toutefois éviter de trop consommer de glucides même s'ils sont sains ; les petites portions permettent de maintenir un poids santé et d'éviter de faire grimper la glycémie.

Raison de plus pour mincir

L'embonpoint peut accroître le risque de cancer de la prostate. D'une part parce que la graisse corporelle a pour effet d'élever les taux d'hormones et de favoriser l'inflammation associée au développement des tumeurs. D'autre part, parce qu'il est plus difficile de détecter les tumeurs chez une personne corpulente. Sans compter que l'obésité pourrait favoriser le développement d'une forme de cancer de la prostate plus virulente, et plus susceptible de réapparaître et de s'avérer fatale. La prostate des hommes qui font de l'embonpoint est généralement plus grosse que celle des hommes plus minces, tandis que leur taux d'APS est plus bas, ce qui peut entraîner des résultats erronés lors des tests de dépistages ; dans 25 % des cas, on ne décèle pas les tumeurs. En outre, le cancer réapparaît plus fréquemment chez les obèses. Lors d'une étude menée au M. D. Anderson Cancer Center de Houston, les chercheurs ont observé que les hommes qui étaient obèses à 40 ans couraient plus de deux fois de risques de rechute d'un cancer de la prostate à la suite d'une intervention chirurgicale que les sujets de poids normal.

CANCER DU SEIN

Bien que les femmes soient plus susceptibles de souffrir de cardiopathies que du cancer du sein, c'est ce dernier qu'elles craignent le plus. C'est le second en importance à les toucher, après le cancer du poumon. Pourtant, la plupart d'entre elles ignorent tout de sa prévention.

Dans une certaine mesure, le risque d'en souffrir est prédéterminé par l'âge, les antécédents familiaux, le moment des premières règles, les grossesses, l'usage de contraceptifs oraux ou d'hormones de substitution et, enfin, la présence ou non des gènes BRCA1 et BRCA2 (5 à 10 % des cas de cancer du sein).

Même si on a des facteurs de risque, on peut mettre les chances de son côté. L'auto-examen mensuel des seins et la mammographie annuelle sont essentiels, bien sûr, pour permettre de découvrir à temps les bosses qui pourraient se révéler être des tumeurs. Quant aux aliments, les chercheurs tentent toujours de mettre le doigt sur ceux qui protègent contre les tumeurs, mais nous savons qu'en consommant plus de fruits, de légumes, de grains entiers et de protéines maigres, et moins de gras saturés et trans, on se prémunit contre nombre de maladies, y compris le cancer.

Les fruits et les légumes renferment des phytochimiques reconnus pour leur action anticancéreuse. De plus, une alimentation qui en est riche fournit généralement moins de calories et de gras. C'est important, compte tenu que la prise de poids, particulièrement quand on vieillit, augmente substantiellement le risque.

Il y a bien des choses qu'on ne peut changer, mais il est en notre pouvoir de décider ce que nous mangeons et en quelles quantités.

VOTRE ORDONNANCE ALIMENTAIRE

Brocoli *et autres crucifères*

Le brocoli devrait être le premier légume à ajouter au menu. On a découvert dans des études en laboratoire que le sulforaphane, un de ses composés, freinait le développement des cellules cancéreuses du sein et les forçait à s'autodétruire. Il renferme également de l'indole-3-carbinol, composé qui bloque l'action de l'œstrogène et inhibe ainsi la formation des cellules cancéreuses. Enfin, les chercheurs de la Western New York Diet Study ont découvert que, chez les femmes préménopausées qui consommaient le plus de brocoli, le risque de cancer du sein était 40 % moins élevé que chez celles qui en mangeaient moins.

En prime : le brocoli, le chou-fleur, le chou de Bruxelles et les autres crucifères, qui sont réputés protéger les amateurs de grillades au barbecue contre le cancer du côlon, pourraient exercer le même effet sur celui du sein. Donc, n'hésitez pas à accompagner votre burger ou hot-dog d'une grosse portion de crucifères.

Vos objectifs : quatre portions par semaine de ½ tasse de brocoli, chou, cresson, pak-choï, feuilles de navet ou de moutarde, ou chou cavalier.

Truc utile : si le brocoli servi seul ne vous attire pas, ajoutez-en ½ tasse à vos sauces, soupes, pizzas ou omelettes. En outre, au lieu de le faire bouillir, cuisez-le à la vapeur, faites-le sauter ou passez-le au micro-ondes dans très peu d'eau. Ces méthodes de cuisson permettent de mieux en préserver les vitamines et les composés protecteurs.

Légumineuses, légumes à feuilles vertes *et autres aliments riches en folate*

Si vous prenez de l'alcool, même modérément, assurez-vous de consommer beaucoup d'aliments riches en folate, vitamine B que l'alcool épuise. Il protège les cellules contre les effets potentiellement cancérigènes de l'alcool.

Les aliments énumérés ci-dessus sont riches en fibres qui font baisser le taux d'œstrogène, ce qui entraîne une diminution du risque de cancer du sein. En effet, nombre de tumeurs se nourrissent de cette hormone.

Vos objectifs : au moins une portion par jour de l'un de ces aliments.

Truc utile : l'épinard est l'une des meilleures sources de folate. Ajoutez-le à la lasagne ou, pour varier, faites-le sauter dans de l'huile d'olive avec de l'ail et des graines de sésame.

Grains entiers

Ce sont d'excellentes sources de fibres, substances qui jouent un rôle de premier plan dans la prévention du cancer du sein. Elles piègent en quelque sorte l'œstrogène, prévenant sa réabsorption dans le sang au moment où cette hormone passe dans le tractus digestif, si bien qu'il y en a moins en circulation.

En outre, comme les fibres des grains entiers ralentissent le métabolisme des glucides, elles atténuent les pics glycémiques, contribuant ainsi à maintenir le taux d'insuline dans des valeurs normales. Or, on sait que, en excès, l'insuline favorise la formation des tumeurs dans le cancer du sein.

Les grains entiers renferment également des phénols, phytochimiques qui peuvent prévenir, et peut-être corriger, les dommages cellulaires causés par les radicaux libres. De plus, ils sont riches en lignanes, phytoestrogènes qui abaissent le taux sanguin d'œstrogène et ralentissent le développement et la propagation des cellules cancéreuses.

Les études n'ont pas toutes permis de prouver que les fibres protégeaient contre le cancer du sein, mais les résultats de l'Étude nationale sur le dépistage du cancer du sein au Canada, au cours de laquelle on a examiné près de 57 000 femmes, indiquent que celles dont l'alimentation était riche en fibres couraient 30 % moins de risque que celles qui en consommaient peu.

Vos objectifs : au moins trois portions de grains entiers par jour. Une portion équivaut à ½ tasse de pâtes de blé entier ou de riz complet, et à une tranche de pain de grain entier.

Truc utile : à la collation, prenez une tasse de céréales de grain entier avec ¼ de tasse de fruits séchés, ce qui comptera pour une de vos portions quotidiennes de grain et une de fruit.

Poisson gras

Le poisson gras pourrait protéger contre le cancer du sein. Les résultats d'études en laboratoire indiquent que ses oméga-3 freinent le développement des cellules cancéreuses. Bien que les études sur les humains ne soient pas aussi concluantes, les données de la Singapore Chinese Health Study s'avèrent prometteuses. Étudiant l'incidence du cancer du sein chez plus de 35 000 femmes, les chercheurs ont découvert qu'elle était 26 % plus faible chez celles qui consommaient environ trois portions de poisson gras par semaine que chez celles qui en prenaient peu. Comme on pense que l'inflammation favorise la formation des tumeurs, il se pourrait que cette action soit due aux propriétés anti-inflammatoires des acides gras du poisson.

Les chercheurs découvrent également que les oméga-3 semblent plus efficaces quand, par ailleurs, on ingère moins d'oméga-6, acides gras présents dans les huiles de maïs, de carthame et de tournesol, et qui favorisent l'inflammation. Chez les femmes de l'étude de Singapour dont l'alimentation était riche en oméga-6 et pauvre en oméga-3 le risque de cancer du sein était 87 % plus élevé que chez celles qui consommaient peu de ces deux groupes de lipides.

Le point sur le soya

Le soya protège-t-il contre le cancer du sein, comme certains l'affirment ? Il renferme des phytoestrogènes, qui auraient pour effet de faire baisser le taux d'œstrogène en circulation dans l'organisme et, par conséquent, de diminuer le risque. Cependant, des cancérologues pensent que la protection dont semble jouir les femmes asiatiques contre ce cancer viendrait du fait qu'elles commencent à consommer du soya à un très jeune âge, contrairement aux Occidentales qui le découvrent habituellement à l'âge adulte.

On pense que les phytochimiques de la plante ont pour effet de modifier le tissu du sein au moment de son développement, ce qui le protégerait contre les agents cancérigènes, mais ils pourraient ne pas exercer cette action à l'âge adulte.

Cela dit, le soya pourrait protéger indirectement contre le cancer du sein. En remplaçant la viande grasse par du tofu, par exemple, on diminue son apport calorique, on consomme moins de gras saturés et on maintient un poids santé, toutes choses qui contribuent à diminuer le risque. À noter toutefois que si vous prenez un anti-œstrogène, vous devez éviter le soya.

Même s'il s'avérait que les oméga-3 ne combattent pas le cancer du sein, consommer du poisson reste une décision sensée, car en remplaçant un bifteck par une darne de saumon, on ingère moins de gras saturés ce qui, comme on le verra plus loin, est hautement souhaitable.

Vos objectifs : on ne sait pas combien de poisson gras il faut consommer pour se prémunir contre le cancer du sein. Cependant, pour la protection cardiaque, des experts recommandent de prendre deux portions par semaine, c'est-à-dire environ 250 à 370 g au total.

Produits laitiers

Selon l'âge, les produits laitiers pourraient contribuer à prévenir le cancer du sein. Dans la Nurses Health Study, menée auprès de 80 000 infirmières, les produits laitiers n'ont semblé exercer aucun effet chez les femmes ménopausées, mais les préménopausées qui prenaient deux à trois portions de lait ou d'autres produits laitiers à faible teneur en gras par jour couraient 28 à 32 % moins de risque de souffrir de ce cancer que celles qui n'en prenaient que trois fois par mois. Lors d'une autre étude menée auprès de 68 000 femmes ménopausées, on a observé que celles qui prenaient au moins deux portions de produits laitiers par jour voyaient leur risque diminuer de 19 %.

L'action préventive des produits laitiers pourrait s'expliquer par leur teneur en calcium, mais c'est la vitamine D qui intéresse les chercheurs. Les résultats d'études récentes indiquent que la forme D_3, dont on enrichit le lait, réduit la densité du sein. Or, une densité élevée constitue un facteur de risque.

Vos objectifs : trois portions de lait par jour. Vous pourriez également prendre un supplément de vitamine D. Une tasse de lait ne fournit que 100 UI de D_3. Or, les résultats d'études récentes indiquent que le risque diminue de 35 % chez les femmes qui en prennent 1 000 UI par jour. Les résultats de la Nurses Health Study indiquent que, chez les femmes préménopausées qui prenaient plus de 500 UI de vitamine D par jour, le risque de cancer du sein diminuait de 28 %.

Huile d'olive extra-vierge

Tant la qualité que la quantité de lipides qu'on consomme influent sur le risque de cancer du sein. On pense souvent que, à trop en prendre on accroît son risque, mais force est de constater que, dans les pays méditerranéens, où il s'en consomme beaucoup, l'incidence du cancer du sein est faible. Les chercheurs expliquent ce paradoxe par le fait que les Méditerranéens préfèrent l'huile d'olive (gras mono-insaturés) au beurre (gras saturés) ou aux huiles de maïs ou de carthame (gras polyinsaturés). De fait, les résultats d'une étude menée auprès de femmes des îles Canaries indiquent que celles qui prenaient au moins 10 ml par jour d'huile d'olive voyaient leur risque de cancer du sein diminuer de 73 %.

Il reste beaucoup à découvrir dans ce domaine, mais quelques théories émergent des études. L'une d'entre elles veut que l'huile d'olive soit tout simplement un corps gras plus sain que les autres et qu'en le substituant aux gras saturés et trans, on diminue son risque. Pour d'autres chercheurs, son action est due à la richesse de l'olive en phénols et lignanes : les premiers inhibent la formation de composés cancérigènes, les secondes se transforment dans l'organisme en une forme d'œstrogène moins active que celle que le corps produit et qui la supplante. Des chercheurs de l'université Northwestern ont également découvert que l'acide oléique de l'huile d'olive supprimait un gène associé au développement d'une forme particulièrement virulente de cancer du sein et qu'il pouvait même accroître l'efficacité du transluzumab (Herceptine), médicament anticancéreux.

Le problème, bien sûr, c'est que l'huile d'olive est calorique. On doit donc l'employer avec parcimonie et la substituer aux autres gras plutôt que l'y ajouter.

Vos objectifs : 1 à 2 cuillers à soupe par jour.

Truc utile : l'huile d'olive facilite la digestion des légumes, ce qui pourrait expliquer en partie son effet protecteur. Employez-la à la place du beurre pour faire sauter vos légumes et au lieu des autres huiles végétales dans la sauce à salade.

Graine de lin

Encore plus riche en lignanes que l'huile d'olive, la graine de lin renferme également de l'acide alpha-linolénique, forme végétale des acides gras oméga-3. Les résultats d'études in vitro et sur les animaux, de même que ceux d'une étude préliminaire menée auprès de 32 femmes ménopausées qui souffraient du cancer du sein, indiquent qu'elle contribue à freiner le développement des tumeurs et leur prolifération. À noter toutefois qu'on étudie aussi son interaction potentielle avec les anti-œstrogènes tels que le tamoxifène ou les inhibiteurs de l'aromatase. Si vous prenez l'un de ces médicaments, consultez votre médecin avant de mettre la graine de lin au menu. En outre, comme on ne dispose pas de données sur son innocuité, on déconseille aux femmes enceintes ou qui allaitent d'en consommer en grande quantité.

Vos objectifs : une cuiller à soupe par jour de graines moulues. Achetez-les moulues ou passez-les au moulin à café, au mélangeur ou au robot culinaire. Conservez-les au réfrigérateur dans un récipient étanche.

Truc utile : ajoutez des graines de lin à vos céréales, salades, yogourt, smoothies ou, encore, procurez-vous du pain, des gaufres ou d'autres produits qui en sont enrichis.

NOS MEILLEURES RECETTES

Casserole poulet et orge *p. 314*
Houmous d'edamame et pita rôti *p. 290*
Maquereau aux tomates rôties *p. 310*
Risotto de riz entier *p. 323*
Salade de brocoli *p. 293*
Salade de chou, sauce à l'orange et au sésame *p. 292*
Salade d'épinards et pois chiches *p. 295*
Salade de thon et haricots blancs *p. 297*

SUPPLÉMENTS NUTRITIONNELS

Vitamine D. Les études indiquent qu'on peut diminuer de 10 à 35 % son risque de cancer du sein en prenant 1 000 UI de vitamine D par jour. Assurez-vous que le produit que vous achetez soit du cholécalciférol, ou vitamine D_3, forme offrant la meilleure protection.
DOSE : 1 000 UI par jour.

ALIMENTS ET PRODUITS À ÉVITER

Aliments riches en gras saturés et trans. Les lipides saturés favorisent l'inflammation, ce qui peut entraîner la formation de tumeurs. On n'a pas réussi à établir un lien absolu entre la consommation de ces gras et le cancer du sein, mais les résultats d'au moins une étude indiquent que les femmes qui en prennent plus de 35 g par jour courent deux fois plus de risque d'en souffrir que celles qui se limitent à 10 g.

On pense aussi que les gras trans, omniprésents dans les produits transformés et pré-emballés ainsi que dans les aliments frits du commerce, accroissent le risque. Des chercheurs ayant prélevé un échantillon de tissu adipeux sur les fesses de 700 Européennes ont découvert que celles dont le corps stockait les plus grandes quantités de ces gras couraient 40 % plus de risque de souffrir du cancer du sein.

Les chercheurs de la Women's Health Initiative Study, qui ont suivi plus de 48 000 femmes ménopausées, ont découvert que celles dont la consommation en gras était la plus élevée au début de l'étude voyaient leur risque diminuer de 15 à 20 % après qu'elles l'aient ramenée à 24 % de leur apport calorique.

Cela dit, on ne sait pas avec certitude si on peut diminuer son risque en prenant moins de lipides, mais comme une baisse de la consommation de gras saturés et trans s'avère utile dans de nombreuses affections, cela semble sensé.

Aliments sucrés et glucides raffinés. Des cancérologues estiment que la surconsommation d'aliments sucrés et de glucides raffinés, qui se dégradent rapidement en sucre dans l'organisme (pain et riz blancs, pomme de terre et produits faits de farine raffinée), devrait faire partie des facteurs de risque du cancer du sein. Non seulement le sucre fait-il grossir, mais il favorise la production de deux facteurs réputés élever le taux d'œstrogène et stimuler la formation de tumeurs, soit l'insuline et le facteur de croissance insulinomimétique de type I (IGF-1). Lors d'une étude menée auprès de 1 800 Mexicaines, on a découvert que celles qui consommaient beaucoup de glucides raffinés couraient deux fois plus de risque de cancer du sein que celles dont l'alimentation était plus équilibrée.

Alcool. Comme il a pour effet d'élever le taux d'œstrogène, l'alcool multiplie par 1,5 le risque de cancer du sein. Si vous en buvez régulièrement, assurez-vous de consommer en abondance des aliments riches en folate.

propos à mijoter...

Les graines de lin sont considérées comme l'aliment préventif par excellence du cancer du sein. Utilisez ce second moulin à café que vous gardez pour les épices et les herbes pour les moudre, et ne les passez au moulin qu'au moment de servir.

Plus mince, on risque moins

Non seulement, les femmes en surpoids sont-elles plus susceptibles de souffrir du cancer du sein mais elles courent également plus de risque d'en mourir. C'est du moins ce qu'indiquent les données fournies par la Nurses Health Study (l'étude des infirmières) : chez les femmes qui faisaient de l'embonpoint, ce risque était presque deux fois plus élevé que chez les plus minces.

Plus on a de tissu adipeux, plus le taux d'œstrogène est élevé. En outre, la graisse en excès, particulièrement celle de l'abdomen, produit des cytokines, protéines qui favorisent l'inflammation et causent des dommages pouvant mener au cancer. C'est pour cette raison que la silhouette en forme de pomme représente un risque deux fois plus élevé que la silhouette en forme de poire. Le surpoids est également associé à une hausse des taux d'insuline et d'IGF-1, deux substances qui stimulent la formation des tumeurs.

Si vous êtes enceinte, faites en sorte de ne pas prendre plus de 12 à 16 kilos durant votre grossesse et de perdre votre surplus de poids après la naissance de votre bébé. Les résultats d'une étude menée en Finlande auprès de 27 000 patientes souffrant du cancer du sein indiquent que celles qui avaient pris 18 kilos durant leur grossesse avaient vu leur risque s'accroître de 40 %.

On évitera également le gain de poids à la ménopause. Selon les données de la Nurses Health Study, les femmes qui prennent 10 kilos après leur ménopause voient leur risque augmenter de 18 %.

En outre, il est important de garder la forme. Il semble que, indépendamment de son effet sur le poids, l'exercice agirait positivement sur les hormones, protégeant ainsi contre le cancer du sein.

CARDIOPATHIES/ HYPERCHOLESTÉROLÉMIE

Pourrait-on croire que la consommation d'aussi peu qu'une demi-portion de poisson par semaine contribue à prévenir le décès par crise cardiaque ? Il est relativement facile d'ignorer son risque de cardiopathie. Comme les problèmes qui y contribuent ne sont pas nécessairement perceptibles, il est tentant de croire que tout va bien dans le meilleur des mondes. Il faut parfois la mort soudaine d'un ami ou d'un proche parent pour mesurer son risque et prendre les mesures pour l'atténuer. Gardez toutefois à l'esprit que les cardiopathies sont des maladies qui s'installent lentement et qu'on ne peut en inverser le cours du jour au lendemain. D'où l'importance d'agir sans délai.

Si l'alimentation est un facteur important, y apporter les changements qui s'imposent est l'un des moyens préventifs les plus efficaces. Il va de soi qu'on a tout intérêt à supprimer le burger au fromage et au bacon et à consommer plus de poisson, de fruits, de légumes et de grains entiers. Cependant, il n'est pas nécessaire d'apporter tous ces changements en une seule fois. Commencez par ceux que vous pensez pouvoir gérer sans trop de mal, puis ajoutez-en d'autres graduellement. Par exemple, rien qu'en prenant l'habitude de consommer un fruit ou un légume à chaque repas, vous pouvez diminuer sensiblement votre risque de crise cardiaque.

Même si vous souffrez déjà d'une maladie cardiaque, une bonne alimentation pourra vous aider à en renverser le cours, ce qu'aucun médicament hypocholestérolémiant ne peut faire. Ainsi, vous pourrez améliorer votre taux de cholestérol et votre pression artérielle, stabiliser votre glycémie, calmer l'inflammation et même perdre du poids. On l'a prouvé dans de nombreuses études. Par exemple, les chercheurs de l'étude de Lyon ont fait la preuve que les sujets souffrant de cardiopathie qui suivaient le régime méditerranéen couraient 50 à 75 % moins de risque de faire des crises cardiaques répétées que ceux qui s'en tenaient à l'alimentation nord-américaine classique.

propos à mijoter...

« On pourrait prévenir près de 80 % des cas de maladie cardiovasculaire en changeant certaines habitudes, tout particulièrement les habitudes alimentaires. »

Guy Reed, MS, MD, directeur de médecine cardiovasculaire du collège médical de Georgia, à Augusta ■

Poisson gras

Le saumon est souvent le premier aliment auquel on pense quand on envisage d'adopter une alimentation bonne pour le cœur, et à juste titre. Tout comme le maquereau, la sardine, le thon et les autres poissons gras, il renferme des oméga-3, acides gras désormais réputés dont les plus utiles sont l'acide eicosapentaénoïque (EPA) et l'acide docosahexaénoïque (DHA).

Ces remèdes naturels sont stupéfiants : selon les résultats d'une étude menée récemment, il suffit d'une demi-portion de poisson par semaine pour diminuer le risque de cardiopathie et de crise cardiaque non fatale de 17 % et 27 % respectivement. Toute portion hebdomadaire additionnelle fait baisser de 4 % le risque de mourir d'une maladie cardiovasculaire.

Le poisson est utile au cœur à plus d'un égard. D'abord, un souper de poisson par semaine, cela signifie généralement un repas de viande en moins et, en soit, c'est une bonne chose puisque cette habitude a un effet positif sur le taux de cholestérol. En outre, les gras du poisson sont bénéfiques. Ils contribuent à stabiliser la fréquence cardiaque et à prévenir les arythmies, problèmes qui peuvent mener à l'insuffisance cardiaque, la formation de caillots sanguins et l'accident vasculaire cérébral (AVC). De plus, ils font baisser les taux de cholestérol et de triglycérides, et soulagent l'inflammation des artères : celle-ci, on l'a découverte récemment, joue un rôle majeur dans la cardiopathie.

Chez les mangeurs de poisson, le taux de protéine C réactive (CRP), marqueur de l'inflammation, est environ un tiers plus faible que chez ceux qui n'en consomment pas. Comme on a découvert que le taux de CRP était élevé chez les patients qui avaient fait une crise cardiaque malgré le fait qu'ils présentaient un taux de cholestérol normal, des experts pensent que ce paramètre pourrait être plus fiable que la cholestérolémie pour déterminer le risque de cardiopathie chez un sujet.

Vos objectifs : au moins deux portions de poisson gras (au total 250 à 375 g) par semaine. Optez de préférence pour le saumon, qui possède une teneur moins élevée en mercure que, par exemple, le requin, l'espadon, le thon frais ou surgelé et l'escolar, qu'il vaut mieux éviter (voir Consommer du poisson en toute sécurité, page 23).

Un arc-en-ciel de fruits et de légumes

En général, on ne consomme pas suffisamment de fruits et de légumes. Or, voici ce qui le confirme et a de quoi faire réfléchir : les résultats d'une étude majeure menée auprès de 9 000 adultes en santé indiquent que ceux qui prenaient un fruit ou un légume à chaque repas voyaient leur risque de mourir d'une maladie cardiovasculaire chuter de 27 %.

En outre, selon les résultats de la Nurses Health Study (l'étude des infirmières) et de la Health Professionals Follow-Up Study, qui ont étudié les habitudes alimentaires de plus de 100 000 hommes et femmes, les sujets qui prenaient huit portions ou plus de fruits et de légumes par jour couraient 30 % moins de risque de souffrir d'une maladie cardiovasculaire que ceux qui en prenaient moins de deux.

Les fruits et les légumes constituent d'excellentes sources de fibres, substances qui font baisser le taux de cholestérol et contribuent à soulager l'inflammation, dont on connaît l'importance dans la cardiopathie. Optez pour des produits vivement colorés, car ce sont les plus riches en antioxydants. Ces derniers contrent les lésions causées aux artères par les radicaux libres et contribuent à prévenir la dégradation du cholestérol LDL (le « mauvais »), processus qui entraîne la formation de plaque. À noter, toutefois, que les suppléments d'antioxydants ne semblent pas exercer les mêmes effets.

Vos objectifs : au moins 3 à 5 portions par jour, mais de préférence 7 à 10. Une portion correspond à un fruit moyen, ½ tasse de jus de fruits ou de légumes, ½ tasse de fruits hachés ou de légumes, haricots ou autres légumineuses cuits, ou 1 tasse de légumes feuilles.

Truc utile : commencez un des repas de la journée par une salade ou des épinards vapeur. Si vous prenez déjà 5 portions de légumes verts par jour, l'ajout d'une sixième aura pour effet d'accroître de 23 % votre protection contre les cardiopathies.

Flocons et son d'avoine, haricot, pois et autres légumineuses

Ces aliments doivent leurs propriétés à leur richesse en fibres solubles, qui absorbent le cholestérol et l'éliminent de l'organisme. Des études indiquent qu'une alimentation qui en est riche tout en étant peu grasse peut faire baisser de 10 à 15 % le taux de cholestérol total, ce qui, dans bien des cas, suffit à le ramener à la normale.

Vos objectifs : 25 à 35 g de fibres par jour, dont 10 g de fibres solubles.

Truc utile : l'avoine fournit 2 ou 3 g de fibres solubles par portion, soit plus que tout autre grain. La consommation quotidienne de deux portions de flocons ou de céréales au son d'avoine fait baisser le taux de cholestérol de 2 à 3 %. À défaut d'aimer ce grain, prenez des haricots, des pois ou d'autres légumineuses : une demi-tasse fournit 2 g de fibres solubles.

Huile d'olive extra-vierge

On sait que les régimes pauvres en gras contribuent à prévenir les cardiopathies, voire en inverser le cours, mais il n'est pas toujours facile de s'y tenir. Heureusement, en remplaçant le beurre ou les autres gras saturés par de l'huile d'olive, en particulier l'huile l'extra-vierge, on peut consommer en toute bonne conscience ces substances qui, il faut le reconnaître, donnent de la saveur aux plats.

L'olive et son huile sont les piliers du régime méditerranéen. Les lipides mono-insaturés qu'elles contiennent sont nettement meilleurs pour le cœur que les gras saturés. De plus, ces aliments renferment des polyphénols, antioxydants qui, d'après les résultats d'études, atténuent l'inflammation dans les artères et permettent d'améliorer les taux de cholestérol et de triglycérides.

L'huile d'olive extra-vierge est préférable aux autres car elle préserve une bonne partie des polyphénols dont sont privées les huiles hautement transformées.

Vos objectifs : 2 ou 3 cuillerées à thé ou 24 à 30 olives moyennes par jour, pas plus. En outre, gardez à l'esprit que ces aliments doivent remplacer les autres gras et non s'y ajouter.

Noix commune, amande et arachide

Selon les résultats d'une étude menée à l'université de Pennsylvanie, en remplaçant les autres aliments gras par des noix, on pourrait faire baisser de 39 % son risque de cardiopathie. La concentration des noix en gras est compensée par le fait qu'il s'agit de lipides mono-insaturés et polyinsaturés, réputés faire baisser le taux de cholestérol et protéger contre les cardiopathies.

Elles semblent également diminuer les taux de CRP (protéine C réactive) et de fibrinogène, deux marqueurs de l'inflammation. Enfin, elles renferment des fibres, des protéines, de la vitamine E, des vitamines du complexe B, du magnésium et du potassium, nutriments qui sont tous essentiels à la santé cardiaque.

Vos objectifs : au moins cinq portions de 30 g par semaine.

Truc utile : l'arachide est aussi riche en antioxydants que la mûre et la fraise. Elle renferme de bonnes quantités de vitamine E et constitue une véritable petite mine de polyphénols. Rôtie, elle en renferme encore plus.

Tofu, edamame et lait de soya

Bien que la réputation du soya comme panacée soit surfaite, cet aliment mérite toujours de figurer au menu, particulièrement s'il remplace la viande ou les fromages riches. Comme les autres légumineuses, c'est une excellente source de protéines, qui présente l'avantage sur la viande d'être exempte de gras saturés. En outre, le soya renferme des isoflavones, composés apparentés aux hormones qui contribuent à combattre certains cancers.

Plutôt fade, le tofu convient bien aux sautés car il s'imprègne des arômes des autres ingrédients et de la sauce. Utilisez-le dans ces plats en remplacement d'une partie du bœuf ou d'une autre viande, ou dans la lasagne, à la place d'une partie du fromage. Quant aux edamame, ces grains de soya verts, vous auriez tout intérêt à en garder au congélateur. Présentés dans leur gousse, ils font une excellente collation : décongelez-les et pressez les gousses directement dans votre bouche pour en extraire les grains. Ou encore, ajoutez les grains écossés dans les salades ou les soupes.

Vos objectifs : remplacez à l'occasion un plat de viande ou des produits laitiers par du soya. Optez pour le tofu le moins gras.

L'union fait la force

Tous les aliments décrits dans cette rubrique contribuent à protéger contre les cardiopathies, mais certains offrent une meilleure protection quand ils sont consommés ensemble. Il en va ainsi de l'association de protéines de soya, amande, avoine, orge et stérols végétaux, que des chercheurs de l'hôpital St. Michael de Toronto ont baptisée « régime portfolio » : il a fait baisser de 28 % le taux de cholestérol de sujets souffrant d'hypercholestérolémie qui, par ailleurs, suivaient un régime à faible teneur en gras saturés. En comparaison, celui des sujets qui suivaient le même régime et prenaient des statines a baissé de 31 %, soit à peine plus.

Un autre régime, le Polymeal Diet, met l'accent sur le vin, le poisson, le chocolat noir, les fruits, les légumes, l'amande et l'ail, qui sont tous réputés faire baisser le taux de cholestérol et la pression sanguine et, par conséquent, diminuer le risque de cardiopathie. Les données de la Framingham Heart Study et de la Framingham Offspring Study indiquent que la consommation quotidienne de ces aliments (à l'exception du poisson qu'on conseille de ne consommer que deux à quatre fois par semaine) permet de diminuer de 76 % le risque de maladie cardiovasculaire.

Vin, bière et spiritueux

On parle beaucoup des bienfaits que procure le vin rouge mais, consommé avec modération, l'alcool en général exerce une action protectrice sur le cœur. Il élève le taux de cholestérol HDL (le « bon ») et abaisse celui du cholestérol LDL (le « mauvais ») et, dans certains cas, peut faire baisser les taux de fibrinogène et de CPR (protéine C réactive), deux marqueurs de l'inflammation. Lors d'une étude menée récemment à l'université de Floride, on a découvert que les sujets âgés qui prenaient une boisson alcoolique par jour voyaient leur risque de cardiopathie chuter de 30 %. Dans une autre étude, des chercheurs ont constaté que la consommation de deux verres par jour en moyenne avait pour effet de diminuer de 32 % le risque de mourir chez les patients hospitalisés à la suite d'une crise cardiaque .

En outre, le vin rouge contribue à prévenir la formation de caillots sanguins et à abaisser le taux de cholestérol. Ces effets sont dus respectivement aux flavonoïdes présents dans la peau du raisin et au resvératrol.

Vos objectifs : un verre d'alcool par jour pour les femmes, deux pour les hommes. À ces doses, l'alcool est considéré comme efficace et sans danger.

Truc utile : un verre d'alcool correspond à 125 ml de vin, 360 ml de bière ou 45 ml de spiritueux.

Thé

Le thé est encore plus riche en antioxydants que les fruits et les légumes. La consommation de thé vert entraînerait une diminution du taux de cholestérol et du risque d'obstruction artérielle. Par ailleurs, tant le thé noir que le thé vert renferment des quantités significatives de flavonoïdes, antioxydants qui freinent la dégradation du cholestérol LDL, prévenant ainsi la formation de caillots sanguins et améliorant la fonction vasculaire. Or, ces effets contribuent à protéger contre la cardiopathie.

Chez les personnes qui prennent une tasse ou deux de thé par jour, le risque de rétrécissement des artères diminue de 46 %. À raison de trois tasses par jour, celui de faire une crise cardiaque diminue de 43 % et celui d'en mourir, de 70 %. Cette boisson pourrait même contribuer à prévenir une seconde crise. Lors d'une étude menée auprès de 1 900 patients se remettant d'une crise cardiaque, des chercheurs du Beth Israel Deaconess Medical Center de Boston ont observé que le taux de mortalité des sujets qui prenaient au moins deux tasses de thé par jour était inférieur de 44 % à celui des sujets qui n'en buvaient pas.

Vos objectifs : deux à cinq tasses de thé vert ou noir par jour.

Truc utile : le thé vert est naturellement moins riche en caféine que le noir.

Jus de canneberge

Particulièrement riche en antioxydants, le jus de canneberge pourrait élever le taux de cholestérol HDL. C'est du moins ce qu'ont observé des chercheurs qui, pendant trois mois, ont fait prendre à 19 sujets présentant des taux élevés de cholestérol total trois portions de jus de canneberge par jour ; leur taux de cholestérol HDL s'est élevé de 10 %, entraînant une diminution de 40 % de leur risque de cardiopathie.

Vos objectifs : trois portions de 125 à 175 ml par jour.

Truc utile : pour éviter un apport calorique trop élevé, optez pour du jus peu sucré.

Pomme

Une pomme ou deux par jour pourrait bien éloigner le cardiologue ! Ce fruit renferme beaucoup d'antioxydants qui, tout comme les statines, favorisent l'élimination du cholestérol LDL par le foie. De plus, ils en retardent d'environ 20 % la dégradation. Or, plus cette dégradation est lente, moins il y a d'accumulation de plaque dans les artères.

Vos objectifs : deux pommes ou 1½ tasse de jus de pomme pur par jour.

Truc utile : optez pour la Red Delicious, la Northern Spy ou l'Ida Red. Elles renferment plus d'antioxydants que les autres variétés. En outre, comme la peau en contient cinq fois plus que la chair, n'hésitez pas à la consommer. Si les résidus de pesticides vous préoccupent, procurez-vous des fruits biologiques.

Pamplemousse rouge

Cet agrume peut faire baisser les taux de cholestérol et de triglycérides. Lors d'une étude menée en Israël auprès de 57 hommes et femmes qui avaient subi un pontage cardiaque et dont le taux de cholestérol restait élevé malgré le fait qu'ils prenaient des statines : chez ceux qui ont consommé un pamplemousse rouge par jour pendant 30 jours au repas, le taux de cholestérol total, de cholestérol LDL et de triglycérides a diminué respectivement de 15 %, de plus de 20 % et de plus de 17 %. Cependant, comme ce fruit peut entrer en interaction avec certains médicaments, si vous prenez un ou deux médicaments sur ordonnance, consultez votre médecin avant de consommer du pamplemousse.

Vos objectifs : une tasse de pamplemousse frais ou ½ tasse de jus pur par jour.

Ail

L'ail frais renferme un antioxydant qui lui donne son arôme caractéristique. C'est ce qui pourrait expliquer qu'il contribue à prévenir la formation de caillots sanguins et de plaque dans les artères, et à faire baisser légèrement le taux de cholestérol. Intégré dans un programme alimentaire destiné à protéger le cœur (voir L'union fait la force, page 157), il pourrait même diminuer de 76 % le risque de cardiopathie.

L'ail présente également l'avantage d'éclaircir le sang. Donc, si vous prenez un anticoagulant comme la warfarine (Coumadin), souffrez d'un trouble sanguin ou d'une maladie des plaquettes, devez subir prochainement une intervention chirurgicale ou êtes sur le point d'accoucher, consultez votre médecin avant d'en consommer de bonnes quantités.

Vos objectifs : des experts conseillent d'en prendre trois à cinq gousses par jour.

Truc utile : avant de cuire l'ail, hachez-le ou écrasez-le et laissez-le reposer 10 à 15 minutes. Il préservera ainsi ses composés thérapeutiques, que la cuisson peut détruire.

Sauce tomate

La tomate renferme du lycopène, l'un des plus puissants antioxydants de la famille des caroténoïdes. Il semblerait que ce composé prévienne l'oxydation du cholestérol LDL et protège ainsi contre les cardiopathies. En comparant les échantillons de tissu adipeux de 1 400 hommes qui avaient subi une crise cardiaque à ceux d'hommes en santé, des chercheurs de l'université de la Caroline du Nord à Chapel Hill ont

Remplissez un joli pot de verre de noix rôties, grains de chocolat noir et raisins secs. À la collation, prenez une petite poignée, pas plus, de ce mélange exquis qui constitue une véritable mine d'ingrédients réputés bons pour le cœur.

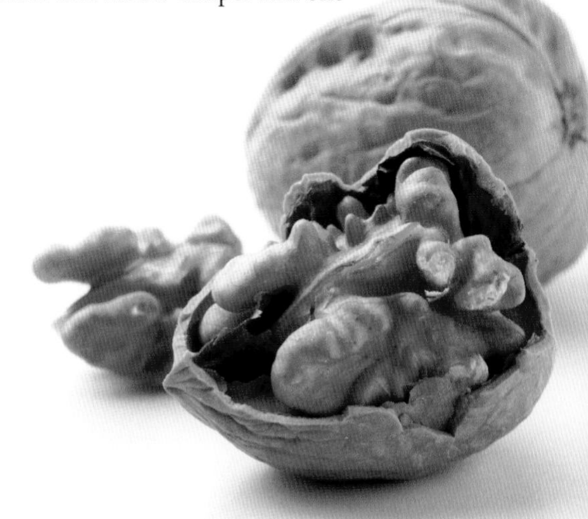

découvert que ceux dont la graisse renfermait le plus de lycopène couraient environ deux fois moins de risque de faire une crise cardiaque que les autres.

Vos objectifs : ½ tasse, deux fois par semaine.

Truc utile : comme la cuisson libère le lycopène de la tomate, il est plus avantageux de consommer ce légume cuit que cru.

Chocolat noir

C'est fabuleux, non ? On peut consommer du vin et du chocolat tout en prenant soin de son cœur ! Le chocolat noir renferme les mêmes antioxydants que le vin rouge et le thé vert. En fait, il est plus riche en flavonols, sous-classe de flavonoïdes, que ces deux derniers et renferme environ quatre fois plus de catéchines que le thé. Ces composés sont réputés prévenir la formation de caillots sanguins, ralentir l'oxydation du cholestérol LDL – qui est alors moins susceptible d'adhérer aux artères – améliorer la fonction vasculaire et atténuer l'inflammation. En outre, le chocolat élève légèrement le taux de bon cholestérol.

Bien sûr, il est riche en lipides, mais ces derniers sont constitués au tiers d'acide stéarique et au tiers de gras mono-insaturés. Bien qu'il s'agisse d'un gras saturé, l'acide stéarique n'exerce aucun effet néfaste sur le taux de cholestérol. Quant aux gras mono-insaturés, on sait qu'ils sont hypocholestérolémiants.

Vos objectifs : les résultats d'études indiquent que, à raison de 45 g par jour, le chocolat pourrait diminuer de 10 % le risque de cardiopathie. Optez pour un produit qui renferme au moins 60 % de cacao.

Truc utile : le chocolat noir est plus riche en cacao et, par conséquent, en flavonoïdes que le chocolat au lait. Bien que ce dernier ne soit pas entièrement dénué de flavonoïdes, le lait présente l'inconvénient d'en prévenir l'absorption. En outre, le chocolat noir est généralement moins sucré.

NOS MEILLEURES RECETTES

Darnes de saumon, salsa de pêche *p. 310*
Escalopes de dinde, salsa de pamplemousse *p. 315*
Fondue au chocolat *p. 332*
Granité de grenade *p. 336*
Houmous d'edamame et pita rôti *p. 290*
Maquereau aux tomates rôties *p. 310*
Salade Waldorf modifiée *p. 292*
Scones à l'avoine et aux bleuets *p. 326*
Spaghetti, sauce à la dinde *p. 316*

SUPPLÉMENTS NUTRITIONNELS

Acides gras oméga-3. En plus de deux portions de poisson par semaine, certains spécialistes recommandent aux personnes souffrant de cardiopathie de prendre un supplément d'huile de poisson comprenant de l'EPA et du DHA. On a fait la preuve dans des études que ces acides gras faisaient baisser les taux de cholestérol LDL et de triglycérides, tout en élevant le taux de HDL. En outre, ils sont anti-inflammatoires. **DOSE :** 1 g par jour si vous souffrez d'une maladie cardiovasculaire, 2 à 4 g si vos taux de triglycérides sont élevés. Pour atténuer les éructations désagréables qui peuvent résulter de l'ingestion de ces suppléments, prenez-les en mangeant ou optez pour un produit qui comprend également de l'essence d'agrume.

Cœnzyme Q10. Cette substance naturelle améliore le métabolisme énergétique des cellules, y compris des cellules du cœur, d'où sa réputation de protéger contre l'insuffisance cardiaque. Comme le traitement aux statines a pour effet d'épuiser les réserves naturelles de l'organisme en coenzyme Q10, le supplément pourrait être indiqué. Discutez-en avec votre médecin. **DOSE :** tout dépend du type de statines que vous prenez et de la posologie.

Ail. En plus de l'ail frais, le supplément pourrait contribuer à améliorer le taux de cholestérol. Dans une étude menée à l'université de Pennsylvanie auprès de sujets souffrant d'hypercholestérolémie, des chercheurs ont observé qu'il avait fait baisser les taux de cholestérol total et de cholestérol LDL de 7 % et de 10 % respectivement, comparativement aux sujets qui prenaient un placebo. **DOSE :** on estime que, à des doses de 600 à 900 mg, les suppléments d'ail ne présentent aucun danger.

ALIMENTS ET PRODUITS À ÉVITER

Viandes grasses, peau de poulet, produit laitiers entiers et aliments renfermant des gras trans. Les gras saturés présents dans les produits d'origine animale ont pour effet d'élever le taux de cholestérol et le risque de cardiopathie. C'est vrai aussi des gras trans (ou huiles hydrogénées), présents dans le shortening végétal, la margarine dure ainsi que de nombreux produits industriels, notamment les fritures et les produits de boulangerie. Ce sont les premiers aliments à supprimer.

Selon les résultats d'une étude menée à la Cleveland Clinic, un seul repas composé de mets riches en gras saturés suffit à modifier l'élasticité des artères et favoriser la formation de dépôts de plaque. Les données de la Nurses Health Study (l'étude des infirmières) indiquent que toute augmentation de 5 % de la consommation de gras saturés a pour effet d'accroître de 17 % le risque de cardiopathie. Quant aux gras trans, non seulement élèvent-ils le taux de cholestérol LDL, mais ils abaissent celui du HDL. De surcroît, les résultats d'études sur les animaux indiquent que la consommation d'aliments riches en gras trans favorise la formation de graisse abdominale, réputée accroître le risque de diabète et de cardiopathie.

Sucre et glucides raffinés et transformés. Les boissons et aliments sucrés ont une chose en commun avec les féculents, comme la pomme de terre, et les glucides raffinés, comme le pain et le riz blancs : ils se dégradent rapidement en sucre dans l'organisme, provoquant une élévation de la glycémie et des taux d'insuline. À la longue, il en résulte un gain de poids et l'apparition d'insulinorésistance, deux facteurs qui contribuent à la cardiopathie.

Moins de calories, moins de risques de cardiopathie

Est-il possible qu'en diminuant son apport calorique, on retarde le vieillissement cardiaque ? Il semblerait que oui, du moins selon des chercheurs de l'école de médecine de l'université de Washington. Pendant six ans, ils ont suivi 25 sujets qui avaient coupé 600 à 1 000 calories de leur alimentation quotidienne (les Nord-Américains ingèrent en moyenne 2 000 à 3 000 calories par jour). Or, les examens ont révélé que leur cœur paraissait 15 ans plus jeune que celui d'une personne de leur âge.

Les sujets étaient également plus minces et présentaient des taux plus faibles de marqueurs inflammatoires, cholestérol, triglycérides et pression artérielle. Pour réduire leur apport calorique, ils se nourrissaient d'aliments riches en nutriments et limitaient leur consommation de malbouffe, aliments transformés et sodas.

CATARACTE

Le poisson, les fruits et les légumes semblent protéger contre la cataracte, opacification du cristallin de l'œil. Première cause de cécité dans le monde, la cataracte résulte de la dégradation des protéines du cristallin, qui l'encrassent.

En plus du vieillissement, principale cause de cette affection, l'hérédité, l'ethnicité (le risque est plus élevé chez les Noirs), certains médicaments de même que d'autres maladies oculaires jouent un rôle dans sa genèse, facteurs auxquels s'ajoutent des habitudes nocives, comme l'exposition à long terme au soleil, l'usage du tabac et une mauvaise alimentation. Heureusement, plusieurs nutriments peuvent protéger l'œil. Ainsi certains font office d'écran solaire, d'autres s'attaquent aux radicaux libres, tandis que d'autres encore font baisser le taux de sucre sanguin, ce qui s'avère aussi utile.

VOTRE ORDONNANCE ALIMENTAIRE

Poisson gras *et autres aliments riches en oméga-3*

Selon les résultats d'une étude au long cours menée à Harvard, il suffirait d'une portion de poisson gras par semaine pour diminuer le risque de cataracte de 12 %, effet qui serait dû à la présence d'oméga-3. Bien que les chercheurs ne s'expliquent pas leur mécanisme d'action, on sait que ces acides gras abondent dans la membrane de l'œil et qu'ils sont essentiels au développement oculaire de l'embryon et du nouveau-né.

À défaut d'aimer le poisson, on peut tirer une partie de ses oméga-3 de la noix, du haricot de soya, de la graine de lin et de certains légumes verts.

Vos objectifs : 1 000 mg par jour en moyenne, soit quelques portions de 125 g de saumon gras, de noix (¼ de tasse par portion) ou de graines de lin (2 cuillers à soupe) par semaine.

Truc utile : évitez la salade de thon à la mayonnaise. À cause de sa richesse en huile de maïs, la mayonnaise pourrait favoriser la formation de cataractes (voir Aliments et produits à éviter, ci-contre).

Fruits et légumes

Rayons du soleil, fumée de cigarette, pollution et infections, tous ces facteurs associés à la cataracte génèrent la formation de radicaux libres, molécules instables qui endommagent les cellules, dont celles de l'œil. Pour les contrer, on consommera beaucoup de fruits et légumes riches en antioxydants. On a fait la preuve, dans une étude d'une durée de 10 ans menée à Harvard, qu'une consommation élevée de ces aliments pouvait diminuer le risque de cataracte de 10 à 15 %. La vitamine C des agrumes, le bêta-carotène de la carotte et autres fruits et légumes jaunes et orange, ainsi que la vitamine E

NOS MEILLEURES RECETTES

Betteraves à l'orange *p. 325*
Darnes de saumon, salsa de pêche *p. 310*
Maquereau aux tomates rôties *p. 310*
Muffins aux framboises et amandes *p. 326*
Salade d'épinards et pois chiches *p. 295*
Salade de fruits tropicaux *p. 288*
Salade de thon et haricots blancs *p. 297*
Soupe à la patate douce *p. 299*

des noix, graines et légumes à feuilles vertes sont particulièrement utiles à cet égard.

En outre, l'épinard, le chou frisé, le chou cavalier, les feuilles de navet et les autres légumes à feuilles vertes renferment de la lutéine et de la zéaxanthine, pigments antioxydants qui forment une barrière protectrice dans l'œil. Lors d'une étude en laboratoire, on a traité des cellules du cristallin avec ces pigments avant de les exposer au rayonnement ultraviolet ; l'analyse a révélé qu'elles avaient subi de 50 à 60 % moins de dommages que les cellules non traitées.

Vos objectifs : cinq à six portions de ½ tasse de légumes tous les jours et trois à quatre portions semblables de fruits.

Truc utile : congelez les fruits et les légumes que vous ne comptez pas consommer dans l'immédiat : ils préserveront mieux leurs nutriments, notamment leur vitamine C.

SUPPLÉMENTS NUTRITIONNELS

Acides gras oméga-3. Ils sont offerts sous forme d'huile de poisson en capsule ou d'huile de lin liquide. Pour limiter leur rancissement, optez pour un produit renfermant aussi de la vitamine E et gardez-le au réfrigérateur. **DOSE :** on n'a pas établi de dose optimale mais de nombreux experts recommandent 1 g par jour. Avant de prendre des doses plus élevées, consultez votre médecin.

Multivitamines/multiminéraux. Ces suppléments renferment divers antioxydants en mélange. **DOSE :** un comprimé par jour.

ALIMENTS ET PRODUITS À ÉVITER

Mayonnaise et sauces à salade crémeuses. Ces produits renferment habituellement de grandes quantités d'huiles de maïs, de carthame ou de soya, qui sont toutes riches en oméga-6. Lors d'une étude d'une durée de 25 ans, des chercheurs de Harvard ont découvert que ces acides gras semblaient accroître le risque de formation de cataracte. Mais vous pourriez envisager de faire votre propre mayonnaise, en utilisant de l'huile d'olive.

Alcool en excès. On a fait la preuve dans diverses études qu'il y avait un lien entre la consommation d'alcool et l'incidence de la cataracte. Dans l'une d'entre elles, les femmes qui en prenaient deux verres par semaine, toutes catégories confondues, voyaient leur risque de souffrir de la forme la plus commune de cataracte augmenter de 13 %, bien que celui de souffrir de la forme la plus rare ait diminué. Par conséquent, buvez avec modération.

Sel et aliments transformés et riches en sodium. Selon les résultats d'une étude menée en Australie auprès de 3 000 sujets, ceux qui consommaient plus de 1¼ cuillerée à thé de sel par jour couraient deux fois plus de risque de faire des cataractes que ceux qui en prenaient environ ½ cuiller à thé. Les chercheurs pensent que l'excès de sel dans l'organisme pourrait interférer avec le taux de sodium de l'œil. Gardez à l'esprit que la plus grande partie du sel que l'on consomme provient des aliments transformés, tels que les soupes du commerce et les charcuteries.

Perdre du poids pour préserver la vue

Selon les résultats d'une étude récente menée à l'université Tufts, les femmes obèses étaient deux fois et demie plus susceptibles de souffrir d'une des formes de cataracte que les femmes de poids normal. Il se peut que cet effet soit dû à la glycémie élevée que l'on note souvent chez les personnes en surpoids. En tout cas, chez les femmes diabétiques, le risque était quatre fois plus élevé que chez les autres femmes.

CÔLON IRRITABLE, SYNDROME

Ceux qui souffrent du syndrome du côlon irritable ou syndrome de l'intestin irritable (SII) en viennent à voir les aliments comme des ennemis, leurs effets sur l'appareil digestif étant imprévisibles. Cependant, cette affection n'est pas sans solution. En choisissant bien vos aliments, vous pourriez retrouver le goût et le plaisir de manger. Normalement, les aliments sont acheminés dans le tube digestif grâce aux douces contractions de l'œsophage, de l'estomac et des intestins. Cependant, en cas de SII, les contractions changent de nature, accélérant et ralentissant de manière anormale et augmentant en intensité. Les intestins sont alors irrités et on constate des symptômes de ballonnements, douleur abdominale, diarrhée, constipation, ou alternance entre ces deux derniers.

Les experts croyaient autrefois que le SII n'attaquait que le côlon. Aujourd'hui, nous savons qu'il peut toucher n'importe quelle partie du tube digestif et compromettre la digestion, le métabolisme et l'excrétion des matières fécales. Le stress peut également se mettre de la partie et aggraver les symptômes ; un cercle vicieux s'installe alors, le SII étant en soi générateur de tension.

Comme chacun réagit différemment aux aliments, il est important que vous teniez un journal dans lequel vous noterez ce que vous mangez et vos symptômes. Votre patience en sera récompensée puisque vous saurez ainsi quels aliments vous devez éviter et ceux qui, au contraire, semblent vous faire du bien.

Si ce n'est déjà fait, consultez votre médecin pour obtenir un diagnostic formel. Plusieurs des symptômes du SII sont apparentés à ceux de maladies plus graves.

Gardez un gros récipient de yogourt nature au réfrigérateur. Vous pourrez ainsi vous préparer rapidement un déjeuner ou une collation. Faites-en un parfait avec du muesli et des baies, ou un smoothie. Ou encore, consommez-le tel quel, simplement additionné d'une tartinade de fruits.

Grains entiers, légumineuses, noix *et autres aliments riches en fibres*

Ces aliments, de même que les fruits et légumes, renferment des fibres qui donnent du volume aux selles et contribuent à préserver la santé de l'intestin ; les nutriments sont alors mieux absorbés. Les fibres peuvent contribuer à soulager les divers symptômes du SII, qu'il s'agisse de ballonnements, de flatulences, de constipation, voire, chez certains, de diarrhée.

Cependant, tous n'y réagissent pas bien ; chez certains, elles aggravent les flatulences et les ballonnements. Par conséquent, ajoutez-les graduellement à votre alimentation. Par exemple, la première semaine, prenez une portion supplémentaire de fruits ou de légumes, cuits de préférence, la seconde, une portion d'un grain entier comme le riz sauvage, le quinoa ou l'orge et, à la fin du mois, passez aux pâtes de blé entier. Prenez également des légumineuses en optant pour la lentille ou une autre variété à petits grains ; ces derniers se digèrent mieux que les gros grains, particulièrement quand on les prépare avec des herbes et épices qui combattent les flatulences, par exemple la coriandre et le carvi. Suivez de près vos symptômes en les notant dans votre journal ; si vous découvrez que les fibres aggravent votre état, diminuez-en les quantités.

Enfin, veillez à augmenter votre consommation d'eau à mesure que vous augmentez votre apport en fibres, à défaut de quoi ces dernières risquent de durcir et de diminuer de volume dans vos selles, entraînant de la constipation.

Vos objectifs : 25 g de fibres par jour, plus si possible. Vous y parviendrez si vous consommez 2 tasses de fruits, 2½ tasses de légumes et trois portions de grains entiers par jour. À la collation, prenez une pomme plutôt que des bretzels, et au déjeuner des flocons d'avoine plutôt que du pain blanc ; le soir, ajoutez des légumes dans vos pâtes ou votre soupe. Pour en tirer le meilleur parti possible, répartissez votre consommation de fibres tout au long de la journée.

Yogourt et lait fermenté

Des milliards de bactéries peuplent l'intestin ; certaines sont utiles, d'autres, nuisibles. Une alimentation inadéquate, l'antibiothérapie et le stress peuvent avoir pour effet de perturber l'équilibre entre ces deux catégories de bactéries ; flatulences, ballonnements et douleur peuvent alors en résulter. Or, des chercheurs ont fait la preuve que le yogourt et les autres produits fermentés, notamment le kéfir, pouvaient contribuer à soulager les symptômes du SII. Cependant, comme ils renferment du lactose, sucre qui contribue à protéger les bactéries contre les sucs digestifs, ceux qui sont intolérants à ce sucre auraient peut-être intérêt à prendre un supplément de probiotiques (voir Suppléments nutritionnels, page 166).

Au cours d'une étude, on a observé que les patients qui avaient pris tous les jours une tasse de kéfir souffraient moins de douleurs intestinales et de malaises que ceux qui avaient reçu un placebo. L'effet obtenu était comparable à celui que procurent deux médicaments prescrits contre le SII.

Vos objectifs : comme chacun réagit différemment, il vous faudra déterminer à l'usage la quantité qui vous convient. Commencez par une demi-tasse de yogourt ou de lait fermenté avec bactéries vivantes, et augmentez graduellement les quantités pour en arriver à prendre 1½ tasses. Notez vos réactions dans votre journal.

NOS MEILLEURES RECETTES

Croquant à la poire *p. 334*
Muffins aux framboises et amandes *p. 326*
Quinoa printanier *p. 324*
Salade de fruits tropicaux *p. 288*
Saumon grillé et épinards sautés *p. 311*
Soupe à la courge et au gingembre *p. 300*
Soupe aux lentilles et à la tomate *p. 301*

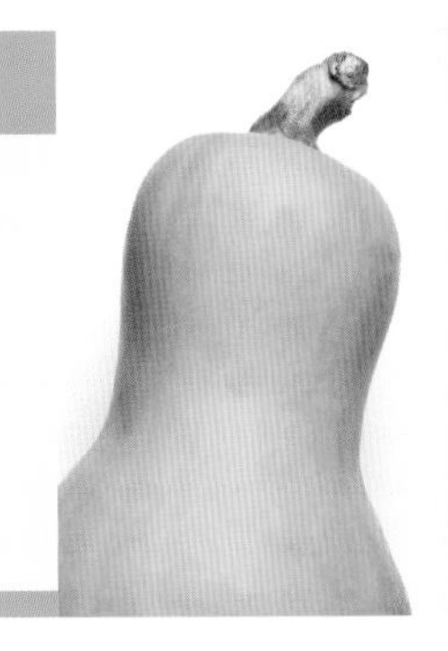

Infusion de camomille

Lors d'une étude menée en Angleterre, on a observé que, chez les femmes qui avaient pris cinq tasses par jour de camomille durant deux semaines, le taux de glycine, acide aminé qui contribue à soulager les spasmes musculaires, s'était élevé. Ce qui pourrait expliquer que la plante est employée de longue date pour soulager les crampes musculaires. Comme les femmes sont plus touchées par le SII que les hommes et que leurs symptômes s'aggravent souvent durant les menstruations, la camomille pourrait leur être tout particulièrement utile.

Vos objectifs : jusqu'à cinq tasses par jour. En plus de détendre les muscles digestifs, l'infusion vous permettra d'augmenter votre consommation de liquides et, sans doute aussi, d'atténuer vos problèmes de constipation.

Graines de carvi, de fenouil, de cardamome et de coriandre

Ces épices sont utilisées de longue date, car elles sont carminatives, c'est-à-dire qu'elles favorisent la digestion. Les deux premières soulagent les flatulences et les ballonnements, les deux dernières calment les spasmes intestinaux qui peuvent entraîner la diarrhée.

Vos objectifs : chauffez les graines à sec dans une poêle pour en libérer l'arôme et ajoutez-les à vos ragoûts, soupes, trempettes et autres plats.

SUPPLÉMENTS NUTRITIONNELS

Capsules entérosolubles d'essence de menthe poivrée. Il semble que cette essence contribue à détendre les muscles lisses du tube digestif et à soulager les flatulences ; elle pourrait également freiner le développement bactérien dans l'intestin grêle. Les résultats d'une étude menée à Taiwan auprès de 110 sujets souffrant de SII indiquent que l'essence de menthe poivrée a permis de soulager la douleur dans 79 % des cas, et les ballonnements, dans 83 % des cas. **DOSE :** les sujets de l'étude prenaient une capsule, trois ou quatre fois par jour, 15 à 30 minutes avant les repas.

Probiotiques. Au cours d'une étude, les femmes souffrant de SII qui ont pris un supplément de *Bifidobacterium infantis* pendant quatre semaines ont vu leur douleur et leurs ballonnements diminuer de 20 % comparativement à celles du groupe placebo. **DOSE :** 10 milliards ou moins de bactéries vivantes, une ou deux fois par jour, de préférence les souches *bifidus* ou *lactobacillus*.

ALIMENTS ET PRODUITS À ÉVITER

Produits laitiers. De nombreuses personnes souffrant de SII sont intolérantes au lactose, sucre du lait. Au lieu de le digérer, les bactéries intestinales produisent des flatulences, des ballonnements et de la nausée. Comme les bac-

On accuse souvent les aliments de causer des troubles digestifs, mais ce qu'on boit exerce également une influence. Le café, le soda, l'alcool, le lait et même le jus d'orange peuvent irriter le tube digestif. Optez plutôt pour de l'eau ou des infusions.

téries du yogourt convertissent le lactose en acide lactique, ce produit laitier fait exception. Évitez le yogourt sans sucre ; les édulcorants utilisés comme substituts du sucre peuvent favoriser les ballonnements et les flatulences. Idem pour le yogourt glacé fouetté. Enfin, si vous supprimez tous les produits laitiers, assurez-vous de consommer d'autres aliments riches en calcium ou de prendre un supplément.

Tomate crue, jus d'agrumes et condiments épicés. Ces produits peuvent irriter le tube digestif. Cependant, comme tous ne réagissent pas de la même manière, notez vos réactions dans votre journal. Si vous ne souhaitez pas vous priver des aliments épicés, prenez-en moins et voyez ce qui se passe. Comme bien des épices sont antibactériennes, elles pourraient s'avérer utiles si, bien sûr, elles n'aggravent pas vos symptômes. Faites-les cuire afin de libérer leur potentiel curatif.

Café. Même le café décaféiné renferme une enzyme qui irrite le tube digestif et, par conséquent, aggrave les symptômes du SII. Si vous en prenez pour faciliter l'évacuation de vos selles le matin, vous pourriez lui substituer du citrate de magnésium (voir ci-contre Un remède calmant), à prendre le soir. Une tasse d'eau chaude additionnée de quelques gouttes de jus de citron pourrait avoir le même effet.

Alcool. La bière, le vin et les spiritueux peuvent irriter les intestins, perturbant la digestion et causant de la douleur. Durant les crises, supprimez entièrement l'alcool et, le reste du temps, n'en buvez qu'avec modération.

Boissons gazeuses. Pour la personne qui souffre de ballonnements et de flatulences, tout aliment ou boisson qui augmente l'apport d'air dans le tube digestif constitue un problème, y compris l'eau gazéifiée.

Bonbons de régime et gomme à mâcher sans sucre. Substitut du sucre, le sorbitol peut agir comme laxatif, provoquant de la diarrhée et des maux de ventres chez ceux qui souffrent de SII. Comme on s'en sert pour édulcorer de nombreux produits à faible teneur en calories, lisez-bien les étiquettes.

Un remède calmant

La digestion s'effectue grâce à une alternance entre contractions et décontractions musculaires dans le tube digestif. Quand on est sous l'effet du stress, qu'on prend des boissons caféinées ou qu'on fume, les contractions augmentent, entraînant un déséquilibre et nuisant à l'excrétion. Le citrate de magnésium est un relaxant musculaire et, comme tel, il contribue à rétablir l'équilibre et à soulager la constipation, les crampes et les ballonnements. De plus, il exerce une légère action laxative : en attirant l'eau dans les intestins, il facilite l'évacuation des selles. Mélangez 200 à 800 ml de poudre avec de l'eau en suivant le mode d'emploi du fabricant, et prenez ce breuvage chaud avant d'aller au lit.

CONSTIPATION

Une alimentation pauvre en fruits, légumes et grains entiers peut favoriser la constipation. Dans ce cas, le remède est simple : il suffit de consommer plus de ces aliments et d'absorber beaucoup de liquides. Si, en raison du stress ou à l'occasion d'un voyage, vous souffrez d'irrégularité intestinale, alors, une poignée de pruneaux ou une tasse de café pourraient venir rapidement à bout du problème.

Si, malgré les changements apportés à votre alimentation et à votre consommation de liquides, vous êtes toujours constipé, consultez votre médecin ; il se peut qu'une autre affection, par exemple l'hypothyroïdie, soit en cause.

VOTRE ORDONNANCE ALIMENTAIRE

Fruits, légumes, légumineuses *et grains entiers*

Ces aliments sont riches en fibres, substances essentielles au bon fonctionnement de l'appareil digestif. Elles absorbent les liquides de l'intestin, lestant et ramollissant les matières fécales, ce qui facilite leur transit dans le côlon, où les contractions musculaires contribueront à les évacuer. Comme elles sont concentrées dans la peau, les tiges et les feuilles, on devrait consommer ces parties, par exemple la pelure des pommes et les tiges de brocoli.

Les légumes à feuilles vert foncé sont doublement utiles puisque, en plus d'être riches en fibres, ils renferment du magnésium (voir Suppléments nutritionnels, ci-contre).

Veillez à n'augmenter votre consommation de fibres que graduellement, à défaut de quoi, votre digestion pourrait en être perturbée.

NOS MEILLEURES RECETTES

Brocoli rôti au fromage *p. 322*
Chili aux trois haricots *p. 308*
Croquant à la poire *p. 334*
Pain streusel à la citrouille *p. 329*
Ragoût de légumes et shiitakes *p. 306*
Salade d'épinards et pois chiches *p. 295*
Soupe à la courge et au gingembre *p. 300*

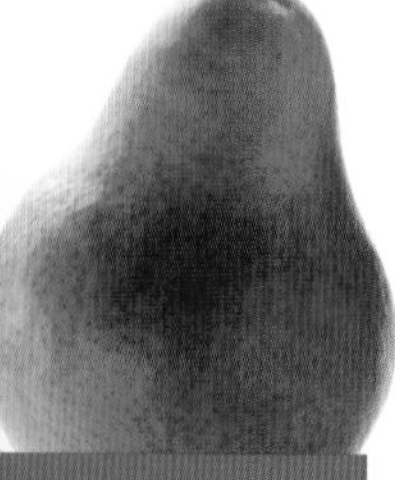

Vos objectifs : 25 à 35 g de fibres par jour. Une portion de ½ tasse de haricots rouges cuits en fournit 8 g, ¼ de tasse de céréales de son, 5 g, ½ tasse de courge cuite, 4,5 g.

Truc utile : au déjeuner, prenez un bol de flocons d'avoine garnis de pruneaux plutôt que de sucre.

Pruneau

Comme le pruneau stimule les contractions musculaires qui font transiter le bol alimentaire dans le côlon, il est légèrement laxatif. Malgré sa richesse en fibres, les chercheurs pensent que ce ne sont pas ces dernières qui agissent contre la constipation, le jus étant également laxatif. Cette action pourrait être attribuable à la haute teneur en sorbitol de ce fruit sec.

Vos objectifs : quatre pruneaux par jour ou une tasse de jus de pruneau, auquel vous ajouterez une cuiller à soupe de jus de citron. Les pruneaux cuits ou qu'on a mis à tremper toute une nuit pourraient être plus digestes que les secs.

Truc utile : comme le pruneau peut provoquer la diarrhée, n'en abusez pas.

Café *et autres boissons chaudes*

En soi, les boissons chaudes favorisent le transit intestinal. À cela s'ajoute, dans le cas du café, une action stimulante sur les contractions musculaires. Cependant, comme il est diurétique, ce n'est pas une bonne solution à long terme. On devrait le considérer comme un appoint. Pour contrer son effet diurétique, buvez de l'eau. L'eau chaude additionnée d'un peu de jus de citron est également laxative. Le jus stimule la libération de bile qui peut déclencher les contractions intestinales.

Vos objectifs : une ou deux tasses de café noir ou une tasse d'eau chaude additionnée de 2 cuillers à soupe de jus de citron.

Eau

Pour agir, les fibres ont besoin d'eau. Si on n'en boit pas suffisamment, l'organisme en prélève dans les matières fécales ; les selles sont alors dures et s'évacuent difficilement. Pour agrémenter l'eau plate, aromatisez-la de quelques tranches d'un fruit de saison, comme la fraise, la pêche, la pastèque ou un agrume.

Vos objectifs : huit à onze tasses d'eau par jour.

Truc utile : pour savoir où vous en êtes dans votre consommation d'eau, utilisez une bouteille d'un litre sur laquelle vous enfilerez trois rubans élastiques. Enlevez-en un chaque fois que vous remplissez la bouteille.

Graine de lin et psyllium

Ces deux produits donnent du volume aux selles. Le soir, prenez une tasse de lait chaud additionné d'une cuiller à thé de graines de lin moulues. Le matin, ajoutez-en deux cuillers à soupe à vos céréales ou votre smoothie. Vous pouvez également vous procurer des céréales comprenant du psyllium ; assurez-vous qu'il figure parmi les premiers sur la liste d'ingrédients.

Vos objectifs : 1 ou 2 cuillers à thé par jour avec quantité d'eau.

Salade, façon Europe

En Europe, la salade est servie à la fin du repas. Riche en fibres, elle accélère le transit du repas. La consommation d'un fruit une heure avant ou après le repas peut avoir cet effet.

Vos objectifs : un fruit avant ou après le repas du midi et une petite salade à la fin du souper.

SUPPLÉMENTS NUTRITIONNELS

Magnésium. Comme peut l'attester toute personne qui a déjà pris du lait de magnésie, le magnésium est un excellent laxatif. Les noix, les graines et les légumes à feuilles vert foncé en sont riches. Cependant, si la constipation est tenace, un supplément pourrait être utile.
DOSE : 150 à 300 mg, deux fois par jour.

Supplément de fibres. À défaut de tirer de vos aliments les 25 à 35 g recommandés, vous pourriez prendre un supplément de fibres, comme le Metamucil. **DOSE :** commencez par en prendre une cuillerée à thé par jour, diluée dans 350 à 500 ml d'eau additionnée, si désiré, de jus de fruit. Avalez ensuite la même quantité d'eau. Augmentez graduellement les doses pour en arriver à 2 cuillerées à soupe par jour.

ALIMENTS ET PRODUITS À ÉVITER

Lait de vache et autres produits laitiers. L'intolérance à la protéine du lait peut causer la constipation. Des chercheurs italiens ont découvert que, en remplaçant le lait de vache par du lait de soya, 68 % des 65 enfants souffrant de constipation chronique ont été soulagés. Si, après avoir augmenté votre consommation de fibres et de liquides, vous êtes toujours constipé, essayez durant deux semaines de supprimer les produits laitiers et voyez si votre état s'améliore.

Excès de protéines. Une alimentation riche en protéines, surtout en viande rouge, peut favoriser la constipation.

Pain, pâtes et riz blancs. Leur texture et leur saveur peut être préférée à celles des grains entiers, mais ces aliments et tous ceux qui sont composés de farine raffinée sont dénués des fibres qui contribuent à la régularité intestinale.

Alcool. Il est diurétique, ce qui n'est pas souhaitable quand on est constipé, l'organisme ayant plutôt besoin d'une plus grande quantité d'eau.

CRAMPES DANS LES JAMBES

Si vous avez déjà eu une crampe dans le mollet, le pied ou une autre partie de la jambe, vous savez combien c'est douloureux. Comme cela se produit la nuit, le sommeil s'en trouve interrompu. Ce genre de crampe musculaire est plus fréquent en vieillissant. En apportant quelques changements à votre alimentation, vous pourriez atténuer le problème. Les muscles ont besoin de divers nutriments dont les électrolytes, minéraux qui agissent en tandem pour équilibrer l'acidité et l'alcalinité des liquides corporels. Donc, il vous faudra consommer plus d'aliments riches en calcium, potassium et magnésium. Certains des conseils donnés ci-dessous devraient également permettre de soulager le syndrome des jambes sans repos.

VOTRE ORDONNANCE ALIMENTAIRE

Aliments riches en calcium, potassium et magnésium

Ces minéraux permettent de prévenir les crampes résultant d'un déséquilibre électrolytique. Portez une attention particulière au magnésium : en cas de carence, les muscles se contractent mais ne se décontractent pas. En outre, si vous prenez un bêtabloquant, il se pourrait qu'il ait pour effet d'épuiser vos réserves de potassium, comme certains diurétiques. Informez-vous auprès de votre médecin.

CALCIUM

Vos objectifs : trois ou quatre portions par jour de produits laitiers ou d'autres aliments riches en calcium, comme les légumes feuilles, le saumon en boîte avec ses os et le jus d'orange enrichi.

POTASSIUM

Vos objectifs : avocat, pomme de terre, haricot blanc, yogourt, tomate, melon brodé et banane.

MAGNÉSIUM

Vos objectifs : légumineuses, fruits de mer, noix, grains entiers, légumes feuilles, chocolat.

Eau *et autres liquides*

Une crampe chez un athlète à l'entraînement indique qu'il est déshydraté. On doit tous boire assez pour préserver l'hydratation des cellules musculaires et permettre aux muscles de se contracter et relâcher facilement, de même que pour favoriser l'assimilation des électrolytes par les cellules en vue de la production d'énergie. Autrement, ces minéraux clés seraient éliminés par la sueur. Si vos crampes se produisent durant ou tout de suite après vos séances d'exercice, parlez-en à votre médecin. Ce pourrait être un signe d'athérosclérose, affection qui a pour effet de freiner l'apport d'oxygène aux muscles.

Vos objectifs : au moins huit tasses d'eau par jour. Durant les séances d'entraînement, prenez-en 90 à 150 ml toutes les 20 minutes environ.

Truc utile : pour rétablir leur équilibre électrolytique, les athlètes qui s'entraînent pendant plus de 90 minutes pourraient devoir prendre une boisson pour sportifs, telle que Gatorade.

Soda tonique

Pour soulager les crampes de leurs patients, les médecins prescrivent parfois de la quinine, médicament dérivé de l'écorce du quinquina. Cependant, ce médicament suscite une certaine controverse du fait que, à hautes doses, il provoque des vertiges et des problèmes sanguins. Cependant, le soda tonique, qui en renferme de très faibles quantités, ne présente aucun danger, surtout si on en boit de façon modérée.

Vos objectifs : une ou deux tasses avant d'aller au lit.

Truc utile : brossez-vous les dents après avoir bu du soda tonique le soir. Comme bien d'autres boissons gazeuses, il renferme des acides citriques et des sucres qui favorisent les caries.

SUPPLÉMENTS NUTRITIONNELS

Vitamines du complexe B. Lors d'une étude menée à Taiwan, les sujets âgés qui ont pris des vitamines du complexe B durant trois mois ont rapporté moins souffrir de crampes nocturnes. La vitamine B_{12}, notamment, joue un rôle important dans la transmission des influx nerveux. **DOSE :** il se vend diverses préparations. Le supplément donné aux sujets de l'étude comprenait 50 mg de B_1 (thiamine), 5 mg de B_2 (riboflavine), 30 mg de B_6 et 250 µg de B_{12}.

Acide folique. Chez certains, les crampes sont causées, en partie du moins, par une carence en folate. On a d'ailleurs observé que l'incidence du syndrome des jambes sans repos était plus faible chez les femmes enceintes qui prenaient un supplément comprenant de l'acide folique.

Comme ce supplément peut avoir pour effet de cacher une carence en vitamine B_{12}, consultez votre médecin avant d'en prendre. **DOSE :** 400 à 800 µg par jour.

Vitamine E. Les résultats de plusieurs études indiquent que la vitamine E peut soulager les crampes. Cependant, la dose efficace varie d'une personne à l'autre. **DOSE :** 30 UI, soit ce que fournit habituellement un supplément multivitaminique.

Fer. Comme l'anémie ferriprive peut causer des crampes musculaires, consultez votre médecin pour savoir si vous en souffrez. Les femmes et les personnes âgées y sont particulièrement sujettes. En outre, la carence peut provoquer le syndrome des jambes sans repos. **DOSE :** 18 mg par jour pour les femmes de 50 ans et moins, soit ce que les suppléments multivitaminiques formulés pour les femmes fournissent habituellement. À moins que leur médecin ait diagnostiqué une anémie, les hommes doivent éviter de prendre du fer. Comme ce minéral peut constiper, consommez beaucoup de fibres et prenez au moins 8 tasses d'eau par jour.

Magnésium. Selon les résultats de quelques études, le supplément de magnésium pourrait soulager les femmes enceintes souffrant de crampes dans les jambes. Si vous attendez un bébé, consultez votre médecin avant d'en prendre. Comme, à quelques exceptions près, nous pourrions tous bénéficier d'un apport supérieur à celui que fournissent les aliments, on ne devrait pas hésiter à prendre un supplément. À noter que le glycinate et le malate de magnésium sont moins susceptibles de provoquer de la diarrhée que le citrate ou l'hydroxyde. **DOSE :** pour corriger une carence, prenez 100 à 400 mg par jour, aux repas.

ALIMENTS ET PRODUITS À ÉVITER

Caféine. La caféine est diurétique et, par conséquent, prive les muscles des précieux liquides dont ils ont besoin. En outre, elle resserre les vaisseaux sanguins, diminuant l'apport de sang aux muscles, en plus d'interférer avec l'absorption du magnésium. Comme elle élève le taux de dopamine, neurotransmetteur qui, en excès, provoquerait le syndrome des jambes sans repos, vous devriez l'éviter entièrement si vous souffrez de ce trouble.

NOS MEILLEURES RECETTES

Crevettes à la thaïlandaise *p. 312*
Pain à la banane et à l'arachide *p. 328*
Salade de thon et haricots blancs *p. 297*
Sandwichs aux croquettes de saumon *p. 304*
Soupe aux lentilles et à la tomate *p. 301*

DÉGÉNÉRESCENCE MACULAIRE

D'après les résultats d'études récentes, certains aliments, particulièrement les fruits et les légumes, pourraient protéger contre la dégénérescence maculaire liée à l'âge (DMLA).

Cette affection est la cause la plus fréquente de cécité irréversible chez les plus de 50 ans. Elle s'attaque à la macula, petite tache jaunâtre située dans la rétine qui permet de distinguer les détails et est responsable de la vision centrale, celle-là même dont on a besoin quand on conduit ou on lit.

Les experts ne sont pas certains de ce qui cause la DMLA, bien qu'ils penchent désormais pour le facteur héréditaire. Quoiqu'il en soit, elle se caractérise par une perte de pigmentation de l'œil et la formation de drusens, sortes de dépôts jaunâtres. Or, selon les études, l'alimentation peut jouer un rôle dans sa prévention. En fait, la macula est faite de certains de ces nutriments que nous tirons des aliments. En remplissant votre assiette d'aliments sains, vous ne guérirez pas la DMLA mais vous pouvez retarder sa progression et diminuer votre risque d'en souffrir en premier lieu.

VOTRE ORDONNANCE ALIMENTAIRE

Épinard, chou cavalier, chou frisé *et autres légumes feuilles verts*

S'il y a une chose que vous puissiez faire pour préserver votre acuité visuelle, c'est bien de consommer plus de légumes verts. Ils sont riches en lutéine et zéaxanthine, pigments naturels qui se retrouvent souvent associés dans les aliments et qui font partie de la famille des caroténoïdes, le plus connu étant le bêta-carotène. Les études indiquent que les sujets qui en présentent des taux élevés courent trois fois moins de risque de souffrir de DMLA que ceux dont les taux sont plus bas.

Ce n'est pas étonnant étant donné que le pigment jaune de la macule est composé de ces deux caroténoïdes. Les chercheurs pensent qu'ils agissent comme un écran solaire : ils absorbent une partie du rayonnement bleu et préservent ainsi la rétine. Comme ce sont des antioxydants, ils protègent également contre les dommages causés par les radicaux libres. La zéaxanthine, qui est la principale composante de la macula, pourrait également constituer une bonne partie de son pigment jaune, lequel en retour, semble rehausser la sensibilité de cette dernière aux signaux visuels.

Les verdures cuites sont les meilleures sources de lutéine et de zéaxanthine. Cependant, on trouve également ces composés dans les fruits et légumes richement colorés, comme le poivron orange, le maïs, le kaki et la tangerine.

Vos objectifs : 6 à 10 mg de lutéine et de zéaxanthine tous les jours, soit un peu plus que ce que fournit une demi-tasse d'épinards ou de chou frisé cuit.

Truc utile : comme les gras favorisent l'absorption de la lutéine et de la zéaxanthine, utilisez de l'huile d'olive pour faire sauter vos légumes verts ou ajoutez-en dans vos salades. N'hésitez pas non plus à vous préparer une omelette aux épinards ; les lipides présents dans l'œuf favoriseront l'absorption des deux antioxydants.

Poisson *et autres aliments riches en oméga-3*

Ces aliments peuvent diminuer de 40 % le risque de DMLA. L'EPA et le DHA, principaux acides gras oméga-3 du poisson, sont essentiels au développement de l'œil et à la fonction de la rétine. Les membranes des cellules photoréceptrices, particulièrement celles des bâtonnets, sont également très riches en DHA. En contribuant à préserver leur fluidité, le DHA pourrait jouer un rôle dans la réaction à la lumière des molécules de protéines présentes dans ces cellules. De plus, les oméga-3 favorisent la production de certaines prostaglandines utiles. Ces substances apparentées aux hormones interviennent dans de nombreux processus de l'organisme, y compris la circulation sanguine et la transmission nerveuse, qui touchent forcément la santé de l'œil.

À défaut d'aimer le poisson, tournez-vous vers la noix commune, la graine de lin et son huile, ou le soya. Ces aliments sont riches en acide alphalinolénique (AAL) que l'organisme convertit (pas de manière très efficace, toutefois) en DHA et EPA.

Vos objectifs : 250 à 375 g de poisson gras par semaine. Ou encore, ajoutez ¼ de tasse de noix communes dans votre salade ou une cuiller à soupe de graines de lin moulues dans vos flocons d'avoine.

Truc utile : évitez l'espadon et les autres poissons qui sont contaminés au mercure, et optez pour la variété. Pour augmenter votre apport d'oméga-3, consommez également des noix communes et des graines de lin.

Carotte, poivron rouge, amande et graine de tournesol

Au cours d'une étude importante, le National Eye Institute des États-Unis a découvert qu'un supplément composé de bêta-carotène, de vitamines C et E, ainsi que de zinc, freinait de 19 à 25 % la progression de la DMLA. Bien que les doses aient été beaucoup plus élevées que ce qu'on peut habituellement tirer de l'alimentation, les personnes qui souffrent de DMLA ou présentent des facteurs de risque – antécédents familiaux et, possiblement, couleur pâle des yeux – ont tout intérêt à consommer de bonnes quantités d'aliments qui sont riches en ces antioxydants.

Les légumes verts sont de bonnes sources de bêta-carotène, de même que la carotte et la patate douce. En outre, l'épinard, fournit de la vitamine E, ainsi que l'amande et la graine de tournesol, qui en contiennent même encore plus. Pour combler vos besoins en vitamine C, prenez du poivron rouge, du jus d'orange, des agrumes et du brocoli.

Les chercheurs ne s'expliquent pas entièrement le rôle protecteur de ces antioxydants sur l'œil mais ils disposent de quelques indices. Ainsi, le bêta-carotène est converti dans l'organisme en vitamine A qui, à son tour, est transformée en une protéine essentielle à la perception de la lumière.

Comme le bêta-carotène, les vitamines C et E sont de puissants antioxydants qui protègent les cellules, y compris celles de la macula, des dommages causés par les radicaux libres. Apparemment, ils seraient plus efficaces quand ils sont associés dans les aliments. Ainsi, la vitamine E ne peut jouer son rôle d'antioxydant qu'en présence de vitamine C.

Vos objectifs : *bêta-carotène :* 15 mg par jour, soit ce que fournit une patate douce avec sa peau ou une tasse d'épinards cuits. Une tasse de jus de carotte en fournit encore plus. *Vitamine E :* 400 UI (environ 268 mg) par jour. Comme il est impossible d'en tirer autant des aliments, surtout si on suit un régime pauvre en lipides, le supplément pourrait être indiqué. Un quart de

NOS MEILLEURES RECETTES

Épinards au fromage à la crème *p. 322*
Muffins aux framboises et amandes *p. 326*
Ragoût de bœuf et brocoli *p. 318*
Salade d'épinards et pois chiches *p. 295*
Saumon grillé et épinards sautés *p. 311*
Soupe à la patate douce *p. 299*

tasse de graines de tournesol en fournit 8 mg, 30 g d'amandes, 7, une tasse d'épinard cuits, presque 4. *Vitamine C:* 500 mg par jour, soit ce que fournissent une tasse de jus d'orange et une tasse de poivron rouge haché.

Huître, crabe, bœuf, haricots au four *et autres aliments riches en zinc*

Le zinc contribue à l'absorption de la vitamine A par la rétine. Les chercheurs pensent qu'il protège les membranes de la rétine, ce qui expliquerait qu'il s'y trouve en si grande concentration. Il est présent dans les viandes et les fruits de mer, et particulièrement abondant dans le foie et les huîtres.

Vos objectifs : 15 à 20 mg de zinc tous les jours. Une boîte de haricots cuits en sauce tomate en fournit environ 14 mg, 90 g d'agneau ou de crabe, environ 6 mg, 90 mg de bœuf haché, environ 5 mg. Enfin, 90 g d'huîtres en fournissent 76 mg.

SUPPLÉMENTS NUTRITIONNELS

Lutéine et zéaxanthine. Des chercheurs du National Eye Institute mènent présentement des expériences avec des doses de 10 mg de lutéine et de 2 mg de zéaxanthine par jour. Jusqu'à ce qu'on ait établi les doses considérées comme sûres, les optométristes recommandent de tirer ces antioxydants des aliments plutôt que de suppléments. **DOSE :** on n'a pas établi de dose sécuritaire. Pour l'instant, optez pour un supplément multivitaminique qui en renferme.

Acides gras oméga-3. Ce supplément se présente sous forme de capsule d'huile de poisson ou sous forme liquide. Comme les oméga-3 sont sensibles à la chaleur, la lumière et l'oxygène, gardez le supplément au réfrigérateur. En outre, pour prévenir le rancissement, optez pour un produit qui renferme de la vitamine E.

Les doses d'oméga-3 jugées efficaces font actuellement l'objet d'une étude par le National Eye Institute. Les participants prendront 1 g par jour d'huile de poisson ou de DHA, quantité qui, soit dit en passant, pourrait entraîner des malaises d'estomac et donner un arrière-gout de poisson. **DOSE :** la FDA considère qu'on peut sans danger en prendre 1 à 3 g par jour.

Bêta-carotène, vitamines C et E, et zinc. L'administration de ces nutriments en association est, jusqu'à présent, la seule méthode connue pour retarder la progression de la DMLA. Cependant, comme, pour certains d'entre eux, les doses qu'évalue présentement

Le bifteck est-il mauvais pour vos yeux ? S'il est gras, la réponse est oui. Les lipides d'origine animale stimulent l'activité des radicaux libres dans l'organisme, ce qui peut endommager les cellules de la rétine.

le National Eye Institute sont plutôt élevées, consultez votre médecin avant d'en prendre. Selon les chercheurs, ce supplément n'est indiqué qu'aux personnes qui présentent un risque élevé de souffrir de DMLA à un stade avancé. En outre, à hautes doses, le bêta-carotène pourrait élever le risque de cancer chez les fumeurs, tandis que le zinc pourrait affaiblir le système immunitaire. Enfin, comme le zinc peut entraîner une carence en cuivre, ne prenez l'un que si vous prenez l'autre (soit 2 mg par jour). **DOSE :** *Vitamine C :* 500 mg par jour. *Vitamine E :* 400 UI par jour. *Bêta-carotène :* 15 mg par jour. *Zinc :* 80 mg d'oxyde de zinc par jour.

ALIMENTS ET PRODUITS À ÉVITER

Viandes grasses, beurre et autres sources de gras saturés. Ces lipides stimulent l'activité des radicaux libres, sapant ainsi les efforts des antioxydants. Optez pour les viandes maigres et tenez-vous en à des portions de 90 à 175 g. Remplacez le beurre par de la margarine exempte de gras trans. Autant que possible, choisissez du fromage partiellement écrémé ou maigre, et limitez votre consommation de ceux qui sont plus riches. Les fromages à pâte molle comme le chèvre sont légèrement moins gras que les fromages à pâte dure.

Alcool. L'alcool forme de l'acétaldéhyde et du malondialdéhyde, composés nocifs qui contribuent aux dommages cellulaires causés par les radicaux libres et qui, soit dit en passant, sont responsables de la gueule de bois. De plus, il épuise les réserves de vitamine A, antioxydant dont on a prouvé qu'il freinait la progression de la DMLA.

Huile de maïs, de tournesol et de carthame. De nombreux experts pensent qu'une consommation élevée des oméga-6 présents dans ces huiles, ainsi que dans de nombreux produits transformés, a pour effet de contrer les effets positifs des oméga-3. De fait, on a prouvé qu'ils augmentaient le risque de dégénérescence maculaire et que ceux qui consommaient proportionnellement plus d'oméga-3 étaient moins susceptibles d'en souffrir.

Préserver les nutriments des aliments

Pour tirer un maximum d'oméga-3 et d'antioxydants de vos aliments, il est important de savoir les choisir, les conserver et les préparer adéquatement.

Noix et graines de lin : non seulement l'exposition à la chaleur, à la lumière et à l'oxygène affecte-elle la qualité nutritive des oméga-3, mais elle a pour effet de libérer des radicaux libres, ennemis de la rétine ainsi que des autres tissus du corps. Conservez les noix et les graines de lin au réfrigérateur, dans des récipients opaques. Achetez ces dernières entières et passez-les au moulin au fur et à mesure de vos besoins ; l'écorce de la graine, de même que sa vitamine E, protège les oméga-3 contre l'oxydation.

Huile de noix et de lin : utilisez ces huiles fragiles crues et non en cuisson.

Légumes feuilles : en général, les légumes sont plus riches en nutriments quand ils sont fraîchement cueillis. Optez pour les plus frais et consommez-les dans un délai de deux jours. Consommez les feuilles extérieures des légumes feuilles de préférence aux feuilles intérieures ou aux tiges, car elles sont plus riches en antioxydants. En outre, plutôt que de les bouillir, faites-les cuire à la vapeur, au micro-ondes ou en sauté ; ils préserveront plus de nutriments.

Fruits : consommez-les dès qu'ils sont coupés, car l'exposition à l'air a pour effet de les priver de leur vitamine C.

DÉPRESSION

L'expression « on est ce qu'on mange » s'applique tout autant à la dépression qu'aux maladies physiologiques. Bien qu'on associe généralement cette affection à des antécédents familiaux ou à des événements dévastateurs de l'existence, par exemple la perte d'un être cher, elle peut également résulter d'une alimentation inadéquate.

Dans ce domaine, les travaux modernes on surtout porté sur l'importance d'un apport équilibré en acides gras essentiels, qu'on peut atteindre en consommant plus d'aliments riches en oméga-3 – poisson, noix et graine de lin – et moins de produits riches en oméga-6 – huiles de maïs et de carthame, et aliments transformés et préemballés. Les résultats d'autres études indiquent que les personnes qui souffrent de dépression présentent généralement des taux faibles de certaines vitamines B, ainsi que de sélénium, de fer et de zinc. On ne sait toutefois pas si les carences nutritionnelles causent la dépression ou si cette dernière entraîne des changements dans les habitudes alimentaires qui se traduiraient par des déficits.

Le facteur alimentaire pourrait permettre d'expliquer, en particulier, la dépression postpartum. Partant de l'idée que les femmes souffrent deux fois plus de dépression que les hommes, des chercheurs de l'université de Pittsburgh se penchent présentement sur le lien potentiel entre cette affection et les carences nutritionnelles qui sont fréquentes durant la grossesse et l'allaitement et ne sont comblées que beaucoup plus tard, quand leurs taux de nutriments retournent à la normale.

La dépression est loin d'être anodine ; elle peut nécessiter de l'aide professionnelle et des médicaments d'ordonnance. Il est donc important de ne pas négliger ces traitements même quand on apporte des changements à son alimentation. Cela dit, certains nutriments clés pourraient permettre de la prévenir, d'en soulager les symptômes et même de rehausser l'efficacité des antidépresseurs.

propos à mijoter…

« Avant 1890, le ratio oméga-6/oméga-3 de l'alimentation nord-américaine était de 1:1, alors qu'il est aujourd'hui de 25:1. Cette augmentation considérable de la consommation d'oméga-6 pourrait expliquer la hausse de l'incidence de la dépression en Amérique du Nord. »

– "Nutrition and Depression : Implications for Improving Mental Health among Childbearing Aged Women," *Biological Psychiatry,* 2005

Saumon, maquereau, sardine

et autres aliments riches en oméga-3

Le taux de dépression est relativement faible dans les pays où il se consomme beaucoup de poisson, notamment au Japon, à Taiwan et en Finlande. À l'inverse, en Amérique du Nord et en Europe, où l'on en consomme peu, ce taux est 10 fois plus élevé. Les femmes qui ne prennent du poisson que rarement courent deux fois plus de risque de souffrir de cette maladie que celles qui s'en nourrissent souvent.

Vos objectifs : bien qu'il soit pratiquement impossible de tirer assez d'oméga-3 de son alimentation pour traiter la dépression – il en faut de 1 à 3 g par jour – manger plus de poisson peut avoir un effet préventif. Prenez-en au moins deux portions par semaine. À défaut d'aimer le poisson, prenez 1 cuiller à thé par jour de graines de lin moulues ou d'une autre source d'oméga-3, que vous ajouterez aux céréales, au yogourt ou aux salades.

Haricot, poisson épinard *et autres aliments riches en vitamines B*

S'il est vrai que toutes les vitamines du complexe B jouent un rôle important dans la prévention de la dépression, les chercheurs se sont surtout penchés sur le folate (ou acide folique) ainsi que sur la B_6 et la B_{12}, dont les personnes déprimées sont souvent carencées. Des chercheurs de Harvard ont découvert que 15 à 38 % des dépressifs ont un déficit en folate. On n'est pas certain que cette carence cause la dépression mais on sait qu'elle peut interférer avec les antidépresseurs, en retardant leurs effets.

Les femmes sous contraceptif ou hormonothérapie de substitution peuvent également être carencées en B_6, ce qui expliquerait en partie pourquoi la dépression touche moins les hommes. Quant à la carence en B_{12}, elle est fréquente chez les personnes âgées et les végétariens qui ne prennent aucune protéine animale. À ce jour, on n'a pas mené d'études sur les effets préventifs et curatifs d'une alimentation riche en vitamines B – grains entiers, viandes maigres, légumineuses et noix - sur la dépression, mais on pense que ces aliments contribuent à la santé du cerveau.

Vos objectifs : *vitamine B_6 :* 1,3 à 1,5 mg par jour. Une portion de 100 g de thon ou une tasse de pois chiches en fournit presque cette quantité. La farine de sarrasin en est une autre bonne source. *Vitamine B_{12} :* 2,4 µg par jour, quantité qu'une portion de bœuf ou d'œufs comblera aisément. *Folate :* 400 µg par jour. Une tasse de lentilles cuites de même qu'une tasse d'épinards cuits avec un jus d'orange y pourvoiront en très grande partie. L'asperge et l'avocat en sont d'autres bonnes sources. *Thiamine :* 50 mg par jour. Comme il est difficile d'en tirer autant de ses aliments, complétez vos grains entiers par un supplément de vitamines du complexe B.

Réconfortante vanille !

Selon les résultats d'une étude menée au Memorial Sloan-Kettering Cancer Center, les vapeurs de vanille pourraient soulager l'anxiété. On a fait attendre un premier groupe de sujets, qui devaient passer une IRM, dans une pièce où l'air était parfumé à la vanille, tandis que les autres attendaient dans une seconde pièce. Or, le degré d'anxiété rapporté par ceux du premier groupe était inférieur de 63 % à celui des sujets du groupe témoin. Avant de préparer le café, mettez une ou deux gouttes d'essence de vanille dans la cafetière, ajoutez-en à l'eau de votre bain ou disposez des bougies qui en sont parfumées en divers endroits de la maison.

Viandes maigres, fromage et banane

Ces aliments ont en commun d'être riches en tryptophane. Des chercheurs britanniques ont découvert que, à raison de trois doses de 1 000 mg par jour, cet acide aminé contribuait à améliorer l'humeur. C'est un élément essentiel à la production de sérotonine, neurotransmetteur qui régule l'humeur. Soit dit en passant, les antidépresseurs de la famille des inhibiteurs sélectifs du recaptage de la sérotonine (ISRS) comme la fluoxétine (Prozac) visent justement à accroître la disponibilité de la sérotonine dans le cerveau. Autres sources de tryptophane : arachide, poisson, lait, datte et chocolat.

Comme les protéines constituent de bonnes sources de tryptophane, n'hésitez pas à consommer des viandes maigres, du poisson, du soya et d'autres aliments protéinés.

Vos objectifs : comme il est impossible de tirer de ses aliments la quantité de tryptophane que les chercheurs britanniques ont administrée aux sujets de l'étude, visez à augmenter votre consommation de ceux qui en sont riches. Votre médecin pourra ensuite vous prescrire, au besoin, un supplément qui en fournit des doses pharmaceutiques.

Truc utile : prenez de la dinde. En plus d'être riche en tryptophane, cette volaille renferme des vitamines B ainsi que de bonnes quantités de fer, sélénium, zinc et autres nutriments qui font présentement l'objet d'études sur la dépression.

Glucides complexes *provenant des légumes, fruits, légumineuses et grains entiers*

Les glucides simples comme le sucre, les féculents et les produits composés de farine blanche font monter le taux de sérotonine, d'où le réflexe d'en consommer quand on se sent déprimé. Cependant, comme ils provoquent une élévation brusque de la glycémie, suivie d'une chute tout aussi rapide, ces aliments affectent l'humeur. Les fluctuations aberrantes du taux de sucre sanguin ont pour effet de solliciter à l'excès les surrénales ; fatigue et dépression en résultent. Par contraste, les glucides complexes, comme ceux que renferment les grains entiers, les fruits, les légumes et les légumineuses, élèvent le taux de sérotonine sans entraîner de pics et de chutes glycémiques.

Vos objectifs : 7 à 10 portions de fruits et légumes par jour. De plus, prenez au moins 3 ou 4 portions de grains entiers, par exemple, un bol de céréales à haute teneur en fibres le matin et un sandwich fait de pain de grain entier le midi.

NOS MEILLEURES RECETTES

Betteraves à l'orange *p. 325*
Brochettes de thon *p. 308*
Crêpes de sarrasin, sauce aux fruits *p. 288*
Risotto de riz entier *p. 323*
Salade d'épinards et pois chiches *p. 295*
Salade de thon et haricots blancs *p. 297*
Saumon grillé et épinards sautés *p. 311*
Soupe aux lentilles et à la tomate *p. 301*

SUPPLÉMENTS NUTRITIONNELS

Acides gras oméga-3. Bien qu'on ne sache pas si les suppléments d'oméga-3 peuvent prévenir la dépression, les études indiquent qu'ils contribuent à en soulager les symptômes, surtout chez les sujets qui ne semblent pas bien répondre au traitement pharmacologique.

Parmi tous les oméga-3, ce sont l'EPA et le DHA qui jouent un rôle de premier plan dans la dépression. Les résultats de plusieurs essais en double aveugle avec groupe témoin indiquent que les sujets qui prenaient au moins 1 g par jour d'EPA ont vu leur humeur s'améliorer. Les suppléments d'oméga-3 semblent également renforcer l'effet des antidépresseurs. Lors d'une étude d'une durée de quatre semaines, menée auprès de 20 patients qui, en plus de leur antidépresseur, prenaient soit 2 g d'EPA par jour, soit un placebo, on a observé une diminution de 50 % des symptômes chez ceux du premier groupe. DOSE : selon les résultats d'études, la dose efficace est de 1 g d'EPA et 1 g de DHA. Ne dépassez pas ces quantités sans avoir consulté votre médecin au préalable.

Vitamines du complexe B. D'après les études, certaines vitamines B pourraient contribuer à réguler l'humeur. Ainsi, la thiamine semble accroître le sentiment de bien-être, tandis que l'acide folique améliorerait la réponse de l'organisme aux antidépresseurs. **DOSE :** un comprimé par jour d'un supplément comprenant 800 µg d'acide folique, 50 à 100 mg de B_6 et au moins 500 µg de B_{12}. Si vous devez prendre des doses plus fortes, consultez d'abord votre médecin.

Sélénium sous forme de supplément multivitaminique. Ce minéral antioxydant est nécessaire à l'élaboration de la glutathion-peroxydase, enzyme qui protège les nerfs du cerveau. Il joue aussi un rôle de premier plan dans le métabolisme de l'hormone thyroïdienne. Or, on sait qu'un déficit thyroïdien peut causer la dépression. Des chercheurs ont observé que les sujets présentaient plus de symptômes de dépression et d'hostilité quand leur alimentation était pauvre en sélénium que lorsqu'elle en était riche. **DOSE :** selon les résultats d'études, une dose de 100 µg par jour a eu pour effet d'améliorer l'humeur, ce que ne faisait pas le placebo. Les suppléments de multivitamines/multiminéraux renferment 100 à 200 µg de sélénium.

Fer. Une carence en fer, affection fréquente, entraîne fatigue, apathie, irritabilité et difficultés de concentration. Elle pourrait donc jouer un rôle dans la dépression. Des chercheurs ont constaté que l'état des femmes souffrant de dépression postpartum s'améliorait quand elles prenaient des comprimés de 125 mg de fer. **DOSE :** il n'est pas simple de déterminer la quantité à prendre ; à faibles doses, le fer peut mener à la dépression tandis que, à hautes doses, il peut entraîner des troubles cardiaques. Ne prenez de supplément que si votre médecin a diagnostiqué une carence.

ALIMENTS ET PRODUITS À ÉVITER

Alcool. Non seulement l'alcool déprime-t-il le système nerveux central, mais il épuise les réserves de vitamines B de l'organisme dont le cerveau a besoin. C'est particulièrement vrai de l'alcool fort.

Huile de maïs, de carthame et de tournesol, et aliments transformés tels que croustilles et biscuits. Ces huiles, de même que les produits qui en renferment, sont riches en oméga-6. Selon de nombreux experts, bien qu'essentiels, ces acides gras occuperaient une trop grande place dans notre alimentation.

Stabilisez votre glycémie

On recommande souvent aux personnes au régime de prendre de nombreux petits repas tout au long de la journée afin d'éviter les fluctuations de la glycémie (le taux de sucre sanguin) qui peuvent mener aux fringales. Ce conseil vaut également pour améliorer l'humeur. Ne passez jamais plus de quelques heures sans manger, optez pour les glucides complexes plutôt que pour les grains raffinés et les aliment sucrés, et prenez des protéines et des gras sains à chacun de vos repas et collations.

À titre d'exemple, vous pourriez remplacer le bagel du déjeuner par une céréale de son garnie de fruits, prendre au dîner un sandwich de pain de blé entier plutôt que de pain blanc, ou encore une salade garnie de haricots ou de thon et, le soir, substituer à la grosse assiette de spaghetti une tranche ou deux de poulet rôti servi avec une montagne de légumes et ½ tasse de riz complet.

DIABÈTE

Le diabète est intimement lié à l'alimentation. On sait que les aliments sucrés font fluctuer le taux de sucre sanguin – la glycémie – de manière excessive. Ce qu'on sait moins c'est que les glucides raffinés (biscuits, craquelins et préparations à base de farine blanche, qui se transforment rapidement en glucose dans l'organisme) sont aussi néfastes, voire plus. En outre, les excès alimentaires mènent au surpoids, autre facteur de risque de cette maladie. On ne peut affirmer que les excès alimentaires et la consommation élevée de glucides raffinés causent le diabète, mais ils y contribuent certainement. Les études indiquent que les sujets qui consomment beaucoup de glucides raffinés, ainsi que de lipides et de protéines d'origine animale, risquent vraiment plus de souffrir de cette maladie que ceux qui en prennent moins. En d'autres mots, une alimentation axée sur le bifteck, la pomme de terre, le burger, les frites, les beignets et la crème glacée ouvre la porte au diabète de type 2.

Heureusement, il suffit d'apporter quelques changements graduels à son alimentation pour renverser la vapeur. Même ceux qui souffrent déjà de diabète verront leur état s'améliorer s'ils mangent mieux et, au besoin, perdent du poids. En prenant les moyens nécessaires pour stabiliser leur glycémie, ils pourraient diminuer leurs doses d'insuline ou des autres antidiabétiques, voire les supprimer entièrement. La solution peut être aussi simple que de remplacer le pain blanc et la pomme de terre par du pain de blé entier et des légumineuses, et d'augmenter sa consommation de fruits et de légumes. D'autres aliments s'avèrent utiles, comme vous allez le voir.

VOTRE ORDONNANCE ALIMENTAIRE

Fruits, légumes *et autres aliments riches en antioxydants*

Les fruits et les légumes sont riches en fibres, substances qui ralentissent la digestion. De plus, ils renferment des antioxydants.

Les vitamines E et C, de même que le bêtacarotène et les autres caroténoïdes présents dans les fruits et légumes jaunes et orange, notamment, seraient utiles aux diabétiques. Lors d'une étude d'une durée de 23 ans, menée auprès de 4 300 hommes et femmes non diabétiques, des chercheurs finlandais ont observé que les sujets qui consommaient le plus d'aliments riches en vitamine E, soit de l'épinard ou d'autres légumes à feuilles vertes de même que des noix et des graines, voyaient leur risque de diabète de type 2 diminuer de 31 %. Chez ceux qui prenaient les plus grandes quantités d'un caroténoïde présent dans les agrumes, le poivron rouge, la papaye, la feuille de coriandre, le maïs et la pastèque, ce risque diminuait de 42 %. Quant à la vitamine C, bien qu'elle ne semble pas exercer un effet préventif, elle rehausse l'action de la vitamine E. On en trouve dans les agrumes, le brocoli et la tomate, entre autres aliments. À noter que, chez les diabétiques, les taux sanguins de vitamines C et E sont souvent faibles.

Ces antioxydants agissent en neutralisant les radicaux libres, molécules instables qui endommagent les cellules. Les études indiquent que les diabétiques présentent des taux anormalement élevés de radicaux libres. Il se peut qu'ils jouent un rôle tant dans la genèse du diabète que dans ses complications à long terme, qui se manifestent par l'obstruction des artères et des vaisseaux sanguins, ainsi que par des lésions nerveuses. Ces molécules prolifèrent quand les taux de sucre sanguin et d'insuline sont élevés.

Vos objectifs : cinq ou six portions de légumes par jour et quatre portions de fruits. Une portion correspond à un fruit moyen, ½ tasse de jus de fruits ou de légumes, ½ tasse de fruits hachés, de légumineuses ou de légumes cuits, ou une tasse de légumes à feuilles vertes.

Truc utile : les fruits séchés et les jus de fruits sont généralement trop sucrés pour les diabétiques, sans compter que les jus sont dénués de fibres. Préférez-leur les fruits frais.

Grains entiers, haricot, pois et lentille

Les grains entiers et les autres glucides complexes sont les aliments antidiabétiques par excellence. L'avoine, le haricot et un certain nombre de fruits et de légumes sont riches en fibres solubles, substances qui ralentissent la digestion et atténuent les pics glycémiques. De plus, les fibres font baisser le taux de cholestérol et diminuent ainsi le risque de cardiopathie, principale cause de décès chez les diabétiques. Quant à leurs fibres insolubles, elles diminueraient incidence du diabète.

Les données recueillies auprès des quelque 3 000 sujets participant à la Framingham Offspring Study indiquent que les personnes les moins sujettes à l'insulinorésistance, signe précurseur du diabète de type 2, étaient celles qui consommaient le plus de grains entiers riches en fibres. En outre, leur risque de souffrir du syndrome métabolique – groupe de symptômes incluant l'obésité, l'hypertension et l'hyperglycémie, liés au diabète de type 2 et à la cardiopathie – était inférieur de 38 % à celui des sujets qui en prenaient moins. Enfin, les résultats d'une revue d'études indiquent que les sujets qui prenaient au moins trois portions de grains entiers par jour courraient de 20 à 30 % moins de risque de souffrir du diabète de type 2 que ceux qui en consommaient moins.

Passez au déca

Les résultats d'une étude d'une durée de 11 ans menée à l'université du Minnesota auprès de 29 000 femmes ménopausées indiquent que celles qui buvaient plus de six tasses de café par jour voyaient leur risque de diabète de type 2 diminuer de 22 %, tandis que, chez celles qui prenaient du décaféiné, ce risque baissait de 33 %. Il semble bien que ce soient les antioxydants du café, et non la caféine, qui exercent un effet protecteur. Les chercheurs pensent que ces substances protègent les cellules bêta du pancréas, celles-là même qui produisent l'insuline, contre les dommages causés par les radicaux libres. De plus, l'acide chlorogénique, substance présente dans le café, le vin rouge et le chocolat, semble ralentir l'absorption du sucre par les cellules.

Les légumineuses comme le haricot, le pois chiche, le pois, la lentille et le haricot de soya, sont tout aussi bonnes pour les diabétiques. Elles se digèrent lentement, n'entraînant qu'une légère hausse des taux de sucre sanguin et d'insuline. En outre, elles sont riches en protéines mais, contrairement à la viande, ne renferment pas de gras saturés.

Le haricot de soya semble particulièrement efficace. Lors d'une étude menée à l'université de l'Illinois, on a fait suivre à 14 hommes souffrant du diabète de type 2 à un stade avancé un régime dont la moitié des protéines étaient constituées de soya ; en conséquence, leur taux de cholestérol HDL s'est élevé et le taux de protéines de leur urine, signe de lésions rénales, a baissé. Les résultats d'un certain nombre d'études indiquent que le soya peut contribuer à réguler les taux d'insuline et la glycémie.

Mise en garde : ajoutez les fibres au menu de manière graduelle, à défaut de quoi vous risquez ballonnements et flatulences. En outre, il est important d'augmenter proportionnellement votre consommation de liquides.

Vos objectifs : 25 à 35 g de fibres par jour. Une tasse de lentilles en fournit 9 g, et ½ tasse de céréales de son, 12 g. Pour en augmenter votre consommation, optez pour des céréales de grains entiers le matin (veillez à ce qu'elles fournissent au moins 5 g de fibres par portion), remplacez le sandwich au pain blanc du midi par un sandwich au pain de grain entier et prenez au moins un repas de légumineuses par semaine.

NOS MEILLEURES RECETTES

Casserole poulet et orge *p. 314*
Chili aux trois haricots *p. 308*
Légumes racines rôtis *p. 320*
Mousse de fraises surgelées *p. 336*
Noix épicées *p. 290*
Pâtes primavera au cheddar *p. 306*
Pouding au riz *p. 336*
Quinoa printanier *p. 324*
Saumon grillé et épinards sautés *p. 311*
Soupe aux lentilles et à la tomate *p. 301*
Tartelette aux baies *p. 337*

Cannelle

D'après les études, la cannelle fait baisser les taux de sucre sanguin, de cholestérol, dont le LDL, et de triglycérides, et renforce l'efficacité de l'insuline. Ces facteurs sont tous importants dans la lutte contre le diabète et la cardiopathie. Tout comme l'insuline, certains des composés de cette épice facilitent l'absorption du glucose par les cellules, ce qui a pour effet d'abaisser la glycémie. Elle renferme également du manganèse, minéral qui semble faciliter l'utilisation du glucose sanguin par l'organisme.

Cet effet est substantiel, puisqu'on parle d'une amélioration de 20 %, en terme d'utilisation du glucose. On a observé que la consommation de ¼ à 1¼ cuillers à thé de cannelle par jour pendant 40 jours faisait baisser le taux sanguin de glucose de 18 à 29 %.

Vos objectifs : ½ cuiller à thé par jour. Comme certains sont allergiques à cette épice, augmentez graduellement les quantités et voyez si vous la tolérez bien.

Truc utile : en plus d'en ajouter à la compote de pommes, aux flocons d'avoine et sur vos rôties, vous pouvez mettre ½ cuiller à thé de cannelle dans la cafetière au moment de préparer le café, ou en aromatiser vos patates douces, aliment conseillé aux diabétiques, quoique en faibles quantités.

Beurre d'arachide et noix

Au cours de la Nurses Health Study (l'étude des infirmières), menée auprès de plus de 80 000 femmes n'ayant aucun antécédent de diabète, on a observé que celles qui prenaient des noix cinq fois par semaine voyaient leur risque de diabète du type 2 diminuer de 30 %, comparativement à celles qui n'en prenaient jamais, et chez celles qui prenaient du beurre d'arachide, il diminuait de 20 %. Les chercheurs ne savent pas pourquoi l'arachide et les noix exercent cet effet. Peut-être est-ce à cause de leur teneur en magnésium, en gras insaturés, en fibres, ou parce que les personnes qui mangent régulièrement des noix mènent une vie plus saine. Comme les gras mono-insaturés, qui composent 85 % des lipides des noix, pourraient prévenir l'insulinorésistance, c'est un choix censé que de remplacer un produit riche en glucides comme les bretzels, par un aliment riche en « bons gras » comme les noix.

Vos objectifs : environ 30 g, soit une petite poignée de noix ou 1 cuiller à soupe de beurre d'arachide, cinq fois par semaine.

Truc utile : les noix sont caloriques, 30 g fournissant 150 calories. Quand vous en prenez, supprimez 30 à 60 g de viande ou une portion de grains raffinés.

Huile d'olive

Selon diverses études, l'huile d'olive fait baisser le taux de sucre sanguin et atténue le risque de cardiopathie. Dans une étude récente, menée auprès de 772 sujets à risque élevé de cardiopathie, des chercheurs espagnols ont observé que, chez ceux qui consommaient de l'huile d'olive ou des noix, les taux de sucre sanguin et de cholestérol, ainsi que la pression artérielle, étaient sensiblement plus bas que ceux qui suivaient un régime pauvre en gras.

La teneur en gras mono-insaturés de cette huile en fait un aliment nettement plus sain que le beurre, qui est riche en gras saturés. Elle renferme également beaucoup d'antioxydants.

Vos objectifs : une cuiller à soupe par jour, en remplacement des autres huiles.

Truc utile : le bêta-carotène, la vitamine E et les autres antioxydants de l'huile d'olive étant sensibles à la lumière, gardez cette dernière dans un endroit sombre et frais. Si elle se trouble, jetez-la.

SUPPLÉMENTS NUTRITIONNELS

Vitamines C et E, zinc et magnésium. Les vitamines C et E de même que le zinc contribuent à contrer les dommages causés par les radicaux libres, molécules qui jouent un rôle dans les complications du diabète, notamment les cardiopathies et les lésions nerveuses. Quant au magnésium, il semble favoriser l'utilisation de l'insuline par les cellules. Fréquente chez les diabétiques, la carence en magnésium pourrait provoquer une rétinopathie. Selon diverses études, tous ces nutriments administrés durant trois mois aux doses indiquées ci-dessous font baisser sensiblement la glycémie et la pression artérielle, et élèvent le taux de cholestérol HDL. Ils offriraient également une certaine protection contre les infections, auxquelles sont particulièrement sujets les diabétiques. **DOSE :** *vitamine C :* 500 à 1000 mg par jour. *Vitamine E :* 400 UI par jour. *Magnésium :* 300 mg par jour. *Zinc :* 30 mg par jour.

Calcium et vitamine D. Lors d'une étude d'une durée de 20 ans menée auprès de 84 000 infirmières dont aucune, au départ, ne souffrait de diabète, des chercheurs de Boston ont découvert que l'incidence du diabète de type 2 était 33 % plus faible chez celles qui prenaient 1 200 mg de calcium et 800 UI de vitamine D par jour que chez celles qui en prenaient nettement moins.

L'organisme absorbe mieux le calcium quand il est sous forme de comprimé à croquer plutôt que de cachet à avaler. **DOSE :** *calcium :* selon les chercheurs de Boston, une dose de 1 200 mg par jour diminuerait le risque. Pour en augmenter l'absorption, prenez-le en deux fois, soit le matin et le soir. *Vitamine D :* 400 à 800 UI par jour.

propos à mijoter…

Beurre d'arachide : au-delà de la tartine.
Le beurre d'arachide constitue l'ingrédient principal de nombreuses sauces et glaces, dont quelque fabuleuses trempettes à l'orientale. Il entre également dans la composition de muffins, soupes et biscuits.

Un verre de vin?

Lors d'une étude d'une durée de 12 ans, des chercheurs de Harvard ont découvert que les hommes en santé qui prenaient un peu moins d'un verre d'alcool tous les jours et ce, cinq jours par semaine, voyaient leur risque de diabète de type 2 diminuer de 36 % comparativement aux buveurs occasionnels. En quantité modérée, l'alcool atténue également le risque de cardiopathie. Cependant, comme il élève la glycémie quand on le consomme seul, il est préférable d'en prendre en mangeant. Il importe également d'en tenir compte dans le calcul de calories ingérées. Enfin, on s'abstiendra autant que possible de prendre des cocktails hypercaloriques et hyperglucidiques, du genre qu'on vous sert garni d'un petit parasol décoratif.

ALIMENTS ET PRODUITS À ÉVITER

Sucre et grains raffinés. La farine ou les céréales raffinées sont dénuées des nutriments présents dans les grains entiers, et souvent, de leurs fibres. En outre, ils se digèrent très rapidement, faisant grimper le taux de sucre sanguin. En fait, les chercheurs pensent que, comme elle fait grossir et accroît le risque d'insulinorésistance et du syndrome métabolique, une alimentation qui en est riche ouvre la porte au diabète de type 2. On a donc tout intérêt à les supprimer, ne serait-ce que graduellement.

Produits laitiers gras, viande rouge, margarine et autres aliments riches en lipides saturés et trans. Il suffit de voir à quoi ressemble le gras refroidi d'un bifteck pour comprendre tout le mal que cette substance épaisse peut faire aux artères. Ces lipides contribuent au risque de cardiopathie, déjà élevé chez les diabétiques. En s'appuyant sur les données d'une étude d'une durée de 18 ans menée auprès de quelque 6 000 femmes souffrant du diabète de type 2, des chercheurs de Harvard en ont conclu qu'il suffisait de remplacer 5 % des calories provenant des gras saturés par leur équivalent en glucides pour faire baisser de 22 % le risque de cardiopathie ; si on les remplaçait par des gras mono-insaturés, le risque diminuait de 37 %.

Indépendamment du risque de cardiopathie, les gras saturés sont tout simplement mauvais pour les diabétiques. Comme ils sont inflammatoires et durcissent les membranes cellulaires, l'insuline parvient mal à jouer son rôle, c'est-à-dire à favoriser l'absorption du glucose par les cellules. C'est ce qu'on appelle l'insulinorésistance. Or, on a fait la preuve dans des études que ces gras y contribuaient.

Les gras trans, ces huiles hydrogénées qu'on retrouve dans les gâteaux, biscuits et fritures du commerce, pourraient être encore plus nocifs. À l'issue d'une étude d'une durée de 14 ans, des chercheurs de Harvard ont conclu qu'il suffisait de remplacer 2 % des calories provenant de ces gras par leur équivalent en lipides polyinsaturés (huile de maïs ou de carthame), pour diminuer de 40 % l'incidence du diabète de type 2.

Faut-il renoncer à la viande ?

Lors d'une étude menée par l'organisme Physicians Committee for Responsible Medicine et l'université de Georgetown, les chercheurs ont fait suivre à sept sujets atteints du diabète de type 2 un régime végétarien riche en fibres et pauvre en gras, composé de légumes, grains entiers, légumineuses et fruits durant trois mois. Quatre autres sujets suivaient le régime de l'Association américaine du diabète (ADA), qui comprenait beaucoup d'aliments d'origine végétale mais également du poulet et du poisson.

À l'issue de l'étude, les chercheurs ont observé plusieurs résultats positifs chez les végétariens : leur glycémie à jeun était inférieur de 59 % à celui des autres, ils ont perdu 7 kilos contre seulement 3,5 pour l'autre groupe, leurs besoins en insuline ont diminué et le taux de protéines dans leur urine a régressé tandis que celui des sujets de l'autre groupe s'est élevé.

Il s'agit bien sûr d'une étude de très faible envergure. Cependant, dans une autre étude d'une durée de 21 ans menée auprès de 26 000 adventistes du septième jour, tous végétariens, on a observé que leur risque de mourir du diabète était deux fois moins élevé que dans le reste de la population américaine.

Peut-être n'est-il pas nécessaire de supprimer la viande, ce qui constituerait un changement majeur par rapport à l'alimentation occidentale, mais les résultats de ces études soulignent l'importance de consommer des grains entiers, des légumes et d'autres aliments d'origine végétale.

DIARRHÉE

En cours de digestion, les aliments se gorgent de liquides durant leur transit dans l'estomac et l'intestin grêle, si bien que, arrivés dans le côlon, ils sont plutôt aqueux. Normalement, la plus grande partie de ce liquide est absorbé par la muqueuse du côlon, mais si des bactéries ou des virus interrompent le processus, il y a inflammation de la muqueuse, ce qui interfère avec l'absorption du liquide. Il en résulte de la diarrhée.

En général, ce problème disparaît rapidement. Entre-temps, optez pour des aliments qui se digèrent aisément et qui raffermissent les intestins. Il est en outre très important de refaire vos réserves de liquide.

VOTRE ORDONNANCE ALIMENTAIRE

Jus de pomme, eau, infusions
et autres liquides clairs

En privant l'organisme de ses liquides, la diarrhée peut mener à la déshydratation. L'eau permet de refaire le plein, de même que le jus de pommes, le bouillon et les autres liquides clairs qui renouvèlent également les sels et minéraux. Évitez les jus d'agrumes, d'ananas, de tomate ou les autres jus opaques, dont l'acidité peut irriter les intestins enflammés.

Vos objectifs: une tasse toutes les demi-heures, en commençant par de plus faibles quantités que vous augmenterez graduellement.

Thé noir, infusion de feuilles de framboisier et thé rouge

Tout en calmant l'inflammation, les tanins du thé resserrent la muqueuse intestinale et favorisent l'absorption des liquides par l'organisme. Quant à l'infusion de feuille de mûrier ou de framboisier, elle s'avère particulièrement utile contre la diarrhée. Méfiez-vous des produits simplement aromatisés à la framboise: c'est la feuille qui est efficace. En outre, évitez ceux qui sont caféinés, car ils déshydratent. Enfin, le thé rouge calme les spasmes du côlon.

Vos objectifs: trois à quatre tasses par jour.

Solutions réhydratantes

Une diarrhée qui se prolonge perturbe l'équilibre des électrolytes, surtout le sodium et le potassium. Ces minéraux jouant un rôle dans la distribution des liquides dans l'organisme, leur carence pouvant entraîner la déshydratation, problème aux conséquences parfois graves, en particulier chez les enfants. La Gatorade et les autres boissons pour sportifs sont riches en électrolytes mais, compte tenu de leur teneur élevée en sucre, elles peuvent aggraver la diarrhée. Optez pour les solutions réhydratantes offertes en vente libre dans les pharmacies, ou encore, préparez-en vous-même avec:

1 litre d'eau
¼ de cuiller à thé de sel
¼ de cuiller à thé de bicarbonate de soude
2 cuillers à soupe de sucre ou de miel

Mélangez en remuant jusqu'à ce que le sel, le bicarbonate de soude et le sucre soient dissous.

Vos objectifs: suivez le mode d'emploi indiqué sur l'emballage des solutions du commerce. Quant aux solutions maison, buvez-en trois litres en répartissant cette quantité sur la journée.

Riz blanc

Le riz blanc et les produits faits de farine blanche (dénués de fibres) exercent un effet constipant chez ceux qui en consomment beaucoup, d'où leur utilité pour enrayer la diarrhée.

Vos objectifs : prenez des portions de ½ tasse jusqu'à ce que le problème se résorbe.

Banane

Facile, à digérer, la banane est l'un des premiers aliments solides qu'on donne aux bébés. C'est aussi l'aliment par excellence pour venir à bout d'une diarrhée. Elle est riche en potassium, électrolyte qu'une diarrhée peut épuiser.

Vos objectifs : une ou deux bananes par jour, tant que la diarrhée persiste.

Compote de pommes non sucrée

Avec la banane, le riz et le pain grillé, la compote de pommes compose le régime BRAT, qui est recommandé pour combattre la diarrhée. Elle renferme de la pectine, fibre qui absorbe les surplus de liquide dans l'intestin. Évitez la pomme crue, qui n'exerce pas cet effet.

Vos objectifs : ¼ à ½ tasse toutes les heures.

Yogourt avec bactéries vivantes

Les cultures bactériennes peuvent contribuer à prévenir la diarrhée causée par les micro-organismes nocifs. Si votre diarrhée résulte d'un traitement aux antibiotiques, qui tuent indifféremment toutes les bactéries, il est important de refaire le plein de celles qui vous sont utiles.

Vos objectifs : ½ tasse, deux fois par jour.

SUPPLÉMENTS NUTRITIONNELS

Probiotiques. Les suppléments de probiotiques sont utiles aux personnes intolérantes au lactose du yogourt. Ils contribuent à renouveler la flore intestinale et à combattre la diarrhée. **DOSE :** Ne prenez pas plus de un ou deux milliards de bactéries vivantes par jour. À hautes doses, les probiotiques peuvent entraîner des malaises.

***Saccharomyces boulardii* (SB).** Les résultats d'études indiquent que cette levure peut prévenir la turista et la diarrhée due à l'antibiothérapie. **DOSE :** 500 mg, quatre fois par jour.

Attention à l'eau contaminée !

Si vous allez dans un pays où l'eau pourrait être contaminée, les mesures suivantes contribueront à vous prémunir contre les bactéries qui causent la diarrhée.

- Ne buvez pas l'eau du robinet et ne l'utilisez pas pour vous brosser les dents. Prenez de l'eau en bouteille cachetée, du jus, du soda ou des boissons préalablement bouillies.
- Évitez la glace, les fruits et légumes crus, et les salades. Vous pouvez consommer les fruits et légumes que vous avez pelés vous-même.
- Évitez la viande et le poisson crus ou saignants ; assurez-vous que la viande et le poisson cuits qu'on vous sert soient bien chauds.
- N'achetez pas de nourriture de vendeurs ambulants.
- Évitez le lait et les fromages non pasteurisés

Poudre de caroube. Le grain de cette légumineuse est riche en tanins qui contribuent à resserrer la muqueuse intestinale. Il est particulièrement efficace chez les jeunes enfants souffrant de diarrhée. **DOSE :** enfants : 1 g par 0,7 kg de poids, jusqu'à 15 g, divisés en trois doses égales ; on l'ajoutera à la compote de pommes ou du yogourt. Adultes : 15 à 20 g par jour.

ALIMENTS ET PRODUITS À ÉVITER

Beignets, crème glacée, frites (riches en gras ou en sucres). Les lipides peuvent être difficiles à digérer tandis que le sucre nourrit les bactéries qui provoquent la diarrhée.

Aliments et gomme renfermant du sorbitol. Ce substitut du sucre peut causer la diarrhée.

Lait et autres produits laitiers. Chez les personnes qui ne digèrent pas le lactose, le lait et les produits laitiers provoquent diarrhée et flatulences. Les sucres du lait peuvent également aggraver une diarrhée causée par d'autres facteurs.

Alcool et caféine. Ils sont diurétiques.

Supplément de vitamine C. À hautes doses, cette vitamine peut causer la diarrhée.

DIVERTICULOSE

Imaginez la chambre à air d'une bicyclette présentant des défauts qui peuvent céder à tout moment et laisser échapper des dizaines de bulles d'air. C'est à peu près ce qui se produit dans le côlon quand on souffre de diverticulose ; dans ce cas, les défauts entraînent la formation de diverticules, petits sacs de la taille d'une bille.

Les chercheurs ne connaissent pas exactement la cause de cette affection mais ils savent que son incidence augmente avec l'âge et qu'elle est plus fréquente en Occident, où il se consomme beaucoup d'aliments pauvres en fibres et peu de fruits, de légumes et de grains entiers. En fait, la diverticulose n'était que rarement diagnostiquée avant le début du XXe siècle, époque où a été commercialisée la farine blanche.

Les fibres sont les meilleures amies du côlon. Elles donnent du volume aux selles et les ramollissent pour que leur évacuation se fasse en douceur. En revanche, une alimentation pauvre en fibres entraîne la formation de petites selles dures qui s'évacuent avec peine, nécessitant un effort tel qu'il peut entraîner des lésions à la muqueuse. Des diverticules se forment alors, emprisonnant matières fécales et bactéries. Quand le problème s'aggrave, l'antibiothérapie, voire l'intervention chirurgicale, s'impose.

Il n'est pas nécessaire de bouleverser complètement ses habitudes alimentaires, mais simplement d'y apporter quelques changements, par exemple de prendre de meilleures céréales le matin et un fruit en collation, ou de consommer des légumineuses plus souvent. Autant le faire sans délai puisqu'ils constituent la solution à la plupart des autres problèmes de santé.

VOTRE ORDONNANCE ALIMENTAIRE

Grains entiers, fruits, légumes

et autres aliments riches en fibres

Les fibres sont essentielles à la santé du côlon. Elles peuvent prévenir la diverticulose ou, si elle est installée, contribuer à soulager l'inflammation douloureuse.

Tant les fibres insolubles que solubles sont utiles dans cette affection. Les premières, qu'on trouve dans la majorité des fruits, légumes et grains entiers, absorbent l'eau et, ce faisant, donnent du volume aux selles et les ramollissent. Les secondes, qui sont présentes dans les flocons d'avoine, l'aubergine, la lentille, la pomme, la poire et le bleuet, se dissolvent dans l'eau et se transforment dans l'intestin en une sorte de gel mou et collant. Bien qu'ils ne connaissent pas leur mécanisme d'action, les médecins ont découvert récemment qu'elles pouvaient prévenir la constipation. Ce sont également ces fibres qui contribuent à faire baisser le taux de cholestérol.

Il est relativement facile d'augmenter son apport en fibres en prenant une céréale de son qui en fournit au moins 5 g par portion, en consommant du pain de grain entier, en remplaçant les pâtes ordinaires par des pâtes de blé entier ou du riz complet, et en consommant plus de fruits, légumes et légumineuses. Pour tirer un maximum de fibres de vos fruits et légumes, consommez ces derniers avec leur peau. À cet égard, les produits issus de l'agriculture biologique sont peut-être préférables. Enfin, prenez une salade tous les jours.

Vos objectifs : 25 à 35 g de fibres par jour. Deux tasses de fruits, 2½ tasses de légumes, trois portions de 30 g de grains entiers et 1 tasse de légumineuses vous les fourniront.

Truc utile : n'ajoutez les fibres à votre alimentation que graduellement, à défaut de quoi, vous risquez flatulences et ballonnements. Apportez un changement par semaine, par exemple en ajoutant une portion de fruits et de légumes au menu, puis, la semaine suivante, en remplaçant le pain blanc par du pain de grain entier, et ainsi de suite.

Eau, jus *et autres liquides*

Comme les fibres absorbent beaucoup de liquides, il est important de boire plus quand on en augmente sa consommation ; autrement, elles pourraient constiper.

Vos objectifs : huit tasses par jour.

SUPPLÉMENTS NUTRITIONNELS

Fibres. Les suppléments de fibres naturelles concentrées, par exemple l'enveloppe du psyllium ou la dextrine de blé, peuvent être utiles quand l'apport alimentaire ne permet pas de régler le problème. Ne négligez pas de boire abondamment et ne prenez pas ce genre de suppléments pendant plus de sept jours sans avoir reçu l'aval de votre médecin. **DOSE :** suivez le mode d'emploi indiqué sur l'emballage. Ces suppléments sont conditionnés en capsules ou sous forme de poudre à ajouter aux boissons ou aliments mous.

ALIMENTS ET PRODUITS À ÉVITER

Grains raffinés et produits sucrés. Si les fibres sont les meilleures amies du côlon, les aliments qui en sont pauvres, comme le pain blanc, la majorité des produits faits de farine blanche, les casse-croûte pré-emballés et les céréales sucrées, constituent, pour le moins, des fréquentations douteuses. Quant aux jus de fruits, compte tenu qu'ils sont dépourvus de fibres, il vaut mieux se limiter à un seul verre par jour. Pour le reste, buvez de l'eau en abondance ou des infusions de plantes.

Les noix sur la sellette

Pendant des années, les médecins ont cru que les graines et les noix pouvaient se loger dans les petits sacs qui tapissent le côlon des personnes souffrant de diverticulose et y causer de l'infection. Cependant, aucune preuve scientifique n'a permis d'étayer cette théorie, à laquelle les médecins ne souscrivent d'ailleurs plus. En fait, les noix et les graines renferment des fibres qui pourraient contribuer à soulager la diverticulose. Cela dit, les réactions et tolérances aux aliments peuvent varier considérablement d'une personne à l'autre. Si vous éprouvez de la douleur ou des ballonnements après avoir consommé un aliment donné, c'est peut-être que vous ne le mastiquez pas suffisamment. Si, après avoir corrigé cette habitude, l'aliment fait toujours problème, supprimez-le.

NOS MEILLEURES RECETTES

Casserole poulet et orge *p. 314*
Chili aux trois haricots *p. 308*
Crêpes de sarrasin, sauce aux fruits *p. 288*
Ragoût de légumes et shiitakes *p. 306*
Salade d'épinards et pois chiches *p. 295*
Soupe à la courge et au gingembre *p. 300*
Spaghetti, sauce à la dinde *p. 316*

ECZÉMA

Pour ceux qui souffrent d'eczéma, la peau est une constante source de démangeaisons et d'irritation. Bien que cette maladie frappe surtout les bébés et les enfants, elle peut toucher tout le monde. La peau du visage, des poignets, des mains ainsi que des plis internes du genou et du coude se dessèche, pèle, enfle et se couvre parfois d'ampoules. À la longue, des plaques épaisses de couleur brunâtre ou grisâtre peuvent se former.

Parfois héréditaire, l'eczéma peut aussi résulter d'une hypersensibilité du système immunitaire à certains aliments qui le font réagir comme s'il s'agissait d'une véritable allergie. Ces aliments déclenchent ou aggravent la maladie. La clé est donc d'éviter ces aliments mais aussi de mettre ceux susceptibles d'apporter un soulagement au menu.

VOTRE ORDONNANCE ALIMENTAIRE

Saumon, hareng, anchois

et autres aliments riches en oméga-3

Quelle ironie ! Ces créatures à la peau couverte d'écailles sont celles qui protègent le mieux contre l'eczéma. Les poissons énumérés ci-dessus sont de bonnes sources d'oméga-3, acides gras dont l'organisme a besoin pour régénérer la peau et prévenir l'inflammation ainsi que les affections comme l'eczéma. Ils sont particulièrement riches en EPA, un oméga-3 anti-inflammatoire. Les chercheurs ont surtout étudié les effets de l'huile de poisson pour la prévention et le traitement de l'eczéma, mais les preuves scientifiques ont suffi à convaincre les dermatologues de l'importance de consommer régulièrement du poisson.

Pour changer du saumon, essayez la sardine, une excellente source d'oméga-3. Faites sauter des oignons et de l'ail dans de l'huile d'olive et ajoutez une boîte de sardines en sauce tomate. Servez sur des pâtes avec un filet de jus de citron et du parmesan râpé.

Vos objectifs : deux ou trois portions de poisson gras par semaine. Une ou deux fois par semaine, servez du poisson au souper ; un sandwich au thon ou au saumon en boîte, un midi ; ou encore, farcissez une tomate de salade de thon.

Truc utile : l'allergie au poisson peut aggraver les symptômes de l'eczéma. Si vous êtes sujet aux allergies, consultez un diététiste ou votre médecin, qui vous aidera à déterminer si le poisson fait partie de vos aliments déclencheurs.

Thé oolong

Lors d'une étude d'une durée d'un mois, menée auprès de 118 sujets souffrant d'eczéma, des chercheurs japonais ont observé que, chez ceux qui buvaient deux tasses de thé oolong par

NOS MEILLEURES RECETTES

Brochettes de thon *p. 308*
Canapés à la sardine *p. 302*
Darnes de saumon, salsa de pêche *p. 310*
Salade de thon et haricots blancs *p. 297*
Tacos au poisson *p. 309*

jour, les démangeaisons diminuaient au bout d'une semaine. De plus, l'état de 63 % d'entre eux a continué de s'améliorer au cours des trois semaines suivantes. Les chercheurs pensent que les polyphénols antioxydants du thé contribuent à régénérer la peau. Dans d'autres études, on a fait la preuve que les tannins astringents du thé exerçaient une action anti-inflammatoire.

Vos objectifs : trois tasses par jour ; laissez le thé infuser au moins trois minutes.

Yogourt avec cultures vivantes

Les bactéries de ces yogourts, ainsi que du kéfir, contribuent particulièrement à la santé des cellules immunitaires du tractus intestinal. Elles seraient anti-inflammatoires et stimuleraient la production des globules blancs et des anticorps, ainsi que de divers facteurs de croissance qui limitent les réactions aberrantes de l'organisme aux allergènes. Les résultats d'études indiquent que les probiotiques sont importants pour les bébés et les jeunes enfants, dont le système immunitaire est encore en développement. Deux de ces bactéries, le *Lactobacillus acidophilus* et le *bifidobacterium*, favorisent également l'absorption des nutriments par l'organisme, y compris celle des bons gras qui contribuent à prévenir l'eczéma.

Vos objectifs : une ou deux tasses par jour.

SUPPLÉMENTS NUTRITIONNELS

Probiotiques. Les probiotiques pourraient exercer un effet préventif sur l'eczéma qui touche les femmes enceintes et les bébés. Ainsi, après avoir supprimé le lait de vache de l'alimentation de 230 nourrissons, des chercheurs finlandais ont donné à la moitié du groupe un supplément de probiotiques tandis que l'autre moitié recevait un placebo. Tous ont connu une amélioration, mais cette dernière était 30 % plus élevée chez ceux qui avaient reçu les probiotiques. Les chercheurs pensent qu'ils contribuent à renforcer le système immunitaire chez les jeunes enfants en développement. Ils seraient également efficaces chez les enfants plus âgés. **DOSE :** *bébés :* consultez votre pédiatre avant de leur donner du lait maternel ou maternisé enrichi de probiotiques en poudre. *Femmes enceintes ou qui allaitent :* une capsule renfermant un million de bactéries *lactobacillus* et de *bifidus*, deux fois par jour.

Acides gras oméga-3. L'huile de poisson en capsule est particulièrement indiquée pour les enfants qui refusent de manger du poisson. Elle fournit des quantités adéquates d'oméga-3 et surtout d'EPA, acide gras aux propriétés anti-inflammatoires. Lors d'une étude d'une durée de trois mois, on a observé que l'huile de poisson diminuait de 30 % les démangeaisons et l'inflammation chez les sujets souffrant d'eczéma. **DOSE :** *adultes* : 4 capsules de 1 g d'huile de poisson (renfermant de l'EPA) par jour. *Enfants :* optez pour un supplément liquide ou des comprimés à croquer conçus spécialement pour eux. Comme ils sont aromatisés, les enfants les acceptent plus facilement. Suivez le mode d'emploi indiqué sur l'emballage.

ALIMENTS À ÉVITER

Lait de vache, œufs, blé, soya et noix. Ces aliments provoquent des réactions chez les enfants sujets aux allergies et peuvent aggraver l'eczéma. Pour déterminer si un enfant, ou un adulte, est sensible à l'un d'entre eux, il suffit d'éliminer de son régime tous les allergènes possibles, puis de les réintroduire un à un, en observant les réactions de l'enfant. Il est préférable de consulter à cette fin un médecin ou un diététiste, pour ne pas le priver inutilement d'aliments par ailleurs très nutritifs.

Café. Chez certains, le café peut exacerber les symptômes d'eczéma. Il peut être acidifiant, ce qui favorise l'inflammation. Supprimez-le pendant trois semaines et voyez si votre état s'améliore. Il se peut que l'organisme le perçoive comme un irritant.

Viande rouge. Comme elle renferme des acides gras inflammatoires, vous auriez intérêt à limiter votre consommation de burgers et ragoûts quand vous faites des éruptions.

FATIGUE

La fatigue a de nombreuses causes possibles : stress, médicaments, charge de travail trop lourde, insomnie, maladie sous-jacente, etc. Si votre fatigue est chronique, consultez un médecin. Une fois la certitude acquise qu'aucune maladie n'est en cause, vous pourriez revoir votre alimentation, car de nombreuses habitudes alimentaires ont pour effet de saper l'énergie. Heureusement, il suffit habituellement d'apporter quelques changements simples pour reprendre rapidement des forces.

VOTRE ORDONNANCE ALIMENTAIRE

Poisson, viande, produits laitiers, légumineuses *et autres aliments protéinés*

Si vous vous contentez d'une salade au dîner et éprouvez un besoin impérieux de faire la sieste en après-midi, votre problème pourrait s'expliquer par une carence en protéines. En effet, des chercheurs ont fait la preuve que les sujets qui ne prennent pas de protéines au déjeuner sont plus sujets à la dépression et au stress que ceux qui en prennent, et sont généralement moins en forme. Les acides aminés, qui forment les protéines, sont les principales composantes du corps : ils contribuent au développement et à la régénération de tous les tissus, des vaisseaux sanguins aux poils et aux cheveux. Ils élèvent les taux des neurotransmetteurs qui agissent positivement sur l'humeur et la vigilance. Enfin, la consommation de protéines à tous les repas contribue à stabiliser le taux de sucre sanguin et les niveaux d'énergie.

Vos objectifs : des protéines à tous les repas. Il en faut 0,8 g par kg de poids corporel. Ainsi, si vous pesez 68 kg, il vous en faut 54 g. Une portion de filet de bœuf en fournit 32 g, 1 tasse de haricots noirs, 15 g, et 1 tasse de lait, 8 g.

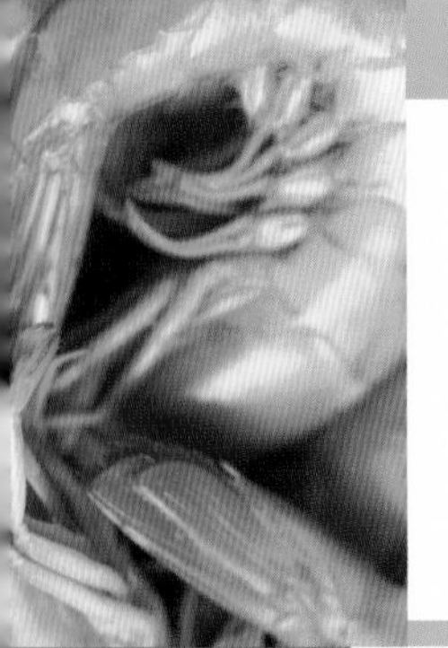

NOS MEILLEURES RECETTES

Casserole poulet et orge *p. 314*
Épinards au fromage à la crème *p. 322*
Fritatta à la courgette *p. 289*
Houmous d'edamame et pita rôti *p. 290*
Salade d'épinards et pois chiches *p. 295*
Salade de crevettes et pamplemousse *p. 296*
Saumon grillé et épinards sautés *p. 311*
Soupe à la patate douce *p. 299*

Viande rouge, mélasse, légumineuses *et autres aliments riches en fer*

Le fer donne de la force. Il se lie aux protéines et au cuivre pour former l'hémoglobine, pigment sanguin des globules rouges qui assure le transport de l'oxygène. Or, le nombre de ces cellules diminue en cas de carence en fer, ce qui entraîne de la fatigue. C'est d'ailleurs la principale cause d'anémie. Faiblesse, pâleur, fatigue et ongles cassants en sont les symptômes les plus fréquents. La plupart du temps, elle est provoquée par des saignements importants, par exemple suite à un ulcère ou à des règles abondantes. Si vous pensez être carencé, consultez votre médecin.

Vos objectifs : l'apport quotidien recommandé est de 8 mg pour les hommes et les femmes ménopausées, et de 18 mg pour les femmes menstruées. Une portion de 90 g de bœuf en fournit 3,2 g, une tasse de haricots de soya, 8,8 g.

Truc utile : le fer présent dans les aliments d'origine animale est mieux absorbé par l'organisme que celui des végétaux. Si vous consommez peu de produits animaux, vous gagneriez à prendre vos sources de fer avec des aliments riches en vitamine C, qui favorise l'absorption du fer.

Grains entiers, fruits, légumes
et autres glucides

Les glucides sont la principale source d'énergie de l'organisme. Mais nous consommons trop de glucides simples, c'est-à-dire qui sont rapidement digérés, faisant fluctuer notre glycémie de manière aberrante, ce qui entraîne de la fatigue. Il est nettement préférable de consommer des glucides complexes, qui fournissent une énergie constante. Au cours d'une étude sur 142 sujets, des chercheurs britanniques ont observé que leur niveau d'énergie et leur clarté mentale étaient meilleurs quand ils déjeunaient de céréales riches en fibres plutôt que de prendre leurs aliments habituels. Ils étaient également moins sujets aux sautes d'humeur.

Par ailleurs, les grains entiers constituent de bonnes sources de vitamines B. En cas d'apport inadéquat, on assiste à une baisse d'énergie. Ces vitamines jouent de nombreux rôles, notamment celui de dégrader les glucides, les lipides et les protéines en glucose, carburant de l'organisme. De plus, elles participent à l'élaboration des globules rouges.

Vos objectifs : en plus des 7 à 10 portions quotidiennes de fruits et de légumes recommandées, prenez au moins 3 portions de grains entiers. Une portion équivaut à une tranche de pain ou à ½ tasse de riz.

Graine de citrouille, épinard
et autres aliments riches en magnésium

Le magnésium est essentiel à la production d'adénosine triphosphate, molécule constituant le produit terminal de la conversion des aliments en énergie. Il contribue également à détendre les muscles et favorise le sommeil. Quand l'organisme en manque, on se sent fatigué et faible.

Mangez et buvez plus souvent

La fatigue peut constituer un simple signal de faim ou de soif. En prenant de petits repas tout au long de la journée, ou trois repas et deux collations saines (noix, fruit frais), on contribue à stabiliser son taux de sucre sanguin et à prévenir la fatigue. Optez pour les fruits frais plutôt que séchés, qui sont trop sucrés. Le yogourt non sucré est également un bon choix pour la collation car il est riche en protéines et en glucides mais peu calorique.

De plus, buvez beaucoup d'eau, à défaut de quoi votre organisme s'attachera à préserver son équilibre hydrique plutôt qu'à produire de l'énergie. Aux États-Unis, l'Institute of Medecine conseille aux femmes de prendre au moins 11 tasses de liquide par jour et, aux hommes, 16 tasses, en tenant compte du fait que les aliments fournissent en moyenne 20 % de ces quantités.

Vos objectifs : 400 à 420 mg de magnésium par jour pour les hommes, 310 à 320 mg pour les femmes. ¼ de tasse de graines de citrouille en fournit 185 mg, une tasse d'épinards cuits, 157 mg.

Agrumes, poivrons, brocoli *et autres aliments riches en vitamine C*

Les résultats d'études récentes indiquent que la fatigue est associée aux carences en vitamine C. Ce nutriment est essentiel à la fonction surrénalienne, dont l'un des rôles est de prévenir la fatigue résultant d'un stress physique ou émotionnel. Il contribue également à combattre les infections et favorise l'absorption du fer.

Vos objectifs : l'apport quotidien recommandé est de 75 mg par jour pour les femmes et de 90 mg pour les hommes, mais dans le cas de fatigue, on conseille d'en prendre plus. Une tasse de brocoli en fournit nettement plus et une tasse de poivron rouge, plus du double.

Truc utile : comme la cuisson entraîne une perte de vitamine C d'environ 25 %, consommez certains de vos fruits et légumes crus.

Patate douce, carotte *et autres aliments riches en bêta-carotène*

Le bêta-carotène, qui colore la carotte, la patate douce et l'épinard, accroît la vigueur d'un système immunitaire déprimé, cause fréquente de fatigue chronique. Il favorise la santé des membranes cellulaires la protégeant contre les virus, les champignons et les allergènes. De plus, il rehausse l'activité des cellules T anti-infectieuse et est nécessaire aux globules rouges.

Vos objectifs : cinq portions par jour de légumes à feuilles vert foncé et de légumes et fruits jaunes et orange.

Truc utile : une légère cuisson à la vapeur des légumes comme la carotte ou l'épinard facilite l'absorption de leur bêta-carotène par l'organisme. Évitez de trop les cuire.

Épinard, avocat, courge *et autres aliments riches en potassium*

Une carence en potassium entraîne faiblesse musculaire et épuisement. Selon les études, ceux qui en souffrent ont moins de force dans les mains que ceux qui ne sont pas carencés. Des chercheurs ont observé qu'un supplément de magnésium et de potassium avait pour effet de redonner de l'énergie aux sujets qui souffrent de fatigue chronique. Le potassium participe au transport des nutriments vers les cellules, préserve l'équilibre hydrique, régule les contractions musculaires et la fréquence cardiaque, et contribue à la santé du système nerveux.

Vos objectifs : 4 700 mg de potassium par jour. Une tasse d'épinards cuits en fournit 839 mg, un avocat, 875 mg, une tasse de courge d'hiver, 896 mg.

Truc utile : comme le potassium diminue l'excrétion du calcium, une augmentation de son apport contribue à la santé des os.

SUPPLÉMENTS NUTRITIONNELS

Fer. Pour diverses raisons, les femmes enceintes et en âge de se reproduire, les bébés, les jeunes enfants, les adolescentes et les personnes souffrant d'insuffisance rénale pourraient avoir besoin d'un supplément de fer. Cependant, comme le surdosage peut entraîner des lésions aux organes, particulièrement chez les enfants, on conseille de ne prendre de supplément de fer que sous surveillance médicale. C'est sous forme de sels ferreux que ce minéral est le mieux absorbé. **DOSE :** aux États-Unis, l'Institute of Medecine en a fixé la limite à 45 mg par jour.

Vitamines du complexe B. La plupart des suppléments multivitaminiques fournissent l'apport quotidien requis en vitamines B. **DOSE :** un comprimé par jour.

Vitamine C. Les personnes sujettes aux rhumes et aux infections, qui fument ou qui sont sous l'effet du stress pourraient bénéficier d'un supplément de vitamine C. Ce nutriment stimule le système immunitaire et contribue à éliminer les substances toxiques. Cependant, à hautes doses, soit 5 000 mg ou plus, il peut provoquer la diarrhée. La National Academy of Sciences des États-Unis en a fixé la limite à 2 000 mg par jour. **DOSE :** l'apport quotidien recommandé est de 75 mg pour les femmes, 90 mg pour les hommes et 100 mg pour les fumeurs. Cependant, les études indiquent que, à doses de 1 000 mg par jour, cette vitamine peut abréger la durée d'un rhume et atténuer les effets physiques et psychologiques du stress.

Magnésium. Ce supplément pourrait être indiqué pour ceux qui souffrent de diarrhée, malabsorption, rectocolite ou autres troubles digestifs. Le rhume, un traumatisme, une intervention chirurgicale ou d'autres stresseurs physiques peuvent aussi entraîner une carence en magnésium, de même que l'alcoolisme et les affections rénales. Les formes chélatées, comme le citrate de magnésium, sont mieux absorbées que l'oxyde de magnésium. **DOSE :** elle varie selon la cause du déficit : consultez un médecin. Inappétence, nausée et fatigue en sont les principaux symptômes.

ALIMENTS ET PRODUITS À ÉVITER

Sucre, caféine et alcool. Quand le taux de sucre sanguin chute, on est souvent porté à prendre une sucrerie ou un soda caféiné mais, à long terme, ce n'est pas une bonne solution. L'énergie qu'on ressent après avoir ingéré du sucre retombe rapidement, entraînant un sentiment de fatigue encore plus grande.

Quant à la caféine, elle n'offre que de courts effets bénéfiques Leur disparition peut inciter à reprendre une boisson caféinée, puis une autre, ce qui peut mener à de l'insomnie. Essayez de supprimer la caféine durant un mois et voyez si vous avez plus d'énergie.

Enfin, en dépit du fait que l'alcool remonte le moral, c'est un dépresseur. Par conséquent, il favorise le sommeil, quoique pas pour longtemps. Quand ses effets s'estompent, c'en est fini du repos et, inévitablement, la journée du lendemain s'en ressent.

Déjeuner, ça rend fort!

Comme on a le ventre vide au lever, il est important de prendre un déjeuner sain, par exemple des céréales, du lait et un fruit, à défaut de quoi on risque d'être pris de somnolence. Les études indiquent que ceux qui déjeunent ont une meilleure concentration et sont plus productifs que ceux qui ne mangent pas. De plus, comme ils n'arrivent pas affamés à table quand sonne midi, ils maitrisent généralement mieux leur poids.

Le déjeuner devrait fournir en moyenne 300 à 400 calories. C'est peu et c'est bien ainsi, en particulier pour ceux qui entretiennent la croyance erronée qu'un vrai repas exige d'y consacrer beaucoup de temps. En fait, un déjeuner sain ne demande que quelques minutes de préparation et s'avale rapidement. Voici quelques suggestions :

- Un bol de céréales multigrains à haute teneur en fibres, quantité de fraises et du lait à faible teneur en gras.
- Une barre de céréales, une pomme et un verre de lait froid.
- Une tasse de yogourt nature maigre avec des bleuets frais et une tranche de pain de blé entier grillée et garnie d'une tartinade de fruits.
- Un œuf brouillé, un petit pain de blé entier, une salade de fruits frais et une tasse de lait à faible teneur en gras.

GINGIVITE ET PARODONTITE

L'alimentation fait partie des facteurs qui contribuent à la gingivite et à la parodontite. La première de ces affections consiste en une accumulation de bactéries dans la plaque qui se forme en continu sur les dents, en conséquence de quoi, les gencives s'enflamment et saignent. Il suffit habituellement de se faire nettoyer les dents par une hygiéniste et d'avoir une meilleure hygiène dentaire pour la faire disparaître. Cependant, à défaut de prendre ces mesures, la plaque chargée de bactéries se dépose dans les gencives, déclenchant une réaction inflammatoire qui a pour effet de détruire les tissus. Les gencives se rétractent et des poches d'infection se forment; tôt ou tard, l'infection s'attaque à l'os et le détruit. C'est la parodontite, maladie qui, en outre, élèverait de 15 % le risque de cardiopathies. Heureusement, les vitamines C et E, le zinc et le folate protègent à la fois les gencives et le cœur.

VOTRE ORDONNANCE ALIMENTAIRE

Bœuf maigre *et autres aliments riches en zinc et vitamine B_6*

L'huître, le bœuf et l'agneau sont riches en zinc, minéral aux propriétés anti-inflammatoires et antioxydantes qui rehausse la fonction immunitaire et peut combattre la gingivite.

C'est le cas aussi de la vitamine B_6, qu'on trouve en quantité dans le bœuf et les fruits de mer. Lors d'une étude d'une durée d'un an menée à l'université de la Pennsylvanie, on a observé que les sujets âgés qui prenaient peu de vitamines A et B_6 souffraient de problèmes tenaces de carie dentaire et de parodontite.

Vos objectifs : *Zinc :* 8 mg pour les femmes, 11 mg pour les hommes (soit en gros ce qu'on tire d'une tranche de rôti de bœuf). *Vitamine B_6:* 1,3 à 1,5 mg pour les femmes, 1,3 à 1,7 mg pour les hommes. Une portion de 90 g de thon en fournit 0,88 mg, une pomme de terre moyenne, 0,62 mg, une banane, 0,55 mg, 90 g de haut de surlonge, 0,53 mg.

Truc utile : buvez tout le lait qui repose au fond de votre bol de céréales. En se détrempant, ces dernières lui cèdent une bonne partie de leurs vitamines, minéraux et autres nutriments dont elles sont enrichies.

NOS MEILLEURES RECETTES

Betteraves à l'orange *p. 325*
Épinards au fromage à la crème *p. 322*
Pâtes primavera au cheddar *p. 308*
Quinoa printanier *p. 324*
Ragoût de bœuf et brocoli *p. 318*
Salade de brocoli *p. 293*
Salade de fruits tropicaux *p. 288*
Soupe à la patate douce *p. 299*

Céréales de grains entiers avec du lait et du jus d'orange

Un tel déjeuner aura pour effet de préserver la santé de vos gencives. Le lait est riche en calcium, minéral qui les protège. Lors d'une étude à long terme menée auprès de 13 000 sujets, on a observé que ceux qui ne prenaient que la moitié des portions d'aliments riches en calcium recommandées voyaient leur risque de gingivite doubler. Les scientifiques pensent que ce minéral contribue à combattre les bactéries qui s'attaquent au maxillaire et, par conséquent, à le fortifier.

Par ailleurs, des chercheurs canadiens ont découvert que les sujets qui prenaient plusieurs portions de grains entiers tous les jours voyaient leur risque de souffrir de gingivite diminuer de 15 %. En limitant les pics glycémiques, on inhibe la formation des produits terminaux de la glycation, composés destructeurs qui contribuent à l'inflammation des tissus mous comme ceux de la gencive.

Quant au jus d'orange, il est riche en vitamine C, laquelle favorise la régénération de la gencive. Ceux qui prennent suffisamment de cette vitamine ont généralement des gencives plus saines que celles qui en ingèrent peu.

Vos objectifs : au déjeuner, prenez le déjeuner suggéré ci-dessus. Le reste de la journée, prenez 5 ou 6 autres portions de grains entiers : une portion correspond à une tasse de céréales, ½ tasse de pâtes ou de riz, ou une tranche de pain. *Calcium :* 1 000 à 1 200 mg par jour, soit l'équivalent d'une tasse de lait ou d'un yogourt maigre et d'une portion d'épinard ou de saumon en boîte.

Fruits et légumes riches en antioxydants

Le bêta-carotène, qui se convertit dans l'organisme en vitamine A, est un puissant antioxydant et un stimulant immunitaire. L'épinard, de même que les autres légumes feuilles, la patate douce, la carotte, la courge, le melon brodé, l'abricot et les autres fruits jaunes en renferment de bonnes quantités. En outre, la vitamine C combat les infections. On en trouve dans les agrumes, le poivron et le brocoli.

Vos objectifs : 5 à 6 portions de ½ tasse par jour de légumes, particulièrement de légumes jaunes et légumes feuilles, et 3 ou 4 portions de ½ tasse de fruits, de préférence ceux qui sont mentionnés ci-dessus.

SUPPLÉMENTS NUTRITIONNELS

Multivitamine. Le supplément multivitaminique constitue une assurance contre les carences potentielles en nutriments protecteurs. Si vous fumez, vous aurez besoin d'une plus grande quantité de vitamine C et d'autres antioxydants. Quant au zinc, vous pourriez en être carencé si vous mangez peu, buvez de l'alcool en excès ou souffrez de troubles digestifs ; alors le supplément multivitaminique comblera vos besoins. Enfin, de nombreux sujets âgés ne consomment pas suffisamment d'aliments riches en vitamine B_6, (grains entiers, légumineuses, viande). Dans ce cas, ils profiteront d'un supplément qui renferme cette vitamine. **DOSE :** un comprimé par jour.

Calcium. Le supplément sera utile à ceux qui prennent peu de produits laitiers ou de légumes à feuilles vert foncé. **DOSE :** 1 000 à 1 200 mg au total par jour, en comptant celui qui est fourni par les aliments.

ALIMENTS ET PRODUITS À ÉVITER

Sucre Les bactéries à l'origine de la gingivite se nourrissent de sucre, se l'appropriant pour augmenter leur production d'acide qui, en retour, favorise leur multiplication. Le sucre atténue le pouvoir antibactérien des globules blancs.

Méfiez-vous des boissons sucrées. Lors d'une étude à long terme menée auprès de 14 000 sujets, on a observé que les adultes âgés de 18 à 34 ans qui étaient obèses couraient 76 % plus de risque de souffrir de gingivite que les sujets de poids normal. Les chercheurs pensent que les boissons sucrées sont à blâmer. Buvez plutôt de l'eau.

GOUTTE

La goutte est souvent associée à l'excès, lui-même associé à l'oisiveté ! Cependant, cette affection, qui est l'une des formes d'arthrite les plus douloureuses, touche sans distinction les pauvres comme les riches. Heureusement, nous disposons aujourd'hui de médicaments pour la soigner.

La goutte touche particulièrement l'articulation du gros orteil, qui devient extrêmement douloureuse et sensible. Elle résulte d'un excès d'acide urique, qui forme des cristaux se logeant dans les articulations et causant de l'inflammation. Cet acide est un sous-produit de la dégradation des purines, composés présents dans les tissus du corps et dans de nombreux aliments, particulièrement la viande rouge et l'alcool. Il faudra consommer moins de ces aliments, et davantage de ceux qui vous soulageront.

VOTRE ORDONNANCE ALIMENTAIRE

Cerise

Dans une étude menée à l'université de Californie, chez les femmes qui consommaient deux portions, soit environ 1½ tasse de cerises Bing au lever, leur taux d'acide urique baissait considérablement. Les chercheurs ont découvert que la cerise diminuait également le taux des marqueurs d'inflammation. Le bleuet et la fraise semblent exercer la même action.

Vos objectifs : 1½ tasse par jour.

Truc utile : toutes les cerises sont aussi efficaces.

Ananas frais ou surgelé

La broméline, enzyme qui digère les protéines de l'ananas, atténuerait la douleur et l'inflammation causées par une attaque de goutte.

Vos objectifs : la quantité de broméline varie en fonction de la maturité du fruit et de son exposition à la chaleur (voilà pourquoi on déconseille l'ananas en boîte). Visez à prendre au moins une portion de ½ tasse par jour durant les crises. La broméline étant concentrée dans la tige du fruit, il serait également avisé de prendre un supplément. On conseille habituellement une dose de 500 mg, deux fois par jour, entre les repas.

Truc utile : prenez votre ananas entre les repas, à défaut de quoi l'action de l'enzyme se portera sur la digestion des aliments.

Tofu, edamame, lait de soya

et autres produits du soya

Comme les protéines d'origine animale sont riches en purines, il est important d'en limiter sa consommation. Par contre, on a fait la preuve dans diverses études que le soya faisait baisser le taux d'acide urique, et par conséquent, combattait la goutte. De plus, il est riche en protéines.

Vos objectifs : une ou deux fois par semaine, remplacez la viande ou la volaille par du soya.

Tomate, poivron,

et autres aliments riches en vitamine C

Lors d'une étude d'une durée de deux semaines menée à l'université Tufts, on a observé que les sujets qui consommaient deux bols par jour d'une gazpacho composée de tomate, poivron vert et autres aliments riches en vitamine C avaient vu leur taux d'acide urique diminuer de 18 % (hommes) et de 8 % (femmes). Ces aliments sont également riches en lycopène, antioxydant présent dans les fruits et les légumes rouges, et qui pourrait faire baisser le taux d'acide urique.

Vos objectifs : au moins 72 mg de vitamine C par jour, soit l'équivalent de 2 tasses de gaspacho, d'une orange ou d'un demi-poivron rouge.

Huile d'olive, huile de canola, avocat *et autres aliments riches en gras insaturés*

Les gras insaturés pourraient faire baisser le taux d'acide urique (à souligner que le poisson, riche en purines, ne fait pas partie de cette liste). Ils contribuent également à faire baisser le taux d'insuline et, en conséquence, à protéger contre les attaques de goutte.

Vos objectifs : les gras devraient composer environ 30 % de votre apport calorique, dont au moins 20 % sous forme de lipides insaturés.

Truc utile : remplacez le beurre et les sauces à salade crémeuses par de l'huile d'olive.

Eau *et autres boissons non alcoolisées*

En grande quantité, l'eau contribue à éliminer l'acide urique.

Vos objectifs : au moins huit verres par jour.

Chou, chou frisé, légumes feuilles, céleri et carotte

Comme ces légumes renferment peu de purines, sont peu caloriques tout en étant riches en fibres, ils favorisent le maintien d'un poids santé. Or, il semble que le surpoids soit associé à la goutte.

ALIMENTS ET PRODUITS À ÉVITER

Viande rouge et fruits de mer. Ces aliments sont riches en purines. Les abats et le gibier à plumes comme l'oie en renferment énormément, de même que l'anchois, la sardine, le maquereau, le hareng, le pétoncle et la moule. Bien que le poulet, le saumon, le crabe, la crevette ainsi que d'autres viandes et fruits de mer en renferment moins, il serait avisé d'en diminuer leur consommation. Lors d'une étude d'une durée de 12 ans menée auprès de plus de 47 000 hommes, on a observé que ceux qui consommaient le plus de viande couraient 40 % plus de risques que les autres de souffrir de goutte et ceux qui prenaient le plus de fruits de mer, 50 %. Limitez-vous à une portion de 60 à 90 g de viande maigre et de fruits de mer par jour. Le végétarisme pourrait être une solution à envisager.

Légumes et grains riches en purines. L'asperge, le haricot, le pois et le chou-fleur renferment une certaine quantité de purines. Limitez-en votre consommation à une portion de ½ tasse par jour. Comme il y en a également dans les grains entiers, le germe et le son de blé ainsi que dans les flocons d'avoine, n'en prenez pas plus de trois portions de ½ à 1 tasse par jour.

Alcool, bière, pain et autres aliments contenant des levures. Les boissons alcoolisées renferment peu de purines, mais compte tenu de la manière dont l'alcool est transformé dans l'organisme, il élève le taux d'acide urique. C'est également le cas de la levure, ingrédient qui entre dans la composition de la bière et du pain.

Sucre. Les résultats d'une étude menée à l'université de la Floride indiquent qu'une consommation élevée de sucre de table et de sirop de maïs contribue à élever le taux d'acide urique.

NOS MEILLEURES RECETTES

Gâteau aux carottes, avec glaçage *p. 335*
Houmous d'edamame et pita rôti *p. 290*
Ragoût de légumes et shiitakes *p. 306*
Salade de chou, sauce à l'orange et sésame *p. 292*
Salade de fruits tropicaux *p. 288*
Salade de maïs, tomate et quinoa *p. 294*
Soupe à la patate douce *p. 299*
Tomates cerise rôties en corolle de parmesan *p. 291*

HÉMORROÏDES

Les hémorroïdes sont en réalité des varices qui ont eu la mauvaise idée de se loger dans l'endroit le plus inapproprié qui soit. Dans certains cas, elles saignent, dans d'autres, non. Elles résultent habituellement de la constipation chronique, c'est-à-dire des efforts incessants que la personne doit déployer pour évacuer ses selles. On sait aussi que la diarrhée peut les aggraver. Comme, à la longue, les muscles qui contribuent à propulser le sang dans les veines s'affaiblissent, surtout chez les sujets sédentaires et en surpoids, le risque s'accroît avec l'âge. Compte tenu de la pression supplémentaire qu'exerce le fœtus sur les veines abdominales et de l'effet relaxant des hormones de la grossesse sur les vaisseaux sanguins, les femmes enceintes y sont également sujettes.

En dehors de la grossesse, c'est l'alimentation occidentale qu'il faut généralement blâmer, de même que le manque d'exercice et les longues séances assises. Une des solutions consiste donc à augmenter sa consommation d'aliments qui favorisent la régularité intestinale, soit de fruits, légumes et grains entiers, et d'aliments qui renforcent les vaisseaux sanguins.

VOTRE ORDONNANCE ALIMENTAIRE

Eau

On doit boire beaucoup d'eau, sinon les fibres se comportent comme un bouchon plutôt qu'un balai. L'eau a aussi un autre usage : en bain de siège, elle soulage les hémorroïdes, surtout si on lui ajoute des sels d'Epsom. Ce produit a pour effet d'extraire le liquide du sang qui est emprisonné dans les varices et, par conséquent, d'atténuer l'enflure et l'inflammation.

Vos objectifs : huit à onze verres de 250 ml par jour.

NOS MEILLEURES RECETTES

Casserole poulet et orge *p. 314*
Mousse de fraises surgelées *p. 336*
Muffins aux framboises et amandes *p. 326*
Salade de brocoli *p. 293*
Salade d'épinards et pois chiches *p. 295*
Soupe aux lentilles et à la tomate *p. 301*
Tartelette aux baies *p. 337*

Aliments prévenant la constipation

Les hémorroïdes étant surtout associées à la constipation, vous avez tout intérêt à suivre les conseils donnés à la rubrique Constipation aux pages 168 et 169. Consommez plus d'aliments riches en fibres : fruits, y compris le pruneau, légumes et grains entiers. Ces substances exercent un effet laxatif. Elles retiennent l'eau dans les matières fécales et en augmentent le volume, puis agissent comme un balai pour les évacuer du côlon. Plus il est efficace, moins on a d'efforts à déployer.

Les fibres s'avèrent utiles même quand un traitement médical est indiqué. Des chercheurs danois ont suivi 92 sujets qui avaient subi une ligature élastique, intervention qui consiste à bloquer l'apport de sang aux hémorroïdes. Ils les ont vus toutes les deux semaines pendant une période de dix semaines ou moins. Certains des patients avaient reçu la consigne de prendre du son deux fois par jour, tandis que les autres ne faisaient que suivre le traitement. Ceux qui ont pris du son ont non seulement requis moins de traitements mais leur taux de rechutes n'a été que de 15 %, contre 45 % dans l'autre groupe.

Vos objectifs : au moins 25 g de fibres par jour, idéalement 35 g.

Baies

Plus la baie est foncée, plus elle est sucrée et plus sa teneur en flavonoïdes est élevée. Ces composés qui sont aussi présents dans les agrumes et l'oignon, contribuent à soulager l'inflammation et à renforcer les parois des vaisseaux sanguins. Ils pourraient également atténuer la douleur, les saignements et les démangeaisons, et diminuer le risque de rechutes.

Par ailleurs, comme elles sont riches en fibres, les baies contribuent à prévenir la constipation.

Vos objectifs : ¾ de tasse de mûres, framboises, bleuets, fraises, cerises ou autres baies, tous les jours.

Chou frisé, épinard,

et autres aliments riches en vitamine K

La vitamine K est essentielle à la coagulation du sang. Les aliments qui en sont riches pourraient être utiles en cas d'hémorroïdes saignantes.

Vos objectifs : l'apport quotidien recommandé est de 90 µg pour les femmes et de 120 µg pour les hommes, quantité que fournit aisément une portion de chou frisé, d'épinards, de feuilles de navet ou de brocoli ; le thé vert en renferme également.

Du thé, vous dîtes ?

Comme les tanins soulagent l'inflammation, l'application d'une compresse trempée dans du thé noir froid pourrait aider. Ou encore, appliquez une pâte composée de baies de sureau écrasées et mouillées d'eau.

SUPPLÉMENTS ALIMENTAIRES

Vitamine C. Cette vitamine atténue l'inflammation, favorise la régénération des tissus conjonctifs dans le voisinage des varices et tonifie les veines. **DOSE :** commencez par une dose de 1 000 mg, que vous augmenterez graduellement jusqu'à ce que vos selles ramollissent, puis réduisez-la progressivement. Cette mesure permet habituellement d'éviter la diarrhée.

Magnésium. En contribuant à préserver l'eau dans les selles et à les ramollir, ce minéral exerce un effet laxatif. Pour en savoir plus, reportez-vous à la rubrique sur la constipation. **DOSE :** 300 à 600 mg par jour.

Psyllium. Si, pour diverses raisons, vous ne pouvez prendre les sept portions de fruits et de légumes, et les trois portions de grains entiers nécessaires pour atteindre l'objectif des 25 à 35 g de fibres par jour, alors le supplément de fibres pourrait combler vos besoins. Pour en savoir plus, reportez-vous à la rubrique Constipation. **DOSE :** 1 à 3 c. à soupe par jour, à dissoudre dans de l'eau.

Vous devriez toujours avoir à portée de main un verre rempli d'eau, que vous boirez à petites gorgées et remplirez dès qu'il est vide. Quand vous êtes en déplacement, prenez avec vous une bouteille incassable.

HERPÈS

Tel un géant endormi, le virus de l'herpès peut se réveiller à tout moment. Une fois dans l'organisme, il y reste, hibernant dans les cellules nerveuses jusqu'à ce que le stress, la fatigue, l'exposition au soleil ou à un autre déclencheur l'active. Les scientifiques ont découvert que certains aliments favorisaient les éruptions tandis que d'autres contribuaient à garder le virus latent, but ultime de tout traitement.

Comme les infections rendent plus vulnérable aux éruptions, il faudra également consommer des aliments qui renforcent le système immunitaire. Ce sont d'ailleurs les mêmes qui protègent contre le virus lui-même.

VOTRE ORDONNANCE ALIMENTAIRE

Produits laitiers, poisson, viande *et autres aliments riches en lysine*

Les scientifiques ont découvert un phénomène intéressant : les aliments qui renferment de l'arginine, un acide aminé, semblent nourrir le virus de l'herpès (il en sera question dans la section Aliments et produits à éviter à la page ci-contre). En revanche, ceux qui renferment de la lysine, un autre acide aminé, bloquent l'action du premier. En veillant à ce que le ratio lysine/arginine reste élevé, on a plus de chances de maîtriser les ardeurs du virus.

Vos objectifs : jusqu'à 3 000 mg de lysine, en veillant à répartir cette dose tout au long de la journée. Vous trouverez dans le tableau, la liste des aliments qui en renferment le plus.

ALIMENTS RICHES EN LYSINE

ALIMENT	LYSINE (mg)
Poulet (90 g)	1 800
Bifteck (125 g)	1 640
Flet (90 g)	1 500
Crevette (90 g)	1 500
Fromage cottage (125 g)	1 200
Yogourt nature (1 tasse)	706
Lait écrémé (1 tasse)	663
Fromage muenster (30 g)	606

Ail

L'ail est riche en antioxydants, notamment en sélénium, minéral qui stimule le système immunitaire qui est antiviral. Il rehausse les défenses de l'organisme contre le rhume banal ou les autres infections qui accroissent la vulnérabilité aux éruptions d'herpès.

Vos objectifs : il n'y a pas de recommandation spécifique. Ajoutez-en librement à vos plats. Ou encore, coupez une gousse en petits morceaux que vous avalerez tout au long de la journée. Durant leur transit dans l'intestin, les sucs digestifs les dégraderont et libéreront leur pouvoir antioxydant.

Truc utile : avant de le cuire, hachez l'ail et laissez-le reposer 10 à 15 minutes, ce qui permettra à ses composés actifs de se former.

Yogourt nature avec cultures vivantes

Ce produit renferme des millions de bactéries utiles qui tiennent les « vilaines » en bride et contribuent ainsi à la santé de l'organisme. De plus, des chercheurs ont découvert que le yogourt avec cultures vivantes stimulait l'activité immunitaire des cellules. Bien qu'il ne puisse prévenir directement l'herpès, il peut atténuer la vulnérabilité aux éruptions.

Vos objectifs : une tasse par jour. Assurez-vous que le produit que vous achetez comprend des bactéries vivantes de *lactobacillus, bifidus, Streptococcus thermophilus* ou *acidophilus*. Le nom des bactéries devrait figurer sur le contenant.

Réglisse

Voilà un autre remède populaire qui a fait l'objet de quelques essais scientifiques. Il s'agit ici de la réglisse médicinale, vendue en magasin de produits naturels, et non de la confiserie du même nom. Coupez la racine en fines tranches que vous appliquerez 10 minutes sur votre bouton de fièvre afin d'en atténuer la douleur et d'accélérer la guérison. On pense que la plante doit son action à l'acide glycyrrhizinique, un composé antiviral qui entre d'ailleurs dans la composition de crèmes et d'onguents.

Vos objectifs : Appliquez une tranche fraîche plusieurs fois par jour.

SUPPLÉMENTS ALIMENTAIRES

Lysine. Lors d'une étude menée à l'université du Missouri, les volontaires qui ont pris 1 g de lysine par jour durant six mois présentaient nettement moins de lésions que durant les six autres mois où ils n'en avaient pas pris. **DOSE :** Les études indiquent que, à des doses de 1 à 3 g, la lysine est efficace et sans danger. Prenez-en 1 g, trois fois par jour. Mise en garde : si votre taux de cholestérol est élevé, consultez un médecin avant de prendre un supplément de lysine sur le long terme.

Multivitamines/minéraux. La tension nerveuse, l'épuisement, la malnutrition ou d'autres formes de stress affaiblissent les défenses immunitaires, rendant l'organisme plus vulnérable aux éruptions d'herpès. À la longue, ces stress risquent d'épuiser les réserves de vitamines C et B. De plus, avec l'âge, on absorbe moins bien certains nutriments d'origine alimentaire, notamment le zinc et la vitamine E, qui contribuent à la santé du système immunitaire. Un supplément de multivitamines/multiminéraux pourra combler ce déficit. **DOSE :** un comprimé par jour. Certains suppléments sont offerts en doses divisées, ce qui permet de répartir l'apport en nutriments tout au long de la journée. Pour en favoriser l'absorption, prenez votre supplément en mangeant.

Zona : le remède est dans les fruits

L'herpès zoster, virus à l'origine de la varicelle, peut causer le zona plus tard dans l'existence. Cette douloureuse éruption peut entraîner de la fièvre et vous empêcher de poursuivre vos activités habituelles pendant plusieurs semaines. Lors d'une étude menée à Londres, on a observé que les sujets qui prenaient plus de trois portions de fruits par jour couraient trois fois moins de risque de souffrir du zona que ceux qui en prenaient moins d'une par semaine. Cet effet est dû à la teneur en vitamines et autres nutriments des fruits ; ils préservent la santé du système immunitaire, permettant à l'organisme de mieux se défendre contre le virus.

ALIMENTS ET PRODUITS À ÉVITER

Chocolat, noix, graines et gélatine. Comme ces aliments sont riches en arginine, ils pourraient favoriser les éruptions. Les légumineuses et les grains entiers en renferment également de bonnes quantités, mais ce serait faire preuve d'irresponsabilité que de conseiller d'éviter ces aliments par ailleurs très sains. Vous pourriez, par contre, en diminuer votre consommation quand l'herpès est actif.

NOS MEILLEURES RECETTES

Bifteck de bavette au barbecue *p. 316*
Crevettes à la thaïlandaise *p. 312*
Pâtes primavera au cheddar *p. 306*
Poulet au four, garniture de tomates *p. 313*
Poulet, sauce à l'ail *p. 314*

HYPERTENSION ARTÉRIELLE

L'hypertension artérielle survient généralement sans symptômes préalables. Si vous ne consultez pas souvent votre médecin et ne vérifiez pas votre pression, des années pourraient s'écouler sans que vous sachiez que vous en souffrez. Et pourtant, l'hypertension est dangereuse. En effet, elle constitue le plus important facteur de risque d'AVC. C'est également un facteur de risque majeur de crise cardiaque et d'insuffisance rénale, de même que de dysfonctionnement érectile, voire de cécité. L'âge, le stress et certains aliments contribuent à élever la pression artérielle. Heureusement, une des manières les plus simples de la maîtriser consiste à consommer plus de fruits et de légumes et moins de plats-minute, malbouffe et aliments traités. On augmentera alors naturellement son ingestion de nutriments clés, tels le magnésium, le potassium et le calcium, qui font tous baisser la pression, et diminuera celle du sodium, minéral qui la fait grimper. Quand elle retrouve ses valeurs normales, le risque de faire un ACV ou une crise cardiaque diminue de 40 % et de 25 %, respectivement.

VOTRE ORDONNANCE ALIMENTAIRETAIRE

Bananes, pomme de terre, raisins secs *et autres aliments riches en potassium*

On sait qu'en consommant peu de sel, on se protège contre l'hypertension (pour en savoir plus, voir Aliments et produits à éviter, page 207). Mais la quantité de potassium qu'on ingère est tout aussi importante. Quand des chercheurs se sont penchés sur les principaux facteurs de risque d'hypertension au sein des populations de cinq pays, ils ont découvert qu'une faible consommation de potassium comptait pour 4 à 17 % du risque. À l'inverse, les résultats d'autres études épidémiologiques ont permis de conclure que c'est dans les com-

NOS MEILLEURES RECETTES

Croquant à la poire *p. 334*
Houmous d'edamame et pita rôti *p. 290*
Mousse de fraises surgelées *p. 336*
Pain à la banane et à l'arachide *p. 328*
Pâtes primavera au cheddar *p. 306*
Riz aux amandes *p. 324*
Salade d'épinards et pois chiches *p. 295*
Salade de poulet et pâtes *p. 297*
Soupe à la patate douce *p. 299*

munautés où la consommation de potassium est la plus élevée que la pression artérielle est généralement la plus basse.

Les résultats sont encore plus probants quand, en plus d'augmenter son apport de potassium, on consomme moins de sodium. Les chercheurs ont observé que les sujets dont l'alimentation était pauvre en sodium et riche en potassium les pics de pression dus au stress étaient de 10 mmHg inférieurs.

Vos objectifs : 4 700 mg de potassium par jour. Les 7 à 10 portions de fruits et légumes recommandés en fourniront cette quantité, particulièrement si on les choisit parmi ceux qui sont riches en ce minéral.

Truc utile : la pomme de terre est très riche en potassium : un seul tubercule en fournit 1 000 mg. Remplacez le beurre ou la crème sûre par une margarine molle non hydrogénée : vous ferez ainsi baisser et votre pression et votre taux de cholestérol.

Fruits et légumes

Il suffirait de remplacer une partie de la malbouffe par des fruits et légumes pour faire baisser sa pression artérielle. C'est du moins ce qu'en ont conclu les chercheurs des études DASH (Dietary Approaches to Stop Hypertension) dont il sera plus amplement question plus loin (voir Le régime DASH, page 207). Les sujets, sans avoir modifié leur consommation de fruits et de légumes, ont vu leur pression systolique (chiffre supérieur) baisser de 2,8 mmHg et leur pression diastolique, de 1,1 mmHg. En faisant baisser sa pression de quelques points supplémentaires, on peut diminuer substantiellement ler risque de crise cardiaque ou d'AVC.

Vos objectifs : 7 à 10 portions de fruits et légumes par jour. Une portion correspond à un fruit moyen, ½ tasse de jus de fruits ou de légumes, ½ tasse de fruits hachés ou de légumes, haricots ou légumineuses cuits, ou 1 tasse de légumes feuilles.

Truc utile : il est assez facile d'augmenter sa consommation de fruits et de légumes aux repas. Ajoutez une banane ou des fraises à vos céréales, attaquez le souper avec une salade et ajoutez une ou deux tasses de légumes dans votre soupe ou votre sauce à spaghetti, sans compter que ½ tasse de jus de fruit ou de légumes compte pour une portion.

Soya, haricots, noix et graines

Les personnes qui consomment davantage de protéines végétales (soya et autres légumineuses, noix et graines), ont généralement une pression plus basse que celles qui comptent essentiellement sur la viande et les autres produits d'origine animale.

Les phytoestrogènes du soya contribueraient à faire baisser la pression, mais les bienfaits de cet aliment sont aussi attribuables au fait qu'il remplace habituellement des aliments moins sains, comme les viandes grasses et caloriques. On sait que le gain de poids peut contribuer à élever la pression artérielle.

Vos objectifs : environ quatre portions de soya par jour. Une portion correspond à une tasse de lait de soya, le quart d'un paquet de tofu, ou environ 75 g d'edamame (grains de soya verts).

Produits laitiers écrémés ou à faible teneur en gras

Les experts s'expliquent mal le fait que les produits laitiers fassent baisser la pression artérielle, mais ils attribuent en partie cet effet à leur teneur en calcium, potassium et magnésium, minéraux qui détendent les artères et améliorent la circulation. Des études indiquent que la pression systolique de même que le risque général de souffrir d'hypertension sont moins élevés chez ceux qui consomment plus de produits laitiers à faible teneur en gras que chez les autres. On a fait la preuve dans les études DASH qu'une alimentation dans laquelle ces produits figurent en bonne place contribuait à faire baisser la pression. Enfin, les chercheurs d'une étude menée en Espagne ont découvert que les sujets qui en consommaient couraient moitié moins de risque d'hypertension que ceux qui n'en prenaient pas.

Vos objectifs : deux à trois portions par jour. Une portion correspond à une tasse de yogourt à faible teneur en gras ou de lait écrémé.

SUPPLÉMENTS ALIMENTAIRES

Magnésium et calcium. On n'est pas certain que le supplément de magnésium exerce le même effet que les aliments qui en sont riches ; le haricot noir, la graine de citrouille, l'épinard et le flétan, par exemple, en fournissent tous plus de 100 mg par portion. Mais si vous faites de l'hypertension et n'absorbez pas assez de magnésium de source alimentaire, le supplément pourrait être approprié. Après avoir donné pendant huit semaines un supplément à 60 sujets hypertendus, des chercheurs japonais ont observé que leur pression systolique avait baissé d'environ 2,7 mmHg, et leur pression diastolique, de 1,5 mmHg.

Le calcium est utile. Si vous ne prenez pas vos deux ou trois portions quotidiennes de produits laitiers, vous pourriez bénéficier d'un supplément. Vous pouvez l'associer au magnésium, pour limiter le nombre de cachets à avaler au cours d'une journée. **DOSE :** 500 mg de magnésium et 1 000 mg de calcium par jour, toutes sources confondues.

Omega-3. Des études indiquent que ces acides gras, en particulier le DHA, font légèrement baisser la pression artérielle. Les chercheurs ne recommandent généralement pas de prendre de l'huile de poisson à cette seule fin, étant donné qu'on obtient des résultats plus probants en apportant d'autres changements à son alimentation. Cependant, si vous en prenez pour une autre raison, par exemple pour faire baisser votre taux de triglycérides, vous pourriez faire baisser légèrement votre pression. **DOSE :** au moins 3 g par jour. Pour faire baisser les taux de triglycérides, des professionnels de la santé recommandent de prendre 2 à 4 g par jour. Ne dépassez pas cette dose sans avoir d'abord consulté votre médecin.

ALIMENTS ET PRODUITS À ÉVITER

Sodium. En diminuant sa consommation de sodium, on peut faire baisser significativement sa pression artérielle. La Fondation des maladies du cœur du Canada recommande de ne pas prendre plus de 1 cuiller à thé de sel par jour, soit l'équivalent de 2 300 mg de sodium.

Cela peut sembler peu, mais les données des études sur le régime DASH indiquent que cette

Les raisins secs se marient bien aux légumes sautés ; ajoutez-en une poignée à la fin de la cuisson. Ou farcissez-en un poulet ou un rôti. Cuits dans du liquide, ils se gonflent joliment, ajoutant attrait visuel et douceur aux plats. En outre, comme ils sont riches en potassium, ils contribueront à faire baisser votre pression artérielle.

mesure est vraiment efficace : en limitant son apport de sodium à 2 300 mg par jour, on peut faire baisser sa pression de 2,1/1,1 mmHg ; en limitant cet apport à 2/3 de cuiller à thé par jour, à 6,7/3,5 mmHg. Heureusement, ce n'est pas le sel qu'on met sur ses aliments qui constitue habituellement le problème, mais celui que les fabricants ajoutent à leurs produits. On estime que ces derniers fournissent près de 75 % de tout le sodium qu'on ingère. Il se cache dans les mets les plus inattendus, comme céréales, croustilles de pomme de terre ou de maïs. Par conséquent, le meilleur moyen de réduire sa consommation consiste à supprimer ces produits de son alimentation. Voici un autre truc simple : le nombre de milligrammes de sodium que fournit une portion d'un produit donné devrait être inférieur ou égal au nombre de calories. Lisez les étiquettes.

Alcool. Consommé avec modération, l'alcool élève le taux de cholestérol HDL (le « bon ») et diminue le risque de formation de caillots sanguins ; on estime donc que les femmes peuvent prendre sans risque un verre par jour et les hommes, deux. Cependant, en trop grandes quantités, l'alcool fait grimper la pression artérielle et augmente de 69 % le risque d'AVC.

Café et autres boissons caféinées. Si les antioxydants du café contribuent à diminuer le risque de cardiopathies et de cancer, la caféine, de son côté, pourrait aggraver l'hypertension. Les résultats d'une étude menée au centre médical de l'université Duke indiquent que la consommation de quatre ou cinq tasses par jour élève d'environ 32 % la production d'adrénaline et des autres hormones du stress. En retour, ces dernières font monter la pression artérielle. Cet effet se produirait durant l'heure qui suit la consommation d'une première tasse de café et persisterait tout au long de la journée. Cependant, ces résultats sont loin d'être probants. Les données fournies par la Nurses Health Study indiquent qu'on n'a observé aucun lien entre l'hypertension et la consommation de café ; en revanche, elle pourrait être associée à la consommation de sodas, ordinaires ou de régime.

Le régime DASH

En suivant le régime DASH (Dietary Approaches to Stop Hypertension), on peut faire baisser sa pression artérielle de 5,5/3 mmHg, ce qui est suffisant pour diminuer de 15 % son risque de cardiopathies et de 27 % celui d'un AVC. Si, en plus de suivre ce régime, on limite sa consommation de sel à moins d'une cuiller à thé par jour, la pression artérielle peut baisser de 8,9/4,5 mmHg, résultat comparable à celui des médicaments hypotenseurs. Voici en quoi consiste le régime DASH.

Grains : six à huit portions par jour ; une tranche de pain ou ½ tasse de riz, pâtes ou céréales.

Fruits et légumes : quatre ou cinq portions par jour ; ½ tasse de fruits hachés ou de légumes cuits, 1 tasse de légumes feuilles, ¼ de tasse de fruits séchés ou ½ à ¾ de tasse de jus de fruit ou de légume égalent une portion.

Produits laitiers maigres : deux ou trois portions par jour ; 1 tasse de lait ou de yogourt égale une portion.

Viande maigre, volaille ou poisson : 175 g par jour.

Noix, graines et légumineuses : quatre à cinq portions par semaine ; ½ tasse de haricots, 1/3 de tasse de noix ou 2 cuillers à soupe de beurre d'arachide égalent une portion.

Sucreries et sucre ajouté : moins de cinq portions par semaine ; 1 cuiller à soupe de sucre ou de confiture ou ½ tasse de sorbet égalent une portion.

INFECTIONS DES VOIES URINAIRES

On ne pense habituellement pas à sa plomberie personnelle, jusqu'au jour ou quelque chose va de travers. Si ce quelque chose est une infection des voies urinaires (IVU), vous pourriez devoir prendre des antibiotiques. En cas de doute, consultez votre médecin. Si vous faites souvent des rechutes, alors il y a des mesures à prendre pour les prévenir.

Les IVU sont déclenchées dans l'urètre, canal d'environ 5 cm de long qui achemine l'urine de la vessie vers l'extérieur du corps. Les problèmes commencent quand des bactéries du tractus gastro-intestinal, appartenant souvent à l'espèce *Escherichia coli*, adhèrent aux parois de l'urètre où elles se multiplient, causant de l'infection. Il en résulte une sensation de brûlure au moment de la miction et un besoin impérieux d'uriner même quand on n'a rien à évacuer. On éprouve parfois de la pression au-dessus de l'os pubien ou au niveau du rectum. Si l'infection remonte les voies urinaires pour passer dans la vessie, puis dans les reins, elle s'aggrave ; elle se caractérise alors par de la douleur dans les flancs et le dos, de la nausée et de la fièvre.La meilleure manière de prévenir les IVU consiste à empêcher les bactéries d'adhérer aux parois de l'urètre. Uriner après l'amour est efficace. Et puis, il y a deux boissons utiles.

VOTRE ORDONNANCE ALIMENTAIRE

Jus de canneberge et de bleuet

Les médecins ont longtemps cru que c'était l'acidité de la canneberge qui en faisait un remède utile contre les IVU mais d'autres jus acides, par exemple, le jus d'ananas, ne sont pas efficaces, pas plus d'ailleurs que la pratique qui consiste à élever le taux d'acidité de l'urine en prenant de la vitamine C. Les chercheurs pensent plutôt que c'est l'épicatéchine, composé antioxydant présent dans la canneberge et le bleuet, qui s'attaque à la bactérie *E. coli*, détruisant les filaments à sa surface. La bactérie ne peut alors adhérer à la paroi de l'urètre. D'autres composés de la canneberge semblent affaiblir les parois cellulaires de la bactérie.

Lors d'une étude menée en Finlande auprès de 150 femmes sujettes aux IVU, les chercheurs ont découvert que celles qui ont bu du jus de canneberge tous les jours pendant 12 mois ont vu leurs infections diminuer de 20 %. En outre, selon des chercheurs du Massachusetts, les produits de canneberge concentrés, par exemple la canneberge entière et le jus, sont plus efficaces contre la bactérie que le « cocktail ».

Par contre, si vous faites des calculs d'oxalate de calcium ou d'acide urique, vous devriez consultez votre médecin avant d'entreprendre un traitement à la canneberge. Les résultats d'une étude indiquent que l'extrait pourrait contribuer aux premiers tandis que la consommation de plus d'un litre par jour pourrait élever le risque de souffrir des seconds.

Vos objectifs : trois tasses de jus pur non sucré de canneberge ou de bleuet (dans la section des produits naturels des supermarchés). Évitez le « cocktail » de canneberge, qui est chargé de sucre ajouté, lequel fera la joie des bactéries. Il est vrai que le jus pur est particulièrement acide, d'où le fait que certains préfèrent prendre des extraits en comprimés (voir à droite).

Truc utile : comme tous les jus acides, le jus de canneberge peut éroder l'émail des dents. Brossez-vous les dents après en avoir bu.

Eau

L'eau contribue à diluer l'urine, ce qui laisse moins de chances aux bactéries de se regrouper et de causer des problèmes. De plus, elle oblige à uriner plus souvent, ce qui permet d'inonder l'urètre et d'en nettoyer les parois, où risquent d'adhérer les bactéries.

Vos objectifs : au moins 8 à 10 tasses d'eau par jour. Si vous faites de l'exercice ou vivez en climat chaud et humide, prenez-en encore plus.

Yogourt nature avec bactéries vivantes

Le yogourt contribue à maintenir les populations de bactéries utiles dans l'intestin et à contenir la multiplication de micro-organismes nuisibles. Les résultats des études sur l'efficacité du yogourt, du kéfir ou d'autres produits faits de lait fermentés pour la prévention des IVU sont mitigés. Peut-être parce que, dans certaines, on a utilisé du yogourt sucré : le sucre annule les effets positifs des bactéries probiotiques. Il est bon de manger un peu de yogourt tous les jours. Si vous prenez des antibiotiques pour soigner une IVU, il pourrait même vous permettre d'éviter la levurose, infection aux levures que ces médicaments peuvent provoquer. Prenez-en pendant au moins deux semaines après la fin de votre antibiothérapie.

Vos objectifs : une tasse par jour de yogourt nature avec cultures vivantes, non sucré.

SUPPLÉMENTS NUTRITIONNELS

Extrait de canneberge. Bien que, dans la plupart des études ayant porté sur l'utilité de la canneberge dans le traitement des IVU, on ait utilisé le jus, une étude menée récemment en Finlande indique que l'extrait sous forme de comprimé est tout aussi efficace. **DOSE :** un comprimé de 400 mg, deux fois par jour.

Probiotiques. L'*Acidophilus* et le *Bifidobacteria* sont les deux principales bactéries probiotiques qui contribuent à soutenir le système immunitaire. Le supplément pourrait être utile si vous ne consommez pas assez de yogourt. On les trouve parfois associés dans un seul produit. **DOSE :** suivez le mode d'emploi du fabricant.

ALIMENTS ET PRODUITS À ÉVITER

Boissons et aliments sucrés. Biscuits, bonbons, sodas et produits faits de sucre raffiné ou de sirop de maïs créent un milieu favorable au développement et à la multiplication des bactéries. Tenez-vous en de préférence aux sources naturelles de sucre, par exemple les fruits frais.

Café, thé, cola et alcool. Tous peuvent irriter la vessie et accroître le risque d'IVU.

propos à mijoter…

Si vous avez du mal à boire du jus de canneberge pur, mélangez-le à parties égales avec du soda nature et ajoutez un peu de jus de citron ou de citron vert. Ou encore, mélangez-le avec d'autres jus de fruits naturels qui contrebalanceront sa saveur acidulée.

INFERTILITÉ

Donner la vie à un être humain exige qu'on se porte bien et qu'on choisisse le moment opportun. De la même manière qu'on améliore le sol de son jardin en l'amendant, on peut créer les conditions propices à la conception en consommant les nutriments appropriés.

L'appareil génital est extrêmement sensible. Fluctuations hormonales, anomalies des organes de reproduction, infections, maladies, voire stress, peuvent tous causer l'infertilité chez la femme. Chez l'homme, elle résulte habituellement d'une faible numération des spermatozoïdes ou de leur lenteur à se mouvoir. Bien que l'alimentation ne puisse corriger tous les problèmes liés à l'infertilité, elle peut améliorer les chances de concevoir.

VOTRE ORDONNANCE ALIMENTAIRE

Légumineuses, épinard *et autres aliments riches en folate*

Comme l'acide folique contribue à prévenir certaines anomalies congénitales, on encourage les femmes qui cherchent à concevoir à en prendre sous forme de supplément.

Cependant, les hommes en ont également besoin. Des chercheurs de l'université de la Californie ont découvert que, en cas de carence, le pourcentage de spermatozoïdes chutait. La consommation d'aliments riches en folate, forme naturelle de l'acide folique, pourrait combler leurs besoins.

Vos objectifs : 600 µg de folate par jour, soit l'équivalent d'une tasse de lentilles et d'une tasse d'épinards cuits.

Truc utile : comme les légumes verts perdent jusqu'à 40 % de leur folate à la cuisson, consommez-les crus aussi souvent que possible.

NOS MEILLEURES RECETTES

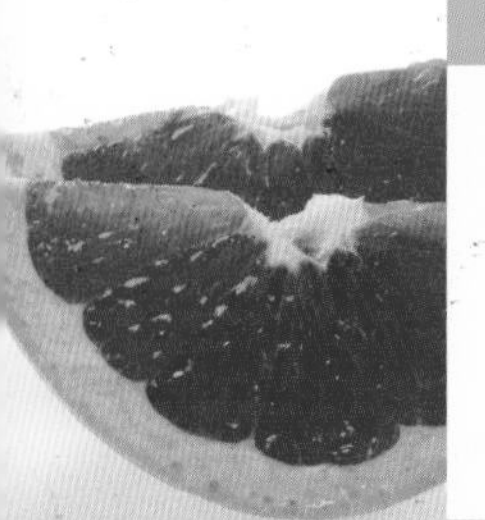

Bœuf en feuille de laitue *p. 304*
Pâtes primavera au cheddar *p. 306*
Salade de brocoli *p. 293*
Salade de crevettes et pamplemousse *p. 296*
Salade d'épinards et pois chiches *p. 295*
Saumon grillé et épinards sautés *p. 311*

Poisson gras, graine de lin, noix commune *et autres aliments riches en oméga-3*

L'organisme utilise les oméga-3 pour produire des eicosanoïdes, hormones qui augmentent l'apport de sang à l'utérus, accroissent les chances de concevoir et favorisent le développement du fœtus. Ils diminueraient aussi le risque que le bébé naisse prématurément ou que son poids soit inférieur à la normale.

Vos objectifs : 1 000 mg par jour, soit une portion de saumon, ¼ de tasse de noix communes ou 2 cuillers à soupe de graines de lin.

Truc utile : les femmes enceintes ou qui cherchent à concevoir devraient éviter de consommer requin, espadon, thon frais ou surgelé, escolar, makaire et hoplostète orange, étant donné leur teneur élevée en mercure.

Viande rouge maigre, huître, crabe *et autres aliments riches en zinc*

Chez l'homme, la carence en zinc se traduit par une faible numération des spermatozoïdes et une motilité réduite, une baisse de l'émission de sperme. Chez la femme, elle peut allonger le cycle menstruel, ce qui diminue la fréquence des ovulations, cause possible d'infertilité.

Vos objectifs : dans les études, les doses administrées aux hommes variaient de 220 à 500 mg par jour. Comme deux portions de bœuf n'en fournissent que 11 mg, le supplément pourrait être indiqué. La dose recommandée pour les femmes non enceintes est de 8 mg.

Lait, fromage, yogourt *et autres aliments riches en vitamine D*

Lors d'essais menés sur des rats mâles à l'université du Wisconsin, l'administration de calcium et de vitamine D a permis de rétablir la fertilité. D'autres études indiquent que, quelques secondes avant que le spermatozoïde ne féconde l'ovule, son taux de calcium augmente, lui fournissant l'énergie nécessaire. Enfin, les résultats d'une étude menée à l'université Columbia indiquent que le calcium et la vitamine D ont permis de rétablir les menstruations chez les femmes souffrant du syndrome des ovaires polykystiques.

Vos objectifs : *Calcium :* 1 000 mg pour les hommes et 1 300 mg pour les femmes, soit l'équivalent de trois ou quatre verres de lait. *Vitamine D :* 1 000 UI par jour, soit ce que fournissent deux portions de 125 g de saumon et 2 tasses de lait.

Orange poivron, brocoli *et autres aliments riches en vitamine C*

Dans une étude auprès de 150 femmes infertiles, l'administration de 750 mg de vitamine C par jour a accru leur taux de fertilité. Au bout de six mois, ce taux était de 25 % comparativement à 11 % pour le groupe placebo. De plus, leur taux de progestérone s'est également élevé.

Vos objectifs : pour atteindre l'objectif de 750 mg, vous devrez peut-être prendre un supplément. Une tasse de brocoli cuit en fournit 100 mg, une tasse de jus d'orange, 124.

SUPPLÉMENTS NUTRITIONNELS

Vitamine C. Cette vitamine accroît le taux de fertilité. **DOSE :** 750 mg par jour.

Acide folique. Dès qu'ils décident de concevoir, les couples devraient prendre un supplément d'acide folique. **DOSE :** 600 µg par jour, pour les hommes et les femmes.

Calcium and vitamine D. Évitez le calcium dérivé de coquilles d'huître ou de poudre d'os, qui renferment du plomb, nuisible au fœtus. **DOSE :** *calcium :* 1 300 mg par jour pour les femmes ; les suppléments de calcium augmentant l'incidence du cancer de la prostate, les hommes devraient s'abstenir d'en prendre. *Vitamine D :* 1 000 UI par jour, pour les deux.

Omega-3. Sous forme de capsules d'huile de poisson ou d'huile de lin liquide. Pour prévenir le rancissement, prenez un produit qui renferme de la vitamine E. **DOSE :** 1 g par jour.

Zinc. L'emploi à long terme d'un supplément de zinc exige qu'on prenne, par ailleurs, 1 ou 2 mg de cuivre par jour pour éviter d'en être carencé. **DOSE :** des médecins recommandent aux hommes de prendre, à court terme, 100 mg par jour et, à moyen terme, 50 mg. À long terme, ne prenez pas plus de 40 mg par jour sans avoir consulté votre médecin.

ALIMENTS ET PRODUITS À ÉVITER

Café, colas et autres aliments ou boissons riches en caféine. Café, colas et autres aliments ou boissons riches en caféine. Une théorie veut que la caféine altère les taux d'hormones et, par conséquent, perturbe l'ovulation. Il est vrai qu'elle resserre les vaisseaux sanguins et freine l'apport de sang à l'utérus, ce qui pourrait gêner l'implantation de l'ovule. De plus, elle élève le risque d'insulinorésistance, trouble qui peut interférer avec l'ovulation. D'un autre côté, l'Organisation of Teratology, groupe qui étudie l'effet de diverses substances sur le développement du fœtus, a conclu que la consommation de moins de trois tasses de café par jour (soit 300 mg de caféine) n'influait probablement pas sur la fertilité des femmes. Pour les hommes, c'est une autre histoire. Selon des chercheurs brésiliens, la caféine semble accroître la motilité et la vélocité des spermatozoïdes.

INSOMNIE

En cas d'insomnie, nos grand-mères recommandaient de prendre un verre de lait chaud avant d'aller au lit, et les chercheurs pensent qu'elles n'avaient pas tort. Ils ont également découvert que la cuisine recelait de nombreux autres « somnifères » naturels. En effet, plusieurs aliments sont particulièrement efficaces car ils contribuent à élever les taux de substances chimiques exerçant un effet calmant, ce qui entraîne un sommeil reposant. Ajoutez à cela de l'exercice et des techniques de gestion du stress, et vous avez peut-être en mains la clé pour entrer au pays des rêves.

VOTRE ORDONNANCE ALIMENTAIRE

Lait chaud avec miel, *dinde, fromage, arachide et banane*

Les aliments énumérés ci-dessus sont riches en tryptophane, acide aminé que l'organisme utilise pour élaborer la sérotonine. Cette substance chimique ralentit l'activité nerveuse, calme l'esprit et envoie à toutes les parties du corps le message de se détendre, créant un état de bien-être propice au sommeil. Quand la nuit tombe, le cerveau convertit la sérotonine en mélatonine, hormone qui régule le sommeil.

Lors d'une étude menée récemment au Canada, des chercheurs ont observé que les insomniaques chroniques qui avaient consommé une barre renfermant des glucides ainsi que 250 mg de tryptophane, soit l'équivalent de deux tranches de provolone, faisaient moitié moins d'insomnie que les autres.

Glucide rapide à digérer, le miel stimule la libération d'insuline, laquelle favorise l'apport de tryptophane au cerveau. C'est d'ailleurs pourquoi la barre qu'on a donnée aux sujets de l'étude en contenait.

Vos objectifs : avant d'aller au lit, prenez un verre de lait chaud avec du miel, ou encore, une tranche de dinde, une tranche de pain de grain entier, une banane, une poignée de noix, un peu de haricots cuits, ou une tranche ou deux de fromage. À noter que la chaleur renforce l'effet du tryptophane, d'où le conseil de chauffer le lait.

Grains entiers

Flocons d'avoine, céréales et pain de grains entiers, et autres glucides complexes favorisent la production de sérotonine.

Vos objectifs : veillez à ce que trois de vos portions quotidiennes de glucides soient des grains entiers. On conseille de prendre une collation composée de glucides complexes avant d'aller au lit afin d'éviter une baisse de la glycémie, facteur qui, chez certains, contribue à l'insomnie. Une portion correspond à un petit bol de céréales de grain entier, une tranche de pain complet, ½ tasse de riz complet ou d'orge.

Infusion de camomille

Il suffit parfois d'être convaincu qu'on va s'endormir pour effectivement tomber dans les bras de Morphée. On n'a pas réussi à prouver

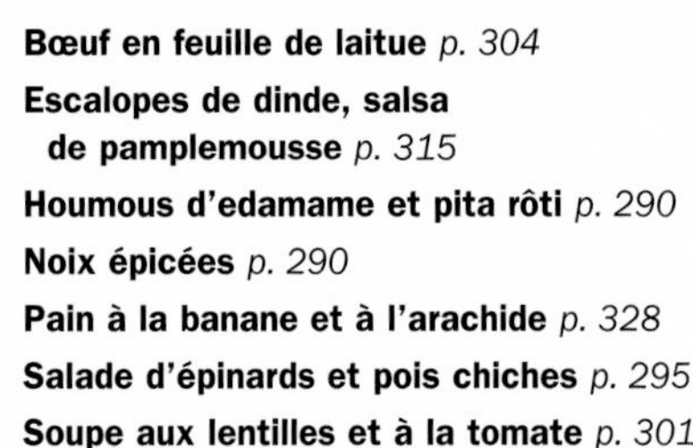

NOS MEILLEURES RECETTES

- **Bœuf en feuille de laitue** *p. 304*
- **Escalopes de dinde, salsa de pamplemousse** *p. 315*
- **Houmous d'edamame et pita rôti** *p. 290*
- **Noix épicées** *p. 290*
- **Pain à la banane et à l'arachide** *p. 328*
- **Salade d'épinards et pois chiches** *p. 295*
- **Soupe aux lentilles et à la tomate** *p. 301*

que la camomille prévenait l'insomnie, mais de nombreuses personnes affirment que l'infusion les détend. Si vous pensez qu'une tasse de cette infusion chaude vous aidera à dormir, il y a de fortes chances qu'elle le fasse.

Vos objectifs : une tasse au coucher.

Viande rouge, fruits de mer, tofu, lentilles *et autres aliments riches en fer*

Si le syndrome des jambes sans repos vous empêche de dormir, il se peut que vous souffriez d'anémie ferriprive. Consultez un médecin qui établira, le cas échéant, le diagnostic. Il pourrait vous conseiller de prendre un supplément de fer ou de consommer des aliments qui en sont riches. Pour éviter les gras saturés, optez pour de la viande maigre et consommez-la le midi plutôt que le soir, ses protéines risquant de neutraliser les effets sédatifs de la sérotonine.

Vos objectifs : 18 mg pour les femmes de moins de 50 ans, 8 mg pour celles qui ont plus de 51 ans et pour les hommes. Une portion de 90 g de surlonge fournit environ 3 mg de fer, ½ douzaine d'huîtres, 14 mg, une tasse de lentilles, 7 mg.

Truc utile : le fer présent dans les légumes est plus difficile à absorber que celui que fournissent les viandes ; pour contourner le problème, prenez-les avec une source de fer hémique (par exemple, de la viande) ou de la vitamine C.

SUPPLÉMENTS NUTRITIONNELS

Multivitamines/minéraux Le fer et les vitamines B de ces suppléments peuvent favoriser le sommeil, surtout en cas de carence. Le déficit en fer ou en folate (une vitamine B) peut entraîner le syndrome des jambes sans repos. On sait en outre que certaines vitamines B contribuent à réguler l'humeur et le sommeil. Ainsi, la vitamine B_6 et la niacine jouent un rôle dans la production de sérotonine.

Ne prenez pas plus de fer que ce que fournit un supplément multivitaminique sans avoir consulté votre médecin. En excès, ce minéral est nocif. Si le supplément a pour effet de vous donner plus d'énergie, prenez-le plutôt le matin. **DOSE :** un comprimé par jour.

Magnésium. Ce minéral intervient dans la production de sérotonine ; sa carence peut, en outre, entraîner le syndrome des jambes sans repos. À noter que le glycinate et le malate de magnésium sont moins susceptibles de causer de la diarrhée que le citrate et l'hydroxyde. **DOSE :** 100 à 300 mg avant le coucher.

ALIMENTS ET PRODUITS À ÉVITER

Alcool. L'effet sédatif de l'alcool se dissipe au bout de quelques heures, provoquant le réveil. Comme il détend les muscles des voies respiratoires, il peut augmenter les ronflements et aggraver l'apnée du sommeil.

Caféine. S'il y a une substance qu'on ne devrait pas ingérer le soir, c'est la caféine. Ceux qui y sont sensibles devraient s'abstenir. Au cours d'une étude, on a observé que les sujets qui, le matin, en avaient ingéré aussi peu que 200 mg, soit l'équivalent de deux tasses de café, dormaient mal la nuit suivante. Le thé, le cola et le chocolat en renferment également.

Lipides au souper. Les gras peuvent provoquer une indigestion et des brûlements d'estomac qui risquent de perturber le sommeil.

Du poisson pour dormir?

Les acides gras oméga-3 du poisson pourraient améliorer l'humeur en élevant les taux de sérotonine et, ce qui, en retour, peut favoriser le sommeil. Les résultats des études ayant porté sur l'insomnie sont mitigés quant à l'utilité de ces substances, mais il n'y a certes aucun mal à augmenter votre consommation de saumon, de graines de lin et de noix commune. Qui sait ? Peut-être la qualité de votre sommeil s'en trouvera-t-elle améliorée.

INSULINORÉSISTANCE

Ce n'est pas une bonne chose d'être résistant à l'insuline, alors qu'il faut l'être aux virus et aux bactéries. On assiste présentement en Amérique du Nord à une véritable épidémie d'insulinorésistance: 25 % de la population en souffrirait. Bien que l'hérédité y soit pour quelque chose, c'est à notre aversion pour l'exercice ainsi qu'à notre intarissable goût pour les glucides raffinés et les aliments sucrés qu'on doit cette situation. En plus d'ouvrir tout grand la porte au gain de poids et au diabète, l'insulinorésistance contribuerait aux cardiopathies, à l'obésité et même à la maladie d'Alzheimer.

Quand on se gave de frites, scones, céréales sucrées et autres aliments qui font grimper la glycémie, l'organisme produit de l'insuline dans le but d'extraire le glucose du sang pour en nourrir les cellules. À la longue, l'afflux d'insuline en épuise les récepteurs, qui sont alors moins performants. En conséquence, l'insuline y perd en efficacité: il en faut de plus en plus pour donner les mêmes résultats. C'est ce qu'on appelle l'insulinorésistance.

Un trop-plein d'insuline élève la pression artérielle et le taux de cholestérol, et peut même favoriser l'apparition de certains cancers. Il mène aussi au gain de poids et, à long terme, à l'hyperglycémie, trouble qui, en soi, comporte ses propres risques.

Il est possible de déceler une insulinorésistance faible et modérée au moyen d'une analyse de sang. À un stade plus avancé, elle peut laisser des marques foncées sur la peau du cou, des coudes, des genoux ou sur les jointures. Votre risque est plus élevé si: un membre de votre famille souffre du diabète; votre taux de cholestérol HDL (le « bon ») est faible et vos taux de triglycérides sont élevés; vous faites de l'hypertension artérielle ou avez souffert de diabète gestationnel; vous êtes d'origine afro-américaine ou hispanique; vous faites de l'embonpoint. Perdre ses kilos en trop fait donc partie des premières mesures à prendre, notamment en faisant de l'exercice. Si vous souffrez d'insulinorésistance, c'est signe que vous n'êtes probablement pas assez actif. D'ailleurs, parmi ses effets positifs, l'exercice favorise l'absorption de l'insuline par les cellules. Cela dit, on ne peut ignorer le fait que l'alimentation joue un rôle central dans la genèse de cette affection, ainsi que dans son traitement.

Votre principal objectif sera de consommer des aliments qui se digèrent lentement et sont riches en fibres, ce qui régulera votre glycémie et, par conséquent, d'insuline. Le second sera de vous sevrer des gras saturés et trans en faveur des lipides insaturés que fournissent les aliments comme le poisson, les noix et l'huile d'olive, ce qui pourrait avoir pour effet d'accroître la sensibilité de vos cellules à l'insuline.

Grains entiers, légumineuses
et autres glucides riches en fibre

Des aliments comme les pâtes de blé entier et l'orge se digèrent lentement, ce qui évite les pics glycémiques. Malheureusement, nous en consommons trop peu. Il en va de même pour les légumineuses, par exemple le pois chiche, le soya et la lentille. Au moins, nous consommons plus de céréales riches en fibres, ce qui est excellent. Les données recueillies auprès des quelque 3 000 sujets de la Framingham Offspring Study indiquent que ceux qui consommaient le plus de grains entiers, et donc de fibres, étaient nettement moins susceptibles de faire de l'insulinorésistance que ceux qui en prenaient le moins.

Commencez par vous assurez que vos céréales du matin fournissent au moins 5 g de fibres par portion. Ensuite, préparez vos sandwichs avec du pain de grain entier (les mots « entier », « complet » ou « intégral » devraient accompagner le nom du premier ingrédient sur la liste). Puis, augmentez votre consommation de légumineuses. Une boîte de soupe aux haricots noirs ou aux lentilles, par exemple, fera un excellent dîner. En outre, il n'y a rien de plus simple que d'ajouter quelques haricots ou pois chiches à vos salades.

Vos objectifs : 25 à 35 g de fibres par jour. Une tasse de lentilles cuites ou de flocons d'avoine cuits en fournit 16 g.

Truc utile : évitez les flocons d'avoine instantanés et aromatisés, qui renferment presque toujours du sucre ajouté.

Olive et son huile, noix, avocat

Riches en lipides mono-insaturés, ces aliments sont bons pour la santé, à condition de les consommer avec modération. En passant, non seulement ces gras n'élèvent-ils par le taux de sucre sanguin, mais ils le stabilisent.

Contrairement aux gras saturés, qui augmentent le risque d'insulinorésistance, les lipides insaturés améliorent l'insulinosensibilité. C'est du moins ce que des chercheurs finlandais ont découvert. Pendant trois semaines, ils ont fait suivre un régime riche en gras saturés à 31 sujets qui faisaient de l'hyperglycémie, pour les soumettre ensuite à un régime mettant l'accent sur les gras mono-insaturés ou polyinsaturés : le taux de glycémie et l'insulinosensibilité des sujets se sont alors nettement améliorés.

Si vous cherchez à perdre du poids, surtout ne supprimez pas entièrement les lipides, car ils donnent de la saveur aux plats et prolongent le sentiment de satiété. Veillez simplement à choisir les bons gras, qui accompagnent particulièrement bien les légumes ; ainsi, l'huile d'olive est idéale pour les sautés ou comme assaisonnement de salades. De plus, garnissez ces dernières d'une petite poignée de noix ou de graines.

Vos objectifs : une cuiller à soupe d'huile d'olive le midi et une autre le soir, 30 g de noix et 1/3 de tasse de guacamole ou quelques tranches d'avocat.

Truc utile : remplacez le fromage de votre sandwich par une tranche ou deux d'avocat. Pour éviter le noircissement, arrosez-les d'un peu de jus de citron, qui fournira par la même occasion de la vitamine C, un puissant antioxydant.

NOS MEILLEURES RECETTES

Brochettes de thon *p. 308*
Chili aux trois haricots *p. 308*
Fondue au chocolat *p. 332*
Quinoa printanier *p. 324*
Salade d'épinards et pois chiches *p. 295*
Salade de poulet et agrumes *p. 296*
Sandwich au thon et à la salsa *p. 302*
Spaghetti, sauce à la dinde *p. 316*
Scones à l'avoine et aux bleuets *p. 326*

Chocolat noir, thé vert *et autres aliments riches en flavonoïdes*

Si vous aimez le chocolat noir, vous serez heureux d'apprendre que ce produit est bon pour la santé. Au cours de deux études menées récemment, des chercheurs italiens ont observé que, chez les sujets qui prenaient 100 g de chocolat noir par jour, le taux d'insulinorésistance a baissé sensiblement, en comparaison de ceux qui prenaient du chocolat blanc. Les chercheurs pensent que cet effet protecteur est attribuable aux flavonoïdes que renferme le cacao et qui sont à la fois antioxydants et anti-inflammatoires. Le chocolat noir est également riche en chrome, minéral qui contribue à accroître l'insulinosensibilité. Le thé vert, le vin, le bleuet, la pomme avec sa peau, l'oignon, le chou, le chou de Bruxelles, l'épinard et l'asperge sont également riches en flavonoïdes.

Vos objectifs : de temps à autre, 45 g de chocolat noir titrant à au moins 60 % de cacao, quelques tasses de thé vert, et quelques portions d'agrumes et de baies tous les jours.

Truc utile : le chocolat au lait est non seulement plus calorique que le chocolat noir, mais il renferme aussi moins de flavonoïdes. Il est donc préférable de s'en tenir au chocolat noir.

Épinard, légumineuses, poisson *et autres aliment riches en magnésium*

Les études indiquent qu'une carence en magnésium va de pair avec l'insulinorésistance. Le risque de diabète 2 est beaucoup plus faible chez les personnes qui consomment beaucoup d'aliments riches en ce minéral, notamment des légumineuses et des légumes feuilles.

Vos objectifs : des chercheurs ont fait la preuve que, à des doses de 300 à 400 mg par jour, le magnésium contribuait à réguler la glycémie chez les diabétiques. Un quart de tasse de graines de citrouille en fournit 185 mg, une tasse d'épinards cuits, 157 mg.

Truc utile : comme la cuisson entraîne une déperdition du magnésium, consommez vos légumes crus aussi souvent que possible.

SUPPLÉMENTS NUTRITIONNELS

Chrome. Lors d'une étude d'une durée de six mois menée à l'université du Vermont auprès de sujets souffrant de diabète de type 2, on a donné à 12 d'entre eux un médicament hypoglycémiant et un placebo, tandis que les 17 autres prenaient le médicament hypoglycémiant et un supplément de chrome. Les chercheurs ont observé les résultats suivants chez les sujets qui prenaient du chrome comparativement à ceux du groupe placebo : l'insulinosensibilité des sujets qui prenaient du chrome s'est sensiblement améliorée, leur glycémie était moins élevée, ils ont pris moins de poids et accumulé moins de graisse dans la région de l'abdomen. Les autorités sanitaires n'ont pas établi de limite pour le chrome, mais ceux qui souffrent d'une maladie du foie ou du rein doivent éviter les doses élevées. Afin d'en favoriser l'absorption par l'organisme, prenez votre supplément avec des aliments riches en vitamine C, par exemple du jus d'orange ou du poivron rouge. **DOSE :** les sujets de l'étude prenaient 1 000 µg par jour.

Magnésium. On ne recommande le supplément qu'à ceux dont l'analyse sanguine révèle qu'ils sont carencés. Le citrate de magnésium et les autres formes chélatées, c'est-à-dire dans lesquelles le minéral est lié à une autre molécule, sont mieux absorbées que les non chélatées, comme l'oxyde de magnésium. **DOSE :** les études indiquent que, à des doses de 300 à 400 mg, le magnésium contribue à réguler la glycémie chez les diabétiques. Cela correspond à peu près aux doses recommandées, qui sont de 400 à 420 mg pour les hommes et de 310 à 320 mg pour les femmes.

ALIMENTS ET PRODUITS À ÉVITER

Sucre et grains raffinés. Comme les produits faits de farine blanche, les aliments sucrés, la majorité des céréales de riz de même que les autres aliments « blancs » sont dénués de fibres, ils sont rapidement digérés et, de ce fait, élèvent le taux de sucre sanguin et la production d'insuline. Comme ils sont par ailleurs pauvres en nutriments et qu'ils sont caloriques, ils favorisent le gain de poids ce qui, en retour, augmente le risque d'insulinorésistance.

Remplacez ces aliments par du pain et des céréales de grain entier, et le jus par des fruits frais. À la place des boissons gazeuses, prenez du soda nature garni d'une tranche de citron vert. Et méfiez-vous des casse-croûte emballés.

Viande grasse, produits laitiers entiers et aliments qui renferment des gras trans. Les gras trans présents dans de nombreux produits transformés, de même que les lipides saturés de la viande et du fromage accroissent le risque de diabète et de cardiopathie, lequel est déjà élevé chez ceux qui font de l'insulinorésistance. De plus, ils pourraient contribuer directement à cette affection et prévenir la production par l'organisme de quantités adéquates d'insuline. Les lipides saturés sont stockés dans les cellules sous forme de triglycérides, gras nuisibles s'il en est. Quand ils s'accumulent dans les cellules productrices d'insuline, ils peuvent, en fait, les détruire. En outre, des chercheurs suédois ont fait la preuve qu'on pouvait améliorer l'insulinosensibilité en remplaçant les lipides saturés par de l'huile d'olive ou d'autres matières grasses semblables, à la condition toutefois que les calories qu'elles fournissent ne représentent pas plus de 37 % de l'apport total.

Malbouffe. Lors d'une étude d'une durée de 15 ans menée à l'université du Minnesota auprès de 3 000 jeunes adultes, les chercheurs ont découvert que ceux qui consommaient de la malbouffe plus de deux fois par semaine avait pris en moyenne 4,5 kilos et que leur insulinorésistance avait augmenté de 104 %. Les produits de restauration rapide sont habituellement riches en huiles hydrogénées, féculents raffinés ou sucre. En outre, les portions sont démesurées. Par conséquent, mettez la pédale douce sur ces aliments que les experts qualifient, à juste titre, de vides.

Tours de taille éloquents

Si vous avez du mal à boutonner vos pantalons, c'est peut-être le signe que vous faites de l'insulinorésistance. Selon les résultats d'une enquête commandée par le National Women's Health Resource Center des États-Unis, 75 % des femmes qui avaient des antécédents familiaux de diabète ou de cardiopathie ont rapporté faire de l'embonpoint, éprouver de la fatigue et des envies incontrôlables de sucre. Toutes avaient accumulé au fil des ans une épaisse couche de tissu adipeux sur l'abdomen. Le tour de taille d'une femme ne devrait pas dépasser 87 cm, celui d'un homme, 102 cm. Si le vôtre est plus ample, une visite médicale s'impose, de même qu'un programme d'exercice et une alimentation axée sur les grains entiers, les fruits, les légumes et le poisson.

LEVUROSE

Les régions humides et sombres du corps, notamment la bouche, le vagin et le rectum, sont colonisées par des bactéries utiles qui contribuent à protéger l'organisme contre l'infection, de même que par des champignons microscopiques qui ne causent normalement pas de problèmes. Cependant, dans certaines conditions, l'équilibre est rompu, les bactéries utiles sont détruites et ne peuvent plus jouer leur rôle de régulateurs des populations de levures. En modifiant le taux d'acidité du vagin, la grossesse et le diabète peuvent le rendre plus vulnérable à l'infection. En outre, les antibiotiques ont pour effet de détruire les bactéries utiles qui protègent l'organisme contre les plus nocives. Résultat : le *Candida* prend le dessus, entraînant une candidose, qui est la levurose la plus fréquente. Les deux manifestations les plus communes sont le muguet, qui se caractérise par la formation dans la bouche d'amas blancs, douloureux et accompagnés de démangeaisons, et l'infection vaginale à champignons, qui provoque des démangeaisons et des pertes vaginales.

La levurose est souvent tenace, et les rechutes ne sont pas rares même à la suite de traitements aux médicaments et aux crèmes antifongiques. D'où l'importance de la prévention, à commencer par l'alimentation. Le yogourt est un remède éprouvé de même que les aliments qui renforcent l'organisme contre les infections, ce qui pourrait vous éviter de prendre des antibiotiques, médicaments qui accroissent la vulnérabilité à la levurose. (Pour en savoir plus à ce sujet, voir la rubrique Maladies immunitaires à la page 224.)

VOTRE ORDONNANCE ALIMENTAIRE

Ail

L'ail est un puissant antibactérien. On l'utilisait lors de la première guerre mondiale pour accélérer la guérison des plaies. C'est aussi un antifongique : après avoir mélangé en éprouvette des extraits d'ail et d'oignon avec des échantillons de *Candida albicans*, des chercheurs iraniens ont découvert qu'ils en prévenaient la multiplication.

Ce n'est que tout récemment que les chercheurs ont découvert que l'ail était très riche en antioxydants. Par conséquent, une consommation élevée devrait permettre à votre système immunitaire de fonctionner à plein régime.

Vos objectifs : deux gousses par jour. Comme l'ail est plus efficace cru, ajoutez-le dans les plats en fin de cuisson ou dans les salades, ou encore, si vous pouvez le tolérer, croquez une gousse entière à l'occasion.

NOS MEILLEURES RECETTES

Houmous d'edamame et pita rôti *p. 290*
Poulet, sauce à l'ail *p. 314*
Soupe au brocoli *p. 300*
Verdures et sauce crémeuse à l'ail *p. 294*

Yogourt avec bactéries vivantes

Ce produit fermenté est très riche en bactéries utiles. Quand ces dernières sont bien installées dans l'organisme, les levures ont moins de chances de se multiplier. Lors d'une étude menée auprès de femmes souffrant fréquemment de levuroses, on a observé que le yogourt s'était révélé vraiment utile. Pendant six mois, elles ont pris chaque jour une tasse de yogourt comprenant la souche bactérienne *Lactobacillus acidophilus*, puis, les six mois suivants, elle n'en ont pas pris. Durant les six premiers mois, elles ont fait 30 % moins de levuroses.

Vos objectifs : une tasse de yogourt nature par jour. Assurez-vous que le produit renferme des cultures vivantes, particulièrement celles de la souche *L. acidophilus*. Comme le sucre peut aggraver la levurose, évitez les yogourts sucrés.

SUPPLÉMENTS NUTRITIONNELS

Ail. Si vous ne tolérez pas l'odeur de ce bulbe, le supplément d'ail inodore pourrait être indiqué. Une mise en garde s'impose : en théorie, il peut élever le risque de saignements ; par conséquent, si vous prenez un anticoagulant comme la warfarine (Coumadin), n'entreprenez de traitement à l'ail que sous surveillance médicale. En outre, ceux qui ont une maladie inflammatoire intestinale devrait être prudents, car l'ail peut irriter le tractus gastro-intestinal. **DOSE :** 500 mg, trois fois par jour durant six semaines.

Probiotiques. Si vous n'aimez pas le yogourt ou s'il ne semble pas donner les effets escomptés, essayez le supplément de probiotiques, qui comprend les mêmes bactéries utiles. Elles favorisent la digestion et contribuent à préserver une saine flore intestinale. Les suppléments de probiotiques se sont avérés tellement prometteurs dans la lutte contre la levurose de la bouche et du vagin que des médecins conseillent à leurs patients d'en prendre chaque fois qu'ils entreprennent une antibiothérapie, cette dernière ayant pour effet d'accroître la vulnérabilité à cette infection. Les résultats de plusieurs études indiquent que le probiotique *L. rhamnosus* (ou *Lactobacillus GG*) est particulièrement utile, notamment parce qu'il résiste mieux aux sucs digestifs que d'autres. *L. acidophilus*, qui est plus courant et beaucoup moins cher, s'est également montré prometteur.

Une étude menée sur des bébés prématurés indique que quand on ajoutait, durant les six premières semaines de leur existence, des probiotiques dans le lait maternel qui leur été donné, leur risque de muguet, problème fréquent chez eux, a diminué de 20 %. **DOSE :** 1 cuiller à soupe de culture probiotique liquide, ou une ou deux capsules par jour. Prenez-les entre les repas alors que la production de sucs digestifs est faible et suivez scrupuleusement le mode d'emploi. Avant de donner des probiotiques aux tout-petits, consultez votre pédiatre.

Une fois votre traitement antibiotique terminé, vous devriez continuer à prendre des probiotiques pendant au moins deux semaines afin de vous assurer que votre flore bactérienne est suffisamment développée.

ALIMENTS ET PRODUITS À ÉVITER

Boissons et aliments sucrés, alcool. Les levures raffolent du sucre, en fait, elles s'en nourrissent. Pour affamer ces trouble-fête, faites l'effort d'en diminuer votre consommation, y compris celle de jus de fruits, céréales sucrées, crème glacée, desserts et tout ce qui comprend du sirop de maïs, comme les boissons gazeuses, biscuits du commerce et friandises. Pour satisfaire votre envie de sucre, prenez des cerises, des raisins ou des abricots frais ou mieux encore, quelques carottes croquantes. Comme les levures se nourrissent également d'alcool, évitez d'en prendre quand vous faites une levurose.

Pain et riz blancs, pomme de terre. Les farines raffinées et les féculents élèvent la glycémie, c'est-à-dire les taux de sucre sanguin. Étant donné que les levures s'alimentent de glucose, évitez ces produits et passez aux grains entiers riches en fibres, comme le pain et les pâtes de blé entier, le riz complet et les céréales de grains entiers. Optez pour la patate douce plutôt que pour la pomme de terre.

Aliments riches en levure. Les champignons et le pain à la levure renferment des levures qui peuvent favoriser la multiplication du *Candida*. Évitez-les quand vous prenez des antibiotiques, êtes malade, sous l'effet du stress ou enceinte, toutes situations qui augmentent votre vulnérabilité aux levuroses.

LUPUS ÉRYTHÉMATEUX

Le lupus reste un grand mystère médical. Sans comprendre entièrement les causes de cette maladie auto-immune, les chercheurs pensent qu'elle pourrait résulter d'un ensemble de facteurs génétiques et environnementaux, par exemple une exposition à certains virus. Le système immunitaire reçoit des directives erronées et produit des anticorps qui ciblent les tissus et organes du corps. Ces « auto-anticorps » provoquent de l'inflammation. On connaît diverses formes de lupus, le plus fréquent étant le lupus érythémateux disséminé (LED) ; il peut être bénin, avec fatigue, douleurs articulaires et éruptions cutanées, ou grave, touchant des organes majeurs comme les reins. On recommande aux personnes atteintes d'adopter une alimentation pauvre en gras et riche en légumes frais. Dans la mesure où de nombreux médicaments utilisés dans le traitement du lupus ont pour effet d'atténuer l'inflammation et de calmer l'hyperactivité du système immunitaire, les aliments et les suppléments qui exercent les mêmes actions pourraient les compléter avantageusement. C'est du moins ce qu'indiquent les résultats d'études préliminaires menées sur les animaux et les humains.

VOTRE ORDONNANCE ALIMENTAIRE

Poisson *et autres aliments riches en oméga-3*

Il semble que l'incidence de cette maladie auto-immune soit plus faible là où il se consomme beaucoup de poisson, fruits de mer et autres sources d'oméga-3, par exemple au Japon ou chez les Esquimaux du Groenland, que dans les pays où l'on prend peu de ces acides gras essentiels. Ce qui ne signifie pas nécessairement qu'on ne souffrira pas de lupus si on mange du poisson, mais comme les résultats d'études indiquent qu'il joue un rôle dans la prévention d'autres affections, par exemple la dépression et la cardiopathie, ce n'est pas impossible.

Les études indiquent que le supplément d'EPA et de DHA, oméga-3 présents dans le gras des poissons d'eaux froides, atténue l'inflammation associée aux maladies auto-immunes et, comme tel, pourrait ralentir la progression du lupus (voir Suppléments nutritionnels, page 221). Lors d'une étude d'une durée de 24 semaines menée sur 52 sujets souffrant de LED, des chercheurs de l'université de l'Ulster, dans le Nord de l'Irlande, ont découvert que ceux qui prenaient 3g d'EPA rapportaient une diminution d'environ 23 % de l'activité de la maladie comparativement à ceux du groupe placebo. Dans une étude britannique menée auprès de 27 patients qui, pendant 34 semaines, ont pris 20 g par jour d'EPA, près de la moitié ont déclaré que le supplément leur était utile.

La graine de lin est une autre bonne source d'oméga-3, particulièrement d'acide alphalinolénique (AAL). Lors d'une étude de très

NOS MEILLEURES RECETTES

Canapés à la sardine *p. 302*
Maquereau aux tomates rôties *p. 310*
Salade d'épinards et pois chiches *p. 295*
Salade de thon et haricots blancs *p. 297*
Saumon grillé et épinards sautés *p. 311*

faible envergure menée au Canada, on a observé que la fonction rénale des huit participants qui prenaient 30 g de graines de lin dans leurs céréales ou leur jus s'était améliorée à l'issue des deux ans qu'a duré l'étude.

Vos objectifs : au moins deux portions de poisson par semaine. Pour obtenir les quantités d'oméga-3 qu'on a administrées dans les études, il vous faudra compléter par un supplément.

Truc utile : optez pour des poissons ou fruits de mer comme le saumon, la truite arc-en-ciel ou le pétoncle qui, en plus des oméga-3, renferment du sélénium, minéral antioxydant et anti-inflammatoire.

Thé vert

Les études de population indiquent que l'incidence du lupus est plus faible dans les pays comme la Chine ou le Japon, où la consommation de thé vert est quotidienne. Ce qui pourrait s'expliquer par la richesse de cette boisson en polyphénols, composés antioxydants et anti-inflammatoires. On pense en outre qu'il pourrait être efficace tant par voie orale que topique, c'est-à-dire par application sur les éruptions cutanées. Quand des chercheurs du collège médical de Georgia ont mélangé des polyphénols de thé vert avec des cellules de peau et de glandes salivaires, ils ont constaté que les marqueurs du LED avaient diminué.

Vos objectifs : il faudra d'autres études avant qu'on puisse faire des recommandations spécifiques. Cependant, vous ne pouvez tirer que des bienfaits à en prendre quelques tasses par jour.

SUPPLÉMENTS NUTRITIONNELS

Acides gras oméga-3. Les chercheurs sont divisés quant à l'utilité des oméga-3 dans le traitement des maladies auto-immunes, d'autant plus que les résultats d'études sont plus probants chez les animaux que chez les humains. Cependant, lors d'un essai mené en Inde, on a observé que les suppléments d'EPA et de DHA semblaient avoir entraîné une rémission chez 10 sujets souffrant de LED.

Le végétarisme pourrait-il être une solution ?

Les études indiquent que le végétarisme et le végétalisme (qui proscrit tout produit d'origine animale) ont pour effet d'atténuer sensiblement les symptômes d'autres maladies inflammatoires chroniques, comme la polyarthrite rhumatoïde.

Les végétariens consomment moins de protéines que les carnivores. Comme l'excès de protéines augmente indûment la charge des reins, le végétarisme pourrait être une solution si le lupus affecte les vôtres, comme c'est le cas pour 60 % de ceux qui en souffrent. Votre médecin vous conseillera peut-être de supprimer la viande, auquel cas, vous devrez probablement faire de même pour le poisson, étant donné que, pour les reins, une protéine est une protéine. Vous pourrez alors tirer vos oméga-3 des graines de lin ou d'un supplément d'huile de poisson.

Autre raison d'éviter les gras animaux : ils renferment de l'acide arachidonique, réputé inflammatoire.

D'autres études ont permis de découvrir que les sujets souffrant de maladies inflammatoires chroniques qui avaient pris de l'huile de poisson ont pu diminuer leurs doses de médicaments anti-inflammatoires. **DOSE :** 3 à 6 g par jour d'une huile de poisson de qualité. Gardez-la au réfrigérateur. Si votre haleine dégage une odeur de poisson, c'est signe que l'huile est rance et qu'elle doit être remplacée.

Antioxidants, particulièrement les vitamines E et A et le sélénium. Les carences en vitamines A et E seraient un facteur de risque de polyarthrite rhumatoïde, et des chercheurs pensent que ce pourrait être aussi le cas pour le lupus. Chez les animaux carencés en vitamine A, les symptômes de cette maladie semblent plus graves. Bien que les résultats des études soient mitigés, certains indiquent que les suppléments de vitamine E et de bêta-carotène, précurseur de la vitamine A, semblaient soulager les éruptions caractéristiques du lupus. Le sélénium, quant à lui est anti-inflammatoire. Administré sous forme alimentaire à des souris atteintes de lupus, il en a prolongé l'existence. **DOSE :** *vitamine E :* 800 mg de tocophérols mixtes. *Bêta-carotène :* dans les études, on en a administré 50 mg, trois fois par jour, soit 150 mg au total. *Sélénium :* 70 µg par jour.

Vitamine D. Les études récentes indiquent que la carence en vitamine D pourrait prédisposer à des maladies auto-immunes. Or, au Canada, elle n'est pas rare. Il est clair que ce déficit contribue à l'ostéoporose généralisée qu'on observe chez les femmes et même chez les hommes, tout particulièrement chez tous ceux qui prennent des stéroïdes ou d'autres médicaments destinés au traitement du lupus. Bien qu'on n'ait pas effectué d'étude spécifique sur le rôle de cette vitamine dans le traitement du lupus, nous recommandons la supplémentation. **DOSE :** 1 000 à 2 000 UI de D_3 (cholécalciférol) par jour.

ALIMENTS ET PRODUITS À ÉVITER

Huile de carthame, de tournesol et de maïs, et la majorité des margarines. Ces produits sont riches en oméga-6, acides gras polyinsaturés qui seraient inflammatoires. En Amérique du Nord, nous en consommons généralement trop alors que nous ne prenons pas assez d'oméga-3, réputés anti-inflammatoires. Des experts pensent que ce déséquilibre contribue aux maladies inflammatoires chroniques, comme la polyarthrite rhumatoïde.

Lors d'un essai, on a observé que, sur les 11 patients atteints de lupus qui ont réduit leur ingestion d'oméga-6 durant un an, 8 ont vu leurs symptômes s'atténuer. Les résultats d'une étude menée en Allemagne auprès de 60 sujets souffrant de polyarthrite rhumatoïde vont dans ce sens : parmi ceux qui consommaient beaucoup d'aliments anti-inflammatoires, la douleur et l'enflure des articulations ont diminué de 14 %, comparativement à ceux qui s'en étaient tenus à une alimentation occidentale classique. Cet effet s'est accru quand les sujets du premier groupe ont pris, en plus, un supplément d'huile de poisson pendant deux mois.

Produits pré-emballés et fritures commerciales. Ces produits sont riches en gras trans, qui contribuent à l'inflammation. Lisez les étiquettes : le terme « huiles partiellement hydrogénées » signifie « gras trans ».

Luzerne. Les graines et les pousses de luzerne renferment de la L-canavanine, acide aminé qui semble aggraver les symptômes du lupus.

Aliments riche en zinc. La carence en zinc n'est vraiment pas souhaitable, ce nutriment étant essentiel à de nombreuses fonctions biologiques. Mais c'est également un puissant stimulant du système immunitaire, ce qui, pour une personne atteinte de lupus, n'est pas indiqué. Tenez-vous à l'AQR de 8 à 11 mg par jour et évitez les aliments comme l'huître et la noix du Brésil, qui contiennent beaucoup de zinc.

Échinacée. Comme cette plante stimule la fonction immunitaire, elle n'est pas conseillée à ceux qui souffrent du lupus car elle pourrait déclencher des crises. En Europe, les emballages portent une mention indiquant qu'elle est contre-indiquée aux personnes souffrant de maladies auto-immunes.

Le DHA peut-il aider ?

Comme l'œstrogène est réputé favoriser la production d'auto-anticorps, un déséquilibre œstrogénique pourrait expliquer en partie que le lupus soit beaucoup plus fréquent chez les femmes que chez les hommes. Bien que cette approche soit controversée, certains pensent qu'il pourrait être utile de contrebalancer l'œstrogène avec un androgène comme le DHA. On sait, en effet, que les hormones masculines atténuent l'inflammation et suppriment le système immunitaire. D'ailleurs, une entreprise californienne procède présentement à des essais sur le traitement du lupus avec du DHA de qualité pharmaceutique.

Lors d'une étude menée à Taiwan auprès de 120 femmes qui souffraient du LED, celles qui ont pris 200 mg de DHA durant 24 semaines ont fait 16 % moins de crises que celles qui avaient reçu un placebo. Dans d'autres études, les participantes qui en ont pris ont pu diminuer les doses de médicaments stéroïdiens.

La dose administrée lors des études était habituellement de 200 mg par jour. Cependant, il vaut mieux prendre le DHA sous surveillance médicale, étant donné qu'il fait monter le taux de testostérone et peut, par conséquent, entraîner de l'acné, l'apparition de poils sur le visage et une élévation anormale des taux de cholestérol et de triglycérides. Par ailleurs, son utilisation est associée au cancer du foie chez les rats. Il se pourrait même que, à long terme, le DHA aggrave les symptômes du lupus. Enfin, comme les suppléments nutritionnels ne sont pas autant réglementés que les médicaments, la quantité de DHA peut varier d'un produit à l'autre, voire différer de celle qui figure sur l'étiquette.

MALADIES IMMUNITAIRES

Si vous attrapez tous les microbes qui passent ou si vos rhumes et autres infections des voies respiratoires semblent durer et vous affaiblir plus qu'auparavant, c'est probablement que votre système immunitaire a perdu de la vigueur. En vieillissant, la fonction immunitaire s'affaiblit, ce qui explique que les vaccins ne sont pas aussi efficaces chez les personnes âgées que chez les jeunes, et que la grippe puisse s'avérer fatale. Mais quel que soit son âge, il est toujours possible de stimuler ses défenses immunitaires.

On peut comparer les éléments du système immunitaire aux troupes de défense d'une armée. Et pour paraphraser Napoléon, rappelons que « une armée marche à son estomac ». Bref, quand on mange mal, les troupes sont assez léthargiques pour laisser les bactéries, virus et parasites en traverser les défenses. Même des carences mineures en micronutriments, comme le zinc, le sélénium et le fer, peuvent amoindrir ses capacités à se défendre contre la maladie et les infections. Avant la prochaine saison de grippe, prenez des mesures préventives, aussi simples que de remplir votre assiette de légumes colorés, de souper de crevettes à l'occasion, d'épicer vos plats à l'ail, et de réduire votre consommation d'aliments sucrés et gras qui nuisent à votre santé.

VOTRE ORDONNANCE ALIMENTAIRE

Poulet, poisson, légumineuses œufs, yogourt *et autres aliments riches en protéines*

Les protéines sont des éléments essentiels des anticorps, globules blancs et autres acteurs immunitaires impliqués dans la lutte contre les microbes et les cellules cancéreuses. En outre, de nombreux aliments protéinés renferment de bonnes quantités de zinc, fer et vitamines B, nutriments qui jouent un rôle important dans la santé du système immunitaire.

L'alimentation occidentale n'est certes pas carencée en protéines. Cependant, les personnes âgées et les végétariens doivent s'assurer d'en consommer suffisamment. Quant aux amateurs de viande, ils auraient intérêt à remplacer les burgers gras et le poulet frit par du bœuf maigre et de la volaille sans la peau. En effet, comme nous le verrons plus loin, les lipides saturés et les aliments frits favorisent le type d'inflammation qui, à long terme, épuise les réserves immunitaires de l'organisme.

Vos objectifs : 90 à 125 g de protéines, soit ce que fournit une petite portion de viande ou de poisson, ou ½ tasse de pois, deux fois par jour, plus si vous êtes très actif ou plus massif que la moyenne.

Truc utile : la sardine exerce une action protectrice. Cette source de protéines maigres renferme des acides gras oméga-3 aux propriétés anti-inflammatoires, ainsi que de bonnes quantités de zinc et de sélénium.

Graine de citrouille

Une demi-tasse de ces graines fournit environ 6 mg de zinc, élément essentiel à la fonction immunitaire. Les études indiquent que ceux qui en sont carencés, ce qui est souvent le cas des personnes âgées, se défendent mal contre les infections banales.

Vos objectifs : la dose de zinc recommandée est de 11 mg pour les hommes et 8 mg pour les femmes. Cependant, si vous êtes sujet aux maladies, prenez-en 30 mg par jour. À cette dose, il vous faudrait consommer plus de deux tasses de graines de citrouille, ce qui est beaucoup. Complétez-les plutôt par des huîtres, du crabe, de la cuisse de dinde ou du bœuf, qui en sont de bonnes sources.

Truc utile : pour rôtir rapidement vos graines de citrouille, versez un peu d'huile d'olive dans un plat à micro-ondes et chauffez 30 secondes. Ajoutez ensuite les graines et faites cuire 7 ou 8 minutes à haute température, en les retournant toutes les 2 minutes. Ou encore, faites-les griller 15 minutes dans un four réglé à 100 °C (200 °F).

Noix du Brésil

Cette noix fournit plus de sélénium que tout autre aliment. Une carence en ce minéral antioxydant a pour effet de ralentir les globules blancs dans leur chasse aux microbes et aux cellules cancéreuses. En outre, comme le sélénium protège les cellules contre les dommages causés par les radicaux libres, on pense que son déficit favorise la mutation des virus en souches plus résistantes. Quand le système immunitaire est affaibli, ces virus peuvent muter de nouveau et se multiplier sans frein. C'est ce qui explique peut-être que, chez les séropositifs carencés en sélénium, le VIH évolue plus rapidement vers le sida et qu'ils survivent moins longtemps à la maladie. La consommation d'aliments riches en sélénium, comme la noix du Brésil, contribuera à régénérer les cellules immunitaires qui viendront alors plus facilement à bout des microbes.

Vos objectifs : une noix du Brésil fournit 75 à 100 µg de sélénium, soit plus que l'AQR, qui est de 55 µg. À noter toutefois que des experts estiment qu'il faudrait en prendre 200 µg. Quoiqu'il en soit, si vous êtes sujet aux rhumes, prenez-en 100 µg. Le saumon, le crabe et la crevette en fournissent 30 à 40 µg par portion de 90 g.

Yogourt avec bactéries actives

Près de 70 % du système immunitaire loge dans le tractus gastro-intestinal, d'où l'importance de veiller à sa santé. Les bactéries utiles présentes dans certains yogourts, par exemple le *Lactobacillus acidophilus*, colonisent les intestins, les protégeant contre la prolifération des bactéries nuisibles. Leur action s'apparente à celle d'un système de surveillance assuré par les habitants d'un quartier. Plus elles sont nombreuses à y participer, moins vous risquez une attaque par les éléments criminels.

Vos objectifs : une tasse par jour.

Pour augmenter votre consommation de légumineuses, rincez une boîte de pois chiches ou de haricots rouges et rangez-les au réfrigérateur. Aux repas, mettez-les sur la table et ajoutez-en à vos salades et à vos légumes verts.

Truc utile : étant donné que le sucre déprime le système immunitaire et favorise la prolifération des levures nocives, optez pour du yogourt nature non sucré. En outre, assurez-vous que le produit contient bien des bactéries vivantes.

Thé

On pense que si l'incidence de nombreuses maladies est plus faible au Japon qu'ailleurs, c'est en partie dû à leur consommation élevée de thé vert. Cette boisson constitue une véritable petite mine de composés qui stimulent la fonction immunitaire, notamment l'EGCG, un puissant antioxydant. Des chercheurs de l'école de médecine de Harvard qui voulaient comparer l'état du système immunitaire de buveurs de thé et de buveurs de café ont exposé à une culture de *E. coli* des échantillons de sang prélevés dans les deux groupes. Or, les cellules immunitaires des premiers ont réagi environ cinq fois plus rapidement à la bactérie que celles des seconds. Les chercheurs pensent que cette action est attribuable à la L-théanine, composé présent dans le thé noir.

Vos objectifs : une ou deux tasses de thé par jour comme dose d'entretien, trois ou quatre si vous êtes malade.

Ail

L'ail, surtout cru, est un véritable allié du système immunitaire. D'abord, parce qu'il possède de puissantes propriétés antibactériennes. Ensuite, parce qu'il combat également les virus. Enfin, parce que ses composés soufrés sont très riches en antioxydants. Afin de libérer leur potentiel, hachez ou écrasez les gousses et laissez-les reposer 10 ou 15 minutes avant de les cuire ou de les consommer.

Vos objectifs : au moins une gousse par jour.

Un arc-en-ciel de fruits et légumes

Les fruits et les légumes aux couleurs vives sont de véritables petites mines d'antioxydants, substances indispensables au système immunitaire pour combattre la maladie ou les effets du stress. Dans ces situations, l'organisme augmente sa production de radicaux libres, molécules qui s'attaquent notamment au thymus, où se forment de nombreuses cellules immunitaires. Quand la santé de cet organe est compromise, celle du système immunitaire l'est également. L'organisme est alors plus vulnérable aux infections, ce qui, en retour, accroît la production de radicaux libres. Or, les antioxydants contribuent à rompre ce cercle vicieux.

Les fruits et les légumes fournissent beaucoup d'antioxydants dont le système immunitaire a besoin. Cependant, on doit veiller à prendre la plus grande variété possible, les antioxydants de diverses sources étant réputés plus efficaces quand ils agissent en synergie. Citons, à titre d'exemple, les flavonoïdes présents dans le raisin rouge et les agrumes, de même que les caroténoïdes qui colorent en orange la carotte et la patate douce.

NOS MEILLEURES RECETTES

Bœuf en feuille de laitue *p. 304*
Noix épicées *p. 290*
Pain à la citrouille et streusel *p. 329*
Poulet au four, garniture de tomates *p. 313*
Ragoût de bœuf et brocoli *p. 318*
Saumon grillé et épinards sautés *p. 311*
Soupe à la patate douce *p. 299*

Vos objectifs : 7 à 10 portions de fruits et de légumes par jour.

Truc utile : le bleuet se trouve en tête de liste des fruits riches en antioxydants. La mûre, la fraise et la framboise en renferment aussi beaucoup.

SUPPLÉMENTS NUTRITIONNELS

Probiotiques. En plus de consommer du yogourt, un supplément de probiotiques pourrait être indiqué. Ces cultures bactériennes vivantes améliorent la digestion et l'absorption des nutriments, tout en prévenant la prolifération des bactéries nocives et des levures dans les intestins. Dans ce sens, elles renforcent la fonction immunitaire. Optez pour un produit réfrigéré renfermant des bactéries *Lactobacillus acidophilus* et *bifidobacterium*. Et vérifiez leur date de péremption, pour vous assurer que les bactéries sont vivantes et donc efficaces. **DOSE :** 1 à 6 milliards de bactéries par jour. Comme les antibiotiques détruisent la flore intestinale tant utile que nuisible, augmentez ces doses à la suite d'une antibiothérapie. Pour recoloniser vos intestins, prenez 30 milliards de bactéries par jour pendant deux semaines, puis 10 milliards pendant six mois. En cas de malaises gastriques, diminuez la dose.

Ail. Le supplément d'ail constitue une bonne solution de rechange pour ceux qui digèrent mal ce bulbe mais souhaitent tout de même se protéger du rhume et de la grippe. Les résultats d'une étude britannique menée auprès de 146 volontaires, indiquent que les sujets qui ont pris un supplément pendant 12 semaines durant la saison des rhumes et de la grippe ont contracté moitié moins de rhumes que ceux du groupe placebo. En outre, ceux qui ont été infectés se sont rétablis quatre jours plus tôt. Remarque : comme l'ail éclaircit le sang, consultez votre médecin si vous prenez un anticoagulant comme la warfarine (Coumadin). **DOSE :** 300 mg, deux ou trois fois par jour.

Zinc. Ce minéral est essentiel au développement et à l'activation des cellules T, globules blancs qui combattent l'infection. Le supplément vous sera utile si vous ne tirez pas assez de

Bio ou pas ?

Des chercheurs suédois ayant récemment analysé des extraits de fraises cultivées selon les méthodes de l'agriculture classique ou de l'agriculture biologique ont découvert que les seconds renfermaient plus d'antioxydants. De plus, après avoir exposé les extraits à des cellules cancéreuses du côlon et du sein, ils ont constaté que les fraises biologiques étaient plus aptes à en favoriser l'autodestruction. Les produits biologiques sont habituellement plus riches en calcium, fer, magnésium et chrome, et renferment environ 30 % d'antioxydants de plus que ceux de l'agriculture classique. Bien sûr, ils sont généralement plus chers. À défaut d'en trouver, optez pour les produits de saison les plus frais possibles. L'important, c'est de consommer plus de fruits et de légumes, qu'ils soient biologiques ou pas.

La cuisine indienne est particulièrement riche en ingrédients qui stimulent le système immunitaire. N'hésitez pas à vous rendre régulièrement dans des restaurants indiens et à commander des plats de lentilles, de poulet, de légumes vert foncé, arrosés de sauces au yogourt.

zinc de vos aliments. Prenez-le dès l'apparition des premiers symptômes, en suivant le mode d'emploi indiqué sur l'emballage. Selon des études, le contact direct du zinc avec la muqueuse aurait pour effet de raccourcir de deux ou trois jours la durée d'un rhume. Dans une autre étude, on a constaté qu'il suffisait de prendre une pastille de zinc par jour durant la saison des rhumes pour diminuer de 25 % le risque de tomber malade. Pour éviter les nausées, mangez quelque chose avant d'en prendre. **DOSE :** bien que l'AQR soit de 11 mg par jour pour les hommes et de 8 mg pour les femmes, certains praticiens conseillent d'en prendre 25 mg. Une pastille en renferme environ 23 mg. À noter toutefois que, sauf durant un rhume, il faut éviter d'en prendre plus de 40 mg par jour car, à la longue, ce minéral déprime le système immunitaire.

Vitamines du complexe B, y compris l'acide folique. Ces vitamines interviennent dans la production de l'ADN des cellules ainsi que dans la formation de nombreux éléments du système immunitaire, notamment les anticorps et les globules blancs. À défaut d'en prendre suffisamment, l'organisme élaborera moins de ces anti-infectieux et sera plus vulnérable aux maladies. En outre, le stress épuise les réserves de vitamines B, d'où l'incidence plus élevée des maladies infectieuses chez les personnes tendues. **DOSE :** comme les vitamines B agissent en synergie, optez pour un supplément du complexe B et suivez le mode d'emploi indiqué sur l'emballage.

Vitamines, A, C et E. Ces trois vitamines agissent en synergie pour préserver la santé du système immunitaire. En outre, les vitamines A et C participent à l'élaboration du collagène et contribuent à renforcer les muqueuses de sorte qu'elles bloquent le passage aux germes. Si ces derniers réussissent à traverser, elles rallient les troupes immunitaires pour les combattre. En plus d'accroître l'efficacité de la vitamine C, la vitamine A exerce une activité antivirale. La vitamine C participe à l'élaboration des cellules anti-infectieuses T et, de concert avec la vitamine E, protège les cellules contre les dommages causés par les radicaux libres. Quant à la vitamine E, elle stimule l'activité des cellules T et collabore à l'élaboration des anticorps. Les résultats d'une étude menée à l'université Tufts de Boston, auprès de 451 sujets âgés, indiquent que ceux qui avaient pris 200 UI de vitamine E par jour ont contracté moins de rhumes que ceux qui avaient reçu un placebo. **DOSE :** *Vitamine E :* 200 UI par jour. *Vitamine A :* 5 000 à 10 000 UI par jour comme dose d'entretien. Les suppléments multivitaminiques fournissent généralement ces doses. En cas d'infection des voies respiratoires supérieures, vous pouvez prendre 100 000 UI durant cinq jours, puis 50 000 UI durant la semaine qui suit. Mise en garde : à hautes doses et à long terme, cette vitamine est toxique. Ne prenez pas plus de 5 000 UI par jour si vous êtes enceinte ou cherchez à concevoir, et consultez un professionnel de la santé si vous comptez en prendre plus de 10 000 UI pendant plus d'une semaine. *Vitamine C :* en prévention, on conseille de prendre de 250 à 1 000 mg par jour, et en traitement, jusqu'à 2 000 mg toutes les quelques heures. Étant donné l'importance de cette vitamine dans la lutte contre les infections, mais du risque de diarrhées, des médecins conseillent de prendre des doses assez élevées pour ramollir les selles, puis de diminuer les quantités.

ALIMENTS ET PRODUITS À ÉVITER

Sucres raffinés et féculents. Les aliments sucrés et les féculents (qui se transforment rapidement en sucre dans l'organisme) assènent un double coup dur au système immunitaire. D'abord, le sucre a pour effet d'endormir les globules blancs qui sont alors moins aptes à combattre les germes et les cellules cancéreuses. Lors d'une étude menée à l'université Loma Linda de Californie, l'activité des globules blancs des volontaires qui avaient consommé environ 100 g de sucre, soit l'équivalent de deux cannettes de soda, a diminué de 50 % et est restée basse durant 5 heures.

Ensuite, le sucre nourrit littéralement les champignons et les cellules cancéreuses. Il favorise également la prolifération des microorganismes associés aux levuroses chroniques et, selon des nutritionnistes, à des troubles digestifs, notamment l'hyperperméabilité intestinale, qui perturbent le système immunitaire. Des scientifiques pensent même qu'il favoriserait le cancer.

Lipides saturés et trans. Moins on consomme de ces gras, mieux s'en porte le système immunitaire. En effet, ils élèvent les taux de cholestérol et des autres lipides sanguins, ce qui favorise l'inflammation et pourrait inhiber les fonctions immunitaires, par exemple l'aptitude des globules blancs à se diviser, se mouvoir vers les régions infectées et détruire les microorganismes nuisibles. Lors d'une petite étude menée à l'université Tufts auprès de 18 patients présentant un taux de cholestérol élevé, on a observé que l'activité de leurs cellules T a augmenté de 29 % quand leur apport calorique en gras est passé de 38 % à 28 %. Soulignons toutefois, que les « bons » gras que fournissent les aliments comme le saumon, l'huile d'olive, l'avocat et la graine de lin ne sont pas réputés perturber la fonction immunitaire. En fait, ils pourraient même l'améliorer.

Alcool. Les études indiquent que l'alcool « intoxique » temporairement le système immunitaire et, en conséquence, prive ses cellules d'une partie de leur aptitude à combattre les germes. Cela ne constitue probablement pas un problème pour ceux qui boivent peu, mais ça l'est pour les gros buveurs, qui sont beaucoup plus vulnérables aux infections causées par les bactéries et les virus, comme la pneumonie, la tuberculose et le virus du VIH, ainsi qu'à certains cancers et aux infections résultant de traumatismes. En fait, les personnes qui subissent de graves blessures par traumatisme alors qu'elles sont enivrées courent six fois plus de risque d'en mourir que celles qui n'ont pas bu.

Cependant, tous les alcools ne sont pas nécessairement nocifs. Si les spiritueux suppriment la fonction immunitaire, le vin rouge ne le fait pas, probablement à cause de sa teneur en antioxydants. À la condition, bien sûr, d'en boire avec modération.

MÉMOIRE, PERTE

Quand on perd ses clefs, on croit qu'on perd la boule. En fait, tout le monde a des trous de mémoire à l'occasion. C'est un effet secondaire normal du stress, des distractions, de la multiplicité des tâches et, bien sûr, du vieillissement. Dans les cas graves, il peut s'agir d'un signe de démence (voir la rubrique Alzheimer, page 108) mais il n'y a pas lieu de s'inquiéter pour les petits oublis ordinaires. Le fait est que la mémoire continue de rendre de fiers services bien après que les articulations et les autres parties du corps aient cédé à l'usure. Cela dit, avec l'âge, le cerveau produit moins de neurotransmetteurs. Et les radicaux libres compromettent le fonctionnement des cellules cérébrales.

De nombreux aliments sont riches en nutriments protecteurs, par exemple en antioxydants qui neutralisent les radicaux libres, ou en vitamines B qui alimentent les neurotransmetteurs. On ne peut passer sous silence non plus les huiles et épices qui combattent l'inflammation. Si après avoir corrigé votre alimentation, le nom de votre dentiste ne vous revient toujours pas à l'esprit, c'est peut-être tout simplement que votre dernier nettoyage dentaire date de trop longtemps !

VOTRE ORDONNANCE ALIMENTAIRE

Fruits, légumes, noix

et autres aliments riches en antioxidants

Les neurones sont particulièrement vulnérables à l'oxydation causée par les radicaux libres. Ces molécules attaquent les cellules de la même manière que l'oxygène altère la chair d'une pomme fraîchement coupée, la faisant brunir et « vieillir » prématurément. Les antioxydants, qui neutralisent les radicaux libres, sont abondants dans les fruits, les légumes, les noix et les légumineuses. Ils assurent la protection des diverses parties du cerveau, notamment de l'hippocampe, région qui joue un rôle important dans la formation et la préservation des souvenirs. Ils contribuent également à prévenir l'athérosclérose, affection qui limite l'apport d'oxygène et de nutriments au cerveau.

Si vous consommez beaucoup de fruits, légumes et noix, vous n'aurez aucun mal à faire le plein de vitamines C et E et de sélénium, trois antioxydants particulièrement importants.

Vos objectifs : 7 à 10 portions de fruits et de légumes par jour, plus une poignée de noix la plupart des jours de la semaine.

Truc utile : une portion de 30 g d'amandes fournit 7 mg de vitamine E ; il vous en faut 15 mg par jour. Un kiwi fournit 75 mg de vitamine C, environ l'apport quotidien recommandé.

Épinard

L'épinard s'est révélé utile pour aider des patients à recouvrer leurs capacités motrices à la suite d'un AVC ou d'autres lésions neurologiques. En outre, une enzyme de ce légume a permis à des rats de retrouver la mémoire.

Vos objectifs : les épinards devraient constituer minimalement une de vos 7 à 10 portions quotidiennes de fruits et de légumes.

Truc utile : faites cuire les épinards ou servez-les avec un filet d'huile d'olive. Ce corps gras favorise l'absorption des nutriments (vitamine E) liposolubles présents dans les légumes feuilles.

Bleuet

Cette baie mérite qu'on la consomme fraîche en saison, mais aussi qu'on en garde au congélateur en vue de l'hiver. Il s'agit là d'une véritable petite mine d'anthocyanines, composés antioxydants qui lui confèrent sa couleur et, qui, selon des études en laboratoire sur des animaux âgés, améliorent la mémoire. En effet, les rats ont obtenu de meilleurs résultats aux tests de labyrinthe dans l'eau après qu'on leur ait donné un extrait de bleuet pendant huit semaines. Selon les auteurs de l'étude, la baie a eu pour effet d'atténuer les déficits de transmission nerveuse liés à l'âge.

Vos objectifs : ½ tasse par jour.

Saumon, maquereau

et aures aliments riches en oméga-3

Comme le cerveau renferme d'énormes quantités de lipides, il n'est pas étonnant que la consommation de gras sains lui soit bénéfique. Les neurones sont tapissés d'acides gras oméga-3 qui atténuent l'inflammation et préservent l'élasticité des vaisseaux sanguins, favorisant l'apport d'oxygène et de nutriments au cerveau.

Au cours d'une étude de six ans menée auprès de 4 000 résidents de Chicago âgés de plus de 65 ans, les chercheurs ont découvert que, chez ceux qui consommaient du poisson deux fois par semaine ou plus, le déclin des facultés cognitives était inférieur de 13 % à celui des sujets qui n'en prenaient pas. Chez ceux qui en consommaient une fois par semaine, il était inférieur de 10 %. On a aussi observé que la fonction cérébrale était meilleure chez les sujets qui présentaient des taux élevés d'oméga-3.

Vos objectifs : deux repas de poisson par semaine. Plutôt que de le frire, faites-le pocher, cuire au four ou sauter dans de l'huile d'olive.

Huile d'olive

Les chercheurs ont établi un lien entre un apport relativement élevé en lipides mono-insaturés et un déclin moins prononcé des facultés cognitives. C'est particulièrement vrai quand ces gras sont consommés dans le cadre du régime méditerranéen, qui fait une large place au poisson ainsi qu'aux légumes, grains entiers et légumineuses. Bien qu'on vante les vertus des régimes pauvres en gras, il ne faut pas perdre de vue que le cerveau a besoin de ces lipides pour assurer ses fonctions.

Vos objectifs : 1 à 2 cuillers à soupe par jour. Remplacez le beurre et la margarine par l'huile d'olive ou de canola, toutes deux riches en lipides mono-insaturés.

Œufs

L'œuf est l'un des rares aliments à renfermer de la choline, composé apparenté aux vitamines dont les cellules ont besoin pour assurer leurs fonctions. Des études en laboratoire sur des rats indiquent que ceux dont la mère ingérait beaucoup de choline avaient une meilleure mémoire même à un âge avancé. Ce nutriment semble essentiel au développement de l'hippocampe, centre de la mémoire. De plus, le jaune renferme de bonnes quantités de vitamine B_{12}, réputée faire baisser le taux d'homocystéine. À des taux élevés, cet acide aminé est associé aux maladies cardiovasculaires qui peuvent mener à l'AVC et, en conséquence, à la perte de mémoire. En fait, c'est une substance toxique pour le cerveau.

Vos objectifs : un œuf par jour. Si votre taux de cholestérol est élevé, consultez votre médecin qui vous indiquera combien vous pouvez en prendre dans le cadre de votre alimentations.

NOS MEILLEURES RECETTES

Canapés à la sardine *p. 302*
Curry de pétoncles grillés *p. 312*
Frittata à la courgette *p. 289*
Maquereau aux tomates rôties *p. 310*
Salade de brocoli *p. 293*
Salade Waldorf modifiée *p. 292*
Saumon grillé et épinards sautés *p. 311*
Scones à l'avoine et aux bleuets *p. 326*

Ail

Il n'y a pas que le cœur qui bénéficie de ce bulbe piquant ; le cerveau aussi en tire parti. Ses composés soufrés sont de puissants antioxydants. De plus, il contribue à faire baisser le taux de cholestérol et la pression artérielle, et à soulager l'inflammation, ce qui diminue le risque de cardiopathie et de démence.

Vos objectifs : au moins une gousse par jour.

Truc utile : afin de favoriser la formation de ses composés actifs, hachez l'ail et laissez-le reposer 10 à 15 minutes avant de le cuire.

Cannelle

Dans une étude, les volontaires qui ont mâché de la gomme à la cannelle avant de passer des tests portant sur diverses tâches ont obtenu de meilleurs résultats que ceux qui n'en avaient pas pris ou avaient pris de la gomme aromatisée à d'autres saveurs. Les chercheurs espèrent un jour pouvoir utiliser cette épice pour améliorer les fonctions cérébrales et la performance des personnes âgées. Elle est aussi anti-inflammatoire, ce qui pourrait garder l'esprit alerte.

Vos objectifs : saupoudrez-en sur vos tranches de fruits, vos céréales chaudes, vos latte, voire vos soupes et vos ragouts.

Pomme

Se pourrait-il qu'une pomme par jour contribue à améliorer la mémoire ? C'est possible, particulièrement si on consomme la peau, où est concentrée la quercétine que renferme ce fruit. Les résultats d'au moins une étude indiquent que cet antioxydant s'est révélé encore plus efficace que la vitamine C pour protéger les neurones contre les dommages oxydatifs.

Vos objectifs : une pomme par jour, bien sûr !

Vin, bière et spiritueux

S'il est vrai que, en excès, l'alcool est nocif pour le cerveau, les études indiquent que les sujets qui en prennent un ou deux verres par jour courent moins de risque de perdre la mémoire que ceux qui n'en boivent jamais. C'est peut-être dû au fait qu'il éclaircit le sang, prévenant ainsi la formation de caillots sanguins qui risqueraient de bloquer l'apport d'oxygène au cerveau.

Vos objectifs : un verre par jour pour les femmes, deux pour les hommes. Un verre correspond à 150 ml de vin, 45 ml de spiritueux ou 360 ml de bière.

Currys

et autres plats épicés au curcuma

Le curcuma, épice employée traditionnellement dans les currys et autres plats indiens, tire sa belle couleur jaune de la curcumine, un composé antioxydant. Les résultats d'études sur les animaux indiquent qu'elle contribue à prévenir la formation de substance amyloïde, cette accumulation gommeuse de protéines qui peut encrasser les voies neurales du cerveau. De plus, elle prévient l'oxydation et l'inflammation.

Vos objectifs : 1 cuiller à soupe de curcuma chaque jour, soit la quantité qu'on ajoute habituellement dans un curry indien. Vous pourriez également prendre 400 mg de curcumine sous forme de supplément, mais consultez d'abord votre médecin.

Thé

Les résultats d'une étude menée en Angleterre sur des animaux indiquent que les antioxydants présents dans le thé noir et le thé vert inhibent diverses enzymes qui sont associées à la progression de la maladie d'Alzheimer. En outre, d'après les chercheurs, il semble que le thé peut contribuer à prévenir l'accumulation des protéines qui freinent les transmissions nerveuses et compromettent la mémoire.

Vos objectifs : il faudra d'autres études avant qu'on puisse déterminer la quantité de thé qu'il faut prendre pour protéger la mémoire. Entre-temps, vous ne risquez rien à en prendre quelques tasses par jour.

Flocons d'avoine, céréales riches en fibres et grains entiers

Les chercheurs ont observé que les enfants qui consommaient des flocons d'avoine de préférence aux céréales froides voyaient leur mémoire s'améliorer de 5 à 12 %. Par ailleurs, moins les grains seraient raffinés, mieux ils sembleraient améliorer la mémoire. Les scientifiques pensent que cet effet serait attribuable à la haute teneur en fibres et en protéines des grains entiers, qui ont pour effet de ralentir la digestion si bien que le glucose ne passe dans le sang que graduellement. Comme le cerveau utilise ce sucre comme source d'énergie, un apport régulier pourrait l'aider à retenir l'information nécessaire à la réalisation de tâches qui font appel à la mémoire.

Vos objectifs : un bol de flocons d'avoine ou d'une autre céréale fournissant au moins 5 g de fibres par portion. Garnissez-les de bleuets et de noix rôties pour mieux stimuler votre cerveau.

Truc utile : les flocons d'avoine à l'ancienne se digèrent un peu plus lentement que les flocons instantanés. Si vous optez pour ces derniers, prenez-les nature et assaisonnez-les avec les épices de votre choix, par exemple la cannelle.

Légumes feuilles, lentille, poisson *et autres aliments riches en vitamine B*

Le folate (acide folique) et les vitamines B_6 et B_{12} contribuent à abaisser le taux d'homocystéine, acide aminé sanguin qui est associé à un risque plus élevé de démence. Les résultats d'une étude indiquent que les sujets qui présentaient un taux élevé d'homocystéine et de faibles taux de folate avaient du mal à mémoriser les mots et les détails d'une courte histoire.

Vos objectifs : avec une banane au déjeuner, une salade d'épinards, pois chiches, poivron et avocat, au diner, et une portion de poisson au souper, vous obtenez l'apport quotidien nécessaire en vitamines du complexe B. Les céréales enrichies en sont aussi une bonne source.

SUPPLÉMENTS NUTRITIONNELS

Multivitamines/minéraux. Le cerveau est tellement complexe qu'il lui faut beaucoup de nutriments, d'où la recommandation de prendre un supplément afin de répondre à tous ses besoins. **DOSE :** un comprimé par jour.

Fer. Le fer est nécessaire pour acheminer l'oxygène au cerveau. Il n'est d'ailleurs pas rare que les personnes qui souffrent d'anémie ferriprive soient également sujettes aux trous de mémoire. **DOSE :** l'apport quotidien recommandé (AQR) est de 18 mg pour les femmes de moins de 50 ans, et de 8 mg pour celles qui ont plus de 50 ans et pour les hommes. Les suppléments multivitaminiques fournissent habituellement ces doses. Si vous pensez souffrir d'anémie, consultez votre médecin qui portera un diagnostic et déterminera la dose de fer que vous devez prendre pour corriger le problème.

ALIMENTS ET PRODUITS À ÉVITER

Viandes grasses, beurre et autres sources de gras saturés. Ces lipides font grimper le taux de cholestérol, gras qui risque d'obstruer les artères et empêcher l'apport adéquat de sang au cerveau.

Farine et pain blancs, riz blanc, pomme de terre et aliments sucrés. Ces produits provoquent des pics et des chutes du taux de sucre sanguin, alors que le cerveau a besoin d'un apport régulier.

MÉNOPAUSE

En consommant des aliments riches en vitamine E, comme l'amande et les légumes feuilles, ou en ajoutant des grains de soya vert et des graines de lin à vos soupes et salades, vous pourriez calmer les symptômes qui vous affligent alors que vous traversez la ménopause – insomnie, sautes d'humeur et dépression – sans compter que votre état de santé général pourrait s'améliorer. Contrairement à l'hormonothérapie de substitution, ces aliments n'élèvent pas le risque de cancer du sein ou de cardiopathie. En fait, ils pourraient le faire baisser.

VOTRE ORDONNANCE ALIMENTAIRE

Soya, pois, graine de lin *et autres aliments riches en phytoestrogènes*

Tofu, lait de soya, edamame et grains de soya rôtis renferment tous des isoflavones, composés apparentés à l'œstrogène. Les isoflavones bloqueraient l'œstrogène naturel que produit l'organisme, atténuant les symptômes désagréables. Les études sur l'effet de ces produits sur les bouffées de chaleur sont mitigées, mais certaines indiquent que les aliments riches en phytoestrogènes, comme le soya, le pois et le haricot, atténueraient les bouffées de 9 à 40 %.

L'écart s'expliquerait par le fait que l'organisme ne convertit pas les isoflavones en leur forme active avec autant d'efficacité selon qu'on est Nord-Américain ou Asiatique : dans le premier cas, on parle d'un taux de conversion de 30 à 40 %, dans le second, d'un taux de 90 %. Cela dit, rien n'interdit de consommer des produits du soya pendant un mois, pour voir s'ils sont efficaces. On peut aussi prendre des produits fermentés, comme le miso et le tempeh, dont les isoflavones sont déjà convertis en forme utilisable par l'organisme.

La graine de lin est excellente également car elle fournit à la fois des fibres, des oméga-3 et des lignanes, substances chimiques réputées diminuer le risque de cancer du sein. De plus, selon les études, elle serait efficace contre les bouffées de chaleur. Broyez vos graines au fur et à mesure de vos besoins dans un moulin à café réservé à cet usage et prenez-en 1 ou 2 cuillers à soupe tous les jours, sur vos céréales ou dans vos salades et vos soupes.

Vos objectifs : du lait de soya en remplacement d'une partie du lait de vache et des protéines de soya à la place d'une partie de la viande.

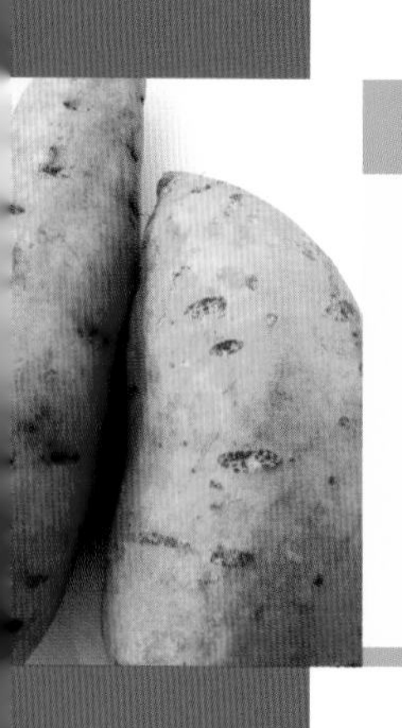

NOS MEILLEURES RECETTES

Escalopes de dinde et salsa *p. 315*
Mousse de fraises surgelées *p. 336*
Muffins aux framboises et amandes *p. 326*
Pâtes primavera au cheddar *p. 306*
Salade d'épinards et pois chiches *p. 295*
Salade de thon et haricots blancs *p. 297*
Sandwichs aux croquettes de saumon *p. 304*
Soupe à la patate douce *p. 299*

Amande, graine de tournesol, germe de blé, légumes feuilles, huile d'olive *et autres aliments riches en vitamine E*

On dispose de peu d'études mais de beaucoup de preuves cliniques voulant que la vitamine E aide à prévenir les bouffées de chaleur. Selon une étude de l'université Tufs, la vitamine E dilate les vaisseaux sanguins et contribue ainsi à prévenir les obstructions. C'est très important pour les femmes ménopausées, dont le risque de cardiopathie est trois fois plus élevé que celui des femmes fertiles.

Vos objectifs : par exemple, un bol de céréales de grain entier additionnées de germe de blé au déjeuner et un plat d'épinards sautés dans l'huile d'olive et garnis d'une poignée de graines de tournesol, au souper.

Truc utile : comme il faut le concours de la vitamine C pour activer la vitamine E, mettez des amandes en julienne, des quartiers d'orange ou des fraises dans votre salade d'épinards, et mélangez des canneberges séchées à vos noix.

Pois chiche, poisson, dinde *et autres aliments riches en vitamine B_6*

Pour soulager le vague à l'âme, il n'y a rien comme la B_6, vitamine qui stimule la production de sérotonine dont on sait qu'elle joue un rôle positif sur l'humeur. En outre, la B_6 prévient l'accumulation d'homocystéine, acide aminé qui élève le risque de cardiopathie. Enfin, les études indiquent que les sujets qui en présentent des taux élevés ont meilleure mémoire que ceux dont les taux sont faibles.

L'igname est souvent recommandée aux femmes ménopausées, car c'est une excellence source de B_6. Et elle renferme des composés apparentés à la progestérone, autre hormone dont le taux chute à la ménopause. Mais selon les études, l'organisme humain ne peut l'utiliser comme il le ferait pour la vraie progestérone.

Vos objectifs : au moins 1,3 à 1,5 mg de vitamine B_6 par jour, soit une portion de 125 g de thon ou deux bananes.

Truc utile : vous pouvez augmentez légèrement votre apport en B_6 en ajoutant à vos plats du curcuma, du piment de Cayenne ou du gingembre, qui en renferment en petites quantités.

Saumon, maquereau, graine de lin *et autres aliments riches en oméga-3*

Le poisson gras est particulièrement riche en oméga-3, acides gras qui contribuent à atténuer la perte osseuse et à diminuer le risque de cardiopathie. Quant à la graine de lin, elle renferme de l'acide alphalinolénique (AAL), un autre oméga-3 ; cependant, l'organisme ne le convertit en forme utile qu'à 5 ou 10 %, contrairement à ceux du poisson, qui sont entièrement utilisables.

Vos objectifs : deux ou trois portions de 125 g de poisson par semaine.

Saumon, sardines, viande, volaille *et autres aliments riches en vitamine B_{12}*

La B_{12} favorise la production par l'organisme de neurotransmetteurs, substances chimiques qui transmettent les signaux nerveux et agissent sur l'humeur. La carence est associée à la dépression et elle entraîne une élévation du taux d'homocystéine, ce qui, en retour, augmente le risque de cardiopathie et d'AVC.

Vos objectifs : au moins 2,4 µg par jour. Une portion de 125 g de vivaneau fournit environ la moitié de cette dose. On estime toutefois que, pour normaliser son taux d'homocystéine, il

Deux fois par semaine, prenez un repas de poisson. Faites simplement cuire des filets à la poêle ou au four avec de l'huile d'olive, de l'ail, du sel et du poivre, comme vous le feriez pour une poitrine de poulet. Puis garnissez d'une simple sauce ou d'une cuiller à soupe de salsa.

faut en prendre 500 µg, quantité qu'on peut difficilement tirer de l'alimentation (voir Suppléments nutritionnels, ci-dessous).

Haricot, pois, légumes feuilles

et autres aliments riches en folate

Plusieurs études indiquent que le folate (acide folique, quand il est sous forme de supplément) fait baisser le taux d'homocystéine, favorisant ainsi la santé du cœur et des os et améliorant les facultés cognitives. En outre, sa carence a été associée à la dépression. Bref, cette vitamine B semble idéale pour les femmes ménopausées.

Vos objectifs : 400 µg d'acide folique par jour, soit une tasse d'épinards sautés, ½ tasse de pois chiches et un verre de jus d'orange.

Truc utile : comme la cuisson peut entraîner une perte de folate de près de 40 %, consommez vos épinards crus aussi souvent que possible.

Lait, fromage, saumon, verdures *et autres aliments riches en calcium*

La ménopause élève le risque d'ostéoporose ; il est donc important de consommer des aliments riches en calcium. On ne peut remplacer celui qui est perdu, mais les résultats d'études indiquent que le calcium alimentaire peut ralentir la perte. Pour protéger votre cœur, optez pour du lait écrémé et des produits laitiers à faible teneur en matières grasses.

Vos objectifs : 1 000 à 1 200 mg de calcium par jour, soit ce que fournissent une tasse de yogourt, une portion de 30 à 69 g de mozzarella, une tasse de haricots blancs et une tasse de lait.

Truc utile : les sodas renferment du phosphore, autre minéral qui contribue à la densité osseuse. Cependant, l'organisme élimine dans l'urine tout surplus de phosphore et ce dernier entraîne le calcium avec lui. Par conséquent, évitez ces boissons qui, en grandes quantités, pourraient entraîner une carence en calcium.

Lait enrichi, poisson, œuf

et autres aliments riches en vitamine D

Cette vitamine favorise l'absorption du calcium, ce qui est particulièrement important pour les femmes ménopausées. Comme le saumon rouge (Sockeye) consomme de grandes quantités d'algues dotées de la faculté d'élaborer la vitamine D, de même que de petites créatures marines qui s'en nourrissent également, ce poisson en est particulièrement riche.

Vos objectifs : 1 000 UI par jour ; 90 g de saumon en fournissent 425 UI.

SUPPLÉMENTS NUTRITIONNELS

Vitamine E. Le supplément sera utile contre les bouffées de chaleur si on ne tire pas suffisamment de vitamine E de ses aliments. Assurez-vous qu'il renferme un mélange de tocophérols et de tocotriénols naturels. Évitez le dl-alpha-tocophérol, forme synthétique qui n'est pas efficace. Vous pouvez également l'utiliser en application contre la sécheresse vaginale ; il suffit de briser une capsule et d'en récupérer le contenu. **DOSE :** des médecins conseillent de prendre 400 à 800 UI par jour contre les bouffées de chaleur.

Vitamine B_6. Les aliments fournissent habituellement assez de B_6. Cependant, chez les gros buveurs et les personnes âgées, la malabsorption peut entraîner une carence. **DOSE :** contre la carence, on conseille de prendre de 2 à 20 mg par jour. Consultez votre médecin.

Acides gras oméga-3. Le supplément d'oméga-3 se présente sous forme de capsule d'huile de poisson ou d'huile de lin liquide. Évitez cette dernière, qui ne fournit pas les fibres et les lignanes de la graine, coûte cher et rancit facilement. Comme les oméga-3 sont sensibles à la chaleur, à la lumière et à l'oxygène, gardez votre supplément au réfrigérateur. De plus, pour prévenir le rancissement, optez pour un produit qui renferme également de la vitamine E. Pour atténuer les renvois que provoque l'huile de poisson, congelez-la au préalable, prenez-la en mangeant ou achetez un produit auquel le fabricant a ajouté de l'essence de citron ou d'un autre agrume. **DOSE :** on recommande généralement de prendre 1 g par jour d'un mélange d'EPA et de DHA.

Vitamine B_{12}. Avec l'âge, on absorbe moins bien la vitamine B_{12} présente dans les aliments, d'où la recommandation que les personnes de plus de 50 ans prennent un supplément. Les résultats d'une étude menée à la Cleveland Clinic Foundation indiquent que, à des doses de 500 µg par jour et en association avec de la B_6 et de l'acide folique, la B_{12} a normalisé les taux d'homocystéine. **DOSE :** 500 mcg par jour.

Calcium. Les scientifiques ne savent toujours pas combien il faut de calcium pour freiner la perte osseuse. La National Academy of Sciences recommande les doses ci-dessous. Optez pour un supplément qui renferme également de la vitamine D. **DOSE :** 1 000 à 1 200 mg par jour, en deux fois.

Vitamine D. Cette vitamine se forme dans la peau sous l'effet du rayonnement solaire. On risque d'en être carencé au Canada à cause de l'hiver. Par conséquent, en plus de consommer des aliments qui en sont riches, un supplément pourrait être bénéfique. De plus, avec l'âge, l'organisme ne l'élabore pas avec autant d'efficacité. Faites vérifier votre taux sanguin par votre médecin. **DOSE :** 1 000 UI par jour.

ALIMENTS ET PRODUITS À ÉVITER

Caféine, alcool et aliments épicés. Ces produits peuvent déclencher les bouffées de chaleur. L'alcool, surtout en excès, abaisse la température corporelle puis l'élève quand son effet se dissipe.

Huiles de maïs, tournesol et carthame. Ces huiles sont riches en oméga-6, acides gras qui, en excès, annuleraient les effets positifs des oméga-3. Dans une étude de l'université de Purdue, des chercheurs ont découvert que, chez les femmes ménopausées dont le ratio oméga-6 / oméga-3 était faible, la perte osseuse était minimisée.

Supprimer la viande ?

Le végétarisme est de plus en plus populaire. Si les symptômes de la ménopause vous gênent, peut-être devriez-vous l'envisager sérieusement. Comme nous l'avons souligné, une alimentation riche en phytoestrogènes contribue à soulager les bouffées de chaleur et à diminuer le risque de cardiopathie et d'ostéoporose. De plus, les études indiquent que les femmes qui consomment beaucoup de fruits et de légumes courent 54 % moins de risque de faire un AVC que celles qui en prennent peu. Des chercheurs ont également fait la preuve que le végétalisme, c'est-à-dire une alimentation dénuée de tout produit animal, y compris le lait et l'œuf, favorisait la perte de poids chez les femmes ménopausées et améliorait leur sensibilité à l'insuline, facteur important dans la prévention du diabète. Cependant, ceux qui adoptent le végétalisme doivent s'assurer de prendre suffisamment de vitamine B_{12}, de calcium et de fer. De nombreux produits alimentaires sont enrichis : fer dans les céréales, calcium dans le lait de soya, les jus d'orange (presque tous), et B_{12} dans certaines boissons de soya et de riz.

MIGRAINE

Que pourrait être la cause d'une douleur aussi intolérable ? C'est la chose la plus frustrante à propos de la migraine : les experts n'ont aucune certitude à ce sujet.

L'opinion émergente veut que le cerveau de ceux qui souffrent de migraine soit ultra-sensible et hyperactif. Quelque chose déclenche une réaction dans une région profonde de cet organe, ce qui a pour effet de libérer des substances chimiques qui enflamment les terminaisons nerveuses, dilatent les vaisseaux sanguins et inondent le cerveau de signaux de douleur. Quel est donc ce « quelque chose » ? Pratiquement n'importe quoi peut causer une migraine : changements dans les conditions météorologiques, odeurs fortes, stress, insomnie, de même que certains aliments et boissons. Les fluctuations du taux d'œstrogène peuvent également déclencher la crise, ce qui explique sans doute pourquoi les femmes en souffrent trois fois plus que les hommes, particulièrement durant leurs menstruations, et que la migraine disparaît souvent durant la grossesse et après la ménopause.

Il se pourrait qu'on parvienne à diminuer la fréquence des migraines et à atténuer leur intensité en évitant les aliments déclencheurs et en consommant ceux qui exerceraient une action préventive.

VOTRE ORDONNANCE ALIMENTAIRE

Fruits, légumes et légumineuses

Cette ordonnance vaut pour tout le monde mais est particulièrement indiquée pour les femmes dont les migraines surviennent durant leurs menstruations, ce qui pourrait être attribuable à une chute du taux d'œstrogène. On pense en effet que, plus ce taux monte, plus il chute ensuite. Or, les fibres de ces groupes d'aliments contribuent à évacuer dans les selles l'œstrogène en surplus dans l'organisme, de sorte qu'il ne se retrouve pas à nouveau dans le sang. De plus, ces aliments renferment des phytoestrogènes, qui atténuent les effets de l'œstrogène produite naturellement par l'organisme. Enfin, ils sont pauvres en gras, un avantage quand on sait que les lipides favorisent la production de cette hormone.

Vos objectifs : les 7 à 10 portions de fruits et légumes recommandées.

Poisson gras

On sait que saumon, maquereau, truite et hareng sont bons pour le cœur, mais il se peut qu'ils soulagent aussi les migraines. Ils sont riches en EPA et DHA, deux oméga-3 aux propriétés anti-inflammatoires. Selon une étude préliminaire de l'université de Cincinnati, leur administration en supplément semble avoir diminué, au bout de six semaines, la fréquence et l'intensité des migraines de certains sujets.

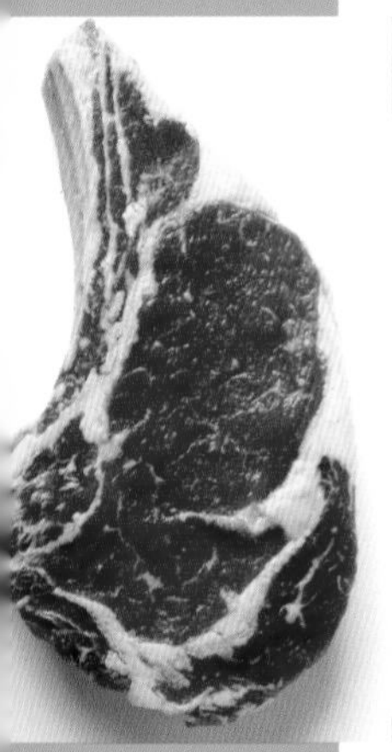

NOS MEILLEURES RECETTES

Crêpes de sarrasin, sauce aux fruits *p. 288*
Pain de maïs piquant *p. 328*
Ragoût de bœuf et brocoli *p. 318*
Risotto de riz entier *p. 323*
Riz aux amandes *p. 324*
Salade d'épinards et pois chiches *p. 295*
Salade de thon et haricots blancs *p. 297*
Saumon grillé et épinards sautés *p. 311*
Soupe à la courge et au gingembre *p. 300*
Soupe aux lentilles et à la tomate *p. 301*

Vos objectifs : les chercheurs de l'université de Cincinnati ont donné aux sujets des capsules renfermant 300 mg d'EPA et de DHA, plus 700 mg de diverses autres huiles. Quatre portions de poisson gras par semaine fournissent à peu de choses près cette quantité d'oméga-3.

Café

Bien que la caféine déclenche les migraines chez certains, la consommation de quelques tasses de café a pour effet d'atténuer la douleur chez d'autres. L'efficacité de la caféine à resserrer les vaisseaux enflés du cerveau est telle qu'elle constitue, avec l'acétaminophène et l'aspirine, l'un des principaux ingrédients des antimigraineux en vente libre tel que l'Excedrin Migraine.

Vos objectifs : une ou deux tasses quand survient une crise.

Gingembre

Les études indiquent que cette épice renferme de puissants composés, apparentés à ceux des anti-inflammatoires non-stéroïdiens. Ils pourraient soulager la migraine en bloquant les prostaglandines qui causent l'inflammation. Les effets potentiellement antimigraineux du gingembre n'ont pas fait l'objet d'études rigoureuses mais, même s'ils ne s'avèrent pas être fondés, cette épice peut contribuer à soulager la nausée qui accompagne cette affection.

Vos objectifs : du gingembre en poudre dans la cuisine et, au restaurant, des plats qui en sont assaisonnés. Quand une crise survient, toutes les deux ou trois heures, prenez un verre d'eau additionnée de quelques cuillerées de gingembre en poudre. Vous pouvez également sucer un bonbon au gingembre.

Grains entiers, légumineuses, légumes à feuilles vert foncé

et autres aliments riches en magnésium

D'après les résultats d'études, les migraineux sont souvent carencés en magnésium. On pense que le déficit a pour effet de rendre le cerveau ultra sensible aux facteurs qui déclenchent les crises.

Vos objectifs : l'apport quotidien recommandé est de 310 à 320 mg pour les femmes et de 400 à 420 mg pour les hommes. Toutefois, si vous êtes carencé, vous devrez peut-être prendre des doses de 400 à 700 mg pour obtenir un effet.

Truc utile : les graines de citrouille rôties sont parmi les sources les plus riches de magnésium : 30 g en fournissent 151 mg. Par conséquent, gardez-en à portée de la main à la maison, dans la voiture et au travail. Autres sources : 30 g de noix du Brésil, fournissent 107 mg et la même quantité d'amandes, 78 g. Quant au flétan, une portion de 90 g en fournit 91 mg, en plus de renfermer des oméga-3.

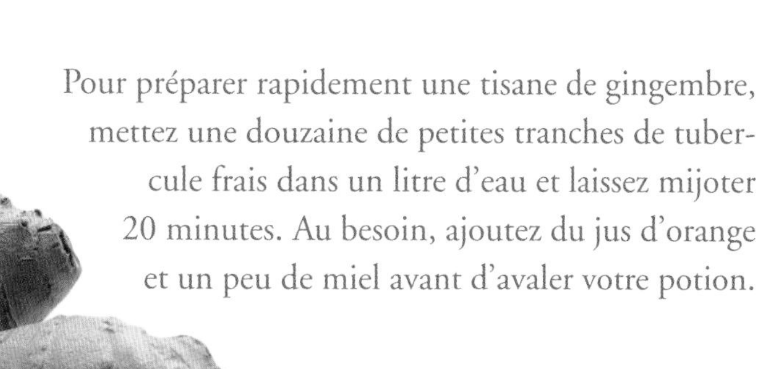

Pour préparer rapidement une tisane de gingembre, mettez une douzaine de petites tranches de tubercule frais dans un litre d'eau et laissez mijoter 20 minutes. Au besoin, ajoutez du jus d'orange et un peu de miel avant d'avaler votre potion.

SUPPLÉMENTS NUTRITIONNELS

Magnésium. Les gens se plaignent souvent que leurs crises surviennent quand ils sont sous l'effet du stress, ce qui pourrait s'expliquer par une carence en magnésium. Le stress chronique a pour effet d'épuiser les réserves de l'organisme, ce qui, en retour, peut provoquer des spasmes dans les vaisseaux sanguins. On estime qu'environ 50 % de ceux qui souffrent de migraines présentent des taux insuffisants de ce minéral.

Administré par voie intraveineuse, le magnésium peut interrompre une crise en quelques minutes. Les chercheurs pensent qu'il détend les nerfs surexcités du cerveau et s'associe aux récepteurs de la sérotonine pour bloquer les signaux de douleur. C'est d'ailleurs le mécanisme d'action des triptans, comme le sumatriptan (Imitrex) et l'almotriptan (Axert), antimigraineux de nouvelle génération.

Le magnésium agit également par voie orale mais uniquement à titre préventif. Au cours d'une étude d'une durée de trois mois, on a observé que la fréquence des crises avait diminué de 42 % chez les sujets qui en prenaient 600 mg, comparativement à 16 % pour ceux qui avaient pris un placebo. Le supplément pourrait même renforcer l'action des triptans. Les résultats d'un essai indiquent que les sujets sous Imitrex qui avaient rapporté que le médicament était inefficace, ont connu un soulagement après qu'on ait corrigé leur carence en magnésium. Son seul inconvénient : il provoque une légère diarrhée. **DOSE :** 400 à 600 mg par jour en doses divisées. Évitez l'hydroxyde et le citrate, formes plus fréquemment associées à la diarrhée.

Riboflavine. Les chercheurs ne s'expliquent toujours pas l'efficacité de la B_2 à prévenir les migraines, mais une théorie veut que le cerveau des migraineux ait besoin d'un apport énergétique plus élevé que celui des autres. Or, la riboflavine accroît la production d'énergie dans les cellules, y compris dans les neurones. Lors d'une étude menée en Allemagne, les volontaires qui ont pris de la B_2 pendant six mois ont vu leurs crises chuter de moitié et ont pu diminuer leurs doses de médicaments. Les malaises gastriques semblent être les seuls effets indésirables. **DOSE :** 400 mg par jour. Comme les vitamines B agissent en synergie, prenez un supplément du complexe B ou multivitaminique et, au besoin, complétez par de la B_2.

Acides gras oméga-3. À défaut de prendre vos quatre portions de poisson par semaine, vous comblerez vos besoins en oméga-3 en prenant un supplément d'huile de poisson. **DOSE :** pour l'étude de l'université de Cincinnati, on a donné aux sujets 1 g d'huile de poisson par jour, sous forme de capsules comprenant 300 mg d'EPA et de DHA, et 700 mg d'huiles d'autres sources.

Coenzyme Q10. Comme la B_2, la CoQ10 accroît l'énergie cellulaire. Les résultats d'une étude préliminaire en double aveugle avec placebo menée en Suisse auprès de 42 sujets indiquent que, au bout de trois mois, ce supplément a eu pour effet de diminuer la fréquence et la durée des crises et d'atténuer la nausée qui les accompagne. Le nombre de crises mensuelles des sujets du groupe traité est passé de 4,4 à 3,2, comparativement au groupe sous placebo, qui n'a connu aucun changement. En outre, les épisodes étaient plus courts et les nausées duraient moins longtemps. **DOSE :** 100 mg, trois fois par jour.

ALIMENTS ET PRODUITS À ÉVITER

Aliments gras et huiles végétales. Comme nous l'avons souligné précédemment, les gras élèvent le taux d'œstrogène, ce qui peut favoriser les migraines. Lors d'un essai de trois mois mené à l'université Loma Linda de Californie, on a découvert que, après avoir ramené leur consommation de lipides à 20 g par jour, soit une baisse de 60 %, les sujets ont rapporté une diminution de 71 % de la fréquence de leurs migraines, de 66 % de leur intensité et de 74 % de leur durée.

Ce n'est pas dans le gras de poisson, bien sûr, qu'il faut mettre la hache (ses oméga-3 sont anti-inflammatoires, ce qui contribue à soulager la douleur) mais dans les lipides saturés, c'est-à-dire les viandes grasses, le fromage, le beurre, la crème glacée, etc. En outre, il y aurait tout lieu de substituer l'huile d'olive ou de canola aux huiles de maïs, tournesol et carthame. Comme elles sont riches en oméga-6, elles peuvent favoriser l'inflammation et aggraver la douleur (voir explications page 27).

Aliments déclencheurs. On conseillait autrefois aux migraineux de supprimer certains aliments par mesure de prévention. Aujourd'hui, les experts ont bien du mal à dire quels aliments déclenchent les crises. Ils pensent plutôt que certains d'entre eux provoquent un déséquilibre quand, par ailleurs, d'autres facteurs comme le stress, le manque de sommeil ou les fluctuations hormonales contribuent à accroître la susceptibilité à la migraine. Il se pourrait même que les changements qu'on apporte à son alimentation n'exercent qu'un effet placebo.

Malgré tout, comme la sensibilité à certains aliments semble jouer un rôle dans 10 à 30 % des migraines, on a tout intérêt à surveiller de près ce qu'on mange afin d'identifier les déclencheurs potentiels. Le vin rouge, le fromage vieilli, les viandes industrielles, les produits laitiers, les agrumes, le blé, le chocolat, les additifs tels que le glutamate de monosodium et les édulcorants artificiels ont tous été pointés du doigt. Dans certaines études, on a pu établir des liens, dans d'autres, non. Cela tient probablement au fait que la migraine est très personnelle : ce qui la déclenche chez les uns n'aura aucun effet chez les autres.

Le journal alimentaire constitue le meilleur outil pour identifier les aliments potentiellement déclencheurs. Quand une crise survient, essayez de vous rappeler ce que vous avez mangé au cours des 12 heures précédentes. Si un même aliment revient régulièrement, supprimez-le pendant deux semaines ou plus, puis réintroduisez-le et voyez s'il y a des changements. Enfin, évitez de sauter des repas, qui risquerait aussi de déclencher vos migraines.

Deux plantes utiles

Grande camomille. Les chercheurs débattent depuis longtemps de l'utilité de cette plante pour le traitement de la migraine. Cependant, des chercheurs allemands qui viennent de mener une étude sur la question sont d'avis qu'elle pourrait être efficace. Chez les participants qui avaient pris un extrait standardisé, le nombre mensuel de migraines est passé en moyenne de cinq à trois. Comme les préparations du commerce varient considérablement, suivez le mode d'emploi indiqué par le fabricant.

Pétasite (herbe aux teigneux). La racine de cette plante renferme des pétasines, composés anti-inflammatoires et antispasmodiques, ce qui pourrait expliquer ses vertus antimigraineuses. Lors d'une étude, des chercheurs allemands ont administré à 108 enfants 50 à 150 mg d'extrait de racine de pétasite pendant quatre mois, la dose variant en fonction de leur poids. Or, 77 % des enfants ont rapporté une diminution d'au moins 50 % de leurs migraines. Les résultats d'une autre étude menée cette fois au collège de médecine Albert Einstein de New York indiquent que 68 % des 245 volontaires qui avaient pris 75 mg d'extrait pendant quatre mois ont rapporté souffrir moitié moins de migraines qu'auparavant. En dehors de quelques renvois occasionnels, on n'a observé aucun effet indésirable.

NAUSÉE

Quand on a la nausée, manger est bien la dernière chose à laquelle on pense. Cependant, c'est peut-être dans la cuisine que se trouve la solution à ce problème pour le moins désagréable, plus spécifiquement dans l'armoire à épices. En effet, le gingembre peut soulager le mal de mer comme le mal des transports, et même les femmes enceintes peuvent le prendre en toute sécurité.

VOTRE ORDONNANCE ALIMENTAIRE

Gingembre

La racine de gingembre est employée en Chine depuis plus de 2 000 ans pour soigner la nausée. Elle inhiberait la libération d'hormones qui provoquent des contractions irrégulières dans le tube digestif et les malaises qui s'ensuivent. Le gingembre semble très efficace contre le mal des transports et les nausées matinales. Lors d'une étude, on a donné à des élèves d'une école navale qui prenaient la mer pour la première fois, et ce par mauvais temps, soit 1 g de poudre de gingembre, soit un placebo. Ceux qui ont pris le gingembre ont souffert nettement moins de nausées, vomissements et sueurs froides que ceux qui avaient reçu le placebo.

D'autres études ont donné des résultats moins probants mais comme la racine est inoffensive et peu dispendieuse, elle mérite qu'on en fasse l'essai, particulièrement les femmes enceintes : lors d'une étude, plus de la moitié de celles qui en prenaient 1 g par jour ont été soulagées.

Vos objectifs : pour le mal des transports, mastiquez un morceau de 1 g (environ 2,5 cm) de gingembre cru et pelé, ou de gingembre confit quelques heures avant de partir et toutes les 4 heures durant le voyage. Ou encore, prenez des capsules de poudre toutes les 4 heures la veille du départ et pendant toute la durée du voyage. Pour les nausées matinales, prenez 1 g de gingembre frais ou confit tous les jours. Vous pouvez également prendre une infusion toutes les quelques heures. Évitez la poudre qui, en grandes quantités, pourrait présenter des risques pour les femmes enceintes.

Truc utile : le gingembre est parfois plus efficace quand on le prend à jeun.

Soda éventé et jus de fruits

En petites quantités, les boissons sucrées comme le soda éventé, ou le jus de pomme ou de raisin semblent calmer l'estomac tout en fournissant de l'énergie. Rapidement absorbés dans le sang, ils sont par ailleurs dénués de fibres ; ces substances activent les sucs gastriques et les contractions qui peuvent déclencher les nausées. Dans les îles tropicales, on se sert de l'eau de noix de coco (pas le lait) pour soulager la nausée. On en trouve dans les magasins de produits naturels.

Vos objectifs : de petites gorgées. Ne buvez pas trop à la fois. Vous tolérerez mieux les sodas si vous les laisser éventer.

Sucettes glacées

Les liquides froids sont une véritable bénédiction pour les femmes enceintes. Quand on ne peut plus rien garder, les glaçons de jus de fruits ou les sucettes glacées aux fruits permettent de

NOS MEILLEURES RECETTES

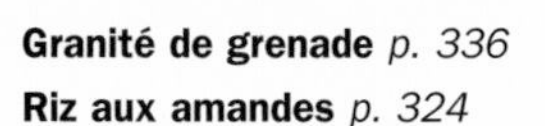

Granité de grenade *p. 336*
Riz aux amandes *p. 324*
Soupe rapide au poulet et aux nouilles *p. 298*

remplacer une partie des liquides et de l'énergie qu'on a perdus.

Vos objectifs : quelques sucettes glacées aux fruits dans la journée. Évitez celles qui renferment des édulcorants artificiels : chez certains, ces produits aggravent la nausée.

Olives et citrons

Ces aliments assèchent la salive, calmant la nausée. De plus l'acide du citron favorise la formation de bicarbonate dans l'estomac, contribuant ainsi à neutraliser les acides intestinaux et à calmer les flatulences et les ballonnements qui pourraient intensifier la nausée.

Vos objectifs : Quand vous avez mal au cœur, sucez une olive ou buvez à petites gorgées un verre d'eau tiède additionnée de jus de citron.

Bouillons salés

Généralement bien tolérés, les bouillons de poulet et de légumes, et la soupe miso, fournissent des éléments nutritifs, ce qui est important quand on ne peut rien avaler.

Vos objectifs : ½ tasse de bouillon toutes les 2 heures.

Craquelins, pain grillé et céréales sèches

Ces aliments secs absorbent la salive et une partie de l'acide gastrique. Durant le premier trimestre de grossesse, bien des femmes ne sortent du lit qu'après avoir avalé un craquelin.

Vos objectifs : de petites collations tout au long de la journée composées de craquelins ou de petits biscuits salés, d'une tranche de pain grillé nature et d'autres aliments légers et croquants.

Infusion de camomille, mélisse ou menthe poivrée

Réputée détendre les muscles, la camomille contribue à atténuer les spasmes gastriques. Quant à la menthe poivrée, elle calme les contractions musculaires, favorisant ainsi la digestion. Le menthol qu'elle renferme anesthésie en quelque sorte la paroi de l'estomac, ce qui a pour effet de soulager le mal de cœur. Humer un chiffon arrosé de quelques gouttes d'essence calmerait la nausée postopératoire.

Vos objectifs : de petites gorgées tout au long de la journée pour vous hydrater et soulager vos nausées.

Pastilles à la menthe et au citron

De nombreux patients cancéreux sous chimiothérapie sucent une pastille ou un bonbon dur à la menthe ou au citron, contre la nausée.

Vos objectifs : Au besoin

SUPPLÉMENTS NUTRITIONNELS

Vitamine B_6. D'après les études, la vitamine B_6 soulage les nausées matinales. Elle contribue à dégrader les hormones qui les déclenchent. Mais elle est plus efficace quand elle est associée au gingembre.

Mise en garde : certains suppléments de vitamine B peuvent déclencher des nausées. Sauf indication contraire, prenez-les en mangeant. **DOSE :** 25 mg aux 8 heures, aux repas. N'en prenez pas plus que ce que fournit votre supplément prénatal sans avoir consulté l'obstétricien.

ALIMENTS ET PRODUITS À ÉVITER

Aliments gras. À cause du gras, la viande et les produits laitiers ne sont digérés que lentement dans l'estomac ; les sucs digestifs y restent donc plus longtemps, aggravant les symptômes.

Thé vert. Il peut provoquer des nausées chez les personnes à jeun. Si vous le tolérez, prenez-le de préférence avec des aliments, et évitez les suppléments.

Suppléments de fer. Le fer provoque parfois des nausées chez ceux qui en prennent pour corriger une anémie. Si c'est votre cas, demandez à votre médecin de diminuer votre dose.

OBÉSITÉ

Ce trouble, qui se caractérise par un indice de masse corporelle (IMC) de plus de 30, peut conduire aux cardiopathies, à l'AVC, à l'hypertension, au diabète et même à certains cancers. Des millions de personnes en souffrent et leur nombre ne cesse de croître.

On peut penser que la solution est simple : il suffit de manger moins. Mais les régimes que suivent habituellement les gens ne marchent tout simplement pas. Des chercheurs ont émis l'hypothèse que, quand on perd du poids, les cellules adipeuses rétrécissent, ce qui entraîne une chute du taux sanguin de leptine, hormone coupe-faim. Quand il baisse sous la normale, le cerveau libère d'autres hormones dont le rôle est d'augmenter l'appétit. C'est l'effet rebond bien connu des gens au régime ; ils ne perdent du poids que pour mieux le reprendre ensuite, quand ce n'est pas plus.

À une époque lointaine, ces mécanismes permettaient aux humains de survivre à la famine et aux prédateurs. Aujourd'hui, les prédateurs sont plutôt les spécialistes du marketing qui nous incitent à consommer de la malbouffe, riche en lipides et en calories. Nous sommes des cibles faciles étant donné que nous sommes programmés pour manger, et stocker, les gras.

Cependant, si vous arrivez à éviter les distributrices omniprésentes et les chaînes de restauration rapide, vous pourrez manger à votre faim sans avaler des tas de calories et de gras. En fait, les résultats d'une étude portant sur 38 aliments courants indiquent que les plus riches en protéines et en fibres sont nettement plus substantiels que les plus gras et, par conséquent, comblent mieux l'appétit.

Concentrez-vous sur les aliments savoureux et, par dessus tout, substantiels. Par exemple, remplacez riz blanc, bagel, salade de pomme de terre grasse et crème de maïs par du riz complet, du taboulé ou une soupe de légumes. Perdre du poids ne signifie pas qu'on doive avoir faim, mais plutôt qu'on doive bien manger.

propos à mijoter...

« Sauter le déjeuner n'est peut-être pas aussi mauvais que de consommer 2 kg de bacon mais, jour après jour, c'est l'une des pires choses qu'on puisse faire quand on est en surpoids. »

— Bruce A. Barton, président et directeur du Maryland Medical Research Institute de Baltimore

Déjeuner

Bien des gens pensent qu'en ne déjeunant pas, ils ingèreront moins de calories, mais des chercheurs ont prouvé que c'était exactement le contraire. Lors d'une enquête nationale effectuée par le gouvernement américain, on a découvert que les hommes et les femmes qui déjeunaient pesaient respectivement 2,7 kg et 4 kg de moins que ceux et celles qui ne mangeaient pas le matin. De plus, les résultats d'une étude d'une durée de 10 ans menée auprès de quelque 2 400 adolescentes indiquent que l'IMC de celles qui prenaient un déjeuner, quelle qu'en soit la nature, était plus bas que celui des filles qui sautaient ce repas. Par ailleurs, l'IMC de ceux qui prennent des céréales au déjeuner est plus faible que celui des personnes qui mangent des œufs et de la viande.

Grains entiers, légumineuses, fruits *et autres aliments riches en fibre*

Si vous prenez un bol de riz complet garni de pois chiches et de légumes sautés au dîner, il y a de fortes chances que vous n'avaliez pas une seule autre bouchée avant le souper. Les aliments riches en fibres comme ceux-là fournissent peu de calories mais du volume, ce qui comble l'appétit. De plus, ils se digèrent lentement ; par conséquent, la glycémie reste stable au lieu de fluctuer de manière aberrante, situation qui déclenche invariablement la faim à court terme. Enfin, ils fournissent du magnésium, de la vitamine B_6 et d'autres nutriments, ce que les régimes n'offrent habituellement pas.

Vos objectifs : 25 à 35 g de fibres par jour. Une tasse de pois chiches en fournit environ 7 g, ½ tasse de céréales de son, un peu plus de 8 g.

Truc utile : si les grains entiers vous rebutent, intégrez-les graduellement à votre alimentation. Par exemple, mélangez vos céréales habituelles avec ½ portion de céréales de grains entiers ou ajoutez un peu de riz complet à votre riz blanc. Augmentez la quantité de grains entiers à mesure que vos papilles s'adaptent.

Verdures fraîches, légumes crus

et autres ingrédients à salade

Les verdures et légumes crus, comme la carotte, la courgette et le brocoli sont très peu caloriques mais riches en eau et en fibres ; par conséquent, ils comblent l'appétit. Mais il y a plus : lors d'une étude menée auprès de quelque 18 000 sujets, les chercheurs ont découvert que ceux qui consommaient souvent de la salade présentaient des taux plus élevés de vitamines C et E, ainsi que de folate et de caroténoïdes que ceux qui en consommaient peu. Les chercheurs ont également découvert que les végétariens pesaient en moyenne 3 à 20 % moins que les mangeurs de viande. Enfin, dans une étude de l'université George Washington, on a observé que les femmes en surpoids qui suivaient un régime végétarien pauvre en gras et qui étaient autorisées à manger autant qu'elles le voulaient ont perdu en moyenne 5,4 kg en 14 semaines, comparativement à 3,6 kg pour les femmes du groupe témoin.

Vos objectifs : cinq à six portions de verdures et autres légumes non féculents par jour.

Truc utile : si vous détestez les légumes, commencez par en ajouter dans les plats que vous aimez : une poignée dans du riz ou de pâtes, des tranches de tomate avec vos œufs, une tasse d'épinard dans une soupe aux nouilles.

NOS MEILLEURES RECETTES

Brochettes de thon *p. 308*
Escalopes de dinde et salsa *p. 315*
Frittata à la courgette *p. 289*
Mousse de fraises surgelées *p. 336*
Noix épicées *p. 290*
Poulet, sauce à l'ail *p. 314*
Quinoa printanier *p. 324*
Ragoût de légumes et shiitakes *p. 306*
Salade d'épinards et pois chiches *p. 295*

Poisson, poulet, légumineuses

et autres aliments riches en protéines

Des chercheurs britanniques ont découvert que les aliments riches en protéines contribuaient à libérer de la PYY, hormone réputée calmer la faim. Lors d'une étude menée auprès de 9 obèses et 10 hommes de poids normal, les chercheurs ont distribué trois types de repas : riche en protéines, riche en glucides et riche en lipides. Tous les hommes ont dit que le repas protéiné était celui qui avait le mieux comblé leur appétit. C'est aussi à l'issue de ce repas que le taux de PYY était le plus élevé.

Loin de nous l'idée de conseiller le régime riche en protéines et pauvre en glucides ; nous tenons simplement à faire valoir l'importance de prendre des protéines à tous les repas et à toutes les collations.

Les résultats d'autres études indiquent que ceux qui suivent un régime riche en protéines et en glucides de faible indice glycémique (fruits, légumes, légumineuses, pâtes de blé entier) se sentent plus facilement rassasiés et perdent plus de poids que ceux dont le régime est pauvre en protéines et riche en glucides.

Les protéines permettent également aux personnes au régime de perdre de la graisse plutôt que du muscle. Ainsi, au cours d'un essai de 10 semaines, on a fait prendre à un groupe de femmes 275 à 300 g de protéines par jour et une quantité réduite de glucides. Les femmes du groupe témoin prenaient la moitié moins de protéines et environ le tiers de glucides en plus. Bien que les sujets des deux groupes aient ingéré la même quantité de calories et aient perdu environ 7,7 kg, celles qui prenaient plus de protéines ont perdu 1 kg de graisse de plus et 450 g de tissu musculaire de moins que celles du groupe témoin.

On ne doit toutefois pas abuser des protéines qui, en excès, peuvent aggraver les symptômes de la maladie rénale. C'est particulièrement vrai pour ceux qui souffrent du diabète de type 2, ce qui est souvent le cas des obèses.

Vos objectifs : des protéines à chaque repas. Les femmes doivent en prendre au moins 165 g par jour, et les hommes, 190 g, soit environ 20 % de l'apport calorique quotidien. Il y en a 30 g dans : 30 g de poulet, bœuf et porc maigres, ou de poisson, ¼ de tasse de haricots cuits, un œuf, 1 cuiller à soupe de beurre d'arachide, 15 g de noix ou de graines.

Truc utile : vous pouvez absorber des protéines sans augmenter votre apport de gras saturés. Riz et haricot, beurre d'arachide et pain de blé entier, houmous et pita de grain entier, ces trois mélanges fournissent une protéine complète.

Noix

Bien que les noix soient grasses, elles peuvent favoriser la perte de poids. Les chercheurs croient que leurs bons gras contribuent au sentiment de satiété et que, en métabolisant leurs protéines, l'organisme brûle les calories qu'elles fournissent. On a fait la preuve dans des études que l'IMC des personnes qui en consomment régulièrement est plus faible que celui des sujets qui n'en prennent pas.

Lors d'une étude menée au centre médical City of Hope de Duarte (Californie) auprès de 65 obèses qui suivaient un régime liquide limité à 1 000 calories, on a donné aux sujets d'un groupe 90 g d'amandes et, à ceux de l'autre, des glucides complexes comme du maïs éclaté ou une pomme de terre au four. Les deux groupes avaient à peu près le même apport calorique et protéinique, mais l'apport en gras était deux fois plus élevé dans le groupe qui prenait des amandes. Sur une période de 24 semaines, leur poids et leur IMC ont diminué de 18 %, comparativement à 11 % pour le groupe qui prenait des glucides. Dans les deux cas, les taux de sucre sanguin, d'insuline et d'insulinorésistance ont baissé, mais tous les diabétiques du groupe qui prenait des amandes ont pu diminuer leurs doses de médicaments hypoglycémiants, contre seulement la moitié pour l'autre groupe.

Vos objectifs : 30 g, ou une petite poignée par jour à la place d'une collation riche en glucides.

Truc utile : pour satisfaire une envie de sucre, prenez un mélange de noix et de fruits séchés.

Produits laitiers

et autres aliments riches en calcium

Des chercheurs de l'université Purdue ont découvert que les sujets qui tiraient 1 300 à 1 400 mg de calcium par jour des produits laitiers avaient perdu de la graisse à l'issue des 18 mois de l'étude.

Il se peut que le calcium joue un rôle dans la dégradation et le stockage de la graisse. Plus il y a de calcium dans une cellule adipeuse, plus elle brûle de graisse. Lors d'une étude menée auprès d'obèses, on a donné à un groupe trois portions de 175 g de yogourt sans gras fournissant 1 110 mg de calcium par jour. L'autre groupe prenait une portion d'un produit laitier qui en fournissait 400 à 500 mg. Dans les deux groupes, on a également réduit de 500 la quantité de calories ingérées dans la journée. Les sujets du premier groupe ont perdu en moyenne plus de 6,3 kg contre 5 kg pour ceux du second. Ils ont également perdu 81 % de graisse abdominale en plus. Bien que les études indiquent que les produits laitiers maigres sont les plus efficaces, les autres aliments qui sont riches en calcium, par exemple le brocoli et le jus d'orange enrichi, le sont également.

Malgré ces résultats positifs, le sujet fait encore l'objet de débats. Entre-temps, la consommation de trois portions de produits laitiers maigres par jour reste un choix santé.

Vos objectifs : 1 000 à 1 200 mg par jour, soit l'équivalent d'une tasse de yogourt et de deux tasses de lait écrémé.

Truc utile : si le verre de lait ne vous dit rien, ajoutez une tranche de fromage à faible teneur en gras dans votre sandwich, prenez un latte au lait écrémé ou des flocons d'avoine cuits dans du lait plutôt que de l'eau.

Les aliments nature gagnent haut la main

Si les noix sont bonnes pour la santé, on se dit que la tarte aux pacanes doit l'être aussi, n'est-ce pas ? Eh bien non. Une poignée de pacanes fournit 200 calories, contre 700 pour la pointe de tarte. De la même manière, la patate douce est merveilleusement saine, mais mettez-lui du beurre et de la cassonade, et elle devient nocive. En d'autres mots, ce n'est pas parce qu'un aliment nature est sain qu'il le sera une fois frit, édulcoré ou arrosé de sauce. Pané et frit, le poisson perd ses propriétés, de même que les épinards à la crème. Quand vous allez au restaurant, pensez « nature ». Demandez à ce qu'on omette le beurre sur votre viande ou votre poisson grillé, de même que la sauce sur vos légumes vapeur. Et si vous tenez absolument au dessert, optez pour la tarte à la citrouille, sans crème fouettée.

Œufs

L'œuf fournit 6 g de protéine de qualité et 14 nutriments essentiels, dont du zinc, du fer et des vitamines A, D, E et B_{12}. Tout cela contre seulement 85 calories. Grâce à sa valeur protéinique, il comble l'appétit. Lors d'une étude menée à l'université St. Louis du Missouri, 30 femmes en surpoids ont pris un déjeuner composé soit de deux œufs et d'une tranche de pain grillée avec un peu de confiture, soit d'un bagel au fromage à la crème et d'une petite portion de yogourt. L'apport calorique était le même dans les deux groupes mais le premier déjeuner fournissait plus de protéines et moins de glucides que le second. Les femmes de ce groupe se sont senties rassasiées plus rapidement que celles de l'autre et elles ont pris 163 calories en moins au dîner ; à la fin de la journée, elles en avaient ingéré 418 en moins.

Vos objectifs : selon les experts, même ceux dont le taux de cholestérol est élevé peuvent consommer trois ou quatre jaunes d'œuf par semaine, et des blancs à volonté. Des dizaines d'études indiquent que ce sont essentiellement les gras saturés des aliments, et non leur cholestérol, qui font grimper le taux de cholestérol sanguin.

SUPPLÉMENTS NUTRITIONNELS

Calcium. Selon le ministère de l'agriculture américain, la majorité des gens ne tirent pas suffisamment de calcium de leur alimentation. Dans ce cas, la supplémentation est indiquée. Le calcium à croquer ou chélaté, par exemple le citrate de calcium, est mieux absorbé que le carbonate, mais il coûte plus cher ; les deux formes sont adéquates. Prenez-le en mangeant. **DOSE :** 1 000 à 1 200 mg par jour.

ALIMENTS ET PRODUITS À ÉVITER

Produits de boulangerie et pâtisseries industriels, malbouffe et aliments transformés riches en gras et en sucre. Les aliments faits de farine raffinée et riches en sucre font grimper, puis chuter le taux de sucre sanguin ; on se retrouve à avoir encore plus faim qu'avant de manger. Même chose pour la pomme de terre. Lors d'une enquête, on a découvert que les jours où les jeunes consommaient de la malbouffe – burger au fromage, frites et boissons gazeuses – ils ingéraient en moyenne 187 calories de plus que les jours où ils n'en prenaient pas, ce qui se traduit, au bout d'un an, par un gain de poids de 2,7 kg.

Quant aux biscuits et autres produits semblables à faible teneur en gras, il vaut mieux les éviter car les fabricants compensent l'absence de lipides par du sucre. Or, les aliments sucrés, même maigres, ont pour effet d'accroître la production d'insuline, qui se trouve alors en excès dans le sang. Normalement, cette hormone agit comme coupe-faim. Cependant, il se pourrait que, chez les personnes en surpoids, la relation qu'elle entretient avec les autres hormones qui influencent l'appétit soit altérée et que, à des taux élevés, elle favorise les excès de table et le stockage des gras. C'est du moins ce que pensent certains chercheurs.

Boissons sucrées. Lors d'une étude menée à Harvard, les chercheurs ont découvert que les femmes dont la consommation de boissons gazeuses était passée d'une ou moins par semaine à une ou plus par jour ont pris en moyenne 5 kg en quatre ans. Même le jus de fruits peut s'avérer nuisible si on en prend trop. Il vaut mieux s'en tenir aux fruits. Selon les résultats d'une étude menée à l'université de Pennsylvanie auprès de 2 800 enfants, ceux qui étaient déjà portés à faire de l'embonpoint et qui buvaient régulièrement du jus prenaient en moyenne 125 g de poids par jour, contrairement à ceux qui mangeaient des fruits.

Les amateurs de café doivent également se méfier des boissons offertes dans les grandes chaînes. Ajoutez du sucre et de la crème fouettée à un latte, et vous venez de hausser votre apport de 250 calories. Quant au latte au lait entier, il fournit deux fois plus de calories que son équivalent au lait écrémé.

Accro à la bouffe ?

Piger dans le bocal à biscuits a toujours été irrésistible, mais désormais les scientifiques en connaissent la raison. Il semblerait que la boulimie soit régulée par cette même partie du cerveau qui régente les émotions et déclenche le besoin d'une dose chez les drogués. Ce qui pourrait expliquer que certaines personnes ne mangent pas par faim mais pour se calmer. En outre, les résultats d'une étude préliminaire indiquent que, chez les obèses, il y aurait plus d'activité dans les régions du cerveau qui gèrent les sensations au niveau des lèvres, de la langue et de la bouche. Autrement dit, ils seraient plus sensibles que la moyenne aux plaisirs que procurent les aliments, d'où le réflexe de manger plus.

Un marché substantiel

La nouvelle mode alimentaire semble être celle des aliments et boissons qui rassasient : boissons frappées, smoothies, collations santé. Dans la plupart des cas, il s'agit d'une association de protéines et de fibres, deux nutriments qui comblent l'appétit mieux que les gras tout en fournissant nettement moins de calories. Il semble que cette mode résulte du fait que les personnes au régime éprouvent un sentiment de privation, que ces produits sont destinés à enrayer. Bien entendu, il est possible de s'en charger soi-même en optant pour des aliments riches en fibres et en prenant des protéines à chacun des repas.

OSTÉOPOROSE

Pour préserver leur robustesse, les os ont non seulement besoin de calcium mais d'autres minéraux, de vitamines et de protéines, nutriments qu'une alimentation adéquate leur fournira.

Les os sont des tissus vivants qui se dégradent et se renouvellent constamment. Cependant, autour de 30 ans, la dégradation prend le dessus sur la régénération et les os perdent de leur densité, particulièrement l'os trabéculaire, structure en forme d'éponge qui assure leur solidité. Avec l'âge, ils peuvent se fragiliser, ce qui mène à des fractures. C'est ce qu'on appelle l'ostéoporose. Les femmes sont quatre fois plus susceptibles d'en faire que les hommes, en partie parce que leur masse osseuse est plus faible au départ. À la ménopause, leur tissu osseux se dégrade deux fois plus vite qu'avant, effet attribuable à la chute de leur taux d'œstrogène, hormone qui exerce une action protectrice. Ce rythme finit par ralentir mais la perte ne s'arrête jamais.

Bien qu'on ne puise remplacer le tissu osseux, perdu, une alimentation adéquate et un programme d'exercices physiques pourraient permettre de préserver celui qui reste.

VOTRE ORDONNANCE ALIMENTAIRE

Produits laitiers

et autres aliments riches en calcium

Il y a, dans le corps humain, un ou deux kilogrammes de calcium, dont 99 % concentrés dans les os et les dents. Le calcium, de même que d'autres minéraux, durcit les fibres de protéines qui composent l'os. La consommation d'aliments qui en sont riches pourrait permettre de minimiser l'inévitable perte osseuse qui accompagne le vieillissement. En ayant un taux élevé de calcium, on évite que l'organisme prélève, à même les os, le calcium dont il a besoin pour assurer d'autres fonctions essentielles, comme la coagulation sanguine, la transmission nerveuse et les contractions musculaires.

Les personnes intolérantes au lactose peuvent se tourner vers d'autres sources de calcium que les produits laitiers, par exemple, le jus d'orange enrichi, ou encore, le lait et le yogourt sans lactose. La sardine et le saumon avec leurs arêtes, l'épinard et les autres légumes feuilles, de même que le haricot sec en renferment également.

Vos objectifs : 1 000 à 1 200 mg de calcium par jour, soit l'équivalent d'une tasse de yogourt maigre, une tasse de lait écrémé et une portion d'épinards et de saumon en boîte. Pour en favoriser l'absorption, répartissez votre apport tout au long de la journée de sorte de ne pas en ingérer plus de 500 mg à la fois.

Truc utile : l'épinard et la bette à carde renferment de l'oxalate, sel qui inhibe partiellement l'absorption du calcium. Pour contourner le problème, consommez-les avec des sources de vitamine C.

NOS MEILLEURES RECETTES

Betteraves à l'orange *p. 325*
Canapés à la sardine *p. 302*
Houmous d'edamame et pita rôti *p. 290*
Pain à la banane et à l'arachide *p. 328*
Pâtes primavera au cheddar *p. 306*
Poulet cuit au four, garniture de tomates *p. 313*
Salade d'épinards et pois chiches *p. 295*
Saumon grillé et épinards sautés *p. 311*

Saumon, sardines

et autres aliments riches en vitamine D

En l'absence de vitamine D, l'organisme n'absorbe que 10 à 15% du calcium ingéré. Quand le taux de ce dernier chute, elle entre en activité, aidant l'organisme à en absorber plus et à en excréter moins.

Bien des gens sont carencés en vitamine D, particulièrement ceux qui passent moins de 10 à 15 minutes par jour au soleil, sans écran solaire. On sait en effet, que le soleil en déclenche la formation dans la peau. Cependant, il suffit d'une portion de saumon pour répondre aux besoins quotidiens.

Vos objectifs : 400 à 800 UI par jour ; 90 g de saumon en fournit 425 UI et un verre de lait ou de jus d'orange enrichi, 100 UI.

Truc utile : le lait et certains jus d'orange sont enrichis de vitamine D.

Légumes feuilles vert foncé

et autres aliments riches en vitamine K

La vitamine K, présente dans les légumes feuilles comme le chou frisé, l'épinard et le vert de betterave, pourrait s'avérer importante pour la santé osseuse. Les études indiquent que les personnes avec un taux de vitamine K élevé courent moins de risques de se fracturer la hanche, ont des os plus denses et excrètent moins de calcium. Ce nutriment agit en activant une protéine qui fixe le calcium dans les os.

Vos objectifs : 90 à 120 µg de vitamine K tous les jours, soit l'équivalent de 2 cuillers à soupe de persil haché ; ½ tasse d'épinards en fournit quatre fois cette quantité.

Fruits, légumes, légumineuses et noix

Des études menées à l'université Tufts de Boston indiquent que, chez ceux qui consomment beaucoup de fruits et légumes, la perte osseuse est nettement moins prononcée que chez ceux qui en prennent peu. La raison en serait que la consommation de viande et d'autres protéines animales entraîne une surproduction d'acide ; pour le neutraliser, l'organisme a besoin du potassium et du magnésium, minéraux abondants dans les fruits et les légumes. En l'absence de ces nutriments, il se tourne vers le calcium des os.

En outre, le potassium contrebalance la perte de calcium résultant d'une consommation trop élevée de sel. Lors d'une étude menée à l'université de Californie auprès de 60 femmes, on a observé qu'un régime salé entraînait une perte de 42 mg de calcium par jour. Quant on leur a donné du potassium, elles n'en perdaient plus que 34 mg. D'après des études, on a moins à se préoccuper de sa consommation de sel quand l'apport en calcium est adéquat.

Les légumes feuilles, les légumineuses, les noix et les grains entiers fournissent de bonnes quantités de magnésium, minéral qui contribue à renforcer les os ; 50 % des réserves en magnésium de l'organisme y sont d'ailleurs stockées.

Vos objectifs : *Potassium :* 4 700 mg par jour. L'avocat, la banane, l'orange, la tomate, pour ne citer qu'eux, en fournissent 300 mg par portion ; *magnésium :* 310 à 420 mg par jour. Vous les obtiendrez en prenant, par exemple, une tasse de flocons d'avoine au déjeuner, ¼ de tasse d'amandes à la collation, ainsi qu'une portion de 125 g de saumon et une demi-tasse d'épinards au souper.

Truc utile : autant que possible, évitez les fruits et légumes en boîte. Le procédé de mise en conserve a pour effet de détruire le potassium.

Thé noir

Lors d'une étude menée en Chine auprès de 1 000 sujets, on a observé que la densité osseuse était de 0,5 à 5 % plus élevée chez ceux qui ont bu en moyenne trois ou quatre tasses de thé par jour sur une période de dix ans, que chez ceux qui n'en ont pas pris. En matière de densité osseuse, c'est énorme. Le thé renferme divers composés, dont du fluor et des tanins qui sont vraisemblablement utiles aux os.

Vos objectifs : trois ou quatre tasses par jour.

Truc utile : ajoutez du lait à votre thé pour augmenter votre apport en calcium.

Soya, poisson, poulet

et autres aliments riches en protéines

Les études ont montré que la perte osseuse sur une période de trois ans est moins prononcée chez ceux dont l'alimentation est modérément riche en protéines et qui prennent un supplément de calcium/vitamine D que chez ceux qui ingèrent peu de protéines et ne prennent pas de supplément. Cependant, les protéines ne devraient pas constituer plus de 30 % de l'apport calorique, à défaut de quoi, les os risquent de s'affaiblir, surtout si, par ailleurs, l'apport de calcium est faible.

Essayez de tirer une partie de vos protéines du soya (tofu, edamame et lait de soya). Cette légumineuse renferme une protéine alcaline qui corrige l'acidité du sang et protège donc les os. En outre, des études indiquent que les protéines du soya contribuent à ralentir la perte osseuse chez les femmes ménopausées.

Vos objectifs : environ 20 % de votre apport calorique total devrait provenir des protéines.

SUPPLÉMENTS NUTRITIONNELS

Calcium. On ne sait toujours pas quelle quantité de calcium permettrait de prévenir la perte osseuse. Selon des études, il en faut 550 mg par jour ; selon d'autres, un apport élevé n'a aucun effet préventif. Il faudra mener des études à plus long terme mais, entre-temps, la National Academy of Sciences recommande ce qui suit. **DOSE :** 1 000 à 1 200 mg par jour, en deux fois.

Vitamine D. L'été, on prend habituellement assez de soleil pour obtenir sa dose de vitamine D (environ 15 minutes au soleil, sans écran solaire), mais entre octobre et avril, le supplément pourrait être indiqué. Demandez à votre médecin si vos médicaments, le cas échéant, interfèrent avec son absorption. **DOSE :** 400 à 800 UI par jour. Plusieurs suppléments multivitaminiques en renferment 400 UI. Il y en a aussi dans des suppléments de calcium.

Potassium. En 2004, l'apport recommandé en potassium a été porté à 4 700 mg par jour. Mais des experts conseillent de ne pas en prendre plus que ce que fournit un supplément multivitaminique, sauf sous surveillance médicale. **DOSE :** ce que fournit un supplément multivitaminique, soit autour de 99 mg.

Magnésium. En supplément, il se présente sous diverses formes et peut renfermer, en plus, du calcium et de la vitamine D. Le chlorure et le lactate de magnésium sont les formes les mieux absorbées. Sauf pour les personnes âgées et celles qui souffrent de maladies gastro-intestinales, on n'a habituellement pas besoin de prendre un supplément, les aliments en fournissant amplement. **DOSE :** 320 mg par jour.

ALIMENTS ET PRODUITS À ÉVITER

Protéines en excès. Si les protéines constituent plus de 30 % de l'apport calorique quotidien, les os peuvent en souffrir. L'origine des protéines compte également. Ainsi, le soufre présent dans les protéines animales a

Après souper, préparez-vous du thé décaféiné, que vous garderez au chaud dans une théière en céramique. Buvez-en à petites gorgées tout au long de la soirée. Non seulement est-ce sain, mais c'est merveilleusement calmant. Et vous grignoterez moins ainsi.

pour effet d'acidifier le sang ; en l'absence de quantités adéquates de fruits et de légumes alcalins, l'organisme corrige le déséquilibre en prélevant du calcium dans les os.

Aliments salés. En excès, le sel a pour effet d'extraire le calcium des os. Une étude indique que, chez les femmes qui ont suivi pendant un mois un régime à haute teneur en sel (9 g par jour), la perte de calcium était supérieure de 42 mg à ce qu'elle était quand elles en prenaient peu (2 g par jour). Évitez les mets comme l'anchois ou les produits transformés. De plus, augmentez votre consommation d'aliments riches en calcium ainsi qu'en potassium ; ce dernier contrebalance le lessivage du calcium par le sel. On conseille de ne pas dépasser les 3,8 g de sel par jour.

Trop d'alcool. Trop d'alcool nuit à la santé des os. D'abord parce qu'il peut interférer avec l'utilisation par l'organisme du calcium et de la vitamine D. Ensuite, parce qu'il stimule l'excrétion du magnésium, minéral essentiel à la solidité des os. Chez l'homme, l'alcool en excès fait baisser le taux de testostérone, ce qui peut interférer avec la régénération osseuse. Chez la femme, il peut perturber le cycle menstruel et, en conséquence, favoriser l'ostéoporose. Cela dit, les études indiquent que, consommé avec modération, l'alcool peut accroître la densité osseuse. À petites doses, il favorise la conversion de testostérone – hormone que la femme secrète également – en œstradiol, forme d'œstrogène qui aide à prévenir la perte osseuse.

Caféine. Une étude menée en Suède auprès de plus de 31 000 femmes de 40 à 76 ans indique que la consommation de quatre tasses ou plus de café par jour a pour effet d'accroître le risque de fracture osseuse, surtout chez celles qui ne prennent pas assez de calcium. Dans une autre étude, la consommation de trois tasses par jour élève de 82 % ce risque, tant chez les hommes que chez les femmes. La caféine favorise l'excrétion de calcium par l'urine et pourrait interférer avec son absorption et celle de la vitamine D. Assurez-vous de tirer de vos aliments assez de calcium et de vitamine D pour compenser.

Au régime ? Vous risquez de perdre plus que du poids.

Une fluctuation de poids d'aussi peu que 4,5 kilos pourrait avoir un effet néfaste sur les os. Selon les résultats d'une étude menée au Canada auprès de plus de 1 000 hommes et femmes âgées de 25 à 96 ans, ceux dont le poids fluctuait couraient plus de risque de faire des fractures que ceux qui n'en changeaient pas. Les chercheurs pensent que la perte de poids entraîne une chute des taux d'œstrogène et de progestérone, deux hormones qui contribuent à préserver les os. De plus, elle accroît le taux de cortisol, hormone qui interfère avec l'absorption du calcium. Par contre, dans d'autres études, on a observé que l'exercice et la consommation d'aliments riches en calcium et en vitamine D avaient pour effet de minimiser la perte osseuse.

PROSTATE, HYPERPLASIE

Difficulté à la miction, faible émission d'urine ou faux besoin d'uriner, ces inconvénients touchent bien des hommes de plus de 50 ans.

Ce sont là les symptômes de l'hyperplasie (ou hypertrophie) bénigne de la prostate (ou HBP). Ce petit organe de la taille d'une noix qui est situé derrière la vessie a pour fonction d'injecter du liquide dans le sperme juste avant l'éjaculation. À 50 ans, le taux de testostérone baisse tandis que celui de prolactine s'élève, ce qui entraîne une augmentation du volume de cet organe. Il en résulte une pression plus grande sur l'urètre, ce canal qui évacue l'urine de la vessie, et donc, des difficultés à la miction. Quel que soit le traitement, il a pour but de réduire la taille de la prostate afin d'améliorer la fonction urinaire. Les médicaments d'ordonnance prescrits à cet effet sont efficaces, mais l'alimentation peut également y contribuer.

VOTRE ORDONNANCE ALIMENTAIRE

Bœuf maigre, huître, graine de citrouille *et autres aliments riches en zinc*

Il y a plus de zinc dans la prostate que dans toute autre partie du corps. Les médecins dont l'approche est axée sur la nutrition recommandent habituellement aux hommes qui souffrent d'HBP d'augmenter leur consommation d'aliments riches en zinc. Ce minéral diminuerait la production de prolactine, ce qui aurait pour effet de bloquer la 5-alpha-réductase, une enzyme qui convertit la testostérone en une forme favorisant l'hyperplasie (hypertrophie) de la prostate. Les médicaments prescrits à cette fin ont justement pour but d'inhiber cette enzyme.

Vos objectifs : 30 mg de zinc par jour. Une portion de 100 g d'huîtres fraîches en fournit près du triple et ½ tasse de graines de citrouille, environ 8 mg.

Truc utile : pour rôtir rapidement vos graines de citrouille, versez un peu d'huile d'olive dans un plat à micro-ondes et chauffez 30 secondes. Ajoutez ensuite les graines et faites cuire 7 ou 8 minutes à haute température, en les retournant toutes les 2 minutes.

NOS MEILLEURES RECETTES

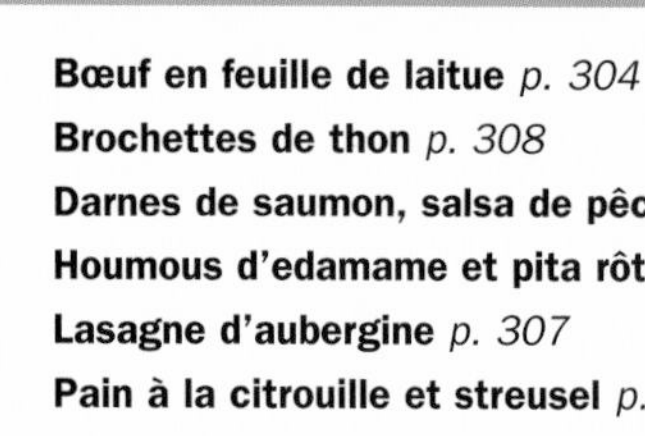

Bœuf en feuille de laitue *p. 304*
Brochettes de thon *p. 308*
Darnes de saumon, salsa de pêche *p. 310*
Houmous d'edamame et pita rôti *p. 290*
Lasagne d'aubergine *p. 307*
Pain à la citrouille et streusel *p. 329*

Tofu, edamame, lait de soya et grains de soya rôtis

Les produits dérivés du soya constituent une bonne source d'isoflavones, composés apparentés à l'œstrogène qui bloquent la 5-alpha-réductase. Optez de préférence pour les produits comme le tofu, le lait ou le yogourt de soya, qui sont plus riches en ces substances que le simili-bacon ou autres produits transformés.

Vos objectifs : quelques portions par semaine.

Saumon, graine de lin,

et autres sources d'oméga-3

Les acides gras oméga-3 sont des anti-inflammatoires naturels. On a observé que la prostate des hommes qui en consommaient en quantités adéquates était généralement plus petite, que leur émission d'urine était plus abondante et qu'ils en retenaient moins dans la vessie.

Vos objectifs : au moins deux repas de poisson par semaine, tel que le recommande le Guide alimentaire canadien.

SUPPLÉMENTS NUTRITIONNELS

Zinc. Augmentez votre consommation de zinc alimentaire et prenez un supplément. Lors d'un essai mené à l'hôpital Cooke County de Chicago auprès de 19 patients, la supplémentation a eu pour effet de réduire la taille de la prostate chez 14 d'entre eux. En outre, tous ont rapporté que leurs symptômes avaient diminué. **DOSE :** la dose habituelle est de 30 mg, soit plus que ce que vous fournit une multivitamine (environ 15 mg). Cependant, si vous conjuguez une multivitamine à un meilleur apport alimentaire, le supplément de zinc pourrait ne pas être nécessaire. Évitez d'en prendre plus de 100 mg par jour à long terme, ce minéral ayant pour effet de déprimer le système immunitaire et d'élever le risque de cancer. En outre, comme il interfère avec l'absorption du cuivre, si vous devez en prendre pendant plus d'un moi, complétez avec 2 mg de cuivre.

Acides gras essentiels. Un essai in vitro à l'université de Californie à Davis a révélé que l'acide gammalinolénique (AGL) et l'acide eicosapentaénoique (EPA) bloquaient la 5-alpha-réductase. En outre, en faisant baisser le taux de cholestérol et en atténuant l'inflammation, ces deux acides gras essentiels protégeraient indirectement contre l'hyperplasie. **DOSE :** elle n'est pas déterminée, aussi procurez-vous un produit de qualité et suivez le mode d'emploi du fabricant. Pour prévenir leur oxydation, ce qui constituerait un facteur de risque, prenez vos acides gras avec 400 UI de vitamine E.

Recette de grand-père

Connu de longue date pour son action sur la prostate, le chou palmiste a fait l'objet d'un certain nombre d'études. Cependant, il faut reconnaître que les résultats sont mitigés. Ainsi ceux d'une étude menée récemment auprès de 225 sujets et qui a été publiée dans le *New England Journal of Medicine* indiquent qu'il n'est pas plus efficace contre l'hyperplasie de la prostate qu'un placebo. Cependant, les résultats de 18 essais antérieurs comptant plus de 3 000 hommes indiquaient que, chez la moitié d'entre eux, il a permis d'augmenter l'émission d'urine. La dose habituellement conseillée est de 160 mg, deux fois par jour. À noter que ses effets peuvent mettre quelques mois avant de se manifester pleinement.

On associe parfois le chou palmiste à un extrait de graine de citrouille, source naturelle de bêta-sitostérols réputés augmenter l'émission d'urine. La dose est de 480 mg par jour, à prendre en trois fois.

ALIMENTS ET PRODUITS À ÉVITER

Aliments riches en gras saturés, gras trans, cholestérol et sucre. Selon les études, le surpoids, l'hypercholestérolémie, l'hypertension artérielle et l'hyperglycémie élèvent tous le risque de souffrir de troubles de la prostate. Des chercheurs de l'université de Californie à San Diego ont découvert que l'incidence de l'hyperplasie de la prostate était trois fois et demie plus élevée chez les hommes obèses que chez les hommes plus minces. Ils ont également observé un lien significatif entre un taux élevé de sucre sanguin et ce problème.

Alcool. Cette substance, particulièrement la bière, est diurétique, ce dont on se passerait volontiers quand on fait déjà des séjours trop fréquents à la salle de bains. De plus, l'alcool épuise les réserves de zinc et de certains autres nutriments clés pour la prostate.

PSORIASIS

Cette maladie, qui a pour effet d'épaissir la peau, résulte d'une défaillance du système immunitaire, qui stimule une surproduction de cellules cutanées, en conséquence de quoi il se forme des plaques épaisses, squameuses et disgracieuses.

Normalement, la peau se dépouille de sa couche extérieure tous les mois afin de faire place aux nouvelles cellules cutanées. Dans le cas du psoriasis, le renouvellement cellulaire est tellement rapide que les cellules âgées ne sont pas éliminées et s'accumulent, formant des couches superposées.

Les dermatologues ne savent pas exactement ce qui pousse le système immunitaire à réagir de la sorte. Comme on ne connaît pas de traitement à cette affection, on a tout intérêt à se tourner vers les aliments qui pourraient en soulager les symptômes, notamment ceux qui exercent une action anti-inflammatoire, de même que vers les fruits et les légumes riches en nutriments importants pour la santé de la peau.

VOTRE ORDONNANCE ALIMENTAIRE

Saumon et autres poissons gras

Les oméga-3 du poisson agissent comme une lotion hydratante appliquée de l'intérieur. Ces acides gras, qu'on trouve notamment dans le saumon, le maquereau et le hareng, combattent l'inflammation. Des chercheurs londoniens ont comparé les effets de la consommation quotidienne de poisson blanc (dénué d'oméga-3) et de poisson gras sur cette affection et ont observé, à l'issue des six semaines qu'a duré l'étude, une atténuation de 15 % des symptômes chez ceux qui avaient pris du poisson gras, contrairement à l'autre groupe qui n'a connu qu'une très faible amélioration, voire aucune.

NOS MEILLEURES RECETTES

Betteraves à l'orange *p. 325*
Brochettes de thon *p. 308*
Maquereau aux tomates rôties *p. 310*
Pain streusel à la citrouille *p. 329*
Risotto de riz entier *p. 323*
Saumon grillé et épinards sautés *p. 311*
Soupe à la courge et au gingembre *p. 300*

Vos objectifs : deux à trois portions de 90 à 125 g de poisson gras par semaine.

Tomate, carotte, épinard *et autres légumes riches en bêta-carotène*

Quand des chercheurs italiens ont voulu comparer l'alimentation de 316 sujets qui souffraient de psoriasis à celle de 366 sujets sains, ils ont découvert que la consommation de carottes, tomates et autres aliments riches en bêta-carotène contribuait à diminuer le risque de cette affection. Le bêta-carotène est converti dans l'organisme en vitamine A, qui contribue à préserver la santé des tissus cutanés. La citrouille, la patate douce, la courge, le melon brodé et la feuille de betterave en sont d'autres bonnes sources.

Vos objectifs : 7 à 10 portions de fruits et de légumes par jour, en mettant l'accent sur ceux qui sont riches en bêta-carotène.

Régime méditerranéen

Ce régime est axé sur les fruits et les légumes frais, le poisson, le poulet, les grains entiers et l'huile d'olive. On lui reconnaît de nombreux bienfaits, dont celui de soulager le psoriasis. Des chercheurs d'Hawaï ont suivi cinq patients qui avaient une alimentation comparable. Au bout de six mois, ils ont constaté que leurs symptômes avaient nettement diminué d'intensité.

Vos objectifs : des fruits et légumes frais en abondance et du poisson, du poulet et de l'huile d'olive. Les sujets ne prenaient ni produit transformé ni glucide raffiné.

Curcuma

Des chercheurs ont établi un lien entre cette épice jaune et une diminution de l'inflammation dans diverses affections, y compris le psoriasis.

Vos objectifs : 1 cuiller à soupe par jour. Ajoutez-en dans vos ragoûts, vos soupes et vos sautés.

Jus de citron

Contrairement à l'impression qu'il laisse dans la bouche, le jus de citron est considéré comme un acide faible. Or, on pense que ce type d'acide crée un milieu favorable aux bactéries intestinales qui contribuent à la santé du système immunitaire et en atténuent la charge. Ils pourraient également être utiles dans d'autres maladies auto-immunes. Soulignons toutefois que, chez certains, le citron, l'orange, l'ananas ou d'autres fruits acides semblent aggraver les symptômes.

Vos objectifs : du jus de citron dilué dans de l'eau. Prenez-en durant plusieurs semaines et voyez comment réagit votre peau. Si le jus semble aggraver votre état, supprimez-le.

SUPPLÉMENTS NUTRITIONNELS

Acides gras oméga-3. Les études ne cessent de confirmer l'utilité des oméga-3, particulièrement de l'EPA, dans les troubles cutanés. **DOSE :** 6 g par jour. Assurez-vous que le produit renferme de l'EPA. Il faudra peut-être plusieurs mois avant que les effets ne se manifestent.

Multivitamines/minéraux. Selon les études, les personnes qui soufrent du psoriasis sont souvent carencées en sélénium et en vitamine D. Une multivitamine contribuera à corriger les problèmes associés au déficit de ces deux nutriments. Évitez le supplément unique de sélénium, ce minéral étant toxique à hautes doses **DOSE :** un comprimé par jour.

ALIMENTS ET PRODUITS À ÉVITER

Pain et autres aliments composés de grains contenant du gluten. De nombreuses personnes allergiques au gluten, protéine présente dans le blé, l'avoine, le seigle et l'orge, font des éruptions de psoriasis quand elles consomment ces aliments. Pendant au moins trois semaines, évitez tout aliment qui en renferme et voyez si l'état de votre peau s'améliore.

Viande rouge. Elle renferme un acide gras qui peut aggraver l'inflammation.

Alcool. L'incidence du psoriasis est plus élevée chez les gros buveurs que chez ceux qui boivent de façon modérée ou s'abstiennent de prendre de l'alcool.

Au souper, disposez sur la table des assiettes de légumes crus, olives, fromage maigre, thon, noix rôties à sec et pita. Qui a dit que le régime méditerranéen était difficile à suivre ?

RHUME ET GRIPPE

Vous avez certainement entendu cette blague voulant qu'en traitant un rhume à grand renfort de remèdes, il disparaîtra en sept jours mais que, en le laissant suivre son cours, il sera guéri en une semaine.

Il n'y a pas de médicaments contre le rhume, surtout pas les antibiotiques qui ne sont utiles que contre les bactéries et restent sans effet sur les virus de la grippe et du rhume. (À noter toutefois que les antiviraux d'ordonnance peuvent raccourcir la durée d'une grippe à la condition de les prendre dès l'apparition des premiers symptômes.) Cependant, certains remèdes de grand-mère, notamment la soupe au poulet, ainsi que des boissons et des épices peuvent soulager les symptômes du rhume, voire en abréger la durée. Si vous suivez nos conseils, vous pourriez même être complètement à l'abri durant la prochaine saison des rhumes et de la grippe.

VOTRE ORDONNANCE ALIMENTAIRE

Eau, thé décaféiné et jus

Les virus de la grippe et du rhume se multiplient quand la gorge et les voies nasales sont sèches. La consommation de grandes quantités de liquides tout au long de la journée a pour effet d'hydrater les muqueuses, qui seront alors plus aptes à piéger les virus. Il suffit ensuite de les éliminer en se mouchant ou en les avalant, auquel cas ils seront détruits par les sucs gastriques. En plus d'être préventive, cette mesure est utile quand on est enrhumé. Pour aromatiser l'eau plate, on peut y ajouter des quartiers d'orange, fruit riche en vitamine C (une orange moyenne en fournit 50 mg).

En cas de mal de gorge, on recommande de prendre de l'eau chaude additionnée de miel et de jus de citron ; le premier tapisse la gorge, le second atténue l'enflure et contribue à détruire les cellules virales. On peut aussi les ajouter au thé. En outre, le gargarisme à l'eau salée permet d'éliminer les globules blancs morts et d'augmenter l'apport de sang à la gorge, ce qui aide l'organisme à combattre l'infection. Ou encore, mettez quelques gouttes d'eau salée dans vos narines afin d'évacuer le mucus. Traitez une narine, mouchez-vous, puis traitez l'autre.

Vos objectifs : au moins huit verres de liquides tous les jours, plus si vous faites de la fièvre.

Truc utile : Optez pour les jus exempts de sucre ajouté plutôt que pour les boissons aux fruits, qui renferment plus d'eau et de sucre que de jus véritable. Pour tirer un maximum de vitamine C, utilisez du concentré de jus surgelé que vous diluerez et boirez en totalité au cours de la semaine.

Soupe au poulet

Bien que ce remède de grand-mère n'ait pas révélé tous ses secrets, les chercheurs commencent à comprendre pourquoi il est efficace. D'abord, la soupe chaude élève la température du nez et de la gorge, créant un milieu inhospitalier pour les virus, qui préfèrent le froid et la sécheresse. En outre, la soupe fumante éclaircit le mucus, qui s'évacue alors plus facilement. On a fait la preuve dans des études qu'elle est plus efficace que de l'eau chaude. Enfin, selon les résultats d'une étude menée en laboratoire au centre médical de l'université du Nebraska, la soupe inhibe l'activité des neutrophiles, globules blancs qui sont libérés en grand nombre durant un rhume. Or, ce sont eux qui causent la congestion.

Vos objectifs : il n'y a pas d'indications spécifiques pour ce remède. Prenez-en un bol fumant quand les symptômes apparaissent.

Truc utile : les végétariens peuvent consommer de la soupe aux légumes plutôt qu'au poulet. Les résultats de l'étude de l'université du Nebraska indiquent que cette dernière inhibe autant l'activité des neutrophiles.

Ail

L'ail renferme de l'allicine, puissant antimicrobien qui combat les bactéries, les virus et les champignons.

Vos objectifs : si possible, une gousse toutes les 3 ou 4 heures. Vous pouvez également couper la gousse en morceaux que vous avalerez comme si c'était des comprimés. Ou ajoutez-les avec des oignons à la soupe au poulet. Pour favoriser la formation de ses composés thérapeutiques, hachez-le et laissez-le reposer 10 à 15 minutes avant de l'utiliser.

Truc utile : si votre enfant n'aime pas l'ail, écrasez deux gousses au presse-ail et mettez-les dans ses chaussettes. Tandis qu'il s'active, les principes actifs seront absorbés par sa peau.

Épices et condiments épicés

Selon la médecine ayurvédique, qui se pratique traditionnellement en Inde, la cannelle, la coriandre et le gingembre favorisent la transpiration et sont souvent employés pour casser une fièvre. En outre, ajoutés aux plats, le piment de Cayenne, le raifort ou le wasabi pourraient contribuer à désobstruer le nez. Ils ont pour effet de contracter les vaisseaux sanguins du nez et de la gorge, soulageant temporairement la congestion.

Vos objectifs : autant d'épices que vous êtes capable de tolérer.

Truc utile : contre la fièvre, essayez ce remède ayurvédique : mélangez ½ cuiller à thé chacune de coriandre et de cannelle en poudre et ¼ de cuiller à thé de gingembre dans une tasse d'eau chaude. Laissez infusez 10 minutes avant de boire.

SUPPLÉMENTS NUTRITIONNELS

Vitamine C. Contrairement à ce qu'on croit généralement, cette vitamine ne semble pas prévenir le rhume. Par contre, elle pourrait en abréger le cours d'un jour ou deux. Elle agit comme antihistaminique et anti-inflammatoire et, par conséquent, assèche le nez. De plus, elle

propos à mijoter...

Pour tirer doublement profit des aliments curatifs, ajoutez quelques gousses d'ail pelées à votre soupe de poulet tandis qu'elle cuit. Enlevez-les au moment de servir la soupe, étalez-les sur une rôtie et avalez !

améliore la fonction immunitaire. En fait, elle accroît l'efficacité des cellules immunitaires telles que les neutrophiles et les macrophages, qui sont mieux à même de repérer et de détruire les virus. En passant, en cas de maladie ou de stress, l'organisme a besoin d'une plus grande quantité de vitamine C.

L'effet est plus puissant si le supplément de vitamine C renferme également des bioflavonoïdes, composés antioxydants présents dans les agrumes, le thé et d'autres produits. **DOSE :** en l'absence de consensus, des médecins recommandent de prendre quelques grammes par jour en doses divisées dès les premiers signes d'irritation de la gorge ou de congestion nasale. Comme dose de départ, prenez 1 000 à 2 000 mg de vitamine C toutes les deux heures pendant huit heures ; ensuite prenez la même quantité trois fois par jour. Gardez toutefois à l'esprit que, à hautes doses, cette vitamine peut irriter les intestins et provoquer des flatulences ou de la diarrhée. Dans ce cas, diminuez les doses. Quand vous allez mieux, diminuez-les progressivement pour éviter le « scorbut par effet rebond », affection provoquant le saignement des gencives. Si vous avez des antécédents de calculs rénaux à composition d'oxalates, demandez à votre médecin de vous recommander la forme à prendre. Il semblerait que la forme tamponnée avec bioflavonoïdes n'élève pas autant le risque que la vitamine C seule.

Zinc. Ce minéral joue un rôle de premier plan au niveau de la fonction immunitaire. Il semble raccourcir la durée du rhume, particulièrement quand il est en contact avec les muqueuses. D'où la popularité des pastilles de zinc pour soigner cette affection.

En effet, de nombreuses études indiquent que les pastilles de gluconate ou d'acétate de zinc abrègent la durée d'un rhume quand on en prend toutes les deux heures durant les deux premiers jours. (Comme elles peuvent provoquer des nausées, prenez-les de préférence l'estomac plein.) Par contre, le zinc semble sans effet en prévention. **DOSE :** les pastilles renfermant de 9 à 24 mg de zinc sont les plus efficaces.

Ail. À défaut d'aimer l'ail cru, on peut toujours se rabattre sur un supplément. Lors d'une étude menée auprès de 146 sujets, des chercheurs britanniques ont découvert que les volontaires qui ont pris un supplément d'ail pendant 12 semaines durant la saison des rhumes étaient nettement moins malades que ceux qui ont reçu un placebo. Dans ce dernier groupe, 65 sujets ont contracté l'infection contre 24 dans le groupe qui prenait de l'ail. De plus, les sujets se sont remis en moyenne quatre jours avant les autres.

Comme l'ail peut éclaircir le sang, avant d'en prendre, consultez votre médecin si vous êtes sous traitement anticoagulant (Coumadin).

NOS MEILLEURES RECETTES

Légumes racines rôtis *p. 320*
Poulet, sauce à l'ail *p. 314*
Soupe à la courge et au gingembre *p. 300*
Soupe minestrone aux fèves *p. 301*
Soupe rapide au poulet et aux nouilles *p. 298*

DOSE : 300 mg, deux ou trois fois par jour. Optez pour un extrait standardisé renfermant au moins 13 % d'allicine.

Vitamine E. Bien que cette vitamine anti oxydante améliore la fonction immunitaire, il y a peu de chances qu'elle raccourcisse la durée d'un rhume. Par contre, elle pourrait le prévenir. Dans une étude d'une durée d'un an menée à l'université Tufts, 451 adultes de 65 ans ou plus ont reçu soit 200 UI de vitamine E tous les jours, soit un placebo. Le taux des infections contractées par les sujets qui ont pris de la vitamine E a été de 65 % contre 74 % pour les sujets du groupe témoin. **DOSE :** 200 UI par jour.

ALIMENTS ET PRODUITS À ÉVITER

Caféine et alcool. Quand on a le rhume ou la grippe, il est important de rester hydraté. Par conséquent, il vaut mieux bannir les boissons comme le café, le thé décaféiné et les sodas, qui déshydratent. C'est vrai aussi de l'alcool : bien qu'on puisse être tenté de prendre un verre ou deux dans le but de mieux dormir, il aggrave la déshydratation.

Aliments sucrés. Le sucre a pour effet de rendre les globules blancs paresseux ; ils sont alors moins efficaces dans leur chasse aux virus. Lors d'une étude menée à l'université Loma Linda de Californie, les volontaires qui ont consommé environ 100 g de sucre, soit la quantité que fournissent deux canettes de soda ordinaire, ont vu l'activité de leurs globules blancs chuter de 50 % et rester faible durant cinq heures. Comme ils renferment des phytochimiques qui stimulent le système immunitaire et combattent l'infection, les jus de fruits pourraient faire exception à cette règle, à la condition d'être purs à 100 %.

Plantes anti-infectieuses

Certaines plantes peuvent protéger contre le rhume, bien que ce ne soit pas nécessairement celles dont le nom vienne spontanément à l'esprit. Ainsi, on a fait la preuve, dans deux importantes études menées récemment, que l'échinacée n'était efficace ni en prévention ni pour atténuer la gravité d'un rhume. Par contre, le ginseng le serait ; les études indiquent qu'il soulage tant cette affection que la grippe.

Dans le cas de la grippe, l'extrait de sureau se place en tête de file : il semble atténuer de moitié la gravité des symptômes et raccourcir la durée de la maladie à la condition d'en prendre dès l'apparition des premiers symptômes. Cette baie renferme des flavonoïdes, tout particulièrement des anthocyanidines qui contribuent à réguler la fonction immunitaire et à soulager l'inflammation. Au cours d'une étude menée auprès des résidents d'une ferme collective israélienne, plus de 93 % de ceux qui avaient pris des baies de sureau ont rapporté se sentir nettement mieux au bout de deux jours, alors que la majorité de ceux qui avaient reçu un placebo ont mis six jours à se remettre. Quel que soit le supplément, suivez le mode d'emploi indiqué sur l'emballage.

RIDES

Avec l'âge, la couche superficielle de la peau s'amincit. La couche située sous la surface perd une partie de son collagène, structure qui soutient la peau, et de son élastine, fibres qui lui donnent son élasticité. Il en résulte des rides et l'affaissement de la peau. On peut attribuer une partie de ces problèmes à l'exposition au soleil. Les rayons ultraviolets endommagent la peau et provoquent la formation de radicaux libres, molécules instables qui dégradent le collagène. L'usage du tabac et la pollution atmosphérique exercent des effets similaires.

L'organisme riposte au moyen de ses propres antioxydants, qui neutralisent les radicaux libres. Cependant, quand les dommages viennent à bout des défenses immunitaires, on peut lui donner un petit coup de pouce en consommant des aliments qui en renferment, particulièrement des baies.

VOTRE ORDONNANCE ALIMENTAIRE

Poulet sans la peau, poisson, légumineuses, noix *et autres aliments protéinés*

Les protéines régénèrent les cellules qui ont souffert des attaques par les radicaux libres. Quand elles sont digérées, elles sont dégradées en acides aminés, composantes cellulaires, ce qui peut accélérer la régénération du collagène.

Vos objectifs : une source de protéines maigres à tous les repas.

Huile d'olive

Elle est riche en acide oléique, acide gras qui aide à préserver la fluidité des membranes et, par conséquent, à garder la peau souple. Elle comprend aussi des acides gras essentiels qui combattent l'inflammation. Enfin, elle est riche en vitamine E et en polyphénols, antioxydants qui protègent la peau des radicaux libres.

Vos objectifs : utilisez-la dans la plupart des plats exigeant de l'huile.

Truc utile: optez pour l'huile d'olive extra-vierge, la moins raffinée de toutes et la plus riche en antioxydants. Versez-en un filet dans les sautés et les légumes vapeur. Faites-la cuire le moins possible pour préserve ses vertus curatives.

Ail

En plus de donner une saveur inimitable aux plats, ce bulbe piquant fournit quantité de polyphénols qui protégeront votre peau.

Vos objectifs : gardez à portée de main un presse-ail afin de pouvoir ajouter de l'ail, de préférence cru, le plus souvent possible dans vos plats. Vous pouvez également couper une gousse en petits morceaux que vous avalerez tout au long de la journée comme s'il s'agissait de pilules.

Truc utile: pour favoriser la formation de ses composés actifs, hachez l'ail et laissez-le reposer 10 ou 15 minutes avant de l'employer en cuisson.

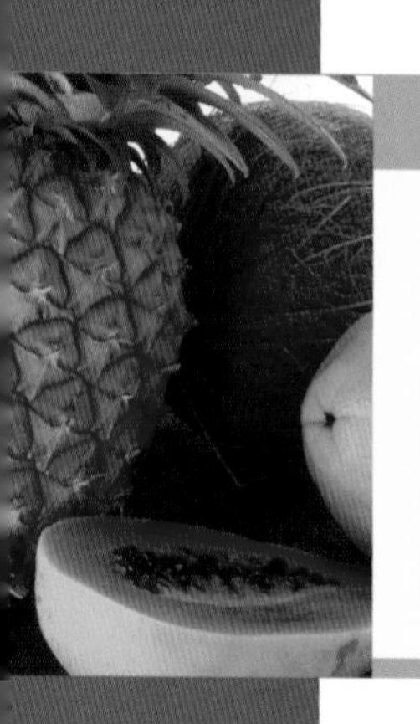

NOS MEILLEURES RECETTES

Chili aux trois haricots *p. 308*
Darnes de saumon, salsa de pêche *p. 310*
Salade d'épinards et pois chiches *p. 295*
Salade de fruits tropicaux *p. 288*
Salade de thon et haricots blancs *p. 297*
Sandwich au thon et à la salsa *p. 302*
Saumon grillé et épinards sautés *p. 311*
Tartelette aux baies *p. 337*

Bleuet, mûre, framboise et fraise

Compte tenu de leur petite taille, les baies ont proportionnellement plus d'antioxydants que tout autre fruit ou légume. La pomme rouge avec sa peau vient tout de suite après. Tous ces fruits contribuent à protéger la peau contre les dommages qui entraînent la formation de rides. Les agrumes sont aussi riches en antioxydants.

Vos objectifs : une tasse de baies par jour. Faites-en des smoothies, ajoutez-en à vos céréales et mettez-en dans la pâte à crêpes ou à muffins.

Thé vert

À cause de ses polyphénols, le thé vert se trouve en tête de liste des boissons utiles à la peau.

Vos objectifs : quatre tasses, tout au long de la journée. Si vous êtes sensible à la caféine, prenez votre dernière tasse avant 15 heures.

Saumon, maquereau *et autres poissons gras riches en oméga-3*

Les oméga-3 du poisson gras ne sont pas seulement bons pour le cœur, ils font également des merveilles pour la peau. Ils préservent la fluidité des membranes des cellules et protègent ainsi contre une foule d'irritants.

Vos objectifs : au moins deux portions de 125 g de poisson gras par semaine.

Légumes et légumineuses

Ajoutez ces aliments au poisson et à l'huile d'olive, et vous fournirez à votre peau les nutriments pour préserver sa douceur. Quand des chercheurs australiens ont comparé l'alimentation et la peau de centaines de personnes en Australie, Grèce et Suède, ils ont découvert que celles qui avaient le moins de rides étaient celles qui consommaient le plus de ces aliments. Les chercheurs pensent que ce résultat pourrait être attribuable à l'association acides gras mono-insaturés, antioxydants et protéines maigres.

Vos objectifs : cinq ou six portions de ½ tasse de légumes par jour. De plus, ajoutez des légumineuses à vos salades, faites-en des soupes et consommez du chili une fois par semaine.

Eau

Les cellules cutanées ont besoin d'eau pour préserver la souplesse de leurs membranes et absorber les nutriments. Remplissez d'eau une cruche de deux litres. C'est le minimum que vous devriez boire tous les jours pour que votre peau reste lisse et hydratée. Si vous transpirez beaucoup, en faisant de l'exercice ou simplement en étant dehors à la chaleur, vous devriez boire encore plus.

Vos objectifs : au moins 8 à 10 tasses par jour.

SUPPLÉMENTS NUTRITIONNELS

Vitamine E. Depuis longtemps, cette vitamine est réputée donner de l'éclat à la peau. Cet effet est dû à sa richesse en antioxydants qui contribuent à la régénérer et à soulager l'irritation. **DOSE :** jusqu'à 400 UI par jour.

Acides gras oméga-3. Ces acides gras, en particulier l'EPA, combattent l'inflammation. Lors d'une étude, on a observé que, en application topique, l'EPA a aidé à régénérer le collagène et l'élastine de la peau. Cependant, les dermatologues ne disposent pas encore de preuves suffisantes pour conseiller d'utiliser l'EPA en application. Par contre, le supplément d'huile de poisson à prendre par voie orale pourrait contribuer à prévenir la formation de rides. **DOSE :** quatre capsules de 1 g par jour.

ALIMENTS ET PRODUITS À ÉVITER

Café. Des professionnels de la santé pensent que le café favorise les rides car il élève les taux d'adrénaline et de noradrénaline, hormones du stress.

Sucre. On a fait la preuve dans de nombreuses études que la consommation d'aliments sucrés et de sodas avait pour effet d'endommager le collagène, protéine qui soutient la peau.

SENSIBILITÉ DES SEINS

La plupart du temps, la sensibilité des seins résulte des fluctuations hormonales qui précèdent les menstruations. De plus, les seins absorbent plus de liquide à ce moment là, ce qui n'aide pas. La maladie fibrokystique du sein en est aussi une cause ; dans cette maladie, il se forme de petits kystes dans le tissu mammaire qui peuvent devenir sensibles, particulièrement à l'approche les menstruations ou pendant celles-ci. On impute également la sensibilité des seins au stress, à la grossesse ou aux médicaments hormonaux. Dans de rares cas, le cancer du sein (qui est habituellement indolore) ou des tumeurs bénignes peuvent entraîner de la douleur. Il est donc important d'informer votre médecin de votre problème.

Certains aliments contribueront à l'atténuer, tandis que vous gagneriez à en supprimer d'autres.

VOTRE ORDONNANCE ALIMENTAIRE

Poisson gras, graine de lin
et autres aliments riches en oméga-3

Le poisson fournit des oméga-3. Ces acides gras contribuent à équilibrer les eicosanoïdes, substances apparentées aux hormones qui atténuent l'inflammation, la douleur et l'enflure. Le poisson renferme aussi des résolvines, groupe de lipides récemment isolés qui semblent soulager l'inflammation, comme le fait l'aspirine.

La graine de lin fournit également des oméga-3, de même que des fibres et des lignanes, phytoestrogènes qui pourraient diminuer le risque de cancer du sein. Pour en tirer mieux parti, achetez vos graines entières, gardez-les au réfrigérateur et passez-les au moulin à café ou à épices au fur et à mesure des besoins.

Vos objectifs: 1 000 mg d'oméga-3 par jour, soit l'équivalent d'une portion de 60 g de saumon ou de cinq moitiés de noix commune. Vous pouvez aussi prendre 2 cuillers à soupe de graines de lin moulues tous les jours, que vous ajouterez aux céréales, flocons d'avoine, smoothies ou yogourt.

Truc utile: quand on augmente sa consommation d'oméga-3, on doit également prendre plus de vitamine E. L'amande, le germe de blé et les épinards en renferment. La vitamine E pourrait contribuer à soulager la sensibilité des seins, mais la preuve à cet effet reste encore à faire.

Soya

Les phytochimiques apparentés à l'œstrogène que renferment le soya et la graine de lin pourraient soulager la sensibilité des seins. Des chercheurs britanniques ayant suivi durant deux mois un petit groupe de femmes âgées de 18 à 35 ans ont constaté que la consommation quotidienne de protéines de soya renfermant 68 mg d'isoflavones, soit l'équivalent de deux portions, avait eu pour effet d'atténuer la sensibilité et l'enflure des seins, comparativement au placebo.

À noter toutefois que si vous prenez du tamoxifène, un inhibiteur d'aromatase ou un autre anti-œstrogène, vous devez éviter le soya.

Vos objectifs: environ 68 mg par jour d'isoflavones, soit l'équivalent d'un verre de lait de soya et de ½ tasse de tofu. Prenez un ou deux repas à base de soya par semaine, du soya vert (edamame) à la collation et du lait de soya à la place du lait de vache.

Grains entiers, lentille, poire

et autres aliments riches en fibres

Les fibres faisant baisser le taux d'œstrogène, elles contribuent à soulager la sensibilité des seins, de même que les autres symptômes du syndrome prémenstruel. Il est donc hautement souhaitable d'en augmenter votre apport.

Vos objectifs : 25 à 35 g de fibres par jour : une portion de céréales de son le matin, une salade avec ½ tasse de lentilles le midi, une poire à la collation et une tasse de courge le soir.

Eau

À l'approche des menstruations, les seins absorbent plus d'eau, ce qui augmente leur sensibilité. Paradoxalement, en augmentant son apport d'eau, on peut atténuer la rétention hydrique, car plus on en boit, moins l'organisme en stocke.

Vos objectifs : huit tasses par jour.

SUPPLÉMENTS NUTRITIONNELS

Vitamine E. Les études sont mitigées quant à l'efficacité de la vitamine E à soulager la sensibilité des seins. **DOSE :** 400 UI par jour, soit la dose qui semble s'être montrée efficace.

Acides gras oméga-3. Les suppléments se présentent sous forme de capsules d'huile de poisson ou d'huile de lin liquide (à noter toutefois que cette huile est dénuée des lignanes présents dans la graine). Le supplément devrait renfermer également de la vitamine E, un préservateur naturel, et être conservé au réfrigérateur. **DOSE :** 1 à 3 g par jour. Si le médecin vous a prescrit un anticoagulant comme la warfarine (Coumadin), consultez-le avant de prendre un supplément d'oméga-3.

Extrait de gattilier. Depuis toujours, les femmes emploient cette plante pour soulager leurs troubles menstruels. Au cours des 50 dernières années, on a fait la preuve dans 30 essais menés en Europe qu'elle atténuait effectivement les symptômes, dont la sensibilité des seins. **DOSE :** dans les études, on a généralement administré 4 mg d'extrait.

Vitamine B_6. Les études indiquent qu'elle peut soulager les symptômes du syndrome prémenstruel y compris la sensibilité des seins. **DOSE :** 50 à 100 mg par jour.

ALIMENTS ET PRODUITS À ÉVITER

Gras saturés et la plupart des huiles végétales. Les lipides saturés du beurre et des viandes grasses favorisent l'inflammation et de nombreux experts pensent que c'est aussi le cas des acides gras oméga-6 présents dans l'huile de maïs, de carthame et de tournesol. Évitez également les gras trans, qui portent le nom d'« huiles partiellement hydrogénées » sur l'étiquette des produits transformés, et optez pour une margarine qui en est exempte.

Alcool. Abstenez-vous d'en prendre, du moins à l'approche de vos menstruations et durant celles-ci. Comme il interfère avec les processus hormonaux qui se produisent à ce moment-là, il peut contribuer à la sensibilité des seins.

Sel. En retenant l'eau dans les tissus, le sel entraîne de l'enflure, ce qui contribue au problème.

Caféine. Bien qu'on n'ait pas fait la preuve que la caféine soit liée à la sensibilité des seins, des médecins conseillent toujours d'éviter le café et les autres boissons caféinées, essentiellement parce qu'ils ont vu l'état de leurs patientes s'améliorer quand elles s'abstenaient d'en boire. Pendant 4 à 6 mois, faites l'expérience de les remplacer par des tisanes ou sodas non caféinés et observez si vos seins sont moins sensibles.

NOS MEILLEURES RECETTES

Houmous d'edamame et pita rôti *p. 290*
Maquereau aux tomates rôties *p. 310*
Quinoa printanier *p. 324*
Sandwich au thon et à la salsa *p. 302*
Saumon grillé, épinards sautés *p. 311*
Soupe à la courge et au gingembre *p. 300*
Soupe de patate douce *p. 299*

SINUSITE

Y a-t-il meilleur moment pour se râper un peu de gingembre ou se hacher quelques piments forts que quand on fait une sinusite ? Et si ces infections se répètent, il faut sortir l'artillerie lourde et augmenter sa consommation de fruits et de légumes afin de profiter des effets positifs de leurs antioxydants sur le système immunitaire.

Quiconque a souffert de sinusite sait combien cette affection est douloureuse. Les sinus, cavités remplies d'air qui se trouvent dans le front, les joues et sur l'arête du nez produisent un mucus fluide qui s'évacue par d'étroits canaux situés dans la cavité nasale. La multitude de petits vaisseaux sanguins qui les irriguent les rend particulièrement vulnérables à l'inflammation. En fait, la sinusite consiste en une inflammation de la membrane qui tapisse les sinus et les voies nasales. Elle peut être déclenchée par un rhume, une rhinite ou toute autre irritant.

En soi, l'inflammation peut causer de la douleur, de la sensibilité dans les yeux, les joues et le nez, ainsi que des céphalées et des maux d'oreille. À cela s'ajoute la congestion, qui a pour effet de prévenir l'évacuation du mucus par la cavité nasale. La sinusite guérit difficilement, même si l'on a recours aux antibiotiques. Raison de plus pour prendre des aliments qui éclairciront le mucus et favoriseront son évacuation.

VOTRE ORDONNANCE ALIMENTAIRE

Piment, oignon, raifort

et autres aliments qui font couler le nez

Ces aliments favorisent l'évacuation du mucus, ce qui soulagera la pression et la douleur dans les sinus. Il n'y a rien comme le piment pour vous faire renifler et pleurer. Cet effet vient de la capsicine, composé tellement puissant qu'il peut endormir les récepteurs de la douleur. De plus, il engourdit les récepteurs nerveux et atténue ainsi l'inflammation.

L'oignon et l'ail renferment des composés anti-inflammatoires. Quant au raifort, une racine piquante, on peut en tartiner le pain de ses sandwichs. Le radis, qui n'est pas non plus dénué de mordant, agrémentera une salade. Si vous faites souvent des sinusites, pensez à semer des rangs de radis dans votre jardin. Ce légume pousse rapidement et apparaît tôt au printemps. Semez-en toutes les quelques semaines, pour en avoir toujours à portée de main.

N'hésitez pas non plus à consommer des plats indiens ou cajuns, ou encore, un bol de chili bien épicé.

Vos objectifs : assez de ces ingrédients pour faire couler votre nez.

Truc utile: si vous avez eu la main un peu lourde sur le piment, prenez une tranche de pain beurrée ou un verre de lait. Le gras de ces aliments dégrade la capsicine et tapisse la bouche d'une couche protectrice.

NOS MEILLEURES RECETTES

Chili aux trois haricots *p. 308*
Muffins aux framboises et amandes *p. 326*
Pain de maïs piquant *p. 328*
Salade de brocoli *p. 293*
Salade de chou à l'orange et au sésame *p. 292*
Salade de fruits tropicaux *p. 288*
Soupe rapide au poulet et aux nouilles *p. 298*
Tacos de poisson *p. 309*

Poivron rouge, kiwi *et autres aliments riches en vitamine C*

La vitamine C renforce le système immunitaire qui, en retour, est plus apte à combattre les rhumes, la grippe et les allergies responsables de la congestion et de la sinusite. On sait que les personnes qui sont sujettes à la sinusite ont de faibles taux sanguins d'antioxydants. Donc, consommez beaucoup d'agrumes, de poivron rouge, de brocoli, de choux de Bruxelles et d'autres légumes verts riches en vitamine C. La papaye et la framboise en contiennent aussi.

Vos objectifs : cinq ou six portions de ½ tasse de légumes et trois ou quatre portions de ½ tasse de fruits tous les jours.

Liquides chauds

Une tasse de thé chaud avec du jus de citron ou de bouillon de poulet va faire circuler le mucus. Vous pouvez également en inhaler les vapeurs, ce qui vous soulagera. Ajoutez à votre thé ou votre bouillon un peu de gingembre râpé ou encore, préparez la décoction suivante : râpez un gros morceau de gingembre au-dessus d'une théière contenant ½ litre d'eau et laissez mijoter 15 minutes. Passez et buvez. Vous pouvez également tremper un chiffon propre dans la tisane pour en faire une compresse à appliquer sur les sinus.

Vos objectifs : plusieurs tasses par jour.

Thé et eau

Plus vous prendrez de liquides, plus votre mucus sera fluide. Évitez les liquides sucrés, comme les jus de fruits, qui favorisent le développement de levures associées à la sinusite.
Vos objectifs : 8 à 10 verres par jour.

Noix, verdures, patate douce *et autres aliments riches en vitamine E*

La vitamine E s'avère particulièrement utile contre l'inflammation. En plus de procurer de nombreux bienfaits, le chou frisé, l'huile de canola, l'amande, le germe de blé et la graine de tournesol en renferment de bonnes quantités.

Vos objectifs : au moins 15 mg de vitamine E par jour (en gros, ce que fournissent 30 g d'amandes et une tasse d'épinards cuits). Cependant, de nombreux experts conseillent d'en prendre 200 mg, quantité que seul un supplément peut fournir.

SUPPLÉMENTS NUTRITIONNELS

Vitamine C. Comme elle stimule le système immunitaire, la vitamine C peut contribuer à prévenir les facteurs déclencheurs de la sinusite, par exemple le rhume et le rhume des foins. Pour accroître davantage ses effets, optez pour un supplément qui renferme également des bioflavonoïdes. **DOSE :** 1 à 2 g par jour. En cas de diarrhée, diminuez la dose. Prenez-la de préférence en deux doses divisées de 500 à 1 000 mg, une fois le matin et une fois le soir.

Vitamine E. À moins de consommer en quantité noix, graines et huile végétale, l'alimentation ne fournit pas beaucoup de vitamine E. Le supplément pourrait être alors indiqué à la condition de ne pas dépasser les doses recommandées. **DOSE :** 200 à 400 UI par jour. Pour en favoriser l'absorption, prenez-la avec un aliment ou un plat qui renferme un corps gras.

ALIMENTS ET PRODUITS À ÉVITER

Produits laitiers. Bien que les scientifiques le contestent, plusieurs estiment que le lait, le fromage et les autres produits laitiers contribuent à la formation de mucus. Si vous avez l'impression que ces aliments aggravent votre congestion, bannissez-les quand vous faites une sinusite. Si vous découvrez que votre état s'en trouve amélioré et décidez de les supprimer entièrement, assurez-vous de combler vos besoins en calcium en prenant d'autres aliments qui en sont riches ou un supplément.

Alcool. Cette substance provoque l'enflure des membranes des sinus et du nez, ce qui n'est pas souhaitable quand on fait une sinusite.

SYNDROME PRÉ-MENSTRUEL

Les femmes ont un prix à payer pour leur aptitude à concevoir. Après l'ovulation à la mi-cycle, le taux de progestérone s'élève, préparant la paroi de l'utérus à recevoir l'ovule fécondé. Environ sept jours avant les menstruations, si aucun ovule ne s'implante, les taux d'œstrogène et de progestérone chutent. Pour bien des femmes, cette semaine est un moment pénible à traverser. Irritabilité, dépression, crampes, ballonnement, fringales, douleur mammaire et maux de tête guettent celles qui souffrent du syndrome prémenstruel (SPM). Chez d'autres, les troubles commencent quand les menstruations sont déclenchées et se manifestent par des saignements abondants et des crampes. Pour plusieurs, l'ibuprofène est une véritable bénédiction. Mais il existe également des solutions du côté des aliments, car certains contribuent à équilibrer les taux d'hormones, à améliorer l'humeur et à prévenir la rétention d'eau, toutes choses qui jouent un rôle dans la manière dont on vit ses menstruations.

VOTRE ORDONNANCE ALIMENTAIRE

Produits laitiers *et autres aliments riches en calcium et en vitamine D*

Lors d'une étude à long terme menée auprès de 3 000 femmes, les chercheurs ont découvert que celles qui prenaient quatre portions de lait écrémé ou maigre par jour (ou l'équivalent en calcium et vitamine D que fournissent le jus d'orange enrichi, le yogourt maigre et d'autres produits laitiers) couraient 40 % moins de risque de SPM que celles qui n'en prenaient qu'une par semaine. On a fait la preuve dans d'autres études que le calcium atténuait les symptômes du SPM.

Les chercheurs ne savent pas pourquoi le calcium et la vitamine D sont aussi efficaces, mais certains ont émis l'hypothèse que les femmes qui souffrent de SPM sont carencées en calcium, les symptômes de ce trouble étant similaires à ceux de la carence. De plus, chez les femmes qui en souffrent, le taux d'œstrogène semble plus élevé et le taux de calcium plus faible que chez celles qui n'en sont pas affligées.

Vos objectifs : 1 000 à 1 200 mg de calcium et 400 UI de vitamine D par jour, soit l'équivalent de quatre verres de lait écrémé ou à 2 %.

Truc utile: optez pour le lait écrémé ou à 2 %. Selon des chercheurs, les femmes qui en prennent courent moins de risque de souffrir du SPM que celles qui consomment du lait entier.

Épinard, soya, grains *et autres aliments riches en magnésium*

Grâce à leur richesse en magnésium, la salade d'épinard, les muffins, les crêpes ou les autres mets faits de blé entier, sarrasin ou maïs complet pourraient soulager le SPM. Bien qu'on ne s'explique pas le mode d'action du magnésium dans le SPM, on sait qu'il est essentiel à la production de dopamine. Cette hormone qui agit positivement sur l'humeur contribue également à équilibrer les fonctions des surrénales et des reins, et, en conséquence, à diminuer la rétention d'eau. Dans une étude britannique d'une durée de deux mois, les femmes à qui on a donné 200 mg par jour de magnésium, soit l'équivalent d'un quart de tasse d'amandes ou de deux portions d'épinard, ont pris moins de poids et souffraient moins de ballotements et de douleur mammaire durant le deuxième mois que celles qui ont reçu un placebo. Dans une autre étude, les chercheurs ont découvert que le ratio magnésium/calcium était sensiblement plus faible chez les femmes souffrant de SPM que chez les autres.

Vos objectifs : la dose recommandée est d'environ 320 mg. Un demi-filet de flétan en fournit 170 mg, une tasse de farine de blé entier, 166, une tasse d'épinards cuits, 157, une tasse de soya, 148.

Truc utile : prenez goût à l'épinard cru. Près du tiers de son magnésium est détruit à la cuisson.

Noix, graines, germe de blé

et autres aliments riches en vitamine E

L'amande et la graine de tournesol pourraient contribuer à soulager les symptômes du SPM. Lors d'un essai d'une durée de trois mois mené auprès de 46 femmes qui en souffraient, on a observé que celles qui prenaient 400 UI de vitamine E par jour ont vu leurs symptômes physiques et psychologiques s'atténuer.

Vos objectifs : les femmes de l'étude ont pris 400 UI, quantité qu'il est pratiquement impossible de tirer de ses aliments. Une cuiller à soupe d'huile de germe de blé en fournit un peu plus de 20 g et une portion de 30 g d'amandes, 7g. L'apport quotidien recommandé est de 15 mg, ou environ 23 UI.

Palourde, huître, bœuf, soya

et autres aliments riches en fer

Les femmes qui saignent abondamment durant leurs menstruations ont intérêt à consommer des aliments riches en fer. La viande rouge maigre et l'huître en sont de fabuleuses sources. Une mise en garde s'impose : l'excès de viande rouge accroît le risque d'endométriose, affection douloureuse au cours de laquelle du tissu utérin se forme à l'extérieur de l'utérus. Des chercheurs italiens ont fait la preuve que les femmes qui prenaient de la viande tous les jours couraient deux fois plus de risque d'endométriose que celles qui en mangeaient moins et consommaient plus de fruits et de légumes.

Vos objectifs : l'AQR pour les femmes est de 18 mg, soit ce que fournit un bol de crème de blé et une tasse de haricots de soya.

Truc utile : les végétariennes présentent moins de symptômes prémenstruels que celles qui mangent de la viande. Cependant, en cas de saignements abondants, elles ont besoin de fer, minéral qu'elles trouveront, notamment, dans le haricot, le tofu et l'épinard.

Tofu, lait de soya, graine de lin

et autres aliments riches en phytoestrogènes

Le soya et la graine de lin renferment des phytoestrogènes, substances apparentées à l'œstrogène qui pourraient aider à équilibrer les taux d'hormones durant les menstruations. Mais les résultats des études sont mitigés. Lors

Rien de plus facile que d'apprêter les palourdes : faites-les tremper 30 minutes dans de l'eau froide additionnée de sel non iodé et de fécule de maïs. Lavez-les à fond puis faites les cuire dans un court bouillon composé d'eau, de vin blanc, d'ail et de poivre jusqu'à ce qu'elles ouvrent.

d'un essai mené en Corée, on a découvert que le soya soulageait les symptômes prémenstruels, tandis que des chercheurs britanniques ont observé que la protéine de soya avait eu pour effet d'atténuer sensiblement la douleur et l'œdème chez des jeunes femmes, par rapport au groupe témoin. Par contre, des chercheurs japonais n'ont relevé aucun effet positif.

Vos objectifs : essayez durant un mois de prendre quelques portions par semaine de lait de soya, edamame ou tofu, et voyez si cela vous aide.

Glucides complexes *fournis par les grains entiers, les fruits et les légumes*

De nombreuses femmes ont des fringales de sucre durant leurs menstruations. Au lieu de sucre, elles devraient prendre des grains entiers, des fruits et des légumes, ces aliments pouvant contribuer à soulager leurs symptômes, y compris les crampes qui accompagnent souvent les saignements abondants.

Les glucides élèvent les taux de sérotonine, neurotransmetteur qui agit positivement sur l'humeur. Des chercheurs du Massachusetts Institute of Technology ont découvert que les femmes qui prenaient beaucoup de glucides étaient moins déprimées, anxieuses et colériques que celles qui en consommaient moins, et que leur humeur était plus stable. Les glucides complexes, qui sont riches en fibres, sont à préférer aux glucides simples comme le sucre et la farine raffinée car ils sont digérés plus lentement et contribuent ainsi à stabiliser la glycémie. Les chutes de sucre sanguin entraînent fatigue et mauvaise humeur, aggravant les symptômes du SPM. Les glucides complexes contribuent aussi à prévenir la constipation, problème fréquent chez celles qui souffrent de crampes menstruelles.

En outre, les grains entiers renferment du manganèse. Les chercheurs du Ministère de l'agriculture des États-Unis ont découvert que les symptômes prémenstruels étaient plus prononcés chez les femmes qui présentaient un faible taux de manganèse, ainsi que de calcium, que chez les autres. On ne sait pourquoi le manganèse est utile, mais il intervient dans la coagulation sanguine. Or, les femmes carencées saignent plus que les autres. De plus, ce minéral contribue à réguler la glycémie. Le son d'avoine, la farine de blé entier et la farine de sarrasin en sont de bonnes sources.

Par ailleurs, la vitamine C et les flavonoïdes, antioxydants présents dans les aliments comme les agrumes, les baies, le raisin et la cerise, contribuent à atténuer les saignements. Enfin, des chercheurs italiens ont observé que les femmes qui consommaient beaucoup de fruits et de légumes voyaient diminuer de 40 % leur risque d'endométriose.

Vos objectifs : cinq ou six portions de légumes et trois ou quatre portions par jour, ainsi que trois portions de grains entiers (½ tasse de flocons d'avoine ou de grains de blé cuits, une tranche de blé entier, ½ tasse de pâtes de blé entier).

NOS MEILLEURES RECETTES

Casserole poulet et orge *p. 314*
Crêpes de sarrasin, sauce aux fruits *p. 288*
Houmous d'edamame et pita rôti *p. 290*
Noix épicées *p. 290*
Pain de maïs piquant *p. 328*
Pain streusel à la citrouille *p. 329*
Pâtes primavera au cheddar *p. 306*
Salade d'épinards et pois chiches *p. 295*
Saumon grillé et épinards sautés *p. 311*
Ragoût de bœuf et brocoli *p. 318*

SUPPLÉMENTS NUTRITIONNELS

Calcium et vitamine D. On ne sait si le supplément de calcium exerce les mêmes effets sur le SPM que les aliments qui en sont riches, mais la plupart des femmes gagneraient à en prendre. **DOSE :** *calcium :* 1000 à 1 200 mg par jour, en deux fois. *Vitamine D :* 400 UI par jour.

Magnésium. Une étude en Angleterre indique que les femmes qui avaient pris 200 mg de magnésium par jour pendant deux mois faisaient moins de rétention d'eau et avaient moins mal aux seins. Lors d'une autre étude, on a découvert que, à dose de 320 mg par jour, le supplément atténuait les sautes d'humeur chez les femmes qui le prenaient durant la deuxième moitié de leur cycle. Le chlorure et le lactate de magnésium sont les formes les mieux absorbées. **DOSE :** dans les études, les doses efficaces variaient de 200 à 1 100 mg par jour.

Vitamine B_6. Plusieurs études ont permis de conclure que, à des doses de 50 à 100 mg par jour, cette vitamine contribuait à soulager la douleur mammaire et la dépression associées au SPM. **DOSE :** 50 à 100 mg.

ALIMENTS ET PRODUITS À ÉVITER

Sel. Le sel favorise la rétention d'eau, ce qui accroît les problèmes de ballonnements et de douleur mammaire.

Sucre et gras. Les aliments sucrés provoquent pics et chutes glycémiques, ce qui se traduit par des sautes d'humeur et d'énergie. Grâce à leurs fibres, les fruits frais et les fruits secs satisferont votre envie de sucreries sans exercer cet effet sur votre glycémie.

Quant aux lipides saturés de la viande grasse et du fromage, ils favorisent la production dans l'utérus de prostaglandines, substances apparentées aux hormones qui ont pour effet de stimuler les muscles et, possiblement, de provoquer des crampes. Toutefois, comme la viande est une bonne source de fer, si vous saignez beaucoup, assurez-vous de combler vos besoins en prenant des huîtres, des haricots, des épinards ou d'autres sources de fer. Enfin, une consommation élevée de sucre et de lipides se traduit généralement par de l'embonpoint, ce qui peut contribuer aux troubles menstruels. Des chercheurs de l'université du Michigan ont découvert que, chez les femmes en surpoids, le risque que leurs douleurs se prolongent était deux fois plus élevé que chez les plus minces.

Caféine et alcool. Comme c'est un stimulant, la caféine peut provoquer de l'anxiété et des sautes humeurs, effets qui ne peuvent qu'aggraver les symptômes menstruels. Quant à l'alcool, il accroîtrait la durée et l'intensité des crampes.

Cherchez le sel !

Le sel se dissimule dans les aliments les plus inattendus, y compris dans ceux qu'on considère généralement comme sains, par exemple les soupes et les légumes en boîte. Il y en a bien sûr dans la pizza et les croustilles, de même que dans le ketchup, la sauce barbecue et les autres condiments. Par conséquent, même si vous salez moins vos plats, vous pourriez vous retrouver à consommer plus de sodium que vous l'imaginez. Lisez les étiquettes des produits avant d'acheter. L'apport quotidien recommandé est de 2 300 mg, soit ce que fournit une cuiller à thé.

À défaut de manger, buvez

Les crampes, les saignements, les sautes d'humeur et les ballonnements ont souvent pour effet de couper l'appétit. À défaut de manger, prenez beaucoup de liquides, sous forme d'eau, d'infusions, de thé vert ou de jus de fruits et de légumes. Curieusement, l'ingestion d'une plus grande quantité de liquides semble atténuer les ballonnements. En effet, quand on est bien hydraté, l'organisme évacue les liquides mais, si on en manque, il les retient. En outre, les jus de fruits et de légumes fournissent des nutriments qui pourraient aider à soulager les symptômes.

TROUBLE DÉFICITAIRE DE L'ATTENTION AVEC HYPERACTIVITÉ (TDAH)

Le TDAH est l'un des problèmes qui suscitent le plus de controverses. Les traitements sont aussi rares que les théories nombreuses. Bien que ce soit le trouble du comportement le plus souvent diagnostiqué chez l'enfant, on ne peut parler d'une maladie bien définie mais plutôt d'un ensemble de comportements problématiques. Touchant trois fois plus de garçons que de filles, il se manifeste, quoique pas toujours, par de l'hyperactivité, des crises de colère, de l'anxiété, de la morosité, de l'impulsivité et des troubles d'apprentissage. Une foule de facteurs y contribueraient : asthme, prédisposition génétique, exposition à la fumée secondaire, exposition précoce à la télévision, absence d'allaitement maternel. Cependant, ses causes restent obscures.

Cela dit, l'alimentation est de plus en plus souvent pointée du doigt. Selon des chercheurs, il faut regarder du côté des sensibilités et allergies alimentaires ainsi que des carences en nutriments essentiels au développement et au fonctionnement du cerveau.

Par contre, la plupart des experts hésitent à affirmer qu'il est causé par une mauvaise alimentation ou qu'on peut le soigner par une approche nutritionnelle. Le premier réflexe consiste plutôt à administrer aux enfants dissipés du méthylphénidate (Ritalin). S'il est vrai que ce médicament améliore le comportement chez 7 enfants atteints sur 10, certains s'inquiètent du fait que, en comptant sur lui, on transforme la solution en problème. En effet, la composition chimique du Ritalin est apparentée à celle de la cocaïne, ce qui explique en partie pourquoi de nombreux adolescents en ont fait leur drogue de prédilection. De plus, il provoque une panoplie d'effets indésirables : perte d'appétit, retard de croissance, troubles du sommeil, tics nerveux et problèmes cardiaques. Compte tenu de ces risques, on aurait tout intérêt à commencer par revoir l'alimentation des enfants qui en sont atteints.

NOS MEILLEURES RECETTES

Bœuf en feuille de laitue *p. 304*
Brochettes de thon *p. 308*
Casserole poulet et orge *p. 314*
Crêpes de sarrasin, sauce aux fruits *p. 288*
Pâtes primavera au cheddar *p. 306*
Sandwichs aux croquettes de saumon *p. 304*
Soupe aux lentilles et à la tomate *p. 301*

Alimentation riche en protéines et en glucides complexes

C'est probablement le changement le plus important à apporter à l'alimentation de votre enfant. En remplaçant les aliments riches en farine et sucre raffinés par des protéines et des glucides complexes à haute teneur en fibres, vous pourriez contribuer à atténuer certains de ses symptômes, simplement parce que sa glycémie s'en trouvera stabilisée. S'il est vrai que c'est essentiellement le sucre sanguin qui fournit son énergie au cerveau, en quantités excessives, il en perturbe le fonctionnement.

Le sucre et les autres glucides raffinés (riz blanc, pomme de terre, boissons gazeuses, jus, etc.) sont digérés très rapidement, ce qui fait grimper la glycémie. Dans le but d'éliminer le sucre du sang, l'organisme compense en libérant de grandes quantités d'insuline; le taux de sucre sanguin (la glycémie) chute alors. Le cerveau réagit par de la fatigue, de l'irritation et des difficultés de concentration. Tout cela ne ressemble-t-il on ne peut plus aux symptômes du TDAH? En revanche, les aliments riches en protéines et en fibres ralentissent la digestion, nivelant pics et chutes glycémiques. Comme sa source d'énergie est plus stable, le cerveau fonctionne mieux, ce qui donne potentiellement lieu à un meilleur comportement.

Le déjeuner pourrait s'avérer crucial pour les enfants atteints de TDAH. Des chercheurs de l'université Tufts ont découvert que ceux qui consommaient au déjeuner des flocons d'avoine, céréale riche en glucides complexes et en protéines, réussissaient mieux les tests de mémoire qu'on leur faisait passer une heure plus tard que ceux qui prenaient des céréales sucrées ou ne déjeunaient pas.

Vos objectifs: remplissez la moitié de son assiette de légumes colorés, le quart, de poulet ou d'une autre source de protéines maigres, et le dernier quart, d'un grain entier, comme de l'orge, du riz entier ou du riz sauvage.

Truc utile: pour sevrer les enfants de leur envie de céréales sucrées, mélangez-en une poignée avec un produit plus riche en fibres qui ne renferme pas plus de 2 g de sucre. Diminuez graduellement la quantité de céréales sucrées pour en arriver à les supprimer entièrement.

Bœuf maigre, haricot, lentilles

et autres aliments riches en fer

Le fer contribue à réguler la dopamine. Quand le taux de ce neurotransmetteur est faible, l'attention, la concentration et l'activité mentale s'en ressentent. Des chercheurs français ont découvert que le taux sanguin de fer était nettement plus bas chez les enfants atteints de TDAH que chez les autres. Bien que certaines études indiquent que le fer donné sous forme de supplément pourrait atténuer l'hyperactivité et améliorer le comportement ainsi que les résultats aux tests cognitifs, la plupart des experts estiment qu'il vaut mieux le tirer de l'alimentation. Le fer en supplément peut constiper, perturbant la digestion et l'absorption d'autres nutriments importants. De plus, en excès, il est dangereux.

Vos objectifs: environ 10 mg de fer par jour.

Truc utile: le bœuf est une excellente source de fer (achetez si possible du bœuf biologique, afin d'éviter les produits chimiques qui risquent d'aggraver les symptômes du TDAH). C'est vrai aussi de l'amande et de la graine de citrouille. Une portion de ¼ de tasse de d'amandes ou de 2 cuillers à soupe de graines de citrouille fournit près de la moitié de l'apport quotidien en fer requis pour un enfant.

Saumon, graine de lin *et autres aliments riches en oméga-3*

Comme la carence en acides gras oméga-3 est associée à la dépression et l'autisme, entre autres troubles psychiatriques, il n'est pas étonnant qu'elle le soit aussi au TDAH. Les résultats d'études indiquent que les taux sanguins de ces lipides sont faibles chez ceux qui en souffrent. D'autres études ont permis de conclure que, chez les sujets en déficit, les problèmes de comportement et les troubles d'apprentissage étaient plus fréquents. À noter que la carence se reconnaît à la sécheresse de la peau et des cheveux, à une soif excessive et au besoin fréquent d'uriner.

La faiblesse des taux sanguins d'oméga-3 résulte d'une carence alimentaire ou d'un métabolisme déficient. Ce qui pourrait expliquer en partie pourquoi le TDAH touche plus les garçons que les filles : quand l'alimentation n'en fournit pas en quantité adéquate, l'œstrogène contribue à les préserver, alors que la testostérone a l'effet opposé.

Quant à savoir comment ces gras interviennent dans le TDAH, une théorie veut qu'ils influent sur les neurotransmetteurs, dont la dopamine et la sérotonine. Des chercheurs ont établi un lien entre des taux bas d'oméga-3 et des taux bas de dopamine, surtout dans la partie du cerveau qui est responsable des fonctions telles que la planification, la maîtrise des impulsions et la capacité de mener à bien une tâche. Il se pourrait que, tout comme le Ritalin, les oméga-3 élèvent le taux de dopamine.

En outre, des chercheurs ont constaté que, à certains égards, les symptômes du TDAH présentent des similitudes avec les signes précoces du trouble bipolaire, ce qui en a poussé certains à se demander si ce qu'on appelle le TDAH ne serait pas, en fait, un trouble de l'humeur ou de l'anxiété. Pour l'instant, on n'en sait rien, mais ceux qui étudient les problèmes psychiatriques ont pu établir un lien entre de faibles taux d'oméga-3 et la dépression et la schizophrénie. De là à conclure que leur déficit pourrait jouer un rôle dans l'apparition du TADH chez les enfants anxieux ou d'humeur changeante, il n'y a qu'un pas.

Si vous arrivez à faire manger du poisson à vos enfants, tant mieux, mais il ne faudrait pas en abuser car cet aliment peut renfermer du mercure et d'autres substances toxiques. Bien que la majorité des experts estiment que ses bienfaits compensent largement ses dangers, il est important de bien le choisir, particulièrement en ce qui concerne les enfants et les femmes enceintes. (Pour en savoir plus sur la question, voir Consommer du poisson en toute sécurité, page 23.)

La graine de tournesol et de citrouille – de même que leurs beurres – la graine de lin, le tahini et les beurres de noix du Brésil et de cajou (qu'on achètera crus et réfrigérés) sont des sources d'oméga-3 que les enfants tolèrent mieux. (Il vaut mieux éviter toutefois l'arachide, un allergène courant qui pourrait déclencher les symptômes du TDAH chez les enfants qui y sont sensibles.) Cependant, comme l'organisme n'utilise pas leurs oméga-3 avec autant d'efficacité que ceux du poisson, ce dernier en reste la meilleure source.

Vos objectifs : deux portions de 90 g de poisson gras par semaine.

Truc utile : les graines de lin se conservent mieux entières que moulues. Gardez-en au réfrigérateur et passez-les au moulin à café ou à épices au fur et à mesure des besoins. Ajoutez-en au yogourt, aux céréales, à la salade d'œufs ou aux pâtes à cuire. Ou encore, préparez une crème à tartiner en mélangeant de l'huile de lin avec de la margarine (exempte de gras trans) que vous aurez fait fondre, et laissez solidifier.

SUPPLÉMENTS NUTRITIONNELS

Acides gras essentiels, le DHA en particulier. Comme les taux d'oméga-3 sont généralement faibles chez les enfants qui souffrent du TDAH, il y a tout lieu de se demander si un supplément ne pourrait pas calmer leur hyperactivité et améliorer leur concentration. Compte tenu des résultats prometteurs qu'ont donné les études sur la dépression, c'est une possibilité.

Lors d'une étude en double aveugle avec groupe témoin d'une durée de quatre mois que des chercheurs de l'université Purdue ont menée auprès de 50 enfants souffrant du TDAH, on a donné à une partie d'entre eux un supplément d'acides gras essentiels renfermant des oméga-3 et des traces d'oméga-6 et, aux autres, de l'huile d'olive en placebo. Bien que le supplément n'ait pas corrigé tous les symptômes du TDAH, il a atténué les problèmes de comportement à la maison et les troubles de l'attention à l'école.

La recherche porte surtout sur le DHA, l'oméga-3 le plus important pour la fonction cérébrale. Le poisson gras en constitue la meilleure source mais, comme on s'inquiète des effets nocifs sur le cerveau du mercure et des résidus de pesticides que certaines espèces renferment, les autorités sanitaires ont établi des quantités à ne pas dépasser pour les enfants. On trouve aussi maintenant des suppléments comprenant du DHA dérivé des algues marines. C'est d'ailleurs celui qu'on utilise le plus souvent pour enrichir le lait maternisé. **DOSE :** environ 200 mg de DHA par jour.

Probiotiques. Des médecins pensent qu'une croissance trop élevée de bactéries et de champignons nocifs dans le tube digestif, la muqueuse intestinale se modifie, laissant alors passer des particules d'aliments non digérés dans le sang, où elles provoquent une réponse immunitaire ou une réaction allergique. Grâce à leurs milliards de bactéries utiles (*lactobacillus* et *bifidobacterium*), les suppléments de probiotiques limitent la prolifération de ces micro-organismes nuisibles et, par conséquent, les réactions allergiques. Optez pour un produit réfrigéré renfermant quelques milliards de bactéries vivantes par portion. **DOSE :** suivez le mode d'emploi indiqué sur l'emballage.

Multivitamines/multiminéraux. Le zinc, le magnésium et la vitamine B_6 font actuellement l'objet d'études afin de déterminer leur efficacité potentielle dans le traitement du TDAH. Mais d'ici à ce que les résultats soient confirmés, le supplément de multivitamines/multiminéraux reste probablement la meilleure solution. Les études en double-aveugle avec groupe témoin indiquent que le comportement et les résultats scolaires d'enfants du primaire qui reçoivent un supplément ne fournissant qu'un apport minimal de nutriments s'améliorent, surtout chez ceux que l'on soupçonne de souffrir de carences nutritionnelles.

propos à mijoter...

« Pour le traitement du TDAH, c'est par les nutriments qu'on devrait commencer plutôt que d'attaquer avec un médicament [Ritalin] qui n'est franchement pas aussi bon qu'on l'a prétendu. »

— Alexandra Richardson, chercheuse attachée à l'université d'Oxford et auteure de *They Are What You Feed Them*

Au cours d'un essai d'une durée de quatre mois, des chercheurs de l'université de Californie ont divisé 80 enfants du primaire en deux groupes ; le premier a reçu un supplément de multivitamines ne fournissant que la moitié des apports recommandés, le second un placebo. Or, le premier groupe présentait près de 50 % moins de problèmes de discipline que le second. Dans une autre étude portant sur le même supplément, on a voulu, cette fois, mesurer le QI des 245 enfants qui y participaient. Chez la majorité, il n'a pas changé mais, chez ceux dont on pensait qu'ils étaient sous-alimentés, il a grimpé de 16 points. **DOSE :** suivez le mode d'emploi indiqué sur l'emballage.

Zinc. On ne sait pas quel rôle le zinc joue exactement dans le TDAH, mais on a observé que les enfants qui souffraient de trouble déficitaire de l'attention avec hyperactivité étaient légèrement carencés en ce minéral. (Pour vérifier sommairement si votre enfant manque de zinc, passez la main sur son bras. Si l'extérieur présente de petites bosses, ce peut être le signe d'une carence en zinc. Le pédiatre pourra le confirmer par une analyse sanguine.)

On ignore si la carence en zinc est une cause du TDAH ou un simple indicateur, mais des chercheurs ont établi un lien entre de faibles taux de ce minéral et la difficulté d'attention. On ne sait pas non plus si l'administration d'un supplément de zinc améliore l'attention, mais les résultats d'études préliminaires indiquent que ce pourrait être le cas. **DOSE :** Des chercheurs ont administré jusqu'à 150 mg de zinc à des enfants souffrant du TDAH. Cependant, dans une autre étude, l'administration de 15 mg à des enfants sous Ritalin a entraîné une amélioration plus importante et plus rapide que chez ceux qui ne prenaient pas de supplément. C'est l'équivalent de ce que fournit un supplément de multivitamines/multiminéraux ordinaire. Sauf sous surveillance médicale, n'en donnez pas plus à votre enfant : à hautes doses, le zinc peut déprimer le système immunitaire.

ALIMENTS ET PRODUITS À ÉVITER

Farine et sucre raffinés, et autres glucides simples. Contrairement à ce qu'on croit, le sucre ne cause pas l'hyperactivité. Il serait tout de même souhaitable que votre enfant consomme moins de produits sucrés et d'aliments qui font grimper la glycémie, comme le riz blanc et les céréales pauvres en fibres, sans compter qu'ils sont notoirement pauvres en vitamines et minéraux (à l'exception des céréales enrichies). TDAH ou pas, pour assurer le bon fonctionnement du cerveau, la glycémie doit rester stable. En outre, il se peut que les enfants hyperactifs aient du mal à métaboliser le sucre, ce qui pourrait expliquer le fait que les troubles d'attention et de concentration, les sautes d'humeur et les crises de colère soient caractéristiques d'un faible taux de sucre sanguin.

La suppression du sucre a pour effet d'affamer les champignons et bactéries du tractus digestif qui s'en nourrissent et qui contribuent aux sensibilités et allergies, ainsi qu'au déséquilibre de la fonction immunitaire. On sait que, en surnombre, les bactéries nocives comme la clostridie sont associées à l'autisme, autre trouble du développement.

Colorants et additifs alimentaires. La suppression des colorants, additifs et préservateurs artificiels, de même que des aliments allergènes, constitue la pierre angulaire de la nutrithérapie appliquée au TDAH. Bien que cette théorie ne fasse pas l'unanimité, des experts pensent que les deux tiers des enfants qui présentent les symptômes du TDAH pourraient, en fait, souffrir d'une allergie non diagnostiquée. En effet, chez ceux qu'on soupçonne d'être allergiques, on parvient souvent à atténuer les symptômes du TDAH en supprimant les aliments et additifs déclencheurs. Selon les études, le comportement des enfants s'améliore de 58 à 82 %.

On conseille habituellement de s'attaquer d'abord aux colorants alimentaires (sur l'étiquette, le nom de la couleur est suivie d'un numéro, par exemple, bleu n° 1, rouge n° 2, etc.) Des chercheurs de l'université Columbia et de l'Institut psychiatrique de l'état de New

York ont analysé les résultats de 15 études en double aveugle avec groupe témoin comptant au total 219 enfants, auxquels on a fait suivre un régime comprenant des colorants artificiels, suivi d'un autre qui en était exempt. Ils ont observé que le comportement des enfants était sensiblement meilleur dans le second cas et en ont conclu que la suppression des colorants entraînait une amélioration correspondant au tiers ou à la moitié de celle qu'on peut attendre du Ritalin.

Vitamines, médicaments ou dentifrices, ces produits et bien d'autres renferment des colorants artificiels. Il faut donc rester vigilant. En outre, évitez les additifs et préservateurs courants : BHA, BHT, TBHQ, benzoate de sodium, acide benzoïque, vanilline, acésulfame K, aspartame, saccharine, sucralose.

Allergènes alimentaires. Le blé, les produits laitiers, l'œuf, l'orange, le chocolat, la pomme, l'arachide et le soya sont les allergènes alimentaires les plus courants. Supprimez-les pendant quelques semaines puis réintroduisez-les un à un, en observant le comportement de votre enfant. Si possible, faites-vous conseiller par un diététiste autorisé. Les fringales constituent un autre indice d'une allergie potentielle. Si votre enfant boit des litres de lait, se gave de pain ou de biscuits ou engloutit des tonnes de chocolat, il se pourrait qu'il soit allergique à l'un ou l'autre de ces aliments. Supprimez-le de son alimentation et voyez si son comportement s'améliore.

Comme il n'y a pas de régime spécifique pour le TDAH, il vous faudra probablement procéder par essais et erreurs avant de connaître ses sensibilités particulières.

Caféine. Lors d'une étude récente menée à la Smell and Taste Treatment and Research Foundation de Chicago, les chercheurs ont constaté que, sur une échelle d'évaluation du TDAH, les enfants de première année montraient plus de signes potentiels de TDAH quand ils prenaient un cola caféiné plutôt qu'un soda décaféiné, même en tenant compte de la teneur en sucre de la boisson.

L'allaitement permet-il de prévenir le TDAH ?

On le sait, les bébés nourris au sein font nettement moins d'infections que les autres. En outre, ils seraient moins sujets aux allergies et à l'asthme. Se pourrait-il que l'allaitement protège également contre le TDAH ? Selon les résultats d'une étude de petite envergure, c'est possible.

Des chercheurs polonais ont observé un groupe de 100 enfants de 4 à 11 ans, dont 60 présentaient les symptômes du TDAH. Ils ont découvert que 60 % de ces derniers avaient été nourris au sein durant moins de trois mois. Parmi les enfants exempts de symptômes, un tiers seulement avait été allaité aussi peu longtemps. Malgré la faible envergure de cette unique étude, les chercheurs pensent que le sevrage précoce pourrait prédisposer certains enfants au TDAH, sans aucun doute parce que le lait maternel est une source supérieure d'acides gras essentiels, lesquels sont nécessaires au développement du cerveau et de l'œil. Pour les bébés en santé, Santé Canada recommande l'allaitement exclusif pendant six mois. Si pour diverses raisons, ce n'est pas possible, optez pour du lait maternisé enrichi d'acide docosahexanoïque (DHA).

ULCÈRES

Avant de vous servir un verre de lait dans le but de soulager la douleur causée par votre ulcère, lisez ceci : ce que nous tenions pour acquis à propos de ce problème s'avère presque entièrement erroné. La plupart des ulcères sont causés non par le stress mais par la bactérie *Helicobacter pylori*, d'où la pratique actuelle de prescrire des antibiotiques en même temps qu'un antiacide. Les mets épicés ne les provoquent pas non plus. En fait, dans certains pays, le piment est plutôt utilisé pour les soigner, bien qu'il puisse aggraver la douleur chez ceux qui n'ont pas l'habitude d'en consommer. Enfin, le lait, jadis considéré comme un calmant, ne soulagera pas vote ulcère et pourrait même empirer les choses.

H. pylori se fixe dans la muqueuse qui protège le tube digestif. Là, la bactérie affaiblit le mucus produit par l'estomac et le duodénum, et expose la délicate membrane aux sucs digestifs. Ce qui, au départ, était une simple irritation se transforme rapidement en plaies qui peuvent apparaître sur les parois de l'œsophage, de l'intestin grêle et de l'estomac. Dans les cas graves, elles peuvent littéralement percer un trou dans le tissu. Les chercheurs estiment que près de 80 % des habitants de la planète sont porteurs de la bactérie *H. pylori*. Bien sûr, tous ne font pas d'ulcère. Il faut parfois un autre facteur pour le déclencher. L'emploi régulier des anti-inflammatoires non stéroïdiens (AINS), en est un. À la longue, ces médicaments peuvent enflammer et irriter le tube digestif et déclencher l'activité de la bactérie. Comme, en outre, ils bloquent la production des hormones qui protègent la muqueuse de l'estomac, les sucs acides n'ont aucun mal à entreprendre leur œuvre de destruction et l'ulcère apparaît. Dès lors, le stress, l'alimentation, l'alcool, la caféine et le tabac risquent de l'aggraver.

Bien qu'il soit souvent nécessaire de prendre des antibiotiques pour détruire la bactérie, certains aliments la combattent. D'autres contribuent à protéger les bactéries utiles du tube digestif, qui devient alors moins accueillant pour *H. pylori*. Et quand l'ulcère est installé, les aliments qui permettent de refaire la muqueuse de l'estomac pourront favoriser la guérison.

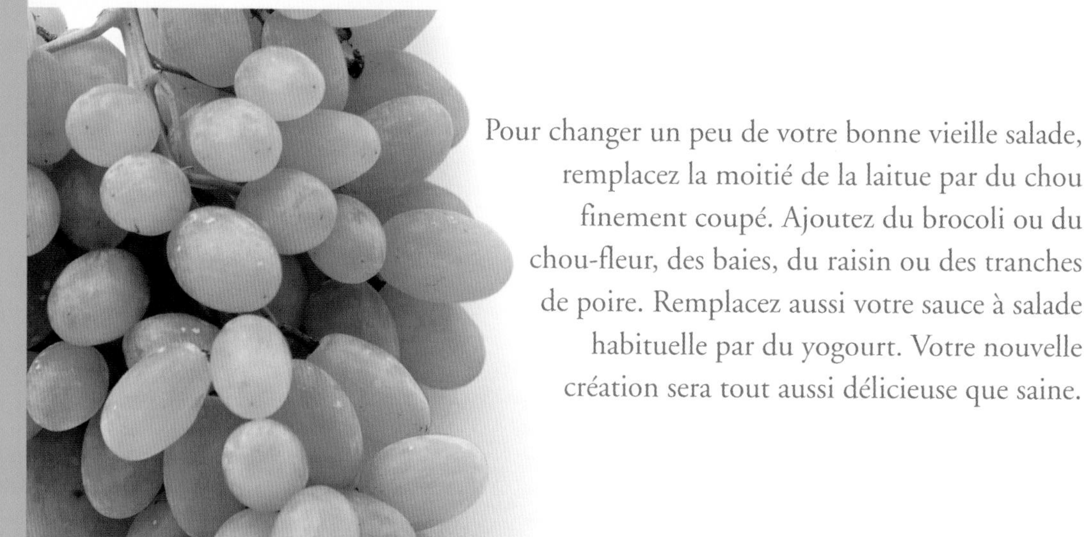

Pour changer un peu de votre bonne vieille salade, remplacez la moitié de la laitue par du chou finement coupé. Ajoutez du brocoli ou du chou-fleur, des baies, du raisin ou des tranches de poire. Remplacez aussi votre sauce à salade habituelle par du yogourt. Votre nouvelle création sera tout aussi délicieuse que saine.

Miel

La médecine moderne a finalement compris la valeur d'un remède populaire qu'on utilise depuis des siècles. Comme le miel combat les bactéries, on s'en sert parfois en application externe pour soigner les brûlures et les plaies ouvertes. De la même manière qu'il peut contribuer à guérir un ulcère cutané, il peut s'attaquer à *H. pylori*. Des chercheurs de la Nouvelle-Zélande ont fait l'essai du miel de manuka sur des bactéries provenant de biopsies d'ulcères gastriques et ont découvert qu'il en inhibait la multiplication. D'autres miels se sont également avérés efficaces.

Vos objectifs : les études portant sur le miel étant relativement récentes, on ne peut donner dès à présent de recommandations spécifiques. Commencez par prendre une cuiller à soupe de miel cru, non transformé, le matin et le soir. Pour prolonger son séjour dans l'estomac, étalez-en sur une tranche de pain grillé ou un craquelin. La bactérie se multipliant lentement, il est important que vous poursuiviez ce traitement à long terme, bien après que vos symptômes aient disparu.

Infusion d'orme rouge

Tout comme il le fait pour la gorge, l'orme rouge revêt l'estomac d'une couche protectrice ; le soulagement de l'ulcère est bien réel quoique de courte durée.

Vos objectifs : plusieurs tasses dans la journée.

Brocoli, chou de Bruxelles, chou-fleur et chou frisé

Ces légumes crucifères renferment du sulforaphane, composé qui semble s'attaquer à *H. pylori*. Lors d'une étude, après avoir consommé ½ tasse de pousses de brocoli deux fois par jour, pendant sept jours, 78 % des sujets étaient passés de positifs à négatifs. D'autres études, sur les souris cette fois, ont permis de conclure que l'extrait de sulforaphane pouvait détruire la bactérie dans leur tube digestif.

Vos objectifs : il faudra d'autres études pour connaître la quantité permettant de guérir les ulcères. Entre-temps, vous pourriez prendre une tasse par jour de brocoli, cru ou cuit, ou de pousses de brocoli. Non seulement ce légume combattra-t-il votre ulcère mais il vous fournira votre apport recommandé en vitamine C ainsi que de bonnes quantités de fibres, deux alliés dans le combat contre les ulcères.

Chou

Les scientifiques pensent que c'est la glutamine qui donne au chou ses propriétés antiulcérantes. Cet acide aminé contribue à renforcer la muqueuse du tube digestif et améliore l'apport de sang à l'estomac. Par conséquent, il ne fait pas que prévenir les ulcères, il peut aussi en accélérer la guérison.

Vos objectifs : deux tasses de chou cru par jour. Ajoutez-en dans les salades et les roulés. Ou encore, prenez du jus de chou, à raison d'un litre par jour pendant trois semaines. On en trouve dans les magasins de produits naturels.

Yogourt avec bactéries actives

Le yogourt, le kéfir et les autres produits fermentés renferment des bactéries utiles qui peuvent inhiber *H. pylori* et pourraient contribuer à accélérer la guérison. Lors d'une étude menée en Suède, les sujets qui prenaient ce type de produits au moins trois fois par semaine étaient moins susceptibles de faire des ulcères que ceux qui en prenaient moins souvent.

NOS MEILLEURES RECETTES

Casserole poulet et orge *p. 314*
Quinoa printanier *p. 324*
Ragoût de légumes et shiitakes *p. 306*
Salade de brocoli *p. 293*
Salade de chou, à l'orange et au sésame *p. 292*
Scones à l'avoine et aux bleuets *p. 326*

Vos objectifs : une tasse de yogourt, kéfir ou autre lait fermenté avec cultures vivantes au moins une fois par jour. Évitez les produits sucrés, qui sont moins efficaces.

Banane plantain

Ce gros fruit vert un peu collant a la texture d'un féculent. Il contribue à soulager la muqueuse irritée et enflammée, en plus d'exercer une action antibactérienne. Des études portant sur des rats dont l'ulcère était provoqué par la prise quotidienne d'aspirine ont permis de conclure que la banane plantain pouvait prévenir la formation d'ulcères et les guérir. Le fruit vert est plus efficace que le mûr.

Vos objectifs : d'ici à ce que des études sur les humains permettent de déterminer la quantité à prendre, faites-la bouillir comme la pomme de terre, ainsi qu'on le fait en Amérique latine. Évitez de la faire frire puisque les corps gras peuvent aggraver un ulcère.

Fruits, légumes, grains entiers

et autres aliments riches en fibre

Les fibres protègent contre les ulcères, particulièrement ceux du duodénum. On a fait la preuve dans un certain nombre d'études que les sujets dont l'alimentation en était riche étaient moins susceptibles de faire des ulcères que les autres. Dans la Physicians Health Study, au cours de laquelle des chercheurs de Harvard ont analysé l'alimentation de 47 806 hommes, on a découvert que, chez ceux qui tiraient 11 g ou plus de fibres des légumes, le risque de faire un ulcère duodénal était de 32 % inférieur à celui des autres.

Les chercheurs ne sont pas certains du mécanisme d'action des fibres, mais leur efficacité pourrait être due au fait qu'elles ralentissent l'évacuation des aliments de l'estomac et, par conséquent, réduisent l'exposition de la muqueuse gastrique et duodénale aux sucs digestifs. Les fibres solubles, qu'on trouve dans l'avoine, le haricot, l'orge, le pois et la poire, forment dans l'estomac une gelée visqueuse qui agit comme barrière entre la muqueuse et les acides gastriques corrosifs.

Vos objectifs : 25 à 35 g de fibres par jour.

SUPPLÉMENTS NUTRITIONNELS

Comprimés ou cachets de réglisse déglycyrrhizée. La réglisse renferme des composés qui contribuent à calmer le tissu enflammé et irrité de la muqueuse. De plus, elle stimule la production de mucus par l'estomac et l'intestin grêle, ce qui pourrait accélérer la guérison des ulcères. En outre, elle pourrait combattre *H. pylori.*

Lors d'une étude récente sur des rats de laboratoire souffrant d'ulcères, l'administration de cachets d'aspirine revêtus d'un extrait de réglisse a permis de diminuer le nombre d'ulcères de moitié. Une autre étude récente menée auprès de 100 patients souffrant d'ulcères chroniques indique que la réglisse a été aussi efficace que la cimétidine (Tagamet), antiulcéreux couramment prescrit ; au bout de 12 semaines, les deux traitements avaient guéri 90 % des ulcères.

La réglisse vendue comme confiserie ne vous sera d'aucune utilité puisqu'elle ne renferme, en fait, pas de réglisse ou très peu. Vous devrez donc vous rendre à un magasin de produits naturel. Optez pour un produit à croquer de préférence aux capsules. Comme cette plante peut provoquer l'hypertension, il est important de prendre celle qui est déglycyrrhizée, c'est-à-dire débarrassée de son composé dangereux.
DOSE : un ou deux comprimés ou cachets avant les repas et au coucher.

Probiotiques. Les probiotiques, ces bactéries utiles présentes dans le yogourt et les autres laits fermentés, pourraient prévenir la formation des ulcères et en accélérer la guérison. On a fait la preuve dans plusieurs études qu'une bactérie en particulier, le *Lactobacillus gasseri*, protégeait efficacement le tractus gastro-intestinal.

En outre, il est utile de prendre des probiotiques quand on prend des antibiotiques pour soigner son ulcère, étant donné que ces médicaments détruisent la flore intestinale, les bactéries utiles comme les nocives, ce qui peut entraîner de la diarrhée et d'autre effets indésirables. **DOSE :** ne prenez pas plus d'un ou deux milliards de bactéries, une fois par jour. À des doses plus élevées, ces produits peuvent causer des malaises intestinaux. Optez pour un supplément comprenant plusieurs souches, dont *L. gasseri.*

ALIMENTS ET PRODUITS À ÉVITER

Lait. Jadis considéré comme le remède parfait pour les ulcères, le lait était censé calmer l'estomac. Aujourd'hui, il fait partie des aliments à éviter, car on a constaté dans des études qu'il favorisait la production de sucs gastriques plutôt que de les neutraliser.

Mets épicés. Les gens qui consomment régulièrement des plats épicés sont moins susceptibles que les autres de faire des ulcères, probablement parce que de nombreuses épices renferment des composés antibactériens. Cependant, si l'ulcère est installé, il vaut mieux éviter d'en consommer car ils pourraient irriter la plaie exposée et intensifier la douleur.

Aliments gras. Plus vous consommez de gras, plus il faut de sucs digestifs pour les digérer.

Café et alcool. La caféine et l'alcool favorisent eux aussi la production de sucs gastriques. (La nicotine a le même effet; c'est donc une autre bonne raison d'écraser.) De plus, l'alcool peut irriter et affaiblir la muqueuse de l'estomac.

Suppléments de carbonate de calcium. Ironiquement, ces mêmes acides qui déclenchent la douleur de l'ulcère contribuent à protéger contre *H. pylori*; par conséquent, ils sont essentiels. À long terme, les antiacides comme le carbonate de calcium (par exemple, les Tums) pourraient donc exercer l'effet contraire de celui qu'on recherche. Si vous souhaitez prendre un supplément de calcium pour protéger vos os, prenez-le sous forme de citrate ; ce sel n'exerce pas les mêmes effets négatifs.

L'aloès contre les ulcères

L'aloès est réputé pour ses propriétés curatives, y compris pour le tube digestif. On peut soit extraire le suc de la plante si on en a une à la maison, soit se procurer du jus d'aloès dans un magasin de produits naturels, ce qui est préférable. Prenez ¼ à ½ tasse, trois fois par jour, durant un mois. Évitez les produits à base d'exsudat, qui sont parfois simplement vendus sous le nom d'« aloès », et qui sont laxatifs. Comme il est astringent, le jus pourrait également contribuer à arrêter les saignements résultant de l'ulcère.

VIH/SIDA

Aucun aliment ne peut guérir le sida mais une alimentation adéquate aidera l'organisme à faire face aux stress physiques qu'il entraîne et à renforcer l'effet des médicaments qui le traitent.

Le VIH, virus à l'origine du sida, met l'organisme à rude épreuve. Cependant, en adoptant d'une part une alimentation riche en protéines maigres, en antioxydants et en autres nutriments essentiels et, d'autre part, en excluant la malbouffe et l'alcool, il disposera des matières premières lui permettant de combattre le virus et, possiblement, retarder son évolution vers le sida. En outre, les aliments réputés bons pour le cœur atténueront les effets indésirables de la multithérapie antirétrovirale (TAHA) qui, on le sait, élève sensiblement le taux de cholestérol et, par conséquent, le risque de cardiopathie. De plus, certains nutriments clés améliorent la digestion, permettant ainsi de refaire les réserves de ceux que l'organisme utilise pour combattre le virus et de renforcer le système immunitaire afin qu'il se défende mieux contre les infections opportunistes qui coûtent la vie à de nombreux sidéens.

VOTRE ORDONNANCE ALIMENTAIRE

Viandes maigres, poisson, poulet, légumineuses

et autres protéines maigres

Les anticorps et divers autres éléments du système immunitaire étant formés de protéines, l'organisme en a besoin dans son combat contre le VIH. À défaut d'en avoir suffisamment, les nutriments sont mal absorbés, l'appétit diminue et la fonction immunitaire en souffre.

Ce qui ne signifie pas, bien sûr, qu'on doive se tourner vers les burgers au fromage. En plus d'augmenter le risque de cardiopathie, qui est déjà élevé chez ceux qui sont sous TAHA, les gras saturés sont inflammatoires. Or, on pense que l'inflammation chronique est responsable des nombreux effets à long terme associés au VIH, notamment l'ostéoporose et le diabète de type 2. En outre, la consommation de ces lipides fait grimper le taux de cytokines, substances qui interviennent dans l'inflammation et favorisent la réplication du virus. Par conséquent, il vaut mieux s'en tenir aux sources de protéines maigres.

Vos objectifs : pour savoir de combien de grammes de protéines vous avez besoin chaque jour, multipliez votre poids par 1,32. Ainsi, une femme de 59 kilo a besoin de 78 g, et un homme de 90 kilo, de 120 g. Il faut reconnaître que c'est beaucoup, puisque cette dernière quantité correspond à environ 465 g de saumon ou de bifteck ou à 17 tasses de lait de soya.

Truc utile: le lactosérum fournit proportionnellement beaucoup de protéines maigres. Vous en obtiendrez 34 g en ajoutant deux cuillérées de poudre dans un lait frappé.

Aliments riches en fibres

Les fibres facilitent l'absorption des nutriments par l'organisme. De plus, elles combattent la diarrhée, problème fréquent chez les séropositifs, et peuvent contrer certains des effets de la TAHA: insulinorésistance, taux élevés de cholestérol et de triglycérides, accumulation de graisse au niveau de l'abdomen. Selon une étude menée à l'université Tufts, les hommes séropositifs qui consommaient plus de fibres étaient moins susceptibles d'accumuler de la graisse sur l'abdomen que ceux qui en prenaient moins. En fait, l'ajout d'un seul gramme de fibres à leur alimentation a fait baisser ce risque de 7 %.

Vos objectifs : 25 à 35 g de fibres par jour. Trois portions de grains entiers et sept portions de fruits et légumes en fourniront 25 g. Complétez avec des lentilles, quelques noix et des céréales riches en fibres. Une portion correspond à une tranche de pain, ½ tasse de riz entier, ½ tasse de fruits ou de légumes.

Fruits, légumes

et autres aliments riches en antioxidants

La meilleure façon de contrer les graves dommages cellulaires que cause le VIH et de protéger les cellules immunitaires de la destruction consiste à consommer le plus large éventail possible d'antioxydants. Les fruits et les légumes fournissent une grande quantité de ces divers antioxydants, de même que d'autres vitamines et minéraux dont les séropositifs sont souvent carencés. Même dans les premiers stades de l'infection, le VIH entraîne des déficits vitaminiques qui le font évoluer plus rapidement vers le sida. Vous avez donc tout intérêt à consommer autant de fruits et de légumes colorés que possible, et en quantité.

Vos objectifs : 7 à 10 portions de fruits et légumes par jour. À noter que si vous êtes sujet aux levuroses, il vaut mieux limiter votre consommation de fruits, car les sucres de ces derniers peuvent favoriser la prolifération de levures.

Champignons shiitakes, maitake et reishi

Ces champignons renferment des bêta-glucanes, glucides qui, d'après des études en laboratoire, encouragent les cellules immunitaires à détruire les virus.

Vos objectifs : on n'a pas établi de quantité à consommer, mais vous pouvez facilement prendre ½ tasse de champignons par jour, ce qui comptera pour une de vos portions de fruits et de légumes.

Truc utile: le shiitake peut se consommer cru ou cuit. Le reishi et le maitake étant un peu plus compliqués à préparer, on recommande de les faire bouillir 30 minutes pour en faire une tisane et en extraire les bêta-glucanes. Prenez-en une tasse par jour.

Yogourt avec bactéries vivantes

Le yogourt contribue à la santé des intestins, ce qui est utile à bien des égards. D'abord parce qu'un appareil digestif qui fonctionne bien est moins sujet à la diarrhée et l'absorption des nutriments s'en trouve favorisée. Ensuite parce que, lorsque la digestion est adéquate, le système immunitaire est mieux équipé pour combattre les virus et on tolère mieux les médicaments. Enfin, le yogourt accroît les populations de bactéries utiles dans l'intestin, facilitant ainsi le travail du système immunitaire et empêchant les bactéries nocives et les levures de prendre le dessus.

Vos objectifs : une à trois tasses par jour.

Noix du Brésil

et autres aliments riches en sélénium

Cette noix renferme de grandes quantités de sélénium. Selon les études, chez les séropositifs qui présentent de faibles taux de ce minéral antioxydant, le risque de mortalité précoce est dix fois plus élevé que chez ceux dont le taux est normal.

Vos objectifs : 200 à 600 µg par jour, soit l'équivalent d'une poignée de noix du Brésil. Une noix en fournit 75 à 100 µg.

NOS MEILLEURES RECETTES

Casserole poulet et orge *p. 314*
Chili aux trois haricots *p. 308*
Muffins aux framboises et amandes *p. 326*
Noix épicées *p. 290*
Poulet au four, garniture de tomates *p. 313*
Saumon grillé et épinards sautés *p. 310*
Soupe aux lentilles et à la tomate *p. 301*
Tacos de poisson *p. 309*

Thé vert

Le thé vert est une excellente source d'épigallocatéchine-3-gallate (EGCG), antioxydant qui posséderait des propriétés antivirales. Les résultats d'au moins une étude en laboratoire indiquent que ce composé a eu pour effet de prévenir la réplication du VIH in vitro. Dans d'autres études en laboratoire, les chercheurs ont constaté qu'il inhibait le sarcome de Kaposi associé au VIH.

Vos objectifs : environ quatre tasses par jour.

SUPPLÉMENTS NUTRITIONNELS

Multivitamines/minéraux. Le VIH attaque les cellules intestinales chargées de l'absorption des nutriments. Les carences qui en résultent ont pour effet d'affaiblir la fonction immunitaire. Les chercheurs ont établi des liens entre de faibles taux de vitamines A, B_6, B_{12} et E, ainsi que de sélénium et de zinc, et une progression accélérée de l'infection au VIH. Or, lors d'une étude menée à l'université de Californie à Berkeley auprès de séropositifs, on a observé que le risque d'évolution vers le sida a diminué de 30 % chez les patients qui ont pris un supplément multi tous les jours pendant six ans. **DOSE :** optez pour un supplément à haute teneur en nutriments et suivez le mode d'emploi indiqué sur l'emballage.

Vitamines B. Lors d'une étude d'une durée de neuf ans menée à l'université Johns Hopkins auprès de 310 séropositifs, on a observé qu'il a fallu huit ans à ceux dont le taux de B_{12} était normal pour que l'infection évolue vers le sida mais seulement quatre à ceux chez qui ce taux était faible. Les chercheurs ont également observé au cours d'une étude d'une durée de huit ans, menée auprès des mêmes sujets, que l'administration de vitamines B_1, B_2, B_6 et de niacine avait retardé la survenue du sida et amélioré le taux de survie de 40 à 60 %. **DOSE :** les doses de B_1 et de B_2 administrées durant l'étude étaient respectivement de 7,5 mg et de 9 mg, soit cinq fois l'AQR. La dose de B_6 était de 4 mg, soit deux fois l'AQR. Pour la B_{12}, l'AQR est de 2 µg. Comme la plupart de ces doses sont plus élevées que celles qui sont habituellement recommandées, demandez conseil à votre médecin.

Sélénium. Les sujets séropositifs qui sont carencés en ce minéral courent dix fois plus de risques de mourir du sida que ceux dont le taux est normal. **DOSE :** jusqu'à 600 µg par jour, moins si vous consommez des aliments qui en sont riches.

Acide alpha-lipoïque. Considéré comme un super antioxydant, ce nutriment recycle les antioxydants hydrosolubles et liposolubles (vitamines A, C et E, et sélénium) de manière à en augmenter l'efficacité et la durée de vie dans l'organisme. Il est donc particulièrement utile pour contrer le stress oxydatif qui résulte de l'activité du VIH. **DOSE :** 600 à 1 200 mg par jour.

Glutamine. Anti-inflammatoire naturel, cet acide aminé prévient la diarrhée associée aux antirétroviraux. Lors d'une étude, on a observé que les séropositifs qui en prenaient 30 g par jour ont pu diminuer leurs doses d'antidiarrhéiques. **DOSE :** 2 à 30 g par jour avant les repas. À faible dose, la glutamine contribue à la santé intestinale tandis que, à haute dose, elle agit comme antidiarrhéique. Ajustez votre posologie en conséquence.

Probiotiques. En plus de consommer du yogourt avec bactéries vivantes, vous pourriez prendre un supplément de probiotiques. Optez pour les produits réfrigérés renfermant les bactéries *Lactobacillus acidophilus*, *L. bifidobacterium* et *L. bulgaricus*. Comme elles colonisent différentes parties du tractus digestif, les trois souches sont essentielles. **DOSE :** pour préserver la santé des intestins, prenez 3 à 6 milliards de bactéries par jour; si vous faites de la diarrhée, prenez-en 15 à 30 milliards.

Acides gras oméga-3. Bien qu'on n'ait pas démontré que l'huile de poisson agissait sur le VIH, des chercheurs pensent que c'est le cas, puisque l'inflammation semble jouer un rôle dans la réplication du virus et que les oméga-3 qui la composent sont anti-inflammatoires. Au

cours d'une étude aux résultats prometteurs, des chercheurs espagnols ont observé que, chez les patients qui prenaient un supplément d'huile de poisson, la numération des lymphocytes T CD4 était plus élevée, signe que la fonction immunitaire s'était améliorée. En outre, comme les oméga-3 contribuent à la prévention des cardiopathies, le supplément est indiqué pour toute personne sous TAHA.
DOSE : 600 mg d'EPA et 400 mg de DHA par jour.

ALIMENTS ET PRODUITS À ÉVITER

Viandes grasses, produits laitiers entiers, et gras trans. En supprimant les aliments riches en gras saturés et trans, on contribue non seulement à diminuer le risque de cardiopathie associée à la TAHA, mais possiblement à améliorer la fonction immunitaire. Lors d'une étude de petite envergure menée à l'université Tufts auprès de 18 patients présentant un taux de cholestérol élevé, on a observé que leur fonction immunitaire s'est améliorée de 29 % quand leur apport calorique en gras (essentiellement des gras saturés et trans) est passé de 38 % à 28 %.

Alcool. L'alcool déprime le système immunitaire et entraîne des carences en vitamines B, qui peuvent accélérer l'évolution de la maladie. En outre, il est transformé dans le foie, organe déjà fortement sollicité puisqu'il doit traiter les sous-produits des antirétroviraux.

Sucre raffiné. Consommer beaucoup de sucre alors qu'on s'efforce d'améliorer la santé de l'appareil digestif en prenant du yogourt, des fibres et des probiotiques est pour le moins contre-productif, le sucre ayant pour effet d'affaiblir la fonction immunitaire. De plus, il favorise la prolifération des levures dans les intestins. L'inflammation chronique qui en résulte éprouve davantage encore le système immunitaire, d'où, peut-être, la vulnérabilité des séropositifs aux infections fongiques de la bouche et de la peau.

Cocktail de vitamines et minéraux

Les résultats d'une étude récente indiquent que l'association d'un supplément multivitaminique à haute teneur en nutriments avec, en plus, 100 mg de vitamine B, 200 mg d'acide alpha-lipoïque, 500 mg d'acétyl-1-carnitine et 600 mg de N-acétyl-cystéine avait pour effet d'améliorer considérablement la fonction immunitaire. Parmi 40 sujets séropositifs sous TAHA, la numération des cellules T CD4 était près d'un quart plus élevée chez ceux qui ont pris ce mélange deux fois par jour pendant trois mois que chez ceux qui avaient reçu un placebo. On peut trouver tous ces suppléments dans les magasins de produits naturels.

SECTION

quatre

Recettes guérison

Jamais, les remèdes n'auront-ils été aussi délicieux ! Nous avons réuni pratiquement tous les ingrédients curatifs dans ces recettes, mais ce qui vous frappera en premier lieu, c'est leur incomparable saveur.

Salade de fruits tropicaux Donne 6 portions

Préparation • 20 minutes

1 tasse de yogourt à la vanille maigre

1 c. à thé de zeste de lime, râpé

2 pamplemousses rouges

2 kiwis, pelés, coupés en fins quartiers

2 bananes, tranchées

1 petit melon brodé ou une grosse papaye, épépiné, coupé en morceaux

2 c. à soupe de gingembre confit

Fraîche et savoureuse, cette salade est composée de fruits aux vertus antioxydantes, agrémentés de gingembre et de lime. En prime, la banane et le melon brodé sont riches en potassium, minéral qui contribue à faire baisser la pression artérielle.

1. Dans un petit bol, mélangez le yogourt et le zeste de lime.
2. Coupez les pamplemousses en plusieurs segments au-dessus d'un grand bol, récupérez la pulpe et mettez-la dans le bol. Pressez l'écorce et les membranes pour en extraire le jus. Ajoutez les kiwis, les bananes, le melon brodé et le gingembre. Remuez.
3. Servez dans six bols individuels et garnissez chaque portion de 1½ c. à soupe de préparation au yogourt.

calories : 164 ; protéines : 4 g ; glucides : 37 g ; fibres : 7 g ; lipides totaux : 1 g ; lipides saturés : 1 g ; cholestérol : 4 mg ; sodium : 39 mg

Crêpes de sarrasin, sauce aux fruits Donne 5 portions

Préparation • 5 minutes
Cuisson • 20 minutes

3 pommes, poires ou prunes, noyaux ou pépins enlevés, tranchées

⅓ tasse de sirop d'érable

1 tasse de farine de sarrasin

⅓ tasse de farine de riz brun

2 c. à soupe de cassonade

1 c. à thé de levure chimique

½ c. à thé de bicarbonate de soude

½ c. à thé de sel

½ c. à thé de cannelle

¾ tasse de lait

2 c. à soupe d'huile de canola

2 œufs

Ces crêpes sans gluten sont tout simplement délicieuses ! La saveur de noisette du sarrasin transformera ce mets ordinaire en une véritable expérience gastronomique.

1. Chauffez à feu moyen une poêle à frire antiadhésive vaporisée d'enduit à cuisson. Faites-y cuire les pommes 5 minutes, jusqu'à ce qu'elles soient tendres. Ajoutez le sirop et baissez le feu à doux.
2. Dans un grand bol, battez les farines de sarrasin et de riz, la cassonade, la levure chimique, le bicarbonate de soude, le sel et la cannelle. Dans une tasse à mesurer, battez le lait, l'huile et les œufs. Versez sur les ingrédients secs et remuez pour mélanger.
3. Chauffez à feu moyen une crêpière ou une poêle à frire vaporisée d'un enduit à cuisson. Déposez 2 cuillers à soupe de préparation dans la poêle. Faites cuire 3 minutes ou jusqu'à ce que le dessous de la crêpe soit doré et que des bulles se forment à la surface. Retournez et faites cuire 3 minutes. Disposez sur une assiette et recouvrez d'un tissu pour garder au chaud. Procédez de la même manière pour le reste de la préparation. Servez avec le sirop aux fruits.

calories : 328 ; protéines : 7 g ; glucides : 54 g ; fibres : 7 g ; lipides totaux : 10 g ; lipides saturés : 2 g ; cholestérol : 88 mg ; sodium : 283 mg

Frittata à la courgette Donne 6 portions

Préparation • 5 minutes
Cuisson • 5 minutes

4 œufs

4 blancs d'œuf

¼ tasse de parmesan, râpé

¼ c. à thé de sel

2 c. à soupe d'huile d'olive

1 gousse d'ail, émincée

2 petites courgettes, râpées

2 poivrons rouges grillés, coupés en fines languettes

Excellente source de protéines, l'œuf vous permettra de bien démarrer la journée. Pour limiter l'apport en cholestérol et en gras, nous n'utilisons que la moitié des jaunes.

1. Préchauffez le four à 200 °C (400 °F). Dans un bol moyen, battez les œufs, les blancs d'œuf, le fromage et le sel.
2. Chauffez l'huile à feu moyen dans une grande poêle à frire allant au four. Faites-y cuire l'ail 1 minute ou jusqu'à ce qu'il soit tendre. Ajoutez les courgettes et les poivrons et faites cuire 1 minute. Versez la préparation aux œufs et faites cuire 3 minutes ou jusqu'à ce que le dessous prenne. Passez au four 10 minutes.

calories : 138 ; protéines : 9 g ; glucides : 5 g ; fibres : 1 g ; lipides totaux : 9 g ; lipides saturés : 2 g ; cholestérol : 144 mg ; sodium : 331 mg

Houmous d'edamame et pita rôti Donne 8 portions

Préparation • 20 minutes
Cuisson • 10 minutes

4 pitas (20 cm), coupés en deux

½ c. à thé de cumin

2 tasses d'edamame, écossés

¼ tasse de beurre de sésame (tahini)

3 c. à soupe de jus de citron

2 gousses d'ail, broyées

½ c. à thé de sel

2 c. à soupe d'huile d'olive extra-vierge

Ce houmous est fait d'edamame (grains de soya verts). Composé de graines de sésame moulues, le tahini a la texture du beurre d'arachide. La graine de sésame est une excellente source de manganèse et de cuivre, et une bonne source de magnésium.

1. Préchauffez le four à 180 °C (350 °F). Sur une planche à découper, vaporisez les moitiés de pita d'un peu d'enduit à cuisson. Saupoudrez de cumin et coupez chaque moitié en 8 pointes. Faites-les cuire sur une plaque à pâtisserie environ 10 minutes ou jusqu'à ce qu'elles soient légèrement dorées. Laissez refroidir sur une grille.
2. Entre-temps, mettez les edamame dans une casserole moyenne, couvrez-les d'eau et portez à ébullition à feu moyen. Faites cuire 10 minutes ou jusqu'à ce que les grains soient très tendres. Égouttez et rincez sous l'eau froide. Laissez refroidir légèrement.
3. Passez au robot culinaire ⅓ de tasse d'eau, les edamame, le tahini, le jus de citron, l'ail et le sel jusqu'à ce que la préparation soit homogène. Sans arrêter l'appareil, ajoutez graduellement l'huile. Servez avec les pointes de pita.

calories : 212 ; protéines : 9 g ; glucides : 24 g ; fibres : 5 g ; lipides totaux : 10 g ; lipides saturés : 1 g ; cholestérol : 0 mg ; sodium : 333 mg

Noix épicées Donne 18 portions

Préparation • 5 minutes
Cuisson • 20 minutes

1 blanc d'œuf moyen

2 tasses de noix mélangées (noix du Brésil, noix commune, pacane, amande, etc.)

½ tasse de graines de citrouille

1 c. à soupe de cassonade

2 c. à thé de gingembre, râpé

½ c. à thé de noix de muscade, râpée

½ tasse de canneberges séchées

Un quart de tasse de cette préparation protéinée en milieu d'après-midi suffira à vous donner de l'énergie pour le reste de la journée. N'hésitez pas non plus à servir les noix aux repas : mettez-en une poignée dans une salade de légumes ou de fruits, ou garnissez-en de yogourt glacé.

1. Préchauffez le four à 180 °C (350 °F). Dans un grand bol, battez le blanc d'œuf, puis ajoutez les noix et les graines. Remuez à la spatule. Ajoutez la cassonade, le gingembre et la noix de muscade, et remuez. Incorporez les canneberges. Étalez la préparation sur deux plaques à pâtisserie à rebord (non huilées) et faites cuire 20 minutes ou jusqu'à ce qu'elle soit dorée.

calories : 129 ; protéines : 4 g ; glucides : 6 g ; fibres : 2 g ; lipides totaux : 11 g ; lipides saturés : 1 g ; cholestérol : 0 mg ; sodium : 0 mg

Tomates cerises rôties en corolle de parmesan Donne 4 portions

Préparation • 10 minutes
Cuisson • 17 minutes

125 g de parmesan, râpé grossièrement

600 g de tomates cerise

2 c. à soupe d'huile d'olive extra-vierge

¼ tasse de basilic frais, haché

N'utilisez pas de pecorino, de romano ou un autre fromage riche pour cette recette ; les corolles risqueraient de ne pas se tenir. Pour râper le fromage, utilisez la grille à grosses ouvertures du moulin.

1. Préchauffez le four à 190 °C (375 °F). Tapissez une plaque à pâtisseries de papier parchemin. Déposez-y 3 c. à soupe de fromage et, à l'aide d'une cuiller, étalez-le de sorte qu'il forme un cercle de 15 cm. Faites-en 3 autres. Faites cuire 6 minutes ou jusqu'à ce que le fromage soit doré sur les bords.

2. Entre-temps, retournez sur le comptoir 4 ramequins ou petits bols peu profonds. Retirez délicatement une tuile de fromage de la plaque et enveloppez-en un ramequin pour lui donner sa forme. Procédez de la même manière pour les autres. Laissez refroidir.

3. Déposez les tomates dans une lèchefrite et arrosez d'un filet d'huile. Faites rôtir 10 minutes ou jusqu'à ce que les tomates fendent. Ajouter le basilic, et remuez.

4. Disposez les corolles de parmesan sur 4 assiettes. Remplissez-les de tomates et servez sans délai.

calories : 173 ; protéines : 10 g ; glucides : 4 g ; fibres : 1 g ; lipides totaux : 14 g ; lipides saturés : 5 g ; cholestérol : 20 mg ; sodium : 394 mg

Salade Waldorf modifiée Donne 6 portions

Préparation • 3 heures, 20 minutes

½ tasse de yogourt égoutté (voir ci-dessous à droite)

3 c. à soupe de sirop d'érable

1½ c. à soupe de moutarde de Dijon

¼ c. à thé de sel

4 pommes moyennes, cœur enlevé et coupées en morceaux

1 petit pied de fenouil, grossièrement haché

¼ tasse de canneberges séchées

⅓ tasse de noix rôties (noix commune ou amande)

La sauce est composée de yogourt maigre agrémenté de moutarde et de sirop d'érable. Pour en faire un repas léger, ajoutez-y 250 g de poulet, de dinde ou de poisson.

1. Dans un bol moyen, battez le yogourt, le sirop, la moutarde et le sel. Ajoutez les pommes, le fenouil, les canneberges et les noix, et remuez.

calories : 169 ; protéines : 3 g ; glucides : 32 g ; fibres : 5 g ; lipides totaux : 4 g ; lipides saturés : 1 g ; cholestérol : 2 mg ; sodium : 196 mg

Yogourt égoutté

Il vaut mieux égoutter le yogourt quand on veut l'employer à la place de la mayonnaise ou de la crème sure. Tapissez un tamis d'un grand filtre à café ou de 2 couches d'essuie-tout blanc (n'utilisez pas d'essuie-tout imprimé). Mettez-le tamis au dessus d'un grand bol et versez une tasse de yogourt maigre. Réfrigérez 3 heures. Vous obtiendrez environ ½ tasse de yogourt égoutté.

Salade de chou, sauce à l'orange et au sésame

Donne 6 portions

Préparation • 50 minutes

¼ tasse de jus d'orange frais

2 c. à soupe de vinaigre de riz

1 c. à soupe de gingembre, fraîchement râpé

1 gousse d'ail, émincée

½ c. à thé de sel

2 c. à soupe d'huile de sésame foncée

1 pied de chou chinois, râpé

3 carottes, râpées

1 botte d'oignons verts, finement tranchés

2 c. à soupe de graines de sésame rôties

Le chou est un aliment aux propriétés anticancéreuses, dont vous pourrez tirer parti grâce à cette délicieuse salade. Le chou chinois est plutôt de forme allongée et possède des feuilles tendres, ondulées et douces.

1. Dans un grand bol, mélangez le jus d'orange, le vinaigre, le gingembre, l'ail et le sel. Ajoutez l'huile en battant. Ajoutez le chou, les carottes et les oignons verts, et remuez. Laissez reposer 30 minutes ou réfrigérez 2 heures. Garnissez de graines de sésame au moment de servir.

calories : 98 ; protéines : 2 g ; glucides : 9 g ; fibres : 3 g ; lipides totaux : 6 g ; lipides saturés : 1 g ; cholestérol : 0 mg ; sodium : 229 mg

Salade de brocoli

Donne 6 portions

Préparation • 20 minutes

¼ tasse de vinaigre balsamique

2 c. à soupe de moutarde de Dijon

2 c. à soupe de miel

¼ c. à thé de sel

¼ c. à thé de poivre noir

2 c. à soupe d'huile de lin

2 c. à soupe d'huile d'olive extra-vierge

2 pieds de brocoli

1 petit oignon rouge, coupé en fins quartiers

½ tasse d'amandes, rôties et grossièrement hachées

½ tasse de canneberges séchées

125 g de fromage de chèvre

Si la saveur du brocoli cru est trop prononcée à votre goût, cuisez-le 4 minutes à la vapeur, passez-le sous l'eau froide et égouttez-le avant de l'ajouter à la salade.

1. Dans un grand bol, battez le vinaigre, la moutarde, le miel, le sel et le poivre et incorporez l'huile de lin et l'huile d'olive. Réservez.
2. Retirez les fleurettes du brocoli et ajoutez-les à la vinaigrette. Parez le bout des tiges et pelez-les. Râpez-les au robot culinaire ou à la main.
3. Ajoutez les tiges râpées, l'oignon, les amandes et les canneberges dans le bol et remuez. Garnissez de fromage.

calories : 333 ; protéines : 12 g ; glucides : 33 g ; fibres : 7 g ; lipides totaux : 20 g ; lipides saturés : 4 g ; cholestérol : 9 mg ; sodium : 303 mg

Salade de maïs, tomate et quinoa Donne 4 portions

Préparation • 20 minutes
Cuisson • 15 minutes

1 tasse de quinoa, bien rincé

½ c. à thé de sel

¼ tasse de jus de lime

1 c. à soupe d'huile d'olive

1 c. à soupe d'huile de lin

1 c. à thé de miel (facultatif)

⅛ à ½ c. à thé de poivre rouge, broyé

1 tasse de maïs, frais ou décongelé, cuit

1 tomate, épépinée et hachée

1 avocat, pelé, dénoyauté et haché

Considéré comme une protéine complète, le quinoa est plus riche en gras insaturés et plus pauvre en glucides que les autres grains. Rincez-le bien afin d'en éliminer la couche de saponine amère.

1. Dans une casserole, chauffez 2 tasses d'eau à feu moyen . Ajoutez le quinoa et le sel, et portez à faible ébullition. Baissez le feu, couvrez et laissez cuire 15 minutes ou jusqu'à ce que le liquide soit absorbé et que les grains soient tendres. Versez dans un grand bol et laissez refroidir 15 minutes.
2. Entre-temps, battez le jus de lime, l'huile d'olive, l'huile de lin et le poivre rouge dans une tasse à mesurer.
3. Ajoutez le maïs, la tomate et l'avocat au quinoa. Arrosez de vinaigrette et remuez.

calories : 345 ; protéines : 8 g ; glucides : 44 g ; fibres : 7 g ; lipides totaux : 17 g ; lipides saturés : 2 g ; cholestérol : 0 mg ; sodium : 310 mg

Verdures et sauce crémeuse à l'ail Donne 6 portions

Préparation • 3 heures, 10 minutes

½ tasse de yogourt égoutté (voir page 292)

1 c. à soupe d'huile d'olive extra-vierge

1 c. à soupe de vinaigre balsamique

1 c. à soupe de jus de citron

2 c. à soupe d'herbes émincées (basilic, coriandre ou persil)

2 gousses d'ail, émincées

¼ c. à thé de sel

6 tasses de verdures mixtes

Cette sauce est crémeuse à souhait. Riche en bactéries utiles, le yogourt en constitue la base tandis que les ingrédients aromatiques comme l'ail, le basilic et le vinaigre balsamique lui donnent une saveur exquise.

1. Battez le yogourt avec l'huile, le vinaigre, le jus de citron, les herbes, l'ail et le sel.
2. Répartissez les verdures entre six assiettes. Garnissez de 2 c. à soupe de sauce par portion.

calories : 59 ; protéines : 3 g ; glucides : 5 g ; fibres : 1 g ; lipides totaux : 3 g ; lipides saturés : 1 g ; cholestérol : 2 mg ; sodium : 141 mg

Salade d'épinards et pois chiches Donne 4 portions

Préparation • 10 minutes
Cuisson • 20 minutes

2 oignons moyens, coupés en tranches de 1 cm

1 boîte de pois chiches, égouttés, rincés et séchés

¼ tasse de jus de citron

2 c. à soupe d'huile de lin

1 c. à soupe d'huile d'olive

1 gousse d'ail, émincée

½ c. à thé de sel

¼ tasse de féta, émietté

200 g de petits épinards

2 pommes, cœur enlevé, tranchées

2 c. à soupe graines de lin moulues

Fraîche, délicieuse et craquante, cette salade fournit quantité d'antioxydants, de fibres et d'ingrédients anticancéreux.

1. Préchauffez le four à 200 °C (400 °F). Vaporisez de l'huile d'olive sur une plaque à pâtisserie à rebord. Mettez-y les tranches d'oignons et vaporisez-les d'huile d'olive. Faites rôtir 10 minutes. Ajoutez les pois chiches et faites rôtir 10 minutes ou jusqu'à ce que les oignons soient dorés.
2. Entre-temps, battez le jus de citron, l'huile de lin, l'huile d'olive, l'ail et le sel dans une tasse à mesurer. Incorporez le féta.
3. Disposez les épinards dans un grand bol et mélangez avec les oignons, les pois chiches, les pommes et les graines de lin. Arrosez de vinaigrette.

calories : 292 ; protéines : 9 g ; glucides : 37 g ; fibres : 10 g ; lipides totaux : 14 g ; lipides saturés : 3 g ; cholestérol : 8 mg ; sodium : 476 mg

Salade de crevettes et pamplemousse Donne 4 portions

Préparation • 15 minutes

1 pamplemousse rouge

1 c. à thé de moutarde de Dijon

½ c. à thé de sel

¼ c. à thé de poivre noir

2 c. à soupe d'huile d'olive

1 grosse laitue romaine, coupée en lanières

1 avocat Hass, pelé, dénoyauté et haché

500 g de grosses crevettes, décortiquées et déveinées

Le pamplemousse enrichit cette salade de ses antioxydants et est l'ingrédient clé d'une vinaigrette rafraîchissante.

1. Coupez les pamplemousses en plusieurs segments au-dessus d'un saladier, récupérez la pulpe et mettez-la dans un petit bol. Pressez l'écorce et les membranes au-dessus du saladier pour en extraire tout le jus. Vous devriez en avoir ¼ de tasse.
2. Battez la moutarde, le sel et le poivre avec le jus. Ajoutez l'huile en battant. Ajoutez la laitue, l'avocat, les crevettes et le pamplemousse. Retournez délicatement la salade.

calories : 317 ; protéines : 31 g ; glucides : 15 g ; fibres : 7 g ; lipides totaux : 16 g ; lipides saturés : 2 g ; cholestérol : 229 mg ; sodium : 656 mg

Salade de poulet et agrumes Donne 4 portions

Préparation • 3 heures, 10 minutes
Cuisson • 18 minutes

¼ tasse de jus d'orange

2 c. à soupe de jus de citron

2 c. à soupe de jus de lime

1 gousse d'ail, émincée

4 poitrines de poulet, désossées, sans la peau

2 c. à soupe d'huile d'olive

150 g de verdures mixtes

1 poivron rouge, épépiné et coupé en fines lanières

1 orange, coupée en quartiers

Les jus d'agrumes se marient à merveille avec l'ail pour composer cette marinade. Elle servira de sauce à salade une fois épaissie sur le feu.

1. Dans un sac à ouverture-éclair, mélangez le jus d'orange, les jus de citron et de lime, et l'ail. Ajoutez le poulet et retournez-le pour bien l'enduire de sauce. Fermez le sac et réfrigérez 1 à 3 heures.
2. Préchauffez le gril. Vaporisez de l'enduit à cuisson sur une lèchefrite ou une grille. Retirez le poulet de la marinade et réservez cette dernière. Faites grillez le poulet 4 à 6 minutes par face, ou jusqu'à ce qu'il soit tout juste cuit.
3. Entre-temps, dans une petite casserole, portez la marinade à ébullition et faites-la cuire 3 minutes. Retirez du feu et ajoutez l'huile en battant.
4. Répartissez les verdures, le poivron et les oranges entre 4 assiettes. Tranchez le poulet, disposez sur la salade et arrosez de marinade.

calories : 241 ; protéines : 29 g ; glucides : 13 g ; fibres : 4 g ; lipides totaux : 9 g ; lipides saturés : 1 g ; cholestérol : 68 mg ; sodium : 123 mg

Salade de poulet et pâtes Donne 4 portions

Préparation • 10 minutes
Cuisson • 10 minutes

175 g de pâtes coquille de blé entier

2 c. à soupe de mayonnaise maigre

2 c. à soupe de yogourt nature maigre

2 c. à soupe de vinaigre de vin rouge

2 c. à soupe de parmesan râpé

1 gousse d'ail, émincée

3 tasses de poitrines de poulet, cuites, coupées en lanières

1 tasse de tomates raisin ou cerise, coupées en deux

¼ tasse d'olives Kalamata, finement tranchées

2 tasses de petites feuilles de roquette

Les pâtes de blé entier, la tomate et la roquette font de cette salade un plat particulièrement nutritif.

1. Faites cuire les pâtes selon le mode d'emploi indiqué sur l'emballage. Égouttez mais ne rincez pas.
2. Entre-temps, battez dans un saladier la mayonnaise, le yogourt, le vinaigre, le fromage et l'ail. Ajoutez le poulet, les tomates, les olives et la roquette, et retournez délicatement la salade.
3. Laissez les pâtes refroidir environ 2 minutes. Ajoutez la préparation au poulet et remuez.

calories : 408 ; protéines : 36 g ; glucides : 36 g ; fibres : 5 g ; lipides totaux : 13 g ; lipides saturés : 2 g ; cholestérol : 84 mg ; sodium : 228 mg

Salade de thon et haricots blancs Donne 4 portions

Préparation • 15 minutes

⅓ tasse de jus de tomate

3 c. à soupe de jus de citron

2 c. à soupe d'huile d'olive

1 c. à soupe de basilic frais haché ou 1 c. à thé de basilic séché

¼ c. à thé de sel

1 boîte de thon, égoutté

1 boîte de haricots blancs, égouttés et rincés

1 concombre moyen, pelé, épépiné et haché

¼ tasse d'olives Kalamata dénoyautées, hachées

6 tasses de verdures mixtes

Dans cette sauce à salade, c'est le jus de tomate qui tient lieu de base. Il présente l'avantage de fournir quantité de vitamines.

1. Dans une tasse à mesurer, battez le jus de tomate, le jus de citron, l'huile, le basilic et le sel.
2. Dans un bol moyen, mélangez le thon, les haricots, le concombre, les olives et 1 c. à soupe de vinaigrette.
3. Répartissez les verdures entre 4 assiettes. Garnissez de la préparation au thon et de vinaigrette.

calories : 206 ; protéines : 18 g ; glucides : 20 g ; fibres : 7 g ; lipides totaux : 9 g ; lipides saturés : 1 g ; cholestérol : 13 mg ; sodium : 597 mg

Soupe rapide au poulet et aux nouilles Donne 6 portions

Préparation • 10 minutes
Cuisson • 25 minutes

2 c. à soupe d'huile d'olive

375 g de poitrines de poulet, désossées, sans la peau et coupées en morceaux de 2,5 cm

1 gros oignon, haché

2 gousses d'ail, hachées

2 carottes, hachées

1 poivron rouge, haché

1 c. à thé de thym séché

3½ tasses de bouillon de poulet

½ boîte de spaghetti de grains entiers, brisés en morceaux de 5 cm

Parfaite pour un souper de dernière minute, cette savoureuse soupe vous protégera contre le rhume. L'ail, l'oignon, la carotte et le poivron contribuent à sa saveur et à ses propriétés curatives.

1. Dans une grande casserole, chauffez l'huile à feu vif et faites-y revenir le poulet 5 minutes, en remuant, jusqu'à ce qu'il soit doré sur les deux faces. Retirez-le à l'aide d'une cuiller à égoutter et mettez-le dans un bol.
2. Faites cuire les oignons 5 minutes dans la casserole. Ajoutez l'ail, les carottes, le poivron et le thym. Faites cuire 3 minutes, en remuant, ou jusqu'à ce que les légumes soient légèrement dorés. Ajoutez le bouillon, 1 tasse d'eau, le poulet et ses jus, et portez à ébullition. Ajoutez le spaghetti et laissez cuire 8 minutes ou jusqu'à ce qu'ils soient tendres.

calories : 275 ; protéines : 20 g ; glucides : 37 g ; fibres : 7 g ; lipides totaux : 6 g ; lipides saturés : 1 g ; cholestérol : 33 mg ; sodium : 345 mg

Soupe au poulet et cari Donne 6 portions

Préparation • 15 minutes
Cuisson • 30 minutes

2 c. à soupe d'huile d'olive

2 oignons, hachés

4 grosses carottes, hachées

1 pomme de terre Russett, pelée et finement hachée

1 c. à soupe de poudre de cari doux

3½ tasses de bouillon de poulet, à faible teneur en sodium

450 g de poitrines de poulet, désossées, sans la peau, coupées en fines languettes

½ petite tête de chou-fleur, défaite en fleurettes (2 tasses)

1 tasse de pois décongelés

Délicieuse et réconfortante, cette soupe possède des propriétés anticancéreuses, qu'elle doit au chou-fleur et au curcuma présent dans la poudre de cari. Sa base crémeuse à la carotte en fait un repas en soi. Accompagnez-la d'une tranche de pain de blé entier.

1. Dans une grande casserole, chauffez l'huile à feu moyen. Faites-y revenir les oignons et les carottes 5 minutes, en remuant, ou jusqu'à ce qu'ils soient légèrement dorés. Ajoutez la pomme de terre, la poudre de cari, 1 tasse de bouillon et 1 tasse d'eau. Couvrez et laissez cuire 10 minutes ou jusqu'à ce que les légumes soient tendres.
2. Retirez du feu et laissez refroidir 5 minutes. Passez au robot culinaire ou au mélangeur jusqu'à ce que la préparation soit homogène.
3. Faites chauffer la préparation dans la casserole et ajoutez le reste du bouillon, le poulet et le chou-fleur. Portez à ébullition, baissez le feu à moyen-doux et laissez mijoter 15 minutes ou jusqu'à ce que le poulet soit cuit et le chou-fleur tendre. Ajoutez les pois et faites cuire 3 minutes.

calories : 260 ; protéines : 25 g ; glucides : 26 g ; fibres : 6 g ; lipides totaux : 7 g ; lipides saturés : 1 g ; cholestérol : 44 mg ; sodium : 230 mg

Soupe à la patate douce Donne 6 portions

Préparation • 10 minutes
Cuisson • 30 minutes

2 c. à soupe d'huile d'olive

2 gousses d'ail, émincées

1 gros oignon, haché

1 poivron rouge, épépiné et haché

1 c. à thé de gingembre râpé

1 c. à thé de piment de la Jamaïque

4 tasses de bouillon de poulet ou de légumes à faible teneur en sodium

2 grosses patates douces, pelées et coupées en morceaux de 2,5 cm

1 boîte de tomates en dés

½ tasse de beurre d'arachide naturel ou de beurre d'amande

450 g d'edamame écossés, surgelés

150 g de petits épinards

Le beurre d'arachide contribue à épaissir cette soupe aux légumes, lui donne de la saveur et l'enrichit de nutriments.

1. Chauffez l'huile à feu moyen dans une grande casserole. Faites-y revenir l'ail, l'oignon et le poivron 5 minutes ou jusqu'à ce qu'ils soient légèrement dorés. Ajoutez le gingembre et le piment de la Jamaïque, et faites cuire 1 minute.

2. Incorporez le bouillon, les patates douces et les tomates, et portez à ébullition. Baissez le feu à doux, couvrez et laissez mijotez 15 minutes ou jusqu'à ce que les patates soient cuites.

3. Dans un petit bol, battez le beurre d'arachide avec environ 1 tasse de bouillon. Versez cette préparation dans la casserole et ajoutez les edamame et les épinards. Faites cuire 10 minutes ou jusqu'à ce que les grains de soya soient cuits.

calories : 405 ; protéines : 20 g ; glucides : 40 g ; fibres : 10 g ; lipides totaux : 20 g ; lipides saturés : 3 g ; cholestérol : 0 mg ; sodium : 303 mg

Soupe à la courge et au gingembre Donne 4 portions

Préparation • 20 minutes
Cuisson • 45 minutes

2 c. à soupe d'huile d'olive

1 gros oignon, haché

2 gousses d'ail, émincées

1 c. à thé de curcuma

1 courge, pelée, épépinée et coupée en cubes

4 tasses de bouillon de poulet ou de légumes

2 grosses pommes, pelées, cœur enlevé et hachées

1 c. à soupe de gingembre fraîchement râpé ou 1 c. à thé de gingembre moulu

½ c. à thé de sel

Réduite en purée et cuite avec des pommes, la courge est délicieuse. Cette soupe permet de profiter des propriétés anti-inflammatoires du gingembre et du curcuma.

1. Chauffez l'huile à feu moyen dans une grande casserole. Faites-y revenir l'oignon 4 minutes, en remuant, ou jusqu'à ce qu'il soit légèrement doré. Incorporez l'ail et le curcuma, et faites cuire 1 minute. Ajoutez la courge et le bouillon, et portez à ébullition.
2. Baissez le feu à doux, couvrez et laissez mijoter 20 minutes ou jusqu'à ce que la courge soit tout juste tendre. Ajouter les pommes, le gingembre et le sel, et faites cuire 10 à 20 minutes ou jusqu'à ce que la courge et les pommes soient très tendres. Retirez du feu et laissez refroidir environ 10 minutes.
3. Mélanger la préparation au robot culinaire ou au mélangeur jusqu'à ce qu'elle soit homogène.

calories : 267 ; protéines : 4 g ; glucides : 51 g ; fibres : 10 g ; lipides totaux : 8 g ; lipides saturés : 1 g ; cholestérol : 0 mg ; sodium : 762 mg

Soupe au brocoli Donne 4 portions

Préparation • 20 minutes
Cuisson • 1 heure, 40 minutes

1 gousse d'ail

1 pied de brocoli

2 c. à soupe d'huile d'olive

1 gros oignon, haché

3½ tasses de bouillon de poulet ou de légumes

1 pomme de terre Russett, pelée et hachée

½ tasse de yogourt nature maigre

Pour épaissir cette soupe, on a utilisé une pomme de terre et de l'ail rôti. Vous pouvez la garnir d'un peu de cheddar maigre râpé.

1. Préchauffez le four à 200 °C (400 °F). Coupez l'extrémité de la tête d'ail afin d'en exposer les gousses. Enveloppez-la dans deux épaisseurs de papier aluminium et faites-la cuire 1 heure au four.
2. Hachez les fleurettes du brocoli. Pelez et hachez les tiges.
3. Chauffez l'huile à feu moyen dans une grande casserole. Faites-y revenir l'oignon 5 minutes. Ajoutez 3 tasses de bouillon, le brocoli et la pomme de terre. Portez à ébullition, baissez le feu à doux, couvrez et laissez mijotez 30 minutes ou jusqu'à ce que les tiges de brocoli et la pomme de terre soient très tendres.
4. Pressez les gousses d'ail au-dessus du bocal du robot culinaire pour en extraire la chair. Ajoutez la préparation au brocoli et mélangez jusqu'à ce qu'elle soit homogène. Faites chauffer à nouveau dans la casserole en ajoutant le reste de bouillon et 1 tasse d'eau. Laissez mijotez 10 minutes. Garnissez d'une cuillerée de yogourt.

calories : 247 ; protéines : 9 g ; glucides : 37 g ; fibres : 7 g ; lipides totaux : 8 g ; lipides saturés : 1 g ; cholestérol : 2 mg ; sodium : 512 mg

Soupe aux lentilles et à la tomate Donne 8 portions

Préparation • 10 minutes
Cuisson • 50 minutes

6 c. à thé d'huile d'olive

90 g de bacon de dos, en julienne

3 carottes, tranchées

2 branches de céleri, tranchées

1 oignon, haché

2 gousses d'ail, émincées

1 c. à thé de poudre de chili

½ c. à thé d'origan séché

½ c. à thé de cumin moulu

½ c. à thé de sel

1 grosse boîte de tomates broyées, avec leur jus

1½ tasse de lentilles, triées et rincées

2 tasses de yogourt nature maigre

Le bacon de dos donne une agréable saveur de fumée à cette soupe de lentilles sans l'alourdir de gras. La tomate lui cède son lycopène, et les lentilles, ses fibres et ses protéines.

1. Dans une marmite, chauffez 1 c. à thé d'huile à feu moyen. Faites-y revenir le bacon 3 minutes, en remuant sans arrêt, ou jusqu'à ce qu'il soit doré. Réservez.
2. Ajoutez le reste de l'huile dans la marmite et chauffez. Faites revenir les carottes, le céleri et l'oignon 5 minutes, en remuant, ou jusqu'à ce qu'ils soient dorés. Ajoutez l'ail, la poudre de chili, l'origan, le cumin et le sel. Faites cuire 2 minutes en remuant sans arrêt.
3. Ajoutez les tomates et leur jus, les lentilles et 6 tasses d'eau, et portez à ébullition. Baissez le feu à moyen-doux, couvrez partiellement et laissez mijoter 30 à 40 minutes ou jusqu'à ce que les lentilles soient tendres.
4. Versez la soupe dans 8 bols et garnissez de ¼ tasse de yogourt et de quelques languettes de bacon.

calories : 256 ; protéines : 15 g ; glucides : 38 g ; fibres : 9 g ; lipides totaux : 6 g ; lipides saturés : 1 g ; cholestérol : 9 mg ; sodium : 506 mg

Soupe minestrone aux fèves Donne 8 portions

Préparation • 10 minutes
Cuisson • 25 minutes

2 c. à soupe d'huile d'olive

2 carottes, tranchées

2 branches de céleri, tranchées

1 oignon moyen, haché

2 courgettes, coupées en deux et tranchées

1 poivron rouge, haché

3½ tasses de bouillon de poulet ou de légumes

2 petites boîtes de tomates en dés avec basilic, ail et origan

2 tasses de rotelle, penne ou coquille de blé entier

1 boîte de gourganes en boîte, rincées et égouttées

parmesan (facultatif)

Vous gagnerez du temps en utilisant une boîte de tomates assaisonnées pour préparer cette soupe consistante, aux riches saveurs. Légumes, pâtes et gourganes complètent agréablement les tomates.

1. Dans une marmite, chauffez l'huile à feu moyen. Faites-y revenir les carottes, le céleri et l'oignon 5 minutes, en remuant, ou jusqu'à ce que l'oignon soit translucide. Ajoutez les courgettes et le poivron, et faites cuire 2 minutes, en remuant, ou jusqu'à ce qu'ils soient légèrement dorés.
2. Ajoutez le bouillon, les tomates et 2 tasses d'eau, et portez à ébullition. Ajoutez les pâtes, baissez le feu à doux et laissez mijoter 12 minutes ou jusqu'à ce qu'elles soient cuites.
3. Incorporez les gourganes et faites cuire 2 minutes ou jusqu'à ce qu'elles soient chaudes. Si désiré, garnissez de parmesan.

calories : 229 ; protéines : 9 g ; glucides : 42 g ; fibres : 7 g ; lipides totaux : 4 g ; lipides saturés : 1 g ; cholestérol : 0 mg ; sodium : 634 mg

Sandwich au thon et à la salsa Donne 2 portions

Préparation • 20 minutes

½ tasse de salsa

2 c. à soupe de mayonnaise maigre

½ c. à thé de jus de citron ou de citron vert

1 boîte de thon, dans l'eau, égoutté

4 tranches de pain de grain entier

½ avocat, pelé, dénoyauté et tranché

La salsa ajoute de la saveur au thon, mais pas un gramme de gras. Quant à l'avocat, il donne à la préparation sa riche texture crémeuse et lui cède ses « bons » gras.

1. Laissez égoutter la salsa 10 minutes dans un tamis placé sur un bol. Secouez le tamis pour en extraire autant de liquide que possible.
2. Dans un petit bol, mélangez la salsa, la mayonnaise et le jus de citron vert. Ajoutez le thon et remuez.
3. Étalez la préparation au thon sur 2 tranches de pain. Couvrez de tranches d'avocat et d'une seconde tranche de pain.

calories : 350 ; protéines : 27 g ; glucides : 35 g ; fibres : 14 g ; lipides totaux : 13 g ; lipides saturés : 1 g ; cholestérol : 26 mg ; sodium : 644 mg

Canapés à la sardine Donne 2 portions

Préparation • 5 minutes
Cuisson • 3 minutes

1 c. à soupe de mayonnaise maigre

½ c. à thé de jus de citron frais

¼ c. à thé de zeste de citron râpé

2 tranches (de 2 cm) de pain de grain entier

1 petite tomate, tranchée en quatre

1 boîte de sardines, dans l'huile d'olive

2 tranches de jarlsberg à faible teneur en gras

Ces canapés mettent en valeur la sardine, l'une des meilleures sources non laitières de calcium quand on la consomme avec ses arêtes, et une excellente source d'oméga-3. La saveur fraîche du citron se marie avec bonheur au goût de noisette du fromage.

1. Préchauffez le gril. Dans un petit bol, mélangez la mayonnaise, le jus de citron et le zeste. Étalez la préparation sur les deux tranches de pain.
2. Garnissez de tomates, sardines et fromage. Mettez les canapés dans une lèchefrite ou sur une plaque à pâtisserie et faites-les griller environ 3 minutes ou jusqu'à ce que le fromage fonde.

calories : 228 ; protéines : 20 g ; glucides : 17 g ; fibres : 5 g ; lipides totaux : 9 g ; lipides saturés : 1 g ; cholestérol : 72 mg ; sodium : 637 mg

Sandwich à la salade de poulet au cari Donne 4 portions

Préparation • 10 minutes

¼ tasse de yogourt nature maigre

2 c. à soupe de mayonnaise maigre

1½ c. à thé de poudre de cari

1 c. à thé de miel

¼ c. à thé de sel

2 tasses de poulet cuit, haché

1 pomme, cœur enlevé et hachée

2 branches de céleri, hachées

4 feuilles de laitue

2 pitas de blé entier (20 cm), coupés en deux

Vos sauces à salade seront beaucoup plus saines si vous remplacez en grande partie la mayonnaise (vous n'en garderez que 2 c. à soupe) par du yogourt maigre. Dans ce sandwich, le poulet est associé à la pomme et au céleri, et assaisonné de cari et de miel.

1. Dans un grand bol, battez le yogourt, la mayonnaise, la poudre de cari, le miel et le sel. Ajoutez le poulet, la pomme et le céleri.
2. Mettez une feuille de laitue dans chaque moitié de pita et farcissez de salade de poulet.

calories : 253 ; protéines : 23 g ; glucides : 27 g ; fibres : 4 g ; lipides totaux : 6 g ; lipides saturés : 1 g ; cholestérol : 53 mg ; sodium : 440 mg

Sandwichs aux croquettes de saumon Donne 4 portions

Préparation • 45 minutes
Cuisson • 6 minutes

2 blancs d'œuf

¼ tasse de salsa douce

¼ tasse de mayonnaise maigre

½ c. à thé de cumin moulu

¼ à 1 c. à thé de sauce au piment fort

2 sachets (213 g chacun) de saumon

1 tasse de chapelure fraîche de blé entier

4 petits pains de blé entier

4 feuilles de laitue

1 grosse tomate, tranchée en quatre

La saveur du saumon en sachet est plus douce que celle du saumon en boîte. Mais si le goût prononcé de ce dernier ne vous rebute pas, vous pouvez remplacer les sachets par deux grosses boîtes.

1. Égouttez la salsa 10 minutes dans un tamis posé sur un bol. Secouez le tamis pour extraire le plus de liquide possible.
2. Tapissez une plaque à pâtisserie de papier parchemin. Dans un bol moyen, battez les blancs d'œuf. Ajoutez la salsa, la mayonnaise, le cumin et la sauce au piment. Incorporez le saumon et la chapelure, et remuez délicatement. Façonnez quatre galettes, déposez-les sur la plaque à pâtisserie et réfrigérez au moins 30 minutes.
3. Vaporisez de l'enduit à cuisson sur le fond d'une poêle à frire anti-adhésive. Faites cuire les galettes de saumon à feu moyen, environ 6 minutes, ou jusqu'à ce qu'elles soient dorées et croustillantes, en retournant une fois.
4. Mettez une feuille de laitue sur chacun des petits pains. Couvrez d'une galette de saumon et d'une tranche de tomate.

calories : 367 ; protéines : 30 g ; glucides : 39 g ; fibres : 6 g ; lipides totaux : 11 g ; lipides saturés : 1 g ; cholestérol : 81 mg ; sodium : 779 mg

Bœuf en feuilles de laitue Donne 4 portions

Préparation • 5 minutes
Cuisson • 11 minutes

3 c. à soupe de sauce hoisin

2 c. à soupe de vinaigre de vin

1 c. à soupe de sauce soya

1 c. à thé d'huile de sésame grillé

½ c. à thé de gingembre râpé

450 g de bœuf haché maigre

4 oignons verts, hachés

2 carottes, râpées

1 gousse d'ail, émincée

12 feuilles de laitue Boston

Cette préparation savoureuse est servie dans des feuilles de laitue plutôt qu'entre deux tranches de pain. Prenez-la le midi, quand vous désirez manger léger.

1. Dans un petit bol, battez la sauce hoisin, le vinaigre, la sauce soya, l'huile et le gingembre.
2. Dans une poêle à frire antiadhésive, faites revenir le bœuf 5 minutes à feu moyen ou jusqu'à ce qu'il soit doré. Ajoutez les oignons verts, les carottes et faites cuire 3 minutes ou jusqu'à ce qu'ils soient tendres. Incorporez la sauce et chauffez 3 minutes ou jusqu'à ce qu'elle épaississe.
3. Disposez 3 feuilles de laitue sur chacune des 4 assiettes et garnissez de la préparation au bœuf.

calories : 201 ; protéines : 24 g ; glucides : 13 g ; fibres : 3 g ; lipides totaux : 6 g ; lipides saturés : 2 g ; cholestérol : 61 mg ; sodium : 619 mg

Sandwichs aux croquettes de saumon

Pâtes primavera au cheddar Donne 8 portions

Préparation • 15 minutes
Cuisson • 1 heure

1 boîte de penne, rotelle ou coude de blé entier

2 pieds de brocoli, coupé en fleurettes

1 gros poivron rouge, haché

2 carottes, tranchées

4 tasses de lait à 2%

¼ tasse de fécule de maïs

1 c. à thé de moutarde en poudre

4 tasses de cheddar vieilli à faible teneur en gras, râpé

¼ tasse de germe de blé

Ces pâtes de blé entier, riches en fibres, agrémentées de légumes riches en calcium, constitue un plat réconfortant et bon pour la santé.

1. Préchauffez le four à 180 °C (350 °F). Vaporisez de l'enduit à cuisson sur un moule de 23 cm x 33 cm.
2. Faites cuire les pâtes en suivant le mode d'emploi indiqué sur l'emballage. Deux minutes avant la fin de la cuisson, ajoutez le brocoli, le poivron et les carottes. Égouttez et remettez dans la casserole.
3. Dans une casserole moyenne, battez le lait, la fécule de maïs et la moutarde. Portez à faible ébullition. Ajoutez le fromage et faites-le fondre. Versez sur les pâtes et remuez. Versez dans le moule et saupoudrez de germe de blé. Faites cuire au four 45 minutes.

calories : 427 ; protéines : 27 g ; glucides : 61 g ; fibres : 7 g ; lipides totaux : 8 g ; lipides saturés : 5 g ; cholestérol : 24 mg ; sodium : 94 mg

Ragoût de légumes et shiitakes Donne 6 portions

Préparation • 5 minutes
Cuisson • 30 minutes

2 c. à soupe d'huile d'olive

2 oignons, hachés

2 branches de céleri et 2 carottes, hachées

2 gousses d'ail, émincées

1 c. à soupe de vinaigre balsamique

750 g de courge, pelée, épépinée et coupée en cubes

250 g de haricots verts

3½ tasses de bouillon de poulet

½ c. à thé de sauge

1 poivron rouge, haché

2 tasses de shiitakes, tranchés

1 c. à soupe de moutarde de Dijon

1 c. à soupe de miel

Ce ragoût nourrissant se prépare en moins de deux. Le temps que vous coupiez les légumes, il sera pratiquement cuit.

1. Chauffez l'huile à feu moyen dans une grande casserole ou un faitout. Faites-y revenir les oignons et le céleri 3 minutes ou jusqu'à ce qu'ils soient légèrement dorés. Ajoutez les carottes et l'ail, et faites cuire 2 minutes. Ajoutez le vinaigre et remuez bien.
2. Ajoutez la courge, les haricots, le bouillon et la sauge, et portez à faible ébullition. Faites cuire 15 minutes ou jusqu'à ce que la courge soit presque tendre. Ajouter le poivron et les champignons, et laissez mijotez 5 ou 10 minutes ou jusqu'à ce que tous les légumes soient tendres.
3. Dans un petit bol, battez la moutarde et le miel. Incorporez dans le ragoût en remuant pour bien mélanger.

calories : 170 ; protéines : 4 g ; glucides : 31 g ; fibres : 7 g ; lipides totaux : 5 g ; lipides saturés : 1 g ; cholestérol : 0 mg ; sodium : 325 mg

Lasagne d'aubergine

Donne 12 portions

Préparation • 15 minutes
Cuisson • 1 heure, 15 minutes

- 2 c. à soupe d'huile d'olive
- 1 gros oignon, haché
- 2 gousses d'ail, émincées
- 1 c. à soupe d'assaisonnement à l'italienne
- 1½ grosse boîte de tomates en dés
- 1 grosse boîte de sauce tomate
- 1 petite aubergine, pelée et coupée en morceaux de 2,5 cm
- ¼ c. à thé de sel
- 454 g de tofu soyeux maigre, égoutté
- 2 gros œufs
- 1 tasse de parmesan râpé
- 9 feuilles de lasagne précuite
- 2 tasses de mozzarella partiellement écrémée, râpée

L'aubergine est une excellente source d'antioxydants et remplace souvent la viande. Ici, on l'a fait rôtir afin d'éliminer son amertume ; elle se marie à merveille avec l'ail, l'oignon et la tomate pour faire un plat des plus consistants.

1. Préchauffez le four à 200 °C (400 °F). Chauffez l'huile à feu moyen dans une grande casserole. Faites-y revenir l'oignon 5 minutes ou jusqu'à ce qu'il soit tendre. Ajoutez l'assaisonnement italien et faites cuire 1 minute. Ajoutez les tomates et la sauce tomate et portez à faible ébullition. Baissez le feu à doux et laissez mijoter 40 minutes.
2. Vaporisez d'huile d'olive une plaque à pâtisserie à rebord. Disposez l'aubergine sur la plaque, vaporisez d'huile d'olive et saupoudrez de sel. Faites rôtir 30 minutes, en retournant à l'occasion.
3. Mélangez le tofu, les œufs et le parmesan au robot culinaire jusqu'à ce que la préparation soit homogène.
4. Vaporisez d'enduit à cuisson un moule de 23 cm x 33 cm. Étalez 1 tasse de sauce dans le fond puis couvrez de trois feuilles de lasagne. Étalez la préparation au tofu, puis la moitié de l'aubergine. Couvrez de 1½ tasse de sauce et de ½ tasse de mozzarella. Répétez. Terminez avec le reste des lasagne, de la sauce et de la mozzarella.
5. Couvrez de papier aluminium et faites cuire 1 heure au four. Retirez le papier et poursuivez la cuisson 15 minutes. Laissez refroidir légèrement avant de servir.

calories : 229 ; protéines : 15 g ; glucides : 23 g ; fibres : 3 g ; lipides totaux : 10 g ; lipides saturés : 4 g ; cholestérol : 51 mg ; sodium : 852 mg

Chili aux trois haricots Donne 8 portions

Préparation • 10 minutes
Cuisson • 7 heures, 15 minutes

3 carottes, tranchées

3 branches de céleri, tranchées

2 gousses d'ail, émincées

1 gros oignon, haché

1 grosse boîte de tomates broyées

2 tasses de salsa

2 c. à thé de poudre de chili

1 c. à thé de cumin moulu

1 boîte de haricots rognons, égouttés et rincés

1 boîte de haricots noirs, égouttés et rincés

1 boîte de haricots blancs, égouttés et rincés

1 poivron vert, haché

1 poivron rouge, haché

Tous les ingrédients de ce plat sont riches en vitamines, minéraux, antioxydants et fibres. En outre, ce plat cuit tout doucement à la mijoteuse tandis que vous vaquez à vos autres occupations. Pour varier, changez de salsa, qui sera plus ou moins piquante selon qu'elle renfermera des chipotle, de l'ail rôti ou du piment doux.

1. Mettez les carottes, le céleri, l'ail, l'oignon, les tomates, la salsa, la poudre de chili et le cumin dans une mijoteuse de 3 à 5 litres. Couvrez, réglez le thermostat à «high» et laissez cuire 5 à 7 heures ou jusqu'à ce que les légumes soient tendres.
2. Incorporez les haricots et les poivrons, et faites cuire 15 minutes à découvert ou jusqu'à ce que le chili épaississe légèrement et que les poivrons soient tendres.

calories : 299 ; protéines : 19 g ; glucides : 58 g ; fibres : 20 g ; lipides totaux : 2 g ; lipides saturés : 0 g ; cholestérol : 0 mg ; sodium : 712 mg

Brochettes de thon Donne 4 portions

Préparation • 35 minutes
Cuisson • 5 minutes

¼ tasse de jus de lime

1 c. à soupe d'huile d'olive

1 gousse d'ail, émincée

1 c. à thé de gingembre, fraîchement râpé

¼ c. à thé de sel

750 g de darnes de thon, coupées en carrés de 3,5 cm

2 tasses de tomates cerise

6 oignons verts, coupés en tronçons de 5 cm

Riche en oméga-3, le thon frais diffère beaucoup de son équivalent en boîte ; sa saveur est notamment plus douce. Fermes et denses, les darnes ont la consistance de la viande.

1. Dans un petit bol peu profond, mélangez le jus de lime, l'huile, l'ail, le gingembre et le sel. Ajoutez les carrés de thon et retournez-les. Laissez reposer 30 minutes, en retournant une fois. Mettez à tremper 8 baguettes de bois 30 minutes dans l'eau.
2. Préchauffez le gril. Vaporisez une grille d'enduit à cuisson. Enfilez en alternance le thon, les tomates et les oignons verts sur les baguettes. Grillez 5 minutes ou jusqu'à ce que la chair soit opaque, en retournant une fois.

calories : 304 ; protéines : 40 g ; glucides : 7 g ; fibres : 2 g ; lipides totaux : 12 g ; lipides saturés : 3 g ; cholestérol : 65 mg ; sodium : 226 mg

Tacos de poisson Donne 4 portions

Préparation • 20 minutes
Cuisson • 7 minutes

1 c. à soupe d'huile d'olive

2 gousses d'ail, émincées

1 c. à thé cumin moulu

½ c. à thé de sel

3 c. à soupe de jus de lime

750 g de filets de flétan

1 mangue mûre, pelée, dénoyautée et hachée

½ petit poivron rouge, épépiné et finement haché

½ piment jalapeño, épépiné, membranes enlevées, et finement haché (portez des gants pour le manipuler)

¼ tasse de coriandre fraîche, hachée (facultatif)

8 tortillas de maïs (20 cm)

1 tasse de laitue, coupée en lanières

La mangue, riche en bêta-carotène, vitamine C, potassium et fibres, se marie tout particulièrement bien à la saveur épicée des piments. Elle contient également une enzyme qui agit comme calmant sur l'estomac. Les tortillas de maïs sont riches en antioxydants.

1. Préchauffez le gril. Vaporisez une grille d'enduit à cuisson. Dans un bol moyen, mélangez l'huile, l'ail, le cumin, le sel, 1 c. à soupe de jus de citron vert et le poisson, et remuez. Laissez reposer 15 minutes.
2. Dans un petit bol, mélangez la mangue, le poivron, le jalapeño, la coriandre fraîche, si vous l'utilisez, et 2 c. à soupe de jus de lime. Réservez.
3. Enveloppez les tortillas dans du papier aluminium. Retirez le poisson de la marinade et mettez-le sur la grille. Faites-le griller 3 à 6 minutes, jusqu'à ce que sa chair soit opaque. Réservez dans une assiette et mettez les tortillas à réchauffer 1 minute dans le four. Défaites le poisson à la fourchette.
4. Garnissez les tortillas de quantités égales de laitue, poisson et salsa.

calories : 380 ; protéines : 39 g ; glucides : 36 g ; fibres : 5 g ; lipides totaux : 9 g ; lipides saturés : 1 g ; cholestérol : 54 mg ; sodium : 430 mg

Darnes de saumon, salsa de pêche Donne 4 portions

Préparation • 15 minutes
Cuisson • 8 minutes

2 pêches, pelées, dénoyautées et hachées

1 poivron rouge, épépiné et haché

1 piment jalapeño, épépiné, membranes enlevées, et émincé (portez des gants pour le manipuler)

1 gousse d'ail, émincée

½ c. à thé de sel

½ c. à thé de poivre noir

2 c. à soupe de miel

2 c. à soupe de jus de lime

4 darnes de saumon

2 c. à soupe d'huile d'olive

À défaut de pêches fraîches, prenez-en des surgelées, sans sirop, ou substituez-leur d'autres fruits, par exemple melon brodé, prune, poire, raisin ou ananas.

1. Dans un petit bol, mélangez les pêches, le poivron, le jalapeño, l'ail, ¼ de c. à thé de sel, ¼ de c. à thé de poivre noir, le miel et le jus de lime. Remuez et réservez.
2. Saupoudrez ¼ de c. à thé de sel et ¼ de c. à thé de poivre noir sur les deux faces des darnes. Chauffez l'huile à feu vif dans une grande poêle antiadhésive. Faites-y revenir le saumon 4 minutes ou jusqu'à ce qu'il soit doré et noirci par endroits, en retournant une fois. Baissez le feu à moyen-doux et laissez cuire 3 ou 4 minutes ou jusqu'à ce que la chair soit opaque. Servez avec la salsa.

calories : 439 ; protéines : 35 g ; glucides : 17 g ; fibres : 2 g ; lipides totaux : 26 g ; lipides saturés : 5 g ; cholestérol : 100 mg ; sodium : 393 mg

Maquereau aux tomates rôties Donne 4 portions

Préparation • 5 minutes
Cuisson • 10 minutes

450 g de filets de maquereau

2 c. à soupe de mayonnaise maigre

¼ tasse de basilic frais

2 grosses tomates, tranchées

½ c. à thé de sel

¼ c. à thé de poivre noir

Le maquereau est riche en oméga-3. Mayonnaise, tomate et basilic en atténueront la saveur prononcée. À noter que la cuisson accroît la disponibilité du lycopène de la tomate.

1. Préchauffez le four à 200 °C (400 °F). Mettez le poisson sur une plaque à pâtisserie et enduisez-le de mayonnaise. Couvrez de basilic et de tomates, salez et poivrez. Selon l'épaisseur, faites cuire au four 5 à 10 minutes, ou jusqu'à ce que la chair s'opacifie.

calories : 268 ; protéines : 22 g ; glucides : 4 g ; fibres : 1 g ; lipides totaux : 18 g ; lipides saturés : 4 g ; cholestérol : 79 mg ; sodium : 450 mg

Saumon grillé et épinards sautés Donne 4 portions

Préparation • 5 minutes
Cuisson • 10 minutes

¼ tasse de vinaigre balsamique

2 c. à soupe de cassonade

1 c. à thé de moutarde en poudre

½ c. à thé de sel

625 g de saumon, coupé en 4 morceaux

1 c. à soupe d'huile d'olive

1 gros oignon rouge, coupé en fines languettes

250 g de petits épinards

Le vinaigre balsamique foncé donne de la douceur aux plats salés. Vous pouvez lui substituer du vinaigre balsamique blanc dans les plats où sa couleur risquerait d'en compromettre la présentation.

1. Préchauffez le gril. Dans un petit bol, mélangez le vinaigre, la cassonade, la moutarde et le sel. À l'aide d'un pinceau, étalez la moitié du mélange sur le saumon. Faites griller le poisson 4 ou 5 minutes ou jusqu'à ce que sa chair s'opacifie, en l'enduisant de préparation liquide au bout de 2 minutes.

2. Entre-temps, chauffez l'huile à feu moyen dans une grande poêle à frire. Faites-y revenir l'oignon 2 minutes ou jusqu'à ce qu'il soit légèrement doré. Couvrez et faites cuire 2 minutes de plus. Ajoutez les épinards et, en remuant, faites-les cuire 1 minute ou jusqu'à ce qu'ils flétrissent. Ajoutez le reste de la préparation au vinaigre et faites cuire 1 minute, en remuant, ou jusqu'à ce que la sauce épaississe légèrement.

3. Répartissez la préparation aux épinards entre 4 assiettes. Disposez le saumon sur les épinards.

calories : 356 ; protéines : 31 g ; glucides : 13 g ; fibres : 2 g ; lipides totaux : 20 g ; lipides saturés : 4 g ; cholestérol : 84 mg ; sodium : 428 mg

Cari de pétoncles grillés Donne 4 portions

Préparation • 5 minutes
Cuisson • 15 minutes

½ tasse de yogourt nature maigre

2 c. à thé de fécule de maïs

750 g de pétoncles

1 c. à soupe de poudre de cari

½ c. à thé de sel

3 c. à soupe d'huile d'olive

300 g de tomates cerise ou raisin, coupées en deux

6 oignons verts, tranchés

Ce plat déborde d'antioxydants. Dans cette recette, le yogourt remplace avantageusement la crème, sans fournir ses gras indésirables. Servez sur du riz complet ou du quinoa.

1. Dans un petit bol, mélangez le yogourt et la fécule de maïs, et réservez. Mettez les pétoncles dans un bol moyen, saupoudrez de poudre de cari et de sel, et remuez.
2. Dans une grande poêle à frire antiadhésive, chauffez à feu moyen-vif 2 c. à soupe d'huile. Faites-y revenir les pétoncles 3 à 6 minutes, en retournant pour en dorer toutes les faces. La chair devrait être opaque. Retirez-les de la poêle à l'aide de pinces ou d'une cuiller à égoutter.
3. Versez 1 c. à soupe d'huile dans la poêle à frire et baissez le feu à doux. Ajoutez les tomates et les oignons verts, et faites cuire 4 minutes ou jusqu'à ce qu'ils soient légèrement dorés et tendres.
4. Mettez les pétoncles dans la poêle à frire avec la préparation au yogourt. Faites cuire 2 minutes ou jusqu'à ce que la sauce épaississe.

calories : 287 ; protéines : 31 g ; glucides : 12 g ; fibres : 2 g ; lipides totaux : 13 g ; lipides saturés : 2 g ; cholestérol : 58 mg ; sodium : 595 mg

Crevettes à la thaïlandaise Donne 4 portions

Préparation • 5 minutes
Cuisson • 15 minutes

1 boîte de lait de coco léger

1 tasse de bouillon de poulet ou de légumes, à faible teneur en sodium

2 c. à soupe de sauce soya, à faible teneur en sodium

¼ à ½ c. à thé de pâte de cari verte

500 g de crevettes, décortiquées et déveinées

8 oignons verts, émincés

1 grosse tomate, épépinée et hachée

1 c. à soupe de jus de lime

2 tasses de riz entier ou de quinoa cuit

Le lait de coco, à faible teneur en corps gras, atténue le piquant de la pâte de cari et permet de préparer en quelques minutes un plat de crevettes savoureux à souhait.

1. Dans une grande casserole, battez le lait de coco, le bouillon, la sauce soya et la pâte de cari. Portez à ébullition à feu moyen. Ajoutez les crevettes et les oignons verts et faites cuire 5 minutes ou jusqu'à ce que la chair des crevettes s'opacifie.
2. Retirez du feu et incorporez la tomate et le jus de lime. Servez sur du riz complet ou du quinoa.

calories : 311 ; protéines : 23 g ; glucides : 31 g ; fibres : 3 g ; lipides totaux : 9 g ; lipides saturés : 6 g ; cholestérol : 168 mg ; sodium : 516 mg

Poulet cuit au four, garniture de tomates Donne 4 portions

Préparation • 10 minutes
Cuisson • 15 minutes

1 œuf

½ c. à thé de sel

½ tasse de noix du Brésil rôties ou d'amandes blanchies, finement hachées

⅓ tasse de germe de blé

4 poitrines de poulet, désossées, sans la peau

2 c. à soupe d'huile d'olive

2 tasses de tomates cerise ou raisin, coupées en deux

1 c. à thé de basilic séché

Exceptionnellement riche en sélénium, minéral antioxydant, la noix du Brésil enrichit la garniture du poulet tout en lui donnant du croquant. Quant au germe de blé, il apporte au plat sa vitamine E et son folate.

1. Préchauffez le four à 220 °C (425 °F). Vaporisez une plaque à pâtisserie d'enduit à cuisson.

2. Dans un bol peu profond, battez l'œuf, le sel et 1 c. à soupe d'eau. Dans un autre bol peu profond, mélangez les noix et le germe de blé. Trempez le poulet dans l'œuf, puis dans la préparation aux noix. Disposez-le sur la plaque à pâtisserie et vaporisez d'enduit è cuisson. Selon l'épaisseur, faites-le cuire 15 à 20 minutes ou jusqu'à ce qu'il soit cuit et croustillant, en retournant une fois.

3. Entre-temps, chauffez l'huile à feu moyen dans une grande poêle à frire. Ajoutez les tomates et le basilic et faites cuire 3 minutes ou jusqu'à ce que les tomates soient dorées. Servez avec le poulet.

calories : 371 ; protéines : 34 g ; glucides : 10 g ; fibres : 4 g ; lipides totaux : 22 g ; lipides saturés : 5 g ; cholestérol : 121 mg ; sodium : 391 mg

Casserole poulet et orge Donne 4 portions

Préparation • 5 minutes
Cuisson • 1 heure, 5 minutes

2 c. à soupe d'huile d'olive

1 oignon, haché

1 gousse d'ail, émincée

1 tasse d'orge perlé

1 ½ tasse de bouillon de poulet

1 tasse de jus d'orange

1 c. à thé de thym séché, broyé

½ c. à thé de sel

4 poitrines de poulet avec leur os, sans la peau

½ tasse de canneberges séchées

1 orange, lavée et tranchée (facultatif)

L'orge, à saveur de noisette, est tellement riche en fibres solubles qu'il peut contribuer à faire baisser le taux de cholestérol et à stabiliser la glycémie. Mélangé à l'orange et la canneberge, il constitue une base savoureuse pour les poitrines de poulet rôties.

1. Préchauffez le four à 180 °C (350 °F). Vaporisez d'enduit à cuisson un moule de 23 cm x 33 cm.
2. Chauffez l'huile à feu moyen dans une grande poêle à frire. Faites-y revenir l'oignon et l'ail 2 minutes ou jusqu'à ce qu'ils soient tendres. Ajoutez l'orge et faites cuire 2 minutes. Ajoutez le bouillon, le jus d'orange, le thym et le sel, et portez à ébullition. Versez délicatement dans le moule. Disposez les poitrines de poulet, couvrez et faites cuire 45 minutes.
3. Découvrez et incorporez les canneberges dans la préparation à l'orge. Si désiré, recouvrez chacune des poitrines de 1 ou 2 tranches d'orange. Faites cuire 15 minutes ou jusqu'à ce que le poulet soit cuit, et l'orge, tendre.

calories : 451 ; protéines : 34 g ; glucides : 58 g ; fibres : 10 g ; lipides totaux : 10 g ; lipides saturés : 2 g ; cholestérol : 68 mg ; sodium : 548 mg

Poulet, sauce à l'ail Donne 4 portions

Préparation • 5 minutes
Cuisson • 13 minutes

2 c. à soupe d'huile d'olive

4 poitrines de poulet, désossées, sans la peau

4 gousses d'ail, émincées

¼ tasse de vin blanc ou de vinaigre balsamique blanc

1¾ tasse de bouillon de poulet

Ce plat riche en ail protégera votre cœur. Servez-le sur du riz complet avec du brocoli vapeur ou comme plat d'accompagnement.

1. Chauffez l'huile à feu moyen dans une grand poêle à frire. Ajoutez le poulet et faites le cuire 5 minutes ou jusqu'à ce qu'il soit doré sur les deux faces. Retirez-le de la poêle.
2. Faites cuire l'ail dans la poêle à frire 2 minutes ou jusqu'à ce qu'il soit tout juste tendre.
3. Ajoutez le vin et déglacez la poêle 3 minutes, en grattant. Ajoutez le bouillon, et remettez le poulet et ses jus dans la poêle. Faites cuire 5 à 10 minutes ou jusqu'à ce qu'il soit bien cuit.

calories : 214 ; protéines : 28 g ; glucides : 3 g ; fibres : 0 g ; lipides totaux : 8 g ; lipides saturés : 1 g ; cholestérol : 68 mg ; sodium : 268 mg

Escalopes de dinde, salsa de pamplemousse

Donne 4 portions

Préparation • 10 minutes
Cuisson • 3 minutes

2 pamplemousses rouges, coupés en quartiers et hachés

½ petit poivron rouge, épépiné et émincé

4 oignons verts, hachés

1 c. à soupe d'huile d'olive

½ c. à thé de sucre

450 g d'escalopes de poitrine de dinde

¼ c. à thé de sel

¼ c. à thé de poivre noir

Optez de préférence pour le pamplemousse rouge, qui est une excellente source de vitamine C et de lycopène. Dans ce plat, le pamplemousse se marie avec du poivron croquant et des oignons verts piquants et donne aux escalopes de dinde une saveur exceptionnelle.

1. Dans un petit bol, mélangez le pamplemousse, le poivron, les oignons verts, l'huile et le sucre. Réservez.
2. Salez et poivrez les escalopes. Vaporisez d'enduit à cuisson une grande poêle à frire et chauffez à feu moyen. Faites cuire les escalopes, en plusieurs fois si nécessaire, 3 minutes ou jusqu'à ce qu'elles soient dorées sur les deux faces. Retirez de la poêle et recouvrez de salsa.

calories : 203 ; protéines : 29 g ; glucides : 13 g ; fibres : 3 g ; lipides totaux : 4 g ; lipides saturés : 0 g ; cholestérol : 45 mg ; sodium : 256 mg

Spaghetti, sauce à la dinde Donne 6 portions

Préparation • 15 minutes
Cuisson • 1 heure, 15 minutes

2 c. à soupe d'huile d'olive

2 carottes, finement hachées

1 oignon, finement haché

1 poivron rouge, finement haché

2 gousses d'ail, émincées

450 g de poitrine de dinde hachée

½ tasse de vin blanc ou de bouillon de poulet

1 grosse boîte de tomates broyées

1 petite boîte de pâte de tomate

1 c. à thé d'assaisonnement à l'italienne

375 g de spaghetti de blé entier

½ tasse de lait à 2%

Beaucoup moins grasse que le bœuf, la dinde hachée est particulièrement mise en valeur dans cette sauce tomate consistante où abondent les légumes.

1. Chauffez l'huile à feu moyen dans une grande casserole. Ajoutez les carottes, l'oignon et le poivron, et faites cuire 5 minutes jusqu'à ce qu'ils soient légèrement dorés. Ajoutez l'ail et la dinde, et faites cuire 5 minutes, en remuant, ou jusqu'à ce que la chair blanchisse. Ajoutez le vin et faites cuire 4 minutes ou jusqu'à ce que le liquide soit absorbé.
2. Ajoutez les tomates, la pâte de tomate et l'assaisonnement à l'italienne. Baissez le feu à doux, couvrez et laissez mijoter une heure.
3. Environ 15 minutes avant de servir, mettez les spaghettis à cuire en suivant le mode d'emploi indiqué sur l'emballage.
4. Retirez la sauce du feu et incorporez le lait. Servez sur les pâtes chaudes.

calories : 437 ; protéines : 32 g ; glucides : 66 g ; fibres : 13 g ; lipides totaux : 7 g ; lipides saturés : 1 g ; cholestérol : 31 mg ; sodium : 470 mg

Bifteck de bavette au barbecue Donne 4 portions

Préparation • 6 heures, 5 minutes
Cuisson • 13 minutes

2 gousses d'ail, râpées

1 petit oignon, râpé

½ tasse de sauce tomate

2 c. à soupe de vinaigre de vin rouge

2 c. à soupe de cassonade

1 c. à soupe de sauce Worcestershire

¼ c. à thé de sel

450 g de bifteck de bavette

Le bifteck de bavette, excellente source de protéines, vitamines et minéraux, est très savoureux. Mariné dans une sauce barbecue maison, il ravira tout un chacun.

1. Dans un grand sac à ouverture-éclair, mélangez l'ail, l'oignon, la sauce tomate, le vinaigre, la cassonade et la sauce Worcestershire. Ajoutez le bifteck de bavette, fermez le sac et retournez. Réfrigérez 6 heures ou toute une nuit.
2. Préchauffez le gril. Retirez le bifteck de la marinade, en réservant cette dernière. Pour une cuisson mi-saignante, Grillez-le 3 à 5 minutes de chaque côté (bifteck de 2,5 cm d'épaisseur). Déposez-le sur une planche à découper.
3. Entre-temps, portez la marinade à ébullition dans une petite casserole et faites cuire 4 minutes. Tranchez le bifteck et servez avec la sauce.

calories : 219 ; protéines : 25 g ; glucides : 11 g ; fibres : 1 g ; lipides totaux : 8 g ; lipides saturés : 3 g ; cholestérol : 40 mg ; sodium : 415 mg

Rôti de bœuf en croûte d'herbes Donne 12 portions

Préparation • 15 minutes
Cuisson • 1 heure, 5 minutes

1 rôti de haut de ronde (environ 1,5 kg), parée de toute graisse visible

5 gousses d'ail, émincées

1 c. à soupe d'huile d'olive

1 c. à thé de basilic séché

1 c. à thé de thym séché

1 c. à thé de moutarde en poudre

1 c. à thé de sel

1 c. à thé de poivre noir

Le haut de ronde, une coupe de boeuf à la fois très tendre et maigre, sera délicieux garni d'ail, de basilic, de thym et de moutarde.

1. Préchauffez le four à 180 °C (350 °F). Rincez la viande et séchez-la avec un essuie-tout. Disposez-la sur la grille d'une grande lèchefrite.
2. Dans un petit bol, mélangez l'ail, l'huile, le basilic, le thym, la moutarde, le sel et le poivre. Frottez la viande de cette mixture.
3. Faites rôtir 55 à 65 minutes, ou jusqu'à ce qu'un thermomètre à viande piqué au centre indique 60 °C (145 °F) pour une cuisson mi-saignante, ou 71 °C (160 °F) pour une cuisson à point. Déposez le rôti sur une planche à découper et laissez-le reposer 10 minutes avant de le trancher.

calories : 169 ; protéines : 26 g ; glucides : 1 g ; fibres : 0 g ; lipides totaux : 6 g ; lipides saturés : 2 g ; cholestérol : 62 mg ; sodium : 264 mg

Ragoût de bœuf et brocoli Donne 4 portions

Préparation • 10 minutes
Cuisson • 35 minutes

4 c. à soupe d'huile d'olive

450 g de bifteck de haut de ronde, coupé en morceaux de 2,5 cm, coupés en deux

¼ c. à thé de poivre noir

¼ c. à thé de piment de Cayenne

2 oignons, coupés en quartiers

1 gousse d'ail, écrasée

1 c. à soupe de gingembre râpé

¼ tasse de sauce soya, à faible teneur en sodium

3½ tasses de bouillon de bœuf

3 carottes, coupées en juliennes de 5 cm

1 pied de brocoli, coupé en fleurette

2 c. à soupe de fécule de maïs mélangée à 2 c. à soupe d'eau

Ce ragoût consistant tire sa saveur particulière du gingembre, épice aux propriétés anti-inflammatoires. Servez-le avec du riz complet ou du pain de grain entier croûté.

1. Dans une grande casserole, chauffez 2 c. à soupe d'huile à feu vif. Assaisonnez la viande de poivre et de piment de Cayenne. Faites sauter la moitié de la viande 2 minutes, ou jusqu'à ce qu'elle soit à point. Retirez de la poêle et faites sauter le reste.
2. Ajoutez les oignons et faites les cuire 4 minutes ou jusqu'à ce qu'ils soient légèrement dorés. Incorporez l'ail et le gingembre et faites cuire 1 minute.
3. Ajoutez la sauce soya et le bouillon, et portez à ébullition à feu vif. Baissez le feu à moyen-doux, ajoutez les carottes et le brocoli, et faites cuire 10 minutes ou jusqu'à ce que la viande soit à la fois croustillante et tendre.
4. Incorporez le mélange de fécule de maïs et faites cuire 2 minutes ou jusqu'à ce que la préparation épaississe.

calories : 429 ; protéines : 31 g ; glucides : 29 g ; fibres : 7 g ; lipides totaux : 22 g ; lipides saturés : 5 g ; cholestérol : 70 mg ; sodium : 997 mg

Côtelettes de porc, fruits séchés Donne 4 portions

Préparation • 5 minutes
Cuisson • 30 minutes

4 côtelettes de porc, désossées (environ 450 g)

¼ c. à thé de sel

¼ c. à thé de poivre noir

2 c. à soupe d'huile d'olive

1 oignon moyen, finement haché

1¼ tasse de jus ou de cidre de pomme

175 g de tranches de pommes séchées

½ tasse de prunes, dénoyautées

1 c. à soupe de thym frais ou 1 c. à thé de thym séché

Mijotées dans le cidre de pommes avec des fruits séchés, les côtelettes de porc acquièrent une saveur incomparable et sont riches en fibres et en protéines.

1. Salez et poivrez les côtelettes. Chauffez à feu moyen 1 c. à soupe d'huile dans une grande poêle à frire. Faites-y cuire les côtelettes 4 minutes ou jusqu'à ce qu'elles soient dorées sur les deux faces, en les retournant une fois. Gardez au chaud dans une assiette.
2. Ajoutez 1 c. à soupe d'huile dans la poêle à frire. Faites-y cuire l'oignon 4 minutes ou jusqu'à ce qu'il soit légèrement doré. Ajoutez le cidre et portez à faible ébullition, en grattant pour décoller les sucs. Remettez les côtelettes dans la poêle et ajoutez les pommes, les prunes et le thym. Baissez le feu à moyen-bas, couvrez et laissez mijoter environ 10 minutes ou jusqu'à ce qu'un thermomètre à mesure instantanée indique 71 °C (160 °F).

calories : 404 ; protéines : 21 g ; glucides : 51 g ; fibres : 4 g ; lipides totaux : 12 g ; lipides saturés : 3 g ; cholestérol : 59 mg ; sodium : 491 mg

Rôti de porc aux légumes Donne 8 portions

Préparation • 30 minutes
Cuisson • 1 heure, 15 minutes

1 rôti de longe de porc, désossé (environ 1 kg)

1 courge, pelée, épépinée et coupée en morceaux de 5 cm

2 oignons rouges, coupés en quartiers

2 gros poivrons rouges, épépinés, coupés en morceaux de 5 cm

2 c. à soupe d'huile d'olive

1 c. à thé de sel

1 c. à thé de poivre noir

1 c. à thé de gingembre râpé

½ c. à thé de piment de la Jamaïque, moulu

½ c. à thé de cannelle, moulue

2 tasses de cidre de pomme

Mélangés à de l'huile d'olive aromatisée de gingembre, l'oignon rouge, le poivron rouge et la courge constituent de véritables petites mines de nutriments, sans compter qu'ils sont tout à fait savoureux.

1. Préchauffez le four à 200 °C (400 °F). Disposez la courge, les oignons et les poivrons dans une grande lèchefrite. Versez un filet d'huile, saupoudrez ½ c. à thé de sel et ½ c. à thé de poivre noir, et remuez. Réservez.
2. Dans un petit bol, mélangez le gingembre, le piment de la Jamaïque et la cannelle, et remuez. Prélevez l'équivalent de 1 c. à thé du mélange d'épices et réservez dans une petite casserole.
3. Ajoutez le reste de sel et de poivre au mélange d'épices. Étalez les épices sur la viande en frottant et déposez cette dernière sur une grille dans la lèchefrite. Faites rôtir environ 1 heure ou jusqu'à ce que les légumes soient tendres et qu'un thermomètre à lecture instantanée indique 71 °C (160 °F).
4. Entre-temps, ajoutez le cidre au mélange d'épices dans la casserole. Portez à ébullition à feu vif et faites cuire environ 40 minutes ou jusqu'à ce que la sauce soit sirupeuse et ait réduit à ½ tasse.
5. Déposez la viande sur une planche à découper et laissez-la reposer 10 minutes. Versez la moitié de la préparation au cidre sur les légumes dans la lèchefrite et remuez. Faites rôtir 5 minutes. Servez avec la viande. Utilisez le reste de la préparation au cidre comme sauce.

calories : 294 ; protéines : 25 g ; glucides : 25 g ; fibres : 4 g ; lipides totaux : 11 g ; lipides saturés : 3 g ; cholestérol : 73 mg ; sodium : 360 mg

Haricots verts aux shiitakes Donne 4 portions

Préparation • 5 minutes
Cuisson • 12 minutes

500 g de haricots verts, nettoyés

2 c. à soupe d'huile d'olive

250 g de shiitakes, nettoyés, pied enlevé

1 gousse d'ail, émincée

1 tomate, épépinée et hachée

½ c. à thé de sel

Le shiitake mérite de figurer au menu car il est non seulement savoureux mais stimule le système immunitaire. Ici, il s'associe à la tomate pour transformer un simple plat de haricots verts en véritable expérience gastronomique.

1. Dans une grande casserole, portez 5 cm d'eau à ébullition à feu vif. Déposez une marguerite et ajoutez les haricots. Couvrez et faites cuire 4 minutes à feu moyen ou jusqu'à ce qu'ils soient d'un beau vert vif et croquants mais tendres. Réservez au chaud dans une assiette de service.
2. Entre-temps, chauffez l'huile à feu moyen dans une grande poêle à frire. Faites-y cuire les champignons 5 minutes, en remuant, ou jusqu'à ce qu'ils soient tendres et dorés. Ajoutez l'ail, la tomate et le sel, et faites cuire 3 minutes, en remuant, ou jusqu'à ce que la préparation forme une sauce. Versez sur les haricots.

calories : 109 ; protéines : 3 g ; glucides : 11 g ; fibres : 5 g ; lipides totaux : 7 g ; lipides saturés : 1 g ; cholestérol : 0 mg ; sodium : 300 mg

Légumes racines rôtis Donne 4 portions

Préparation • 10 minutes
Cuisson • 40 minutes

500 g de carottes, pelées et tranchées à la diagonale en morceaux de 1 cm

500 g de panais, pelés et tranchés à la diagonale en morceaux de 1 cm

2 c. à soupe d'huile d'olive

1 c. à soupe de gingembre fraîchement râpé

1 c. à thé de cannelle, moulue

½ c. à thé de sel

Proches cousins, le panais et la carotte constituent de bonnes sources de fibres mais diffèrent par leur teneur en nutriment. Le premier est riche en potassium tandis que la seconde présente un taux élevé de bêta-carotène. Rôtis avec du gingembre et de la cannelle, ils acquièrent une saveur extraordinaire .

1. Préchauffez le four à 200 °C (400 °F). Déposez les carottes, le panais, l'huile, le gingembre, la cannelle et le sel dans une grande lèchefrite et remuez. Faites rôtir 40 minutes, en retournant à l'occasion, ou jusqu'à ce que les légumes soient tendres et dorés.

calories : 199 ; protéines : 3 g ; glucides : 33 g ; fibres : 9 g ; lipides totaux : 7 g ; lipides saturés : 1 g ; cholestérol : 0 mg ; sodium : 361 mg

Choux de Bruxelles et oignons caramélisés Donne 4 portions

Préparation • 10 minutes
Cuisson • 20 minutes

450 g de chou de Bruxelles, parés et coupés en deux

2 c. à soupe d'huile d'olive

1 oignon blanc moyen, coupé en deux dans le sens de la longueur et tranché

1 oignon rouge moyen, coupé en deux dans le sens de la longueur et tranché

1 c. à soupe de thym frais, haché ou 1 c. à thé de thym séché

½ c. à thé de sel

1 c. à soupe de vinaigre balsamique blanc

Le chou de Bruxelles a des propriétés anticancéreuses et, grâce à ses fibres solubles, il fait baisser le taux de cholestérol. Cependant, certains trouvent sa saveur trop intense. Dans ce plat, les oignons doux contribuent à l'atténuer agréablement.

1. Préchauffez le four à 200 °C (400 °F). Dans une grande casserole, portez 2,5 cm d'eau à ébullition à feu moyen. Déposez-y une marguerite, puis les choux. Couvrez et faites cuire 7 minutes ou jusqu'à ce qu'ils soient croustillants et tendres.
2. Entre-temps, chauffez l'huile à feu moyen dans une casserole moyenne. Faites-y dorer les oignons environ 5 minutes, en remuant à l'occasion. Ajoutez le thym et le sel, puis baissez le feu à doux, couvrez et faites cuire 10 minutes ou jusqu'à ce que les oignons soient très tendres. Incorporez le vinaigre.
3. Disposez les choux de Bruxelles dans un plat de service, recouvrez-les du mélange d'oignons, et remuez.

calories : 141 ; protéines : 5 g ; glucides : 18 g ; fibres : 6 g ; lipides totaux : 7 g ; lipides saturés : 1 g ; cholestérol : 0 mg ; sodium : 333 mg

Brocoli rôti au fromage Donne 4 portions

Préparation • 5 minutes
Cuisson • 15 minutes

1 pied de brocoli, coupé en pointes

3 c. à soupe d'huile d'olive

2 gousses d'ail, émincées

1 c. à thé de flocons de piment rouge

¼ c. à thé de sel

¼ tasse de romano, râpé

Rôti, le brocoli acquiert une saveur douce sans cesser de fournir ses nutriments exceptionnels. Ici, il est associé à l'ail, au piment rouge et à l'huile d'olive, qui ajoutent encore plus de saveur.

1. Préchauffez le four à 220 °C (425 °F). Déposez le brocoli dans une grande lèchefrite, arrosez d'huile d'olive et parsemez d'ail, de flocons de piment fort et de sel. Remuez bien. Rôtir 15 minutes ou jusqu'à ce qu'il soit tendre et doré. Garnissez de fromage.

calories : 162 ; protéines : 6 g ; glucides : 8 g ; fibres : 3 g ; lipides totaux : 13 g ; lipides saturés : 3 g ; cholestérol : 8 mg ; sodium : 273 mg

Épinards au fromage à la crème Donne 4 portions

Préparation • 5 minutes
Cuisson • 11 minutes

2 c. à soupe d'huile d'olive

1 gros oignon, émincé

½ tasse de bouillon de poulet ou de légumes

300 g de petits épinards

60 g de fromage à la crème maigre

¼ tasse de romano, râpé

½ c. à thé de noix de muscade, râpée

L'épinard est particulièrement riche en folate, une vitamine B aux propriétés anticancéreuses, et en lutéine, caroténoïde qui contribue à prévenir la dégénérescence maculaire. Dans ce plat, il est servi avec une sauce légère rehaussée de fromage à la crème maigre.

1. Chauffez l'huile à feu moyen dans une grande poêle à frire. Faites-y dorer l'oignon environ 5 minutes. Ajoutez le bouillon et faites cuire 1 minute. Ajoutez les épinards et poursuivez la cuisson 3 minutes, en remuant, ou jusqu'à ce qu'ils soient flétris. Incorporez le fromage à la crème et le romano, faites cuire 3 minutes en remuant, ou jusqu'à ce que les ingrédients soient bien mélangés et crémeux.

calories : 178 ; protéines : 7 g ; glucides : 14 g ; fibres : 5 g ; lipides totaux : 12 g ; lipides saturés : 4 g ; cholestérol : 14 mg ; sodium : 328 mg

Risotto de riz entier Donne 4 portions

Préparation • 10 minutes
Cuisson • 1 heure

2 c. à soupe d'huile d'olive

1 oignon moyen, haché

1 poivron rouge moyen, épépiné et haché

1 tasse riz complet, à grain court ou moyen

1 gousse d'ail, émincée

½ c. à thé de curcuma

3½ tasses de bouillon de poulet, à faible teneur en sodium

⅓ tasse de romano râpé

Dans ce risotto, le riz brun remplace le traditionnel Arborio italien. Quant au curcuma, il ajoute de la couleur et lui cède ses propriétés anti-inflammatoires.

1. Préchauffez le four à 220 °C (425 °F). Dans une grande casserole ou un faitout, chauffez l'huile à feu moyen. Faites y revenir l'oignon et le poivron 3 minutes. Ajoutez le riz, l'ail et le curcuma, et faites cuire 2 minutes ou jusqu'à ce que le riz soit brillant et enduit d'huile. Ajoutez le bouillon et portez à ébullition.
2. Couvrez et faites cuire environ 55 minutes, ou jusqu'à ce que le bouillon soit absorbé et le riz tendre. Garnissez de fromage, couvrez et laissez reposer 5 minutes.

calories : 305 ; protéines : 8 g ; glucides : 43 g ; fibres : 3 g ; lipides totaux : 11 g ; lipides saturés : 3 g ; cholestérol : 10 mg ; sodium : 220 mg

Riz aux amandes Donne 6 portions

Préparation • 5 minutes
Cuisson • 55 minutes

2 c. à soupe d'huile d'olive

1 oignon moyen, haché

1 gousse d'ail, émincée

1 tasse de riz complet

½ tasse de riz sauvage

1 tasse de jus d'orange

1 c. à thé de gingembre râpé

½ tasse d'amandes grillées, hachées

½ tasse de raisins secs

Pour changer, essayez le riz complet à grain court. Il doit être mastiqué un peu plus longuement que le riz à grain long et possède une saveur de noisette qui lui est propre.

1. Chauffez l'huile à feu moyen dans une grande casserole. Faites-y revenir l'oignon et l'ail 3 minutes ou jusqu'à ce qu'ils commencent à peine à dorer.
2. Ajoutez le riz complet et le riz sauvage, 1½ tasse d'eau, le jus d'orange et le gingembre. Portez à ébullition, baissez le feu à doux, couvrez et laissez mijoter 50 minutes ou jusqu'à ce que le riz soit tendre. Incorporez les amandes et les raisins secs.

calories : 317 ; protéines : 7 g ; glucides : 53 g ; fibres : 4 g ; lipides totaux : 10 g ; lipides saturés : 1 g ; cholestérol : 0 mg ; sodium : 8 mg

Quinoa printanier Donne 6 portions

Préparation • 10 minutes
Cuisson • 25 minutes

1 tasse de quinoa, rincé et égoutté

½ c. à thé de sel

1 c. à soupe d'huile d'olive

1 petit oignon rouge, émincé

½ tasse de bouillon de poulet ou de légumes

450 g d'asperges, coupés en morceaux de 5 cm

1 tasse de pois verts frais ou décongelés

Riche en fibres et en protéines, le quinoa possède une saveur de noisette et une texture légère et crémeuse. Il peut remplacer le riz blanc dans bien des plats et sa cuisson demande moitié moins de temps que le riz complet. Dans ce plat, on l'a associé à des légumes de printemps, moment de l'année où ils sont à leur meilleur.

1. Portez 2 tasses d'eau à ébullition dans une petite casserole contenant également le quinoa et le sel. Baissez le feu à doux, couvrez et laisser mijoter 15 minutes ou jusqu'à ce que l'eau soit entièrement absorbée.
2. Entre-temps, chauffez l'huile à feu moyen dans une grande poêle à frire antiadhésive. Faites-y dorer l'oignon 4 minutes. Ajoutez le bouillon, les asperges et les pois, et faites cuire 5 minutes ou jusqu'à ce que les légumes soient encore un peu croquants mais tendres. Incorporez le quinoa.

calories : 171 ; protéines : 8 g ; glucides : 28 g ; fibres : 5 g ; lipides totaux : 4 g ; lipides saturés : 1 g ; cholestérol : 0 mg ; sodium : 262 mg

Pâtes, sauce aux noix Donne 4 portions

Préparation • 10 minutes
Cuisson • 10 minutes

- 1 boîte de penne, fusilli ou farfalle de blé entier
- 1 tasse de noix communes, rôties
- 1 à 3 gousses d'ail, broyées
- ¼ tasse de basilic frais
- 2 c. à soupe d'huile d'olive
- ½ tasse de lait concentré maigre
- ¼ tasse de parmesan râpé

Cette sauce, apparentée au pistou, acquiert une telle consistance grâce à la noix, qu'on la croirait enrichie de crème épaisse. Servez-la sur des pâtes de grains entiers, et vous aurez là un plat riche en fibres et en oméga-3.

1. Faites cuire les pâtes en suivant le mode d'emploi indiqué sur l'emballage.
2. Entre-temps, hachez finement les noix, l'ail et le basilic au mélangeur ou au robot culinaire. Ajoutez l'huile et le lait, et mélangez intimement.
3. Mélangez la sauce et les pâtes et saupoudrez de fromage.

calories : 479 ; protéines : 16 g ; glucides : 49 g ; fibres : 4 g ; lipides totaux : 26 g ; lipides saturés : 4 g ; cholestérol : 9 mg ; sodium : 115 mg

Betteraves à l'orange Donne 6 portions

Préparation • 15 minutes
Cuisson • 55 minutes

- 4 betteraves moyennes en feuilles
- 1 c. à soupe d'huile d'olive
- 1 gousse d'ail, émincée
- ½ c. à thé de sel
- 3 c. à soupe de confiture d'orange
- 1 c. à soupe de vinaigre de vin blanc
- ¼ c. à thé de poivre noir

Dans ce plat, on prépare les betteraves avec leurs feuilles afin de bénéficier à la fois de leur folate et de leur bêta-carotène. Une sauce à la confiture d'orange les accompagne.

1. Préchauffez le four à 180 °C (350 °F). Enlevez les feuilles de betterave et réservez. Pliez une feuille d'aluminium de 90 cm en deux sur la diagonale. Frottez les betteraves à la brosse et déposez-les au centre du papier. Arrosez de 1 c. à thé d'eau et repliez les bords pour fermer. Faites-les rôtir environ 45 minutes ou jusqu'à ce qu'elles soient tendres. Laissez refroidir 15 minutes, puis retirez les peaux et coupez les betteraves en huit quartiers.
2. Entre-temps, otez les tiges des feuilles de betteraves, lavez les feuilles et coupez-les en lanières de 2,5 cm. Pendant que les betteraves refroidissent, chauffez l'huile à feu moyen dans une poêle à frire. Faites-y revenir l'ail 1 minute. Ajoutez les feuilles et ¼ de c. à thé de sel, et, en remuant constamment faites-les cuire 2 minutes ou jusqu'à ce qu'elles flétrissent. Réservez dans un plat de service.
3. Faites cuire la confiture d'orange, le vinaigre, le poivre et ¼ de c. à thé de sel dans la poêle jusqu'à ce que la préparation bouillonne. Ajoutez les betteraves et remuez bien. Disposez dans le plat de service et remuez pour bien mélanger avec les feuilles.

calories : 75 ; protéines : 1 g ; glucides : 13 g ; fibres : 2 g ; lipides totaux : 2 g ; lipides saturés : 0 g ; cholestérol : 0 mg ; sodium : 253 mg

Scones à l'avoine et aux bleuets Donne 12 portions

Préparation • 10 minutes
Cuisson • 15 minutes

1 tasse d'avoine entière, moulue

1 tasse de farine à pâtisserie de blé entier

¼ tasse de sucre

2 c. à thé de levure chimique

½ c. à thé de bicarbonate de soude

½ c. à thé de sel

1 tasse de yogourt nature maigre

2 c. à soupe d'huile de canola

1 tasse de bleuets

1 c. à thé de zeste de citron râpé

Une bonne manière d'incorporer l'avoine dans son alimentation consiste à le moudre pour en faire de la farine. Dans ce plat, on l'a substituée pour moitié à la farine de blé entier.

1. Préchauffez le four à 200 °C (400 °F). Vaporisez légèrement d'enduit à cuisson une plaque à pâtisserie.
2. Dans un grand bol, battez la farine d'avoine, la farine, le sucre, la levure chimique, le bicarbonate de soude et le sel. Dans une tasse à mesurer, mélangez le yogourt et l'huile.
3. Formez un puits au centre de la farine et versez-y la préparation au yogourt. Ajoutez les bleuets et le zeste de citron, et remuez juste ce qu'il faut pour mélanger.
4. Déposez la préparation sur la plaque, ¼ de tasse à la fois. Faites cuire 12 à 15 minutes ou jusqu'à ce que les scones soient dorés.

calories : 112 ; protéines : 3 g ; glucides : 18 g ; fibres : 2 g ; lipides totaux : 3 g ; lipides saturés : 0 g ; cholestérol : 2 mg ; sodium : 255 mg

Muffins aux framboises et amandes Donne 12 portions

Préparation • 10 minutes
Cuisson • 20 minutes

2 tasses de farine à pâtisserie de blé entier

1 tasse d'amandes, rôties et finement hachées

2 c. à soupe de germe de blé

1 c. à soupe de levure chimique

½ c. à thé de sel

1 tasse de lait de soya

½ tasse de miel

1 œuf

3 c. à soupe d'huile de canola

1 c. à thé d'extrait de vanille

¼ c. à thé d'extrait d'amande

1 tasse de framboises fraîches ou décongelées

Dans ces délicieux muffins étonnamment riches en antioxydants, le lait de soya remplace le lait de vache et apporte ses propriétés nutritives.

1. Préchauffez le four à 200 °C (400 °F). Vaporisez légèrement d'enduit à cuisson un moule à muffins d'une capacité de 12 tasses.
2. Dans un grand bol, battez la farine, les amandes, le germe de blé, la levure chimique et le sel. Dans un bol moyen, battez le lait, le miel, l'œuf, l'huile et la vanille. Si désiré, ajoutez l'extrait d'amande.
3. Formez un puits au centre de la farine et versez la préparation au lait. Remuez juste ce qu'il faut pour mélanger, puis incorporez délicatement les framboises. Versez dans le moule à muffins.
4. Faites cuire 20 minutes ou jusqu'à ce qu'un cure-dent piqué au centre en ressorte sec.

calories : 198 ; protéines : 5 g ; glucides : 29 g ; fibres : 4 g ; lipides totaux : 8 g ; lipides saturés : 1 g ; cholestérol : 0 mg ; sodium : 246 mg

Scones à l'avoine et aux bleuets et Muffins aux framboises et amandes

Pain à la banane et à l'arachide Donne 10 portions

Préparation • 10 minutes
Cuisson • 20 minutes

3 bananes moyennes très mûres, réduites en purée

½ tasse de beurre d'arachide naturel

2 œufs

1 c. à soupe d'huile de canola

1½ tasse de farine à pâtisserie de blé entier

½ tasse d'avoine entière, moulue

¼ tasse de sucre

2 c. à soupe de graines de lin moulues

2 c. à thé de levure chimique

½ c. à thé de bicarbonate de soude

½ c. à thé de sel

Le beurre d'arachide donnera du mordant et de la saveur à ce pain aux bananes, en plus de lui céder ses protéines, ses vitamines et ses gras mono-insaturés. Ce pain est également riche en fibres.

1. Préchauffez le four à 180 °C (350 °F). Vaporisez légèrement d'enduit à cuisson un moule à pain de 23 cm x 12 cm.
2. Dans un bol moyen, mélangez la purée de banane, le beurre d'arachide, les œufs et l'huile. Dans un grand bol, battez la farine, l'avoine, le sucre, les graines de lin, la levure chimique, le bicarbonate de soude et le sel.
3. Formez un puits au centre de la farine, versez-y la préparation à la banane et remuez juste ce qu'il faut pour humidifier la pâte. Versez dans le moule.
4. Faites cuire 40 à 50 minutes, ou jusqu'à ce qu'un cure-dent inséré au centre en ressorte sec. Laissez refroidir 5 minutes, puis démoulez et laissez refroidir complètement.

calories : 234 ; protéines : 7 g ; glucides : 31 g ; fibres : 4 g ; lipides totaux : 9 g ; lipides saturés : 1 g ; cholestérol : 42 mg ; sodium : 351 mg

Pain de maïs piquant Donne 8 portions (illustration, p. 35)

Préparation • 20 minutes
Cuisson • 30 minutes

4 c. à soupe d'huile de canola

1 petit poivron rouge, épépiné et haché

1 piment jalapeño, épépiné, membranes enlevées, et émincé (portez des gants pour le manipuler)

1 petit oignon, haché

1 gousse d'ail, émincée

1 tasse de semoule de maïs

1 tasse de farine à pâtisserie de blé entier

2 c. à thé de levure chimique

½ c. à thé de sel

1 tasse de lait de soya

1 œuf, battu

La semoule de maïs renferme du folate et du fer. Faites cuire ce pain dans une poêle de fonte ? Non seulement, ce mode de cuisson donne de la saveur aux plats, mais la fonte les enrichit en fer.

1. Préchauffez le four à 190 °C (375 °F). Vaporisez d'enduit à cuisson un moule de 23 cm de côté.
2. Dans une poêle à frire, chauffez 1 c. à soupe d'huile à feu moyen. Faites-y dorer 4 minutes les poivrons et l'oignon. Ajoutez l'ail et poursuivez la cuisson 1 minute. Retirez du feu.
3. Dans un grand bol, mélangez la semoule de maïs, la farine, la levure chimique et le sel. Dans une tasse à mesurer, mélangez le lait, l'œuf et le reste d'huile. Formez un puits au centre de la semoule, versez-y le lait et la préparation aux poivrons, et remuez juste ce qu'il faut pour mélanger. Versez dans le moule.
4. Faites cuire 30 minutes ou jusqu'à ce qu'un cure-dent inséré au centre en ressorte sec.

calories : 205 ; protéines : 6 g ; glucides : 27 g ; fibres : 3 g ; lipides totaux : 9 g ; lipides saturés : 1 g ; cholestérol : 26 mg ; sodium : 310 mg

Pain streusel à la citrouille Donne 2 pains

Préparation • 25 minutes
Cuisson • 50 minutes

Garniture

⅓ tasse de graines de citrouille

2 c. à soupe de cassonade

2 c. à thé d'huile de canola

Pain

1 boîte de purée de citrouille

1 tasse de lait de soya

½ tasse d'huile de canola

4 gros œufs

1 tasse de cassonade

3½ tasses de farine à pâtisserie de blé entier

¼ tasse de graines de lin moulues

4 c. à thé de levure chimique

2 c. à thé de cannelle, moulue

1 c. à thé de gingembre râpé

½ c. à thé de noix de muscade fraîchement râpée

¾ c. à thé de sel

Les graines de citrouille sont riches en magnésium, et la purée de citrouille en boîte est possiblement la meilleure source de bêta-carotène au monde. Nous avons même réussi à y glisser quelques graines de lin.

1. Préchauffez le four à 180 °C (350 °F). Vaporisez d'enduit à cuisson deux moules à pain de 10 cm x 20 cm.
2. Garniture : dans un petit bol, mélangez les graines de citrouille, la cassonade et l'huile. Réservez.
3. Pain : dans un bol moyen, mélangez la purée de citrouille, le lait, l'huile, les œufs et la cassonade. Dans un grand bol, mélangez la farine, les graines de lin, la levure chimique, la cannelle, le gingembre, la noix de muscade et le sel.
4. Formez un puits au centre de la farine, versez la préparation à la citrouille et remuez juste ce qu'il faut pour mélanger. Versez dans les moules et couvrez de la garniture, en appuyant délicatement sur les graines pour les faire pénétrer dans la pâte.
5. Faites cuire 50 minutes ou jusqu'à ce qu'un cure-dent inséré au centre en ressorte sec. Laissez refroidir 10 minutes sur une grille, puis démoulez et laissez refroidir complètement.

calories : 226 ; protéines : 5 g ; glucides : 31 g ; fibres : 3 g ; lipides totaux : 9 g ; lipides saturés : 1 g ; cholestérol : 42 mg ; sodium : 252 mg

Gâteau danois à la cannelle et aux raisins secs Donne 12 portions

Préparation • 1 heure, 40 minutes
Cuisson • 30 minutes

1 tasse de muesli avec amandes

1 tasse de yogourt égoutté

1 tasse de sucre

3 œufs

⅓ tasse d'huile de canola

1 c. à soupe d'extrait de vanille

1 c. à thé de cannelle moulue

1½ c. à thé de levure chimique

1 c. à thé de bicarbonate de soude

½ c. à thé de sel

2¼ tasse de farine à patisserie de blé entier

½ tasse de raisins secs

Dans ce gâteau danois, le beurre cède la place au yogourt. La cannelle est réputée faire baisser la glycémie et les raisins secs sont riches en potassium, minéral qui exerce une action positive sur la pression artérielle.

1. Préchauffez le four à 180 °C (350 °F). Vaporisez d'enduit à cuisson un moule à cheminée. Parsemez le fond du moule de muesli.
2. Dans un grand bol, battez le yogourt égoutté (p. 292), le sucre, les œufs, l'huile, la vanille et la cannelle. Incorporez la levure chimique, le bicarbonate de soude et le sel. Ajoutez la farine et battez pour bien mélanger, puis incorporez les raisins secs. Versez dans le moule.
3. Faites cuire 30 minutes ou jusqu'à ce qu'un cure-dent inséré au centre en ressorte sec. Laissez refroidir sur une grille, puis démoulez et laissez refroidir complètement.

calories : 279 ; protéines : 7 g ; glucides : 45 g ; fibres : 3 g ; lipides totaux : 8 g ; lipides saturés : 1 g ; cholestérol : 55 mg ; sodium : 333 mg

Biscuits au chocolat et aux amandes Donne 48 biscuits

Préparation • 3 heures
Cuisson • 1 heure

2½ tasses de farine à pâtisserie de blé entier

¾ tasse de sucre

2 c. à thé de levure chimique

1 c. à thé de cannelle moulue

1 c. à thé de sel

1½ tasse d'amandes entières

175 g de chocolat mi-sucré, haché

4 gros œufs

Les amandes enrichissent ces biscuits de vitamine E, tandis que le chocolat leur confère des propriétés antioxydantes.

1. Préchauffez le four à 180 °C (350 °F). Tapissez une plaque à pâtisserie de papier parchemin. Dans un grand bol, battez la farine, le sucre, la levure chimique, la cannelle et le sel. Incorporez les amandes et les ⅔ du chocolat.
2. Battez les œufs, puis incorporez-les à la pâte. Pétrissez la pâte sur une surface légèrement enfarinée jusqu'à ce qu'elle soit homogène. Coupez-la en deux et roulez pour former deux cylindres de 30 cm de long et de 7,5 cm d'épaisseur. Déposez les cylindres sur la plaque à pâtisserie et faites cuire 30 minutes. Laissez refroidir 2 heures.
3. Coupez les cylindres en tranches d'environ 1 cm d'épaisseur. Déposez les tranches à plat sur la plaque et faites cuire 30 minutes, en retournant une fois, jusqu'à ce qu'elles soient croustillantes et légèrement dorées. Laissez refroidir 30 minutes sur une grille.
4. Entre-temps, faites fondre partiellement le reste du chocolat au micro-ondes dans un petit bol, en réglant la température à doux. Il faut compter environ 1 minute. Puis, remuez jusqu'à ce qu'il soit complètement fondu. Versez sur les biscuits.

calories : 80 ; protéines : 2 g ; glucides : 10 g ; fibres : 1 g ; lipides totaux : 4 g ; lipides saturés : 1 g ; cholestérol : 18 mg ; sodium : 75 mg

Biscuits aux grains de chocolat Donne 60 biscuits

Préparation • 15 minutes
Cuisson • 50 minutes

1½ tasse de farine à pâtisserie de blé entier

1 tasse d'avoine entière, moulue

⅓ tasse de poudre de cacao

1 c. à thé de bicarbonate de soude

½ c. à thé de sel

1 tasse de margarine ou de beurre

½ tasse de sucre cristallisé

1 tasse de cassonade blonde, tassée

2 œufs

1 c. à soupe d'extrait de vanille

1 tasse de grains de chocolat semi-sucré

1 tasse de raisins secs

1 tasse de noix communes, grossièrement hachées

Plus le chocolat est noir, plus il est sain. C'est pourquoi ces biscuits contiennent à la fois de la poudre de cacao et des grains de chocolat. Pour en rehausser la saveur et la valeur nutritionnelle, on leur a ajouté des raisins secs et des noix.

1. Préchauffez le four à 180 °C (350 °F). Dans un bol moyen, battez la farine, l'avoine, le cacao, le bicarbonate de soude et le sel.
2. À l'aide d'un batteur électrique réglé à vitesse moyenne, mélangez dans un grand bol la margarine, le sucre cristallisé et la cassonade pendant 2 minutes ou jusqu'à ce que la préparation soit légère. Ajoutez les œufs et la vanille et mélangez jusqu'à ce que la préparation soit homogène. Incorporez la préparation à la farine, puis les grains de chocolat, les raisins secs et les noix. Déposez la préparation à la cuiller sur une plaque à pâtisserie.
3. Faites cuire 10 minutes jusqu'à ce que les biscuits soient dorés. Laissez refroidir 2 minutes sur la plaque, puis déposez-les sur une grille et laissez refroidir complètement.

calories : 97 ; protéines : 1 g ; glucides : 12 g ; fibres : 1 g ; lipides totaux : 5 g ; lipides saturés : 2 g ; cholestérol : 7 mg ; sodium : 77 mg

Torte au chocolat et aux pacanes Donne 16 portions

Préparation • 2 heures, 20 minutes
Cuisson • 40 minutes

1½ tasse de moitiés de pacanes

1 tasse de sucre

175 g chocolat semi-sucré

6 œufs, séparés

¼ tasse de poudre de cacao

⅓ tasse de jus d'orange

1 c. à thé de zeste d'orange râpé

Sucre glace (facultatif)

Quartiers d'orange (facultatif)

Ce somptueux gâteau, qui regorge d'antioxydants, est meilleur quand on le consomme le jour suivant. Couvrez-le et conservez-le quelques jours à température ambiante. Vous pouvez congeler les restes.

1. Préchauffez le four à 180 °C (350 °F). Vaporisez d'enduit à cuisson un moule à charnière de 25 cm. Au robot culinaire, mélangez les pacanes avec ½ tasse de sucre jusqu'à ce qu'elles soient finement moulues. Ajoutez le chocolat et mélangez. Réservez.
2. À l'aide d'un batteur électrique réglé à haute vitesse, faites mousser les blancs d'œuf. Ajoutez graduellement ½ tasse de sucre et faites monter les œufs en neige.
3. Dans un autre bol, battez les jaunes d'œuf environ 4 minutes ou jusqu'à ce que la préparation épaississe. Ajoutez le cacao, le jus d'orange et le zeste, et battez pour bien mélanger. Incorporez la préparation aux pacanes. Incorporez le quart des blancs d'œuf, puis le reste en deux fois. Versez dans le moule.
4. Faites cuire environ 40 minutes ou jusqu'à ce qu'un couteau inséré au centre en ressorte sec. Laissez refroidir 2 heures sur une grille, puis à l'aide d'un couteau, dégagez le gâteau du moule. Si désiré, saupoudrez la torte de sucre glace garnissez-la de quartiers d'orange.

calories : 205 ; protéines : 4 g ; glucides : 21 g ; fibres : 2 g ; lipides totaux : 14 g ; lipides saturés : 4 g ; cholestérol : 79 mg ; sodium : 25 mg

Fondue au chocolat Donne 10 portions

Préparation • 5 minutes
Cuisson • 10 minutes

1 tasse de lait concentré partiellement écrémé

¼ tasse de sucre

¼ tasse de poudre de cacao

1 c. à soupe d'extrait de vanille

175 g de grains de chocolat semi-sucré

Les fruits sont encore plus sains quand on les trempe dans cette fondue faite de chocolat riche en antioxydants. Servez-la avec des quartiers de pomme ou de poire, des tranches de banane épaisses, des quartiers d'orange, des fraises ou des morceaux d'ananas.

1. Dans une petite casserole, battez le lait, le sucre, le cacao et la vanille jusqu'à ce qu'ils soient bien mélangés. Ajoutez les grains de chocolat.
2. Faites fondre 10 minutes à feu doux, en remuant à l'occasion. Versez dans un poêlon à fondue ou une petite mijoteuse réglée sur « doux ».

calories : 128 ; protéines : 3 g ; glucides : 20 g ; fibres : 1 g ; lipides totaux : 5 g ; lipides saturés : 3 g ; cholestérol : 4 mg ; sodium : 33 mg

Fondue au chocolat

Gâteau aux carottes, glaçage au fromage à la crème

Donne 12 portions

Préparation • 1 heure, 20 minutes
Cuisson • 35 minutes

½ tasse de compote de pommes

⅔ tasse de sucre cristallisé

2 gros œufs

2 c. à soupe d'huile de canola

1 c. à thé d'extrait de vanille

1¼ tasse de farine à pâtisserie de blé entier

1 c. à thé de bicarbonate de soude

1 c. à thé de cannelle moulue

½ c. à thé de sel

3 grosses carottes râpées

½ tasse de noix, hachées

30 g de fromage à la crème maigre

2 c. à soupe de lait à 2 %

2 à 3 c. à soupe de sucre glace

Ce gâteau dense et savoureux est essentiellement composé d'ingrédients sains. Vos convives s'extasieront devant sa saveur et son moelleux.

1. Préchauffez le four à 180 °C (350 °F). Vaporisez d'enduit à cuisson un moule à gâteau rond de 23 cm. Dans un petit bol, battez la compote de pommes, le sucre, les œufs, l'huile et la vanille.
2. Dans un grand bol, battez la farine, le bicarbonate de soude, la cannelle et le sel. Formez un puits au centre de la farine, versez la préparation à la pomme et remuez juste ce qu'il faut pour mélanger. Incorporez les carottes et les noix. Versez dans le moule.
3. Faites cuire 35 minutes ou jusqu'à ce qu'un cure-dent inséré au centre en ressorte sec. Laissez refroidir 10 minutes sur une grille, puis démoulez et laissez refroidir 1 heure.
4. Entre-temps, dans un petit bol, battez le fromage à la crème et le lait. Ajoutez 2 c. à soupe de sucre glace en battant ; si le glaçage est trop liquide, ajoutez-en d'autre. Disposez le gâteau sur une assiette de service et versez le glaçage dessus.

calories : 160 ; protéines : 3 g ; glucides : 23 g ; fibres : 2 g ; lipides totaux : 6 g ; lipides saturés : 1 g ; cholestérol : 37 mg ; sodium : 236 mg

Croquant à la poire

Donne 6 portions

Préparation • 10 minutes
Cuisson • 30 minutes

5 poires moyennes, tranchées

½ tasse de prunes, hachées

¼ tasse de cassonade

1 c. à soupe de gingembre confit, haché

1 c. à soupe de jus de citron

2 tasses de muesli maigre

3 c. à soupe de sirop d'érable

Voilà une bonne manière d'incorporer des prunes dans un dessert et de bénéficier des fibres de la poire. Dans ce croquant, prunes, poires, sucre et gingembre sont associés avec bonheur, et sont mis en valeur par une simple garniture de muesli.

1. Préchauffez le four à 180 °C (350 °F). Dans un grand bol, mélangez les poires et les prunes. Saupoudrez de cassonade et de gingembre, et ajoutez le jus de citron. Remuez délicatement. Versez dans un moule à tarte de 23 cm.
2. Dans un petit bol, mélangez le muesli et le sirop d'érable. Saupoudrez-en les fruits, en appuyant légèrement pour le faire adhérer. Faites cuire 30 minutes ou jusqu'à ce que la préparation bouillonne au centre et que les poires soient tendres.

calories : 322 ; protéines : 4 g ; glucides : 75 g ; fibres : 6 g ; lipides totaux : 3 g ; lipides saturés : 0 g ; cholestérol : 0 mg ; sodium : 96 mg

Carrot [illegible] Cream Cheese Glaze

Mousse de fraises surgelées Donne 4 portions

Préparation • 5 minutes

1 tasse de lait concentré partiellement ou totalement écrémé, froid

2 c. à soupe de sucre glace

1 c. à thé zeste d'orange, râpé

2 tasses de fraises surgelées

Cette gâterie légère vous permettra de tirer parti des propriétés nutritives et antioxydantes des fraises même durant les journées froides de l'hiver.

1. Dans une tasse à mesurer, mélangez le lait, le sucre et le zeste.
2. Passez rapidement les fraises au robot culinaire de manière à les hacher grossièrement, sans plus. En laissant l'appareil tourner, ajoutez graduellement le lait. Servez sans délai.

calories : 88 ; protéines : 5 g ; glucides : 15 g ; fibres : 2 g ; lipides totaux : 1 g ; lipides saturés : 1 g ; cholestérol : 10 mg ; sodium : 70 mg

Granité de grenade Donne 4 portions

Préparation • 4 heures, 10 minutes

2 tasses de jus pur de grenade et de bleuet

¼ tasse de jus de lime

2 c. à soupe de sucre

Riche en antioxydants, ce dessert rafraîchissant est idéal pour les soirées chaudes de l'été ou pour clore un repas épicé. Assurez-vous que le jus utilisé soit pur et ne renferme pas de sucre.

1. Dans un moule métallique carré de 23 cm de côté, battez le jus de grenade, le jus de lime et le sucre jusqu'à ce que ce dernier soit dissous. Congelez 1 heure, puis remuez pour incorporer la glace. Remettez le granité au congélateur en l'y laissant 4 heures ou jusqu'à ce qu'il forme des cristaux de glace, et en le remuant toutes les 45 minutes.

calories : 98 ; protéines : 1 g ; glucides : 25 g ; fibres : 0 g ; lipides totaux : 0 g ; lipides saturés : 0 g ; cholestérol : 0 mg ; sodium : 15 mg

Pouding au riz Donne 4 portions

Préparation • 5 minutes
Cuisson • 1 heure, 35 minutes

3 tasses de lait de soya à la vanille

⅔ tasse de riz complet

½ c. à thé de cannelle moulue

¼ c. à thé de sel

2 œufs, à température ambiante, légèrement battus

½ tasse de raisins secs

½ tasse de noix concassées (noix du Brésil, amande, noix commune)

Ce plat crémeux et réconfortant est plus sain que bien d'autres. Nous avons substitué du lait de soya au lait de vache.

1. Dans une casserole, mélangez le lait de soya, le riz, la cannelle et le sel. Portez à faible ébullition, baissez le feu à doux, couvrez et laissez mijoter 1½ heure. Retirez du feu et laissez refroidir 5 minutes.
2. Incorporez ½ tasse de la préparation au riz dans les œufs, en remuant constamment. Incorporez graduellement ce mélange au reste du riz. Sans cesser de remuer, faites cuire à feu doux 5 minutes ou jusqu'à ce que la préparation épaississe. Incorporez les raisins secs et les noix. Servez le pudding chaud ou froid, après l'avoir réfrigéré.

calories : 354 ; protéines : 13 g ; glucides : 50 g ; fibres : 4 g ; lipides totaux : 12 g ; lipides saturés : 1 g ; cholestérol : 106 mg ; sodium : 256 mg

Tartelette aux baies Donne 12 portions

Préparation • 2 heures, 20 minutes
Cuisson • 40 minutes

¼ tasse d'eau glacée, sans glace

3 c. à soupe de yogourt nature maigre

1 tasse farine à pâtisserie de grains entiers

½ tasse de farine

1 c. à soupe + ⅓ tasse de sucre

¼ c. à thé de cannelle moulue

¼ c. à thé de sel

7 c. à soupe de margarine ou de beurre

5 tasses de petits fruits mélangés (bleuet, framboise, fraise)

2 c. à soupe de fécule de maïs

1 c. à soupe de jus de citron

Sucre glace (facultatif)

Joliment présentées dans une pâte feuilletée légère à souhait, les baies fourniront beaucoup d'antioxydants et de fibres. Utilisez celles de votre choix et variez les saveurs en remplaçant le jus de citron par du jus de lime et la cannelle par du gingembre.

1. Dans une tasse à mesurer, battez l'eau et le yogourt. Passez au robot culinaire les farines, 1 c. à soupe de sucre, la cannelle et le sel. Ajoutez la margarine et mélangez jusqu'à ce que la préparation ressemble à une chapelure grossière. En laissant tourner l'appareil, ajoutez graduellement la préparation au yogourt. Évitez de trop mélanger. Formez une boule avec la pâte, enveloppez-la dans du plastique et laissez-la au réfrigérateur au moins 2 heures.
2. Préchauffez le four à 180 °C (350 °F). Dans un grand bol, mélangez les fruits, la fécule de maïs, le jus de citron et ⅓ de tasse de sucre, et remuez délicatement.
3. Séparez la pâte en 6 petites boules. Sur une surface légèrement enfarinée, étendez-les au rouleau de manière à former des cercles de 15 cm. Disposez-les dans des moules à tartelette à fond amovible de 10 cm. Disposez les fruits sur la pâte.
4. Faites cuire 15 à 20 minutes ou jusqu'à ce que la préparation bouillonne et que la croûte soit dorée. Laissez refroidir 15 minutes. Retirez les fonds et laissez refroidir complètement. Saupoudrez de sucre glace. Une tartelette correspond à deux portions.

calories : 165 ; protéines : 3 g ; glucides : 26 g ; fibres : 3 g ; lipides totaux : 7 g ; lipides saturés : 3 g ; cholestérol : 0 mg ; sodium : 128 mg

Liste des recettes

Déjeuners

Hors-d'œuvre et collations

Salades

Soupes

Sandwichs

Plats principaux

Plats d'accompagnement

Pains, biscuits, gâteaux et muffins

Desserts

index

B

C

D

E

F

G

H

M

N

O

P

Q

R

S